SOUS LE SIGNE
DU LION

FRANÇOISE LORANGER

SOUS LE SIGNE DU LION

téléroman

LEMÉAC

Nous remercions le Conseil des arts du Canada pour l'aide généreuse accordée à la publication de ce livre.

ISBN   2-7609-3146-3

1124, rue Marie-Anne Est, Montréal (Qc) H2J 2B7

Dépôt légal — Bibliothèque nationale du Québec, 2e trimestre 1993

Imprimé au Canada

DU MÊME AUTEUR

MATHIEU, roman, CLF, 1949, Boréal, 1990.

UNE MAISON... UN JOUR..., théâtre, CLF, 1965.

ENCORE CINQ MINUTES, suivi de UN CRI QUI VIENT DE LOIN, théâtre, CLF, 1967.

DOUBLE JEU, théâtre, Leméac, 1969.

LE CHEMIN DU ROY, théâtre, en coll. avec Claude Levac, Leméac, 1969.

MEDIUM SAIGNANT, théâtre, Leméac, 1970.

JOUR APRÈS JOUR, suivi de UN SI BEL AUTOMNE, théâtre, Leméac, 1971.

Mot de l'éditeur

Au début des années 70, alors que notre collection de théâtre prenait déjà des proportions de répertoire national, les pièces de madame Françoise Loranger faisaient déjà partie des textes qui fondent une tradition théâtrale, avec *Double jeu, Medium saignant, Jour après jour, Un si bel automne,* et *Le chemin du roi,* écrit avec Claude Levac. Nous nourrissions dès lors la perspective de publier le plus remarqué des deux téléromans qu'elle avait signés dans les années 50, *Sous le signe du Lion.* Il aura fallu attendre plus de vingt ans pour que ce rêve se réalise.

Se remettant à sa table de travail, madame Loranger a complètement revu les textes des trente-deux émissions originales, retouchant les traits de certains personnages, ajoutant surtout une trente-troisième émission, qui n'a pas été diffusée, et qui résume en fait les quelques épisodes supplémentaires qu'elle avait prévus dans le scénario initial de 1958-1959.

À la différence du téléthéâtre, le téléroman construit en dialogue une intrigue dont les perspectives sont romanesques : comme chaque émission est un chapitre, les personnages vont et viennent à travers le temps, l'espace et l'intrigue sans que le lecteur-spectateur ne puisse en faire le tour avant la fin. Et cette fin n'a de sens qu'après le long déploiement des épisodes, semaine après semaine, où le récit a lieu, sous nos yeux, comme dans les pages d'un roman.

Le seul roman — mais quel roman! — que madame Loranger a publié est *Mathieu,* paru en 1949. Ce *Signe du Lion* est lui aussi d'une trempe d'écriture qui est la marque des grandes œuvres : personnages aux tempéraments excessifs, animés de passions et d'émotions fortes, tiraillés entre des pulsions extrêmes de vie et de mort; personnages aux couleurs sociales très définies, confrontés par la mort de la mère, Clothilde, à une lecture renouvelée de leurs destins respectifs. Des personnages qui restent dans notre inconscient collectif.

À l'intérieur des trois mois que dure ce roman, nous participons à une vie de famille douloureuse et déchirée par des intérêts d'argent et des émotions contradictoires. Nous lisons, en filigrane, le procès d'une société qui refusait déjà de débattre de la question, difficile, de l'euthanasie, cette délivrance encore aujourd'hui jugée illégale. Trente ans après sa création en 1960, ce téléroman nous permet de mesurer le chemin que nous n'avons pas encore parcouru.

Pierre Filion

PERSONNAGES

Jérémie Martin. Financier multimillionnaire, de la race des buldozers.
Clothilde Martin. Sa femme, qui vient de mourir

LEURS ENFANTS

Laurent. 35 ans; il marche sur les traces de son père.
Beaujeu. 33 ans; avocat surnommé «le bien-aimé» par ses frères.
Céline. 31 ans; la seule fille, sophistiquée et désespérée.
Michel. 29 ans; biologiste, vit en France.

LES CONJOINTS

Simone. Femme de Laurent.
Geneviève. Femme de Beaujeu.
Gabriel Mercier. 35 ans ; courtier, mari de Céline.

LES JULIEN

Marie-Rose. Vit à Ste-Anne-de-Remington. Amie d'enfance de Jérémie Martin.
Annette. 36 ans, une de ses filles.
Albert. 40 ans ; un de ses fils.
Martine. Fille d'Annette ; avide de vivre et de tout savoir.

LE PERSONNEL

Annette. Passagèrement gouvernante de la maison, belle, secrète, à la fois dure et tendre.
Albert. 40 ans ; maître d'hôtel, toujours inquiet.
René. 40 ans ; Français, valet de chambre de Jérémie Martin.
Maria. 50 ans ; Française, grogne beaucoup.
Carmelle. 20 ans ; fille de chambre, amoureuse de René.
Maurice. 25 ans ; chauffeur, beau et sombre, étudiant à l'École polytechnique qui a été forcé d'abandonner ses études.

LES AUTRES

Philippe Beaujeu. 25 ans ; neveu de Jérémie Martin, étudiant en médecine qui viendra habiter la maison de son oncle.

Notaire Beauchemin. Notaire de Jérémie Martin, dont il abusera.

Mounier. 40 ans ; graveur français, ami de Clothilde Martin, devenu infirme deux jours après son arrivée à Montréal.

Pelletier. 35 ans ; avocat de Mounier, jaloux de Beaujeu.

Trudeau. Chef de bureau de Jérémie Martin.

Docteur Rondeau. Médecin de Clothilde Martin, qui ne cesse de s'interroger sur sa mort.

Etc.etc...

1

Laissez les morts...

La splendide demeure de Jérémie Martin est une de ces anciennes propriétés anglaises construites à la fin du XIXe siècle sur les flancs du Mont-Royal.

Appuyé sur ses béquilles, Jean-Marie Mounier la regarde avec amertume. Ses vêtements indiquent nettement qu'il n'appartient pas à ce quartier luxueux. Immobile, il se demande ce qu'il attend pour s'en aller; son regard devient de plus en plus douloureux.

MOUNIER. «Qui suis-je?» Vous posez-vous encore cette question, madame Martin? Là où vous êtes maintenant, les questions de ce genre se posent-elles encore? Ou bien vous a-t-on déjà donné toutes les réponses?

Un fourgon d'entrepreneur de pompes funèbres passe devant lui et entre dans la propriété. Trois employés en descendent, se dirigent vers la porte d'entrée qui s'ouvre aussitôt. Albert, en tenue de maître d'hôtel, les accueille avec colère.

ALBERT. Enfin! Il est à peu près temps que vous arriviez. La famille va bientôt revenir du cimetière, si ç'a du bon sens!

LE DIRECTEUR. Je regrette! On a eu deux autres enterrements, ce matin.

ALBERT. Certainement pas aussi importants que le nôtre!

Il les conduit vers le salon au moment où Annette paraît à l'autre bout de la pièce.

ANNETTE, *mécontente.* Albert! J'avais demandé qu'on ouvre toutes les fenêtres!

ALBERT, *l'air coupable.* Oui, oui, Annette, oui, je m'en occupe! Sortez toutes vos affaires, vous autres.

Pendant que le remue-ménage continue avec entrée et sortie des employés, Annette tire sur le cordon des tentures pour les écarter. Albert ouvre la fenêtre et demande à mi-voix.

ALBERT. Les as-tu eus, Annette? Les as-tu eus?

ANNETTE, *préoccupée.* C'est bien le moment de parler de ça.

ALBERT, *la retenant anxieusement.* Annette!...

ANNETTE, *secouant la tête.* Plus tard, plus tard!

ALBERT, *anxieux.* Mais la lecture du testament a lieu c't'après-midi. C't'après-midi, Annette, penses-y.

Sans répondre, Annette se dirige vers une autre fenêtre dont elle tire la tenture.

ANNETTE. Ouvre la fenêtre. Vite donc!

ALBERT. Mais c'est peut-être même pas vrai... Elle a peut-être tout inventé ça, ta fille!

ANNETTE. Dans quel but?

ALBERT. Elle est tellement... spéciale! *(Avec espoir.)* Toi-même, tu les as toujours bien pas vus dans ses mains!

ANNETTE, *perplexe.* J'y ai pensé moi aussi!

ALBERT. En fait, pourquoi est-ce que madame Martin aurait confié quelque chose à Martine qu'elle connaissait presque pas, plutôt qu'à toi en qui elle avait confiance? Ou encore à moi qui étais à son service depuis vingt ans?

ANNETTE, *angoissée.* C'est ça que je comprends pas.

Elle se dirige vers une autre fenêtre. Albert la suit, malheureux, et la retient avant qu'elle ne tire le cordon de la tenture.

ALBERT. Je t'en supplie, Annette, essaie encore de la faire parler.

ANNETTE. Je sais même pas où elle est en ce moment. Elle me file entre les doigts comme une anguille.

Elle tire la tenture, dévoilant Martine debout dans l'embrasure de la fenêtre.

MARTINE, *moqueuse et souriante.* Est-ce moi que vous cherchez, maman?

Saisissement et visages contractés d'Annette et d'Albert. Avant qu'ils aient le temps de se ressaisir, le directeur vient prendre de hauts candélabres placés tout près d'eux.

DIRECTEUR, *à Albert.* Si vous nous aidiez, ça irait plus vite.

ALBERT, *avec hauteur.* Dites donc, vous! Est-ce à moi de faire votre travail?

DIRECTEUR, *s'éloignant.* Le temps passe!

ANNETTE, *à Albert, impérieuse.* Va lui donner un coup de main.

Albert la regarde, mécontent, jette un mauvais regard à Martine et va se mêler aux employés. Annette se tourne vers Martine.

ANNETTE, *baissant la voix.* Qu'est-ce que tu fais ici, toi? Monsieur Martin t'a défendu lui-même d'entrer dans le salon.

Martine se retourne vers la fenêtre, désinvolte.

MARTINE. J'attends qu'ils arrivent tous! J'ai pas encore eu la chance de les voir autrement que mêlés à tous les visiteurs.

ANNETTE, *sèchement.* Ils ne sont pas de ton monde, Martine.

Elle repousse Martine pour ouvrir la fenêtre.

MARTINE. Et après? Ça m'intrigue, moi, tous ces gens riches. Et comme vous refusez toujours de me parler d'eux...

ANNETTE, *après quelques secondes, plus douce.* Je refuse pas... Quand est-ce que j'aurais pu le faire? Il y a seulement six jours que t'es arrivée de Sainte-Anne-de-Remington, et madame Martin était déjà mourante. *(Elle met sa main sur l'épaule de sa fille.)* Pauvre toi, je t'ai un peu négligée dans tout ça.

MARTINE. Oh! c'est pas tellement nouveau, vous avez fait ça toute votre vie. *(Petit rire.)* Ou plutôt toute la mienne.

Le visage d'Annette se referme et redevient dur tandis qu'elle regarde sa fille avant de répondre.

ANNETTE. Si tu crois qu'elle a été facile ma vie...

MARTINE, *faisant un pas vers sa mère, conciliante.* Je vous demande pas de me la raconter, seulement de me dire par exemple... Pourquoi madame Martin voulait me connaître.

ANNETTE, *le visage fermé, se détournant.* C'était... c'était un peu pour ... *(Rapidement.)* Pour réparer une injustice qu'elle m'avait faite au moment de ta naissance.

MARTINE, *petit rire.* Ma drôle de naissance.

Annette courroucée fait un pas vers sa fille et lui prend le poignet en baissant la voix.

ANNETTE. Martine, on va certainement pas discuter nos histoires ici. Si tu veux absolument qu'on se parle, viens dans ma chambre.

MARTINE, *avec défi.* Oui? Eh bien, allons-y donc!

Annette la suit mais s'arrête et retient Martine.

ANNETTE, *hésitant.* Non... Ils vont revenir du cimetière et le salon est encore tout en désordre. Aide-moi à replacer les meubles et après, on verra.

MARTINE, *revenant à la fenêtre.* On verra quoi? Rien du tout parce que vous trouverez une autre excuse! *(Elle se tourne brusquement vers sa mère.)* Dites-moi au moins une chose. *(Sarcastique.)* Une toute petite chose.

ANNETTE, *excédée.* Qu'est-ce que tu veux savoir?

MARTINE. Est-ce aussi pour réparer l'injustice qu'elle vous a faite au moment de ma naissance que madame Martin m'a confié le petit cahier bleu? Et la lettre au notaire?

ANNETTE. Écoute-moi! Si c'est vrai ce que tu dis, donne-moi-les, Martine. Les deux! Le cahier et la lettre... *(Pressante.)* Regarde-moi quand je te parle.

MARTINE, *s'exclamant.* Une auto. Ils arrivent.

ANNETTE, *de plus en plus pressante.* Je te parle, Martine. Je suis ta mère. Donne-moi le cahier.

13

MARTINE, *agitée.* Qui est-ce, maman? Qui est-ce? Qui est-ce qui descend de l'auto?

Annette accablée se tait. Martine se rapproche de la vitre.

MARTINE. Est-ce celui-là qui s'appelle Beaujeu?

ANNETTE, *avec effort, jetant un coup d'oeil à la fenêtre.* Non, c'est Gabriel Mercier, le gendre de monsieur Martin. Avec sa femme.

MARTINE. La seule fille de monsieur Martin?

ANNETTE, *lasse.* Je te l'ai déjà dit...

MARTINE. Quel âge peut-elle avoir?

ANNETTE, *cherchant.* Trente ans, peut-être...

MARTINE. Elle a l'air de sortir d'une revue de mode.

ANNETTE, *douce amère.* Avec l'argent qu'elle a...

Martine tourne doucement la tête vers elle.

MARTINE, *lentement.* Qu'est-ce que vous en feriez du cahier, si je vous le donnais?

Annette sursaute, pleine d'espoir.

ANNETTE. Rien de mal, je peux te le garantir.

MARTINE. Pourquoi tenez-vous tant à l'avoir?

ANNETTE. Pose-moi pas de questions auxquelles je peux pas répondre en ce moment. Plus tard, je t'expliquerai, je te le jure. *(Elle cherche à l'entraîner.)* Viens, viens me le donner.

Martine se laisse faire comme si c'était un jeu.

MARTINE, *malicieuse.* Dites-moi seulement ce que vous en feriez. Seulement ça.

ANNETTE. Ça me regarde. *(S'arrêtant, interdite.)* Est-ce que tu te moques de moi? *(Brusquement.)* Écoute. Il y a peut-être dans ce cahier des choses qui pourraient me faire du tort. *(Hésitant.)* Madame Martin n'avait pas toute sa raison vers la fin...

Martine se met à rire. Annette se fâche, mais sans élever la voix.

ANNETTE. Quand même, tu voudrais pas prendre parti pour eux contre ta mère?

MARTINE. Pour eux, non... Pour elle, oui.

ANNETTE. Puisque je te dis que...

Un coup de sonnette l'interrompt. Annette s'agite.

ANNETTE. Ils vont entrer. Sors d'ici et va m'attendre dans ma chambre. *(Vivement, à voix basse.)* Va, va, je te dirai tout ce que tu veux savoir.

MARTINE. Ça m'intéresse plus. J'en apprendrai plus long par moi-même.

14

Dans le hall où Albert referme la porte derrière Céline et Gabriel qui viennent d'entrer. Martine passe, se dirigeant vers l'arrière mais regardant vers l'entrée. Albert seul la voit, non sans inquiétude et contrariété, tout en prenant le haut de forme de Gabriel, le chapeau et les gants de Céline. Le tout se fait en silence. Céline et Gabriel entrent dans la bibliothèque.C'est une grande pièce aux murs couverts de livres de haut en bas. Fauteuils de cuir très confortables. Cheminée lambrissée. Au fond, une baie vitrée donnant sur une terrasse qui domine la ville. Le pan de mur qui lui fait face est tout en fenêtres donnant sur la cour.

Gabriel, comme tous les hommes de la famille, porte le morning coat.

CÉLINE, *bouleversée.* Je n'ai jamais eu aussi honte de ma vie!

GABRIEL. Est-ce que nous pourrions parler d'autre chose? Depuis que nous avons quitté le cimetière, tu n'as...

CÉLINE, *l'interrompant.* Mais je suis scandalisée. Horrifiée. Si elle l'avait entendu, pauvre maman.

GABRIEL. Bah! Elle aurait souri.

CÉLINE, *indignée.* Ah oui? Vraiment, elle aurait souri de voir papa examiner le caveau en discutant le prix à tue-tête pour savoir s'il en avait pour son argent? Je l'entends encore. *(Elle prend un accent québécois pour imiter son père.)* «Crétac, y aura pas de mortes mieux installées dans tout le Mont-Royal. Regardez-moi ça. C'est du solide.» Dégoûtant! Dégoûtant.

GABRIEL. Il est comme ça. Ça fait partie de son dynamisme.

CÉLINE. Pouah! C'est le plus grossier personnage qu'on puisse imaginer.

GABRIEL, *s'éloignant.* Disons que ses qualités sont ailleurs...

Céline, dépitée, le regarde avec rage et se dirige vers un cabinet à liqueurs dont elle sort une carafe de whisky, une bouteille à siphon et un verre.

CÉLINE, *après un temps.* Évidemment! J'étais folle de m'imaginer que tu me donnerais raison contre lui. Il t'a acheté depuis trop longtemps pour ne pas avoir droit à ta reconnaissance.

Gabriel reçoit l'insulte sans bouger, car il connaît l'inutilité de toute protestation.

CÉLINE, *se servant à boire.* Pauvre Gabriel, il t'impressionne tellement que même en son absence tu n'oses pas le critiquer!

GABRIEL. Je le respecte suffisamment pour l'accepter tel qu'il est.

Céline se met à rire doucement.

CÉLINE. Félicitations. Voilà ce qui s'appelle se vendre avec délicatesse. Je n'ai pas acheté n'importe qui, c'est déjà ça.

GABRIEL. N'est-il pas un peu tôt pour commencer à boire?

Irritée de voir qu'elle ne parvient pas à l'ébranler, Céline boit son verre d'un seul trait.

CÉLINE, *suave.* À moins d'être un petit bourgeois, on boit quand on en a envie, mon cher, et non parce qu'il est telle ou telle heure.

Elle lui tourne le dos et va se servir un autre verre. Gabriel la regarde avec amertume et ne peut s'empêcher de soupirer. Céline se tourne vers lui.

CÉLINE, *étonnée, balbutiant.* Qu'est-ce que... qu'est-ce que tu as?

GABRIEL, *se ressaisissant.* Rien.

CÉLINE, *troublée.* Alors pourquoi... soupires-tu?

GABRIEL, *moqueur.* Mon Dieu serait-ce l'ennui? Après dix ans de mariage seulement?

Il s'éloigne et va regarder par la fenêtre en façade. Céline le suit des yeux, avec une rancœur triste.

GABRIEL, *de loin.* Ah! Voilà du renfort...

Martine entre en coup de vent dans le salon.

ANNETTE. Encore toi!

MARTINE. Vite! Il y a une auto qui vient d'arriver. Je l'ai vue d'en haut. Venez me dire qui c'est!

Elle court à la fenêtre. Annette va la rejoindre, à contrecœur.

MARTINE, *vivement.* Qui est-ce? Qui est-ce?

ANNETTE. C'est l'aîné, Laurent... Celui qui travaille avec son père.

MARTINE, *avec une moue.* Il n'est pas mal... Et l'autre? ... Est-ce Beaujeu?

ANNETTE. Non, c'est Michel, le plus jeune, le seul célibataire de la famille...

MARTINE, *intéressée.* Ah! oui? Celui que son père appelle le savant? Celui qui vit en Europe?

ANNETTE. Il a fait ses études en France.

MARTINE. Mais maintenant va-t-il rester ici?

ANNETTE. Je crois qu'il est venu seulement parce que sa mère était mourante. *(Impatiente.)* D'ailleurs qu'est-ce que ça peut te faire?

MARTINE. Dommage qu'il s'en aille! Il est pas désagréable à regarder. Et c'est le plus jeune?

ANNETTE, *agacée.* Oui, oui, mais reste donc pas là. As-tu envie qu'ils te voient?

16

MARTINE, *riant.* Pourquoi pas! Il resterait peut-être au Canada, votre savant, s'il me connaissait.
Elle rit et revient à la fenêtre.
MARTINE. Tiens! Il est encore là... L'avez-vous vu?
ANNETTE, *regardant.* Qui?
MARTINE. L'infirme, de l'autre côté de la rue... Il y a un bon quart d'heure qu'il regarde la maison.
ANNETTE. C'est curieux...
MARTINE. Vous le connaissez?
ANNETTE. Non. Il a l'air d'attendre quelqu'un.
MARTINE. Il manque seulement Beaujeu maintenant?
ANNETTE. Et monsieur Martin.
MARTINE. J'ai hâte qu'ils soient tous là.
ANNETTE, *haussement d'épaules.* T'imagines-tu qu'ils vont t'inviter à leur tenir compagnie?
MARTINE, *moqueuse.* On sait jamais!
Elle s'éloigne avec un petit rire. Annette la suit des yeux.
ANNETTE. Folle...
Mais elle le dit sans colère.

La bibliothèque où entrent Laurent et Michel.
CÉLINE. Papa n'est pas avec vous?
LAURENT, *agacé.* Il avait encore des papiers à signer au cimetière.
MICHEL. Pour notre plus grand malheur, le préposé aux registres venait de son village.
CÉLINE, *avec emphase.* Son village!
LAURENT, *les yeux au ciel.* Vous voyez ça d'ici? Il a fallu que papa lui demande des nouvelles de tout le monde. Et Beaujeu, qui avait l'air de trouver ça drôle, s'amusait à les relancer tous les deux, malgré mes efforts pour en finir.
MICHEL. Nous les avons laissés au début de la guerre de 14...
LAURENT. Il n'en est jamais sorti de son village, papa! Il a beau traiter d'égal à égal avec les représentants de la haute finance, au fond, il est resté le petit gars de Sainte-Anne-de- Remington. (*Méprisant.*) Rien de plus. Et il le restera toute sa vie.
GABRIEL. Beaujeu dit souvent que c'est le côté le plus sympathique de votre père.
MICHEL. Avec tout ça, vous verrez qu'ils arriveront après le notaire.

LAURENT. N'exagère pas. La lecture du testament a été fixée à trois heures.

MICHEL. Ah! J'avais compris que c'était pour ce matin.

CÉLINE, *ironique.* Rassure-toi, Michel, tu l'auras ton petit héritage.

> *Laurent va se servir un verre.*

LAURENT. Ne fais pas la dédaigneuse. Tu seras bien contente quand le notaire te mettra en main un beau petit chèque de cinquante mille dollars.

MICHEL, *déçu.* Seulement ça?

LAURENT. Deux cent mille dollars à séparer en quatre.

MICHEL. C'est tout ce qu'elle avait?

GABRIEL. Votre père refusait d'augmenter ses revenus. Il prétend, j'ignore si c'est vrai, qu'elle donnait tout aux pauvres.

LAURENT. Mais attention. Il y a ses bijoux. Ses bijoux qui à eux seuls valent une petite fortune.

CÉLINE, *crispée.* Et ses fourrures, et ses dentelles. Et la maison de Senneville... Et celle de La Malbaie qui lui appartenait aussi... Oh! Vous me dégoûtez. Maman est à peine enterrée et déjà vous ne pensez qu'à vous partager ses dépouilles.

MICHEL, *mal à l'aise.* Tu as raison, Céline, mais...

LAURENT, *l'interrompant.* Pardon, pardon. Elle a tort. *(Prenant les autres à témoins.)* Voilà bien les femmes à qui tout arrive rôti dans le bec. Entre nous, Céline, rien ne te force à accepter le legs de maman. Nous nous le partagerons volontiers s'il te brûle les doigts. Pas vrai, Michel?

> *Il rit. Michel absorbé ne répond pas. Céline enchaîne.*

CÉLINE, *regardant son mari, ironique.* Si Gabriel y consent...

GABRIEL, *sèchement.* Je ne veux même pas voir la couleur de cet argent.

CÉLINE, *avec un petit rire sarcastique.* Bravo. N'est-il pas généreux? Il est vrai que son mariage lui a suffisamment rapporté pour qu'il se permette aujourd'hui un tel désintéressement.

> *Gabriel se détourne sans répondre.*

LAURENT, *à Céline, haussant les épaules.* Que ce genre de remarque t'amuse encore après tant d'années... *(Il va à Gabriel et lui tape amicalement l'épaule.)* Ne l'écoute pas, elle est folle.

> *Gabriel le repousse avec un geste désabusé. Michel, qui pendant ce temps a fait des calculs, revient vers Laurent.*

MICHEL. Tu es sûr de cinquante mille? Si oui, je peux encore espérer avoir mon laboratoire. Quitte à l'agrandir plus tard...

CÉLINE, *moqueuse.* Quand papa mourra, par exemple...

LAURENT, *riant.* Oh! ça... J'espère que vous n'êtes pas pressé?

CÉLINE, *même jeu.* Bah! Son tour viendra. Patientez un peu, patientez, vous aurez toute sa fortune avant longtemps et ce jour-là, ça ne se comptera plus par milliers, mais par millions. *(Elle éclate de rire.)* Ah! Laurent, si tu pouvais te voir. Il vient de te passer dans les yeux une de ces lueurs diaboliques...

LAURENT, *agacé.* Oh! ça va.

CÉLINE, *riant toujours.* L'argent! L'argent, l'argent!

LAURENT, *à Gabriel.* Tu ne peux pas la faire taire?

GABRIEL, *douloureusement.* Elle a été écorchée vive il y a dix ans. On n'empêche pas les écorchés de crier.

MICHEL, *blessé.* Elle pourrait comprendre ce que cette somme représente pour moi! Je vais enfin pouvoir réaliser le rêve de ma vie. Grâce à maman! En quoi ça diminuerait-il le respect que j'avais pour elle? *(À Céline.)* Oh! tais-toi grand Dieu.

LAURENT, *furieux.* Oui, tais-toi.

Ils s'écartent d'elle. Gabriel va retrouver Céline et la prend par le cou.

GABRIEL, *doucement.* Tu ne vois donc pas que c'est encore à toi que tu fais le plus de mal?

Céline, qui a cessé de rire dès qu'il l'a prise par le cou, lui jette un regard éperdu et se met à pleurer la tête sur l'épaule de son mari, accrochée à son cou...

Dans le salon où Martine, toujours devant la fenêtre, s'exclame.

MARTINE, *agitée.* Le vieux arrive. Je reconnais son chauffeur...

ANNETTE, *indignée.* Je te défends de l'appeler le vieux! Je te l'ai déjà dit.

MARTINE. L'autre c'est Beaujeu, hein, maman?

ANNETTE, *la regardant, perplexe.* Il t'intéresse donc bien, celui-là?

MARTINE, *regardant par la fenêtre.* C'est lui qui pleurait le premier soir, quand ils ont entré le cercueil de sa mère dans le salon. C'est le seul qui a pleuré. Je pensais bien que ça devait être celui-là qui était Beaujeu.

ANNETTE. À quoi aurais-tu pu le deviner?

MARTINE. D'après une certaine façon que sa mère avait de parler de lui.

ANNETTE, *vivement.* Elle t'a parlé de ses enfants? De lui en particulier? Qu'est-ce qu'elle t'a dit?

19

MARTINE, *étonnée.* Et maintenant, il rit avec son père. Est-ce qu'il a déjà plus de peine? *(Scandalisée.)* C'est curieux de les voir rire comme ça, le matin même de l'enterrement!

ANNETTE, *d'une voix basse, presque désespérée.* Martine, donne-moi le cahier, si c'est vrai que madame Martin te l'a confié. Fais ce que tu voudras de la lettre, mais donne-moi au moins le cahier.

Martine s'est retournée pour la regarder. Soudain émue.

MARTINE. Moi, est-ce que vous croyez que je rirai quand je reviendrai de votre enterrement?

ANNETTE, *avec rancœur, d'une voix étouffée.* Mauvaise fille! Tu en serais bien capable.

Martine, brusquement, jette ses bras autour du cou d'Annette.

MARTINE. Mauvaise mère qui se méfie de sa fille.

ANNETTE, *avec espoir.* Tu vas me le donner, Martine? Tu vas me le donner?

Martine se ressaisit aussitôt et regarde à travers la fenêtre.

MARTINE. Ils montent. Ils vont entrer.

Elle s'éloigne de la fenêtre. Sa mère la suit.

ANNETTE. Où vas-tu?

MARTINE, *brusquement.* Est-ce que je sais? Regarder, écouter, épier. Il faut bien puisque vous ne voulez pas assouvir ma curiosité.

Dans la bibliothèque où entre Beaujeu. Laurent marche vers lui, courroucé.

LAURENT. Veux-tu me dire ce que vous aviez à rire à gorge déployée devant la maison, papa et toi?

CÉLINE, *horrifiée.* Tout de suite après l'enterrement.

GABRIEL. De quoi parliez-vous donc?

Michel seul reste à l'écart. Jérémie Martin paraît derrière Beaujeu que les autres entourent. Il a entendu les répliques précédentes. Beaujeu répond sans le voir.

BEAUJEU, *interloqué.* Mais il y a des choses qui continuent à être drôles même si maman est morte.

Leur regard lui fait comprendre que son père est derrière lui. Il ne peut s'empêcher de sourire du changement d'attitude de ses frères. Céline recule la première et va rejoindre Gabriel, cherchant inconsciemment sa protection.

CÉLINE. Rien ne vous semblerait drôle, si vous aviez vraiment de la peine.

Laurent ne s'éloigne pas et parvient à garder la même voix courroucée.

LAURENT. La moindre considération pour maman, aurait voulu, il me semble... Vous auriez pu...

Jérémie dépasse Beaujeu et arrive devant Laurent qui recule d'un pas mais continue néanmoins à regarder son père qui lui ne le quitte pas des yeux.

LAURENT, *avec effort.* Vous auriez pu... Attendre d'être parmi nous pour... Pour...

Jérémie lui donne un coup de coude dans le ventre pour le forcer à s'écarter.

JÉRÉMIE, *dédaigneusement.* Marche donc te secouer!

LAURENT, *humilié.* Ne serait-ce qu'à cause des domestiques.

Jérémie pousse une sorte d'onomatopée méprisante et continue à marcher jusqu'à son pupitre où il prend un cigare qu'il prépare tout en parlant. Laurent va se servir un verre. Michel fait de même aussitôt après.

JÉRÉMIE, *péremptoire.* Est-ce que je lui ai pas donné des belles funé-railles, à votre mère? Est-ce qu'elle a pas eu ce qu'il y avait de mieux, un enterrement de première classe? Miséricorde! Je lui ai fait chanter une grand-messe solennelle tellement longue que j'ai failli tomber endormi. Diacres, sous-diacres, les grandes orgues, la chorale, toute l'affaire. Sans compter les charriots de fleurs.

CÉLINE, *avec mépris.* Ce n'est quand même pas vous qui avez offert les fleurs.

JÉRÉMIE, *narquois.* Je te le disais bien, la semaine dernière, hein, Laurent, que j'étais plus fort que jamais. T'avais l'air d'en douter. Les as-tu comptés les charriots?

LAURENT, *corrigeant.* Les landaux...

JÉRÉMIE. Hein, les as-tu comptés? J'en avais douze! Douze char-riots de fleurs, ça représente quelque chose, mes enfants.

CÉLINE, *indignée, larmes aux yeux.* Les fleurs étaient pour maman, pas pour vous.

JÉRÉMIE. Lâche-moi donc, toi! Une femme qui vivait retirée de la vie mondaine depuis des années, qui est-ce qui lui aurait envoyé des couronnes si j'avais pas été son mari?

CÉLINE. Maman n'avait que des amis. Sans compter tous les pauvres dont elle s'occupait. Tous les gens qu'elle aidait depuis des années.

Elle va se servir un verre à son tour.

JÉRÉMIE. C'est toujours bien pas eux autres qui ont fourni les fleurs.

CÉLINE. Ils venaient prier pour elle, c'est encore mieux.

JÉRÉMIE, *riant.* Oh! ç'a dû lui faire toute une échelle pour grim-per au ciel, je suis pas inquiet!

Beaujeu qui n'a pu s'empêcher de sourire de la remarque de son père s'est tourné vers le portrait de sa mère au-dessus de la cheminée comme pour la prendre à témoin d'une querelle qui ne l'aurait pas étonnée.

BEAUJEU. Tiens! Où est donc le portrait de maman?

MICHEL. C'est pourtant vrai.

LAURENT. Je n'avais pas remarqué qu'il n'était plus là.

CÉLINE. Moi non plus.

GABRIEL. C'est vous qui l'avez fait enlever, monsieur Martin?

JÉRÉMIE, *les défiant.* C't'histoire! Qui d'autre que moi peut donner des ordres ici?

BEAUJEU. Vous étiez bien pressé, il me semble.

Jérémie qui a allumé son cigare va s'asseoir dans son fauteuil au coin de la cheminée.

JÉRÉMIE, *les regardant, provocant.* Est-ce qu'elle est morte, oui ou non?

BEAUJEU, *étonné.* Mais! ... On dirait que vous lui en faites un reproche.

JÉRÉMIE, *inflexible.* Quand on veut vivre, on vit. Est-ce que je meurs, moi? Et pourtant j'ai dix ans de plus qu'elle. Elle aurait pu attendre!

MICHEL. Allons donc. Une femme atteinte d'un cancer.

JÉRÉMIE. Tu m'ôteras pas de l'idée que pour mourir, il faut consentir à mourir.

MICHEL, *haussant les épaules.* Vous diriez ça devant un autre biologiste que moi et il vous éclaterait de rire au nez.

JÉRÉMIE. Ça changerait rien à mon opinion. Si votre mère est morte, c'est que ça l'intéressait plus de vivre, autrement elle aurait résisté à la maladie. Et pour commencer, elle aurait accepté de se faire opérer au lieu de refuser. Le docteur Rondeau était presque sûr de pouvoir la sauver. Mais elle tenait plus à vivre. Je le sais. Je le sens.

BEAUJEU. Quand même......

JÉRÉMIE. Fichez-moi la paix. Vous m'enlèverez pas ça de la tête. Aussi, cherchez pas votre mère dans la maison, j'ai fait détruire tous ses portraits.

CÉLINE. Même la miniature qu'elle avait fait faire en Italie et que j'aimais tant?

JÉRÉMIE. Brûlée...

LAURENT, *désignant l'emplacement du portrait, horrifié.* Pas... pas aussi... pas aussi celui-là?

JÉRÉMIE. Brûlé...

LAURENT. Mais c'est insensé. Vous auriez au moins pu nous l'offrir. Cette peinture avait une grande valeur.

JÉRÉMIE. Brûlée. Et toutes ses photos aussi. Tout a été brûlé par mes ordres ce matin même, pendant qu'on chantait sa messe. Elle a voulu partir, elle est partie. Et complètement. Moi, j'ai pas envie de partir. Moi je reste. *(Avec force.)* Moi, je suis vivant, et pour longtemps. Tenez-vous-le pour dit!

Dans son regard se mêlent à la fois le défi et un certain étonnement. Comme s'il y avait quelque chose de surprenant pour lui dans le fait d'être vivant alors que sa femme plus jeune vient de mourir. Un silence suit cette phrase contre laquelle personne n'ose protester mais que chacun trouve accablante. Beaujeu seul ne détourne pas la tête et continue à regarder son père.

BEAUJEU, *perplexe, après un moment.* Oui, dans la mesure où vivre et lutter sont synonymes, vous êtes bien vivant. À soixante et cinq ans, vous êtes peut-être plus vivant qu'aucun de nous ici...

Cette phrase provoque une réaction chez les autres qui se retournent pour protester. Jérémie a un éclair de satisfaction dans les yeux. Il les regarde à tour de rôle avec un petit rire féroce.

JÉRÉMIE. Alors tant pis pour vous autres, mes enfants. Vous avez pas fini de m'endurer. Sers-moi à boire, Beaujeu, et comme il est écrit dans l'Évangile, laissez les morts enterrer les morts.

Il renvoie sa tête en arrière avec un grand rire qui tombe dans le silence le plus complet.

Dehors, de l'autre côté de la rue, l'infirme regarde toujours la maison.

MOUNIER. Adieu, étrange dame de mes pensées. Cette maison où vous avez vécu ne vous ressemble pas, ne m'apprend rien de vous. Ce n'est pas là qu'il faut chercher. Où donc alors? ... Où faut-il vous chercher maintenant, ma plus que mère? Où...?

2

Beaujeu, le bien-aimé

Plus tard, le même jour, dans sa chambre (classique chambre de bonne : un lit simple, une commode, une chaise et une table), Martine se dirige vers la fenêtre ouverte, tire sur une corde à laquelle est attachée une boîte de cigares. Ouf, songe-t-elle, rassurée, elle l'a pas trouvée !... À moins que...
Elle détache la corde, ouvre la boîte et en sort un petit cahier, sorte de journal avec une fermeture à serrure. Elle soupire d'aise et le regarde avec une perplexité qui devient bientôt de l'inquiétude.

MARTINE. Qu'est-ce qu'il faut en faire? Le remettre à Beaujeu Martin ? Ça devrait déjà être fait ! Elle m'avait dit : Tout de suite après ma mort ! ... Ils l'ont enterrée ce matin et j'ai pas encore tenu ma promesse. *(Tourmentée.)* Mais maman a tellement l'air de s'inquiéter... Il faut pourtant que je me décide ! Est-ce que je le donne à Beaujeu Martin ? Et la lettre ? Est-ce que je la remets au notaire ? Je le sais pas... Je sais pas quoi faire !

En bas, dans la bibliothèque, Jérémie Martin et ses enfants attendent l'arrivée du notaire Beauchemin. Comme ils n'ont rien à se dire, ils se taisent et s'ennuient. Silence et immobilité conviennent mal à Jérémie qui s'exclame :

JÉRÉMIE. Il va t'y finir par se montrer, le vieux râleux!

Enfin résonne le timbre de la cloche d'entrée et Albert fait presque aussitôt son entrée pour annoncer le visiteur. Soupir de soulagement général. Jérémie se lève avec une cordialité inattendue.

JÉRÉMIE. Enfin ! On vous attendait, cher notaire !

NOTAIRE, *avec componction.* Encore une fois, toutes mes sympathies, monsieur Martin.

Échanges de poignées de mains.

JÉRÉMIE. Merci. Vous connaissez mes enfants?

NOTAIRE. Non, je n'ai pas le plaisir... Sauf votre fils aîné, votre associé, je crois...

JÉRÉMIE, *bourru.* Exagérons pas.

Il tend la main à Laurent.

LAURENT, *irrité et humilié.* Mon père est de la vieille école. Un seul chef et une bande d'esclaves!

JÉRÉMIE. Mon fils Beaujeu, l'avocat de la famille...

NOTAIRE. J'entends souvent parler de vous avec admiration par vos confrères...

BEAUJEU, *souriant.* Vous m'effrayez!
    Poignée de mains.
JÉRÉMIE. Mon fils Michel. *(Avec une emphase ironique.)* Not' savant!
(Bourru.) Pas besoin de vous dire que c'est pas de moi qu'il a hérité
ses goûts pour la science. Du côté de sa mère par exemple, y avait
rien que des gens instruits... Très instruits...
NOTAIRE, *serrant la main de Michel.* Très heureux...
    Nouvelle et dernière poignée de mains.
JÉRÉMIE. Et ma fille, Céline...
CÉLINE. Je vous ferai remarquer que vous auriez dû commencer
par moi.
JÉRÉMIE, *haussant les épaules, au notaire.* C'est la femme de Gabriel
Mercier, le courtier.
NOTAIRE, *s'inclinant.* Je connais très bien monsieur Mercier. Je
suis même un de ses clients. *(À Jérémie.)* Grâce à vous d'ailleurs...
CÉLINE. Est-ce la peine de le dire? Tout le monde sait que mon
mari doit tout à mon père, son siège à la Bourse, ses clients, sa
réussite, et moi-même par surcroît.
    Jérémie hausse les épaules, tandis que le notaire un peu étonné se laisse
    entraîner. Beaujeu s'approche de Céline.
BEAUJEU, *lui mettant la main sur l'épaule, à voix basse.* Céline! ... Si
Gabriel doit quelque chose à quelqu'un, c'est à toi et non à papa.
CÉLINE, *ironique.* Comme si ça ne revenait pas au même!
BEAUJEU. Ça change tout au contraire! Ça te permet de te
réjouir d'avoir été...
CÉLINE, *l'interrompant.* Épousée pour l'argent de papa!
BEAUJEU. D'avoir été en mesure d'aider Gabriel.
    Céline renvoie sa tête en arrière pour éclater de rire. Un rire amer et sans joie.
CÉLINE. Pour ça, il faudrait qu'il m'aime. Ou du moins qu'il
m'ait aimée...
BEAUJEU. Tu es la seule à...
CÉLINE, *rire désabusé.* Laisse donc, Beaujeu! Laisse donc!
JÉRÉMIE, *sans aménité.* Un peu d'attention, mes enfants.
Asseyez-vous et laissez parler Maître Beauchemin. Servez-vous de
mon pupitre, notaire.
    Le silence règne pendant que le notaire ouvre sa serviette. Cachée derrière
    l'une des tentures qui encadrent les portes de la bibliothèque, Martine écoute.
    Annette s'approche et la tire par le bras.
ANNETTE, *à voix basse.* J'en étais sûre! Viens, viens!
MARTINE. Non! Je veux écouter! Restez avec moi...
ANNETTE. Jamais de la vie!

Martine la prend par le cou et l'empêche de s'en aller.

MARTINE. Oui! Oui!

ANNETTE. Laisse-moi!

Martine met un doigt sur sa bouche et lui fait signe de se taire. Le notaire, dans le plus complet silence, brise les scellés d'une enveloppe et en sort une feuille qu'il déplie. Jérémie trône avec grandeur, sensible à la solennité de l'instant. Chacun garde un visage si digne et imperturbable que Beaujeu, debout devant la cheminée, ne peut s'empêcher de pouffer de rire. Tous se tournent vers lui avec stupéfaction.

LAURENT, *surpris.* Qu'est-ce qui te prend?

BEAUJEU, *riant.* Ça a l'air d'un film des années quarante. Lecture du Testament, scène 4...

CÉLINE, *éclate de rire.* C'est vrai!

JÉRÉMIE, *indigné.* Ça suffit, Beaujeu. Un peu de tenue.

BEAUJEU, *sérieux.* Oui, oui. Silence, on tourne!

Nouvel éclat de rire de Céline, auquel se joint celui de Michel.

JÉRÉMIE, *se levant, indigné.* Vas-tu te taire?

BEAUJEU, *apaisant.* Je m'excuse, Maître Beauchemin.

JÉRÉMIE, *se rasseyant.* Procédez, notaire.

NOTAIRE. L'An mil neuf cent soixante, le 4e jour du mois de septembre devant Maître Rémi Beauchemin, notaire à Montréal, province de Québec, en présence de dame Annette Julien également de Montréal, a comparu Dame Marie Clothilde Beaujeu Martin laquelle ayant les facultés requises par la loi, a fait et dicté son testament solennel comme suit: Article premier; comme chrétienne et catholique, je recommande mon âme à Dieu, le suppliant dans sa divine bonté de me faire miséricorde.

MICHEL, *étonné.* Maman a écrit cela?

BEAUJEU. Non, non, c'est la formule classique.

JÉRÉMIE, *furieux.* Silence, s'il vous plaît!

NOTAIRE. Article deuxième; je donne et lègue à mon mari, Jérémie Martin, de qui j'ai tout reçu, tous les biens meubles et immeubles... Bijoux, argents, assurances, créances actives de quelque notaire que ce soit que je délaisserai à mon décès, pour, par lui en jouir et disposer comme bon lui semblera...

Étonnement général. Jérémie semble aussi surpris que les autres.

JÉRÉMIE. À moi!

CÉLINE, *regardant son père.* À vous!

MICHEL, *déçu, regardant son père.* Tout ce qu'elle possédait!

LAURENT, *à son père avec haine.* Même ses bijoux!

BEAUJEU, *à son père.* Bizarre, vous ne trouvez pas?

NOTAIRE. Excusez-moi, mais...

Jérémie, regardé par tout le monde, accentue son étonnement.

JÉRÉMIE. Regardez-moi pas comme ça, mes enfants! Je suis tout aussi surpris que vous!

LAURENT, *se levant.* C'est le comble!

JÉRÉMIE. Notaire, relisez donc ce passage-là, qui a l'air d'énerver tout le monde. Vous êtes sûr de pas vous être trompé?

NOTAIRE, *penché sur sa feuille.* Heu, Article deuxième... Je donne et lègue à mon mari Jérémie Martin de qui j'ai tout reçu, tous les...

JÉRÉMIE, *l'interrompant avec un sursaut de protestation.* C'est vrai, après tout, qu'elle avait tout reçu de moi! Je veux bien croire que c'était une fille de bonne famille. Maudit! Ils étaient tous assez snobs ces Beaujeu-là!... Mais son père lui a quand même pas laissé une traître cent! Je vous prierai de vous en rappeler aussi bien que votre mère.

CÉLINE. Mais ses effets personnels lui appartenaient! *(Émue.)* Elle aurait pu penser à nous laisser au moins... Je ne sais pas...

LAURENT. Ces deux maisons, par exemple, qu'elle avait héritées de sa grand-mère et qui n'ont jamais été à vous?

BEAUJEU, *perplexe.* Je cherche à comprendre...

MICHEL, *accablé.* Elle qui pouvait réaliser mes vœux les plus chers! Et si facilement!

LAURENT, *acerbe.* Mon vieux, laisse maman tranquille et adresse tes reproches à qui les mérite!

JÉRÉMIE, *indigné.* Qu'est-ce que tu veux dire encore?

NOTAIRE, *pacifiant.* Messieurs, messieurs, je vous en prie!... Permettez-moi de continuer!

MICHEL, *avec espoir.* Il y a autre chose?... Oui, il doit y avoir autre chose! Autrement ce serait insensé!

JÉRÉMIE, *sec.* Lisez, notaire, lisez!

Jérémie se rassoit. Le silence se rétablit.

NOTAIRE. Heu... *(Lisant. Mal à l'aise.)* Article troisième... Article troisième; c'est avec instance que je demande à mes enfants de me pardonner et de ne pas croire que je les oublie par indifférence. Leur père en mourant leur rendra au centuple, ce que par ma volonté, il leur enlève aujourd'hui.

LAURENT, *répétant.* Ce que *par ma volonté* il leur enlève aujourd'hui! Qu'une mère ait pu écrire ça!

MICHEL, *révolté.* C'est inadmissible!

CÉLINE. Maman aurait tout laissé aux pauvres encore, j'aurais compris... *(Regardant son père.)* Mais à vous...

MICHEL, *avec rancœur.* À vous, qui nagez dans l'argent!...

JÉRÉMIE, *répétant.* Ce que *par ma volonté* il leur enlève aujourd'hui. *(Triomphant.)* Ça vous prouve en tout cas que j'y suis pour rien! Et que c'est bien sa volonté à elle et non la mienne!

BEAUJEU, *amusé. À son père.* La volonté d'une femme à qui il a été ordonné de ne pas avoir d'autre volonté que celle de son mari...

JÉRÉMIE. Qu'est-ce que tu entends par là? Explique-toi!

LAURENT, *éclatant de rire.* Grand Dieu, ça me paraît assez clair!

MICHEL, *qui ne peut se résoudre à accepter, s'approche du notaire.* Il n'y a pas une autre clause, vous êtes bien sûr?

NOTAIRE. Rien d'autre que la signature de votre mère, la mienne et celle du témoin...

> *Michel accablé n'insiste pas. Jérémie tout en préparant un cigare ne perd pas un mot.*

LAURENT, *au notaire.* Mais si vous avez signé ce testament, c'est que vous en connaissiez le contenu. Alors à quoi rime cette comédie et pourquoi nous avoir convoqué comme si nous étions légataires?

NOTAIRE. À cause du troisième article qui vous concerne.

LAURENT, *sarcastique.* Ah! oui, les excuses de maman...

MICHEL, *avec défi.* Je parie n'importe quoi que maman avait déjà fait un testament avant celui-ci!

NOTAIRE. En effet. Il remontait à plusieurs années en arrière.

LAURENT, *vivement.* Et il nous faisait ses légataires, j'en suis convaincu!

NOTAIRE, *froidement.* Le secret professionnel ne m'autorise pas à...

BEAUJEU. Mais non, bien sûr. D'ailleurs qu'importe puisque le dernier testament annule le premier. Dites-moi plutôt qui est cette dame Annette Julien qui a signé comme témoin?

> *Jérémie écoute plus attentivement encore. Le notaire se tourne vers lui, pour lui laisser le choix de la réponse. Laurent se méfie aussitôt.*

LAURENT. Puis-je voir le testament?

> *Le notaire lui tend le papier.*

BEAUJEU, *cherchant.* Annette Julien... Ça me rappelle quelque chose?... *(À son père)* Qui est-ce?

> *Derrière la tenture, Martine regarde sa mère.*

MARTINE, *à voix basse. Surprise.* Vous étiez là quand elle a fait son testament?

> *Annette hausse les épaules, l'air maussade, et lui fait signe de se taire.*

MARTINE. Pensez-vous que la lettre que madame Martin m'a demandé de remettre au notaire puisse changer quelque chose à tout ça?

ANNETTE, *perplexe et inquiète.* Comment veux-tu que je le sache? Vas-tu lui donner?

MARTINE, *résolue.* Oui.

ANNETTE, *gémissante.* Mais le cahier, Martine? Tu le donneras à personne, hein? À personne!

MARTINE. Chut!... Je veux écouter.

ANNETTE, *suppliante.* Martine...

MARTINE. Ils parlent de vous. Je veux savoir ce qu'ils disent de vous!

ANNETTE, *se ressaisissant. Voix dure. La tirant par le bras.* Et si moi je veux pas?

MARTINE, *avec une rage froide sans élever la voix.* Laissez-moi ou je crie. Et vous savez que j'en suis capable.

ANNETTE, *balbutiant. Les larmes aux yeux.* Comme tu me parles!... C'est comme si je comptais pas pour toi!

> *Sans bouger de sa place Martine prend sa mère par le cou pour la consoler en lui faisant signe de se taire, mais Annette se dégage et se sauve en pleurant. Martine fait un geste et un pas pour la retenir, mais ce qui se passe dans la bibliothèque la cloue sur place.*

JÉRÉMIE. Annette Julien... La sœur d'Albert voyons. Elle est ici depuis plus de six mois. Vous l'avez sûrement déjà vue?

MICHEL. Est-ce la personne qui était toujours dans la chambre de maman? Un grand tablier blanc?...

JÉRÉMIE, *vivement.* Oui, oui...

LAURENT. Une garde-malade?

JÉRÉMIE. Heu... non... pas tout à fait, mais...

BEAUJEU, *cherchant.* Annette Julien c'est curieux ça me rappelle quelque chose d'autre... De plus lointain...

JÉRÉMIE. Elle avait déjà travaillé ici, il y a très longtemps.

LAURENT. Je ne me souviens pas d'elle.

JÉRÉMIE, *haussant les épaules.* Il y a presque une vingtaine d'années de ça!

CÉLINE, *s'agitant.* Ah! oui, je me souviens! Elle était très jolie! Je me souviens! Elle venait de Sainte-Anne-de-Remington, votre village, il me semble...

JÉRÉMIE, *bref.* C't'histoire! Je viens de vous dire que c'est la sœur d'Albert...

CÉLINE. Elle était restée avec nous un peu plus d'un an... Je l'aimais bien parce qu'elle jouait avec nous! Te souviens-tu, Michel?

MICHEL. Celle qui inventait des jeux?

CÉLINE. Si je me rappelle bien, un jour maman l'a renvoyée...

JÉRÉMIE, *jouant l'étonnement.* Ah! oui?... J'avais oublié ça.

CÉLINE. Je l'ai vue souvent quand elle soignait maman, mais elle a tellement changé qu'il ne m'est jamais venu à l'idée de faire un rapprochement. Elle est encore jolie, mais d'une autre façon...

BEAUJEU. Comment se fait-il qu'elle soit revenue à la maison?

JÉRÉMIE. C'est votre mère elle-même qui a insisté pour la reprendre à son service quand elle a été forcée de rester au lit.

NOTAIRE, *prudent.* Elle m'a paru très dévouée à madame Martin. Et je dois dire que madame Martin semblait lui témoigner une grande confiance.

BEAUJEU, *à son père.* Pourquoi l'avait-elle renvoyée autrefois?

LAURENT, *ennuyé.* Oh! Zut! Qu'est-ce que ça peut nous faire!

CÉLINE, *cherchant.* Attends! Il me semble qu'il y avait un homme en cause... *(À son père.)* Est-ce possible?

JÉRÉMIE, *bourru.* Je vais dire comme Laurent, qu'est-ce que ça peut nous faire! Des histoires de femmes... Faut croire que votre mère avait oublié ça, puisque le docteur Rondeau a jamais pu la convaincre de prendre une garde-malade, excepté pour la nuit. *(À ses enfants.)* Bon, finissons-en! Si vous avez d'autres questions à poser au notaire avant qu'il s'en aille, c'est le temps. *(Au notaire)* Je ne voudrais pas vous retarder inutilement.

NOTAIRE. Je suis à votre disposition.

LAURENT, *désabusé.* À quoi bon!

NOTAIRE. Je peux vous garantir que tout s'est passé en bonne et due forme.

JÉRÉMIE. Alors personne?

Les autres se taisent. Martine se décide alors à intervenir et entre abruptement.

MARTINE. Moi, j'ai quelque chose à dire...

JÉRÉMIE, *cachant mal son agacement.* Qu'est-ce que tu viens faire ici, toi?

Les fils et Céline la regardent avec étonnement de même que le notaire.

CÉLINE. Qui est-ce?

LAURENT. C'est ce que je me demande!

JÉRÉMIE, *ennuyé.* C'est... c'est la fille d'Annette justement... dont vous parliez tantôt...

CÉLINE, *regardant Martine.* Ah! bon... Elle s'était mariée?

JÉRÉMIE, *brusquement à Martine.* Qu'est-ce que tu veux?

Martine hésite, effrayée de sa propre audace. Beaujeu lui sourit pour la mettre à l'aise.

BEAUJEU. Parlez, voyons! Vous ne courez aucun danger!

MARTINE, *perdant la tête.* J'ai quelque chose à vous remettre...

Elle fait un pas vers Beaujeu. Jérémie s'approche et la prend par le bras.

JÉRÉMIE. Qu'est-ce que tu racontes?

MARTINE, *prise de panique à Beaujeu.* C'est vous, Beaujeu Martin?

BEAUJEU, *étonné.* Oui... Vous me connaissez?

MARTINE. Oui... Non!... Heu!...

JÉRÉMIE, *avec colère.* Elle écoute aux portes. On la trouve à fureter dans tous les coins de la maison!

Il lui secoue le bras. Martine furieuse retrouve son effronterie pour lui tenir tête.

MARTINE. C'est pas vrai!

JÉRÉMIE. Petite menteuse!

BEAUJEU, *à son père.* Laissez-la, voyons!

LAURENT, *avec hauteur.* Qu'est-ce que c'est encore que cette histoire? Je suis pressé, moi, et si ma présence n'est plus nécessaire...

JÉRÉMIE. Dis ce que tu as à dire et retourne à la cuisine!

Martine, pressée d'en finir maintenant, prend une lettre dans sa poche et la tend à Beaujeu.

MARTINE, *balbutiant.* C'est pour vous! Ça vient de votre mère...

BEAUJEU. De maman!

Exclamations diverses des autres qui se rapprochent. Beaujeu regarde l'enveloppe. Jérémie curieux essaie de venir lire par-dessus son épaule, mais Beaujeu recule tandis que Martine continue en bafouillant.

MARTINE. Je... c'est... madame Martin m'a dit de vous donner ça... *(Baissant la voix.)* À vous seulement

BEAUJEU. Mais cette lettre ne m'est pas adressée!... *(Il se dirige vers le notaire.)* Elle porte votre nom M. Beauchemin. C'est bien l'écriture de maman, regardez...

Martine constate l'erreur que son trouble lui a fait commettre et met sa main sur sa bouche pour étouffer un cri.

LAURENT, *avec espoir. Au notaire.* Si c'est pour vous, c'est que ça concerne ses dernières volontés...

JÉRÉMIE, *à Martine. Lui serrant les bras.* C'est à moi que tu devais donner ça!

31

MICHEL, *vivement.* Maman a peut-être changé son testament à la dernière minute!

CÉLINE. Ce n'est pas impossible! L'autre était trop injuste!

Beaujeu revient vers Martine qui fait un pas vers lui.

MARTINE, *éplorée.* C'est une erreur! C'est pas ça que...

BEAUJEU. Mais non! Cette lettre est bien adressée au notaire.

MARTINE, *balbutiant.* C'est pas ce que je veux dire... *(Vivement.)* Laissez faire! Laissez faire!...

Jérémie semble plutôt nerveux et même inquiet de ce qui va suivre.

JÉRÉMIE. Eh! bien, eh! bien, qu'est-ce qu'il y a dans c'lettre-là? Est-ce qu'on va enfin le savoir? *(À Martine.)* Toi, sors d'ici! On t'a assez vue.

MARTINE, *éperdue.* Oh! Oui...

JÉRÉMIE. Ou plutôt non! Reste là. On aura peut-être des explications à te demander. *(À ses enfants.)* Reprenez vos places vous autres et laissez lire le notaire.

Le notaire ébranlé par l'atmosphère générale et par la personnalité de son client, redoute le pire de cette lettre qu'il décachette nerveusement.

JÉRÉMIE, *impatient.* Eh bien?... Eh bien?...

NOTAIRE. J'y arrive, monsieur Martin... *(Dépliant la feuille.)* Voilà... *(Il tousse. Lisant péniblement.)* «Ceci est un... codicile... que je veux ajouter à mon... mon testament»... Je m'excuse, l'écriture est à peine lisible... «Je désire faire un don par... particulier»...

JÉRÉMIE, *qui ressent le coup comme une insulte.* Particulier?...

MICHEL, *avec espoir.* Oh! c'est peut-être pour moi!

JÉRÉMIE, *protestant.* Taisez-vous! *(Au notaire.)* Allez-y!

NOTAIRE, *s'épongeant le front, nerveux.* J'aimerais bien qu'il n'y ait pas d'interruption.

JÉRÉMIE, *péremptoire.* Il n'y en aura plus, je vous le garantis.

NOTAIRE, *lisant.* Je désire faire un don particulier à mon fils... *(Il cherche à lire.)*

Michel se lève ému.

NOTAIRE, *lisant.* À mon fils... Beaujeu...

LAURENT, *s'exclamant.* Beaujeu, évidemment!

MICHEL, *amèrement.* Beaujeu!

CÉLINE. Beaujeu le bien-aimé!

BEAUJEU, *mal à l'aise.* Mais je n'y suis pour rien!

NOTAIRE, *suppliant.* Messieurs...

JÉRÉMIE, *éclatant.* Allez-vous vous taire à la fin! Taisez-vous, ou sortez! Poursuivez, notaire!

NOTAIRE. Où en étais-je... *(Lisant.)*... À mon fils Beaujeu. Il s'agit du... du médaillon en... en or... Oui c'est ça, en or, que je porte... toujours sur moi et... et qui... et qui me vient de ma mère. Je demande qu'il lui soit remis en présence... du notaire Beauchemin... et je forme le vœu... je forme le vœu de lui voir... lui voir porter ce médaillon... heu... jusqu'à sa mort. Signé : «Clothilde Beaujeu Martin, le 10 septembre 1960.» Cette fois, il n'y a pas eu de témoins.

Aussitôt qu'il a été question du médaillon, le visage de Martine s'est crispé jusqu'à l'angoisse, et elle a fait le geste de porter la main à sa poitrine pour y cacher quelque chose. Comme elle tourne le dos à tout le monde, personne ne s'en aperçoit et les répliques s'enchaînent aussitôt que le notaire s'est tu.

JÉRÉMIE. Le 10 septembre?... Mais c'est la veille de sa mort!

CÉLINE. En effet... Pauvre maman!

JÉRÉMIE, *méfiant.* Et elle aurait écrit ça ce jour-là, où elle était si faible? C'est impossible.

NOTAIRE. La lettre est pourtant entièrement écrite de sa main. L'écriture est évidemment tremblée, affaiblie on dirait... mais parfaitement reconnaissable. Si vous voulez vérifier.

Il tend la lettre à Michel qui la tend à Laurent.

MICHEL, *désabusé.* À quoi bon...

LAURENT, *à son père.* Vous êtes le seul que ça peut intéresser puisque c'est vous qui êtes lésé.

Il lui tend la lettre avec un petit rire. Jérémie vérifie passionnément l'écriture.

JÉRÉMIE, *maussade.* Qu'est-ce que c'est que ce médaillon? *(Les regardant.)* Vous le connaissiez?...

LAURENT, *indifférent.* Je crois vaguement m'en souvenir...

CÉLINE, *tristement.* Moi, je m'en souviens.

BEAUJEU, *ému.* Moi aussi, c'est vrai que maman le portait toujours à son cou. Il est relié à tous mes souvenirs d'enfance. Je suis très touché qu'elle me l'ait laissé.

LAURENT, *sarcastique, cachant mal son envie.* Beaujeu, le bien-aimé! Le grand favori!

MICHEL, *tristement.* Préféré jusqu'à la dernière minute...

CÉLINE, *amère.* Maman aurait pu se dispenser de nous le faire sentir même après sa mort...

BEAUJEU, *mal à l'aise.* Ne dites donc pas de bêtises! Je... j'avais... fait promettre à maman... très souvent quand j'étais petit, de me laisser ce médaillon... Elle s'en est souvenu, voilà tout!

Haussement d'épaules des autres. Jérémie visiblement contrarié s'avance.

33

JÉRÉMIE. Eh! bien qu'on aille le chercher, ce fameux médaillon. *(À Martine)* Toi, là, la petite... Martine!

MARTINE. Moi?...

JÉRÉMIE. Oui, toi... Au fait non. Sonnez Annette... Deux coups...

> *Laurent va appuyer sur un bouton près de la cheminée.*

JÉRÉMIE, *à Martine qui s'en allait.* Reste là, toi!

> *Martine crispée s'arrête.*

JÉRÉMIE. Vous pouvez partir, notaire. On a déjà trop abusé de vous.

LAURENT. Et de moi!... Bonjour!

JÉRÉMIE, *mécontent.* Laurent!

LAURENT. Les affaires sont les affaires et les miennes sont les vôtres! Alors...

MICHEL. Vous n'avez plus besoin de moi non plus... Excusez-moi...

JÉRÉMIE, *irrité.* Écoutez donc, mes enfants!...

> *Mais ils sont déjà sortis.*

JÉRÉMIE, *irrité.* Qu'est-ce qui leur prend? Sans cœur! S'ils avaient hérité, il aurait fallu tuer le veau gras et arroser ça au champagne! *(Brusque.)* Je vous ai dit que vous pouviez partir, notaire.

NOTAIRE, *gêné.* Je regrette... Le codicile exige que le médaillon soit remis à votre fils en ma présence.

> *Céline se lève.*

CÉLINE, *ironique.* J'espère que tu ne m'en voudras pas, mon cher Beaujeu, de ne pas assister à cette petite scène touchante?...

JÉRÉMIE. Comment toi aussi?... Veux-tu bien!...

CÉLINE, *ton mondain.* Je suis désolée, vraiment désolée... Ce deuil m'a prise au dépourvu et j'ai un tas de courses à faire! *(Petit rire.)*.

> *Jérémie la regarde s'en aller avec colère. Annette paraît dans la porte. Céline la regarde presque émue.*

CÉLINE. Annette! Je m'excuse de ne pas vous avoir reconnue avant...

JÉRÉMIE. T'étais pressée tantôt, va-t'en. Toi Annette, va tout de suite chercher dans la chambre de ma femme un médaillon en or qu'elle portait toujours, paraît-il... Tu l'as déjà vu?

ANNETTE, *hésitant.* Oui, mais...

> *Martine a fait un pas vers elle et la regarde anxieusement. Annette cherche à comprendre, mais n'y parvient pas.*

JÉRÉMIE. Eh! ben qu'est-ce que t'attends?

ANNETTE. La clé de la chambre...

JÉRÉMIE. Ah! oui...

Il lui donne un trousseau de clés et en indique une en particulier.
Annette sort aussitôt.

JÉRÉMIE. À toi la petite maintenant! Approche.

Martine ne bouge pas. Jérémie va s'asseoir dans son fauteuil.

JÉRÉMIE. Avance, avance un peu qu'on te parle!

Martine à contrecœur fait un pas vers lui.

BEAUJEU, *agacé.* Qu'est-ce que c'est que ce ton de grand inquisiteur. C'est ridicule à la fin!

JÉRÉMIE, *avec un geste pour le faire taire, à Martine.* Qu'est-ce que tu faisais dans la chambre de ma femme?

MARTINE, *tendue.* Elle m'avait fait demander.

JÉRÉMIE. Alors, c'est qu'il y avait quelqu'un d'autre auprès d'elle?

Irritée par le ton, Martine est prête à se rebiffer et répond tout juste poliment.

MARTINE. Il fallait bien!

JÉRÉMIE. Qui?

MARTINE. Maman...

Jérémie se lève cachant mal son agitation.

JÉRÉMIE. Et ta mère est restée là, pendant que ma femme écrivait la lettre?

BEAUJEU, *indigné.* Mais voyons! À quoi rime cet interrogatoire? C'est intolérable.

NOTAIRE, *scandalisé.* Et très peu légal, permettez-moi de vous le dire!

JÉRÉMIE, *à Martine violemment.* Réponds! *(Il lui saisit le poignet.)* Ta mère était là?

MARTINE, *non moins violente.* Non! Elle n'était pas là! Madame Martin l'a priée de sortir et nous sommes restées seules. Elle m'a demandé du papier et une enveloppe. J'ai attendu. Elle m'a remis la lettre, et c'est tout. Lâchez-moi!

JÉRÉMIE, *irrité.* Parle-moi plus poliment, petite effrontée!

MARTINE. Je vous parlerai poliment quand vous me parlerez poliment vous-même!

JÉRÉMIE. Pouah!

Martine tire sur son poignet. Jérémie la laisse aller. Beaujeu va prendre Martine par les épaules amicalement.

BEAUJEU, *à son père.* Je ne vous ai jamais vu aussi odieux! *(À Martine.)* Je vous en prie, excusez-le.

Annette paraît. Jérémie va au-devant d'elle.

JÉRÉMIE, *à Annette.* Donne...

ANNETTE, *froidement.* Je regrette, je le trouve nulle part.

JÉRÉMIE, *éclatant.* Quoi?

NOTAIRE, *ennuyé.* Il le faudrait pourtant!

ANNETTE. Déjà, je l'avais pas trouvé sur madame Martin, quand j'ai fait sa toilette après sa mort... Ça m'a étonnée et puis j'ai eu tellement à faire que j'y ai plus repensé.

MARTINE, *n'y tenant plus.* Vous avez dû mal regarder, maman! Laissez-moi y aller, je le trouverai bien, moi!

JÉRÉMIE. Dans ta chambre, peut-être? Tu es bien capable de l'avoir volé!

ANNETTE, *indignée.* Monsieur Martin!...

MARTINE, *vivement.* Non, je l'ai pas volé! Non! Mais je sais où il est! Madame Martin l'a enlevé tout de suite après m'avoir donné la lettre. *(Pressante)* Venez, venez, maman, je vais vous le montrer.

Annette regarde Jérémie.

JÉRÉMIE. Vas-y! *(Avec colère.)* Et trouvez-le!

Martine sort vivement. Annette, qui a deviné, sort derrière elle, pâle de rage. Elles montent l'escalier. Sur le palier, Martine s'arrête, détache son col, sort le médaillon attaché à une chaîne et le tend à sa mère. Annette le prend et gifle sa fille.

ANNETTE. Tu devrais avoir honte!

MARTINE, *pleurant.* Je voulais pas le voler! Je vous le jure!

ANNETTE. Comment veux-tu que je te crois puisque tu le portais à ton cou!

MARTINE. Je l'ai trouvé par terre à côté de son lit! Elle était déjà morte. Je l'ai ramassé! Le lendemain même de sa mort j'ai voulu entrer dans sa chambre pour le remettre sur son bureau, mais monsieur Martin avait fermé la porte à clé! J'osais pas vous en parler!... Je vous jure que je voulais pas le voler!

ANNETTE, *la regardant, durement.* Bien! Mettons que je te crois! *(Elle tend le médaillon à Martine.)* Va le donner à M. Martin puisque c'est toi qui l'as pris.

MARTINE, *suppliante.* Oh! non! Oh! non, maman, je vous en prie! Je vous en supplie!

ANNETTE, *durement.* Vas-y! Ça t'apprendra. Il faut que tu apprennes!

Martine descend l'escalier. Beaujeu, assis sur la dernière marche, se lève lorsqu'elle arrive près de lui. Humiliée, les yeux baissés, elle lui tend le médaillon au bout de la chaîne sans un mot.

BEAUJEU, *s'exclamant.* Oui, c'est bien celui-là...

Ému, il met ses mains sur les épaules de Martine.

BEAUJEU. Merci, Martine!... C'est bien votre nom, je crois?

36

Martine bouleversée, lève les yeux, prête à pleurer, incapable de parler.

BEAUJEU. Je n'oublierai pas que c'est à vous que je le dois.

Martine secoue la tête pour protester vivement.

BEAUJEU, *souriant.* Oubliez tout ça...

Il s'éloigne vers la bibliothèque.

JÉRÉMIE. Où était-il? Dans la chambre de la petite, je parie?

BEAUJEU. Il était en sûreté là où il était. La preuve c'est que le voici.

Jérémie lui arrache brusquement le médaillon et se met à l'examiner.

JÉRÉMIE. Je me demande bien pourquoi ta mère a pris la peine de te laisser ça! Qu'est-ce que ça peut valoir?... Pas grand-chose! Dans les quarante à cinquante piastres?...

BEAUJEU, *froidement, la main tendue.* Beaucoup plus que ça pour moi.

JÉRÉMIE. O.K. Je t'en offre cent...

Beaujeu secoue la tête.

JÉRÉMIE, *rageur.* Cinq cents!...

BEAUJEU. Ni cent, ni mille!...

Jérémie lui lance un mauvais regard et examine le médaillon.

JÉRÉMIE. Ça doit s'ouvrir ce machin-là? Qu'est-ce qu'il peut bien y avoir là-dedans? Une photo?

BEAUJEU, *mécontent.* Cela ne regarde que moi. Le médaillon m'appartient.

NOTAIRE. En effet, M. Martin, en effet!

JÉRÉMIE. Je peux toujours le regarder. *(Il réussit à l'ouvrir.)* Ah! je l'ai!... Pouah! des cheveux! c'est dégoûtant... *(Il tend le médaillon à Beaujeu.)* Ça prend bien les femmes! Des cheveux!

BEAUJEU, *agacé.* Ce sont les siens! Dieu merci, ce ne sont pas les vôtres!

JÉRÉMIE, *piqué.* J'espère ben, il manquerait plus que ça! Attends, là, toi. Donne-moi la chaîne! Ta mère a parlé du médaillon mais pas de la chaîne, hein, notaire?

NOTAIRE, *mal à l'aise.* C'est juste, mais, mon Dieu...

JÉRÉMIE, *à Beaujeu.* Amène, amène!

NOTAIRE. Puisqu'elle fait partie du médaillon M. Martin...

BEAUJEU, *riant.* Vous connaissez mal mon père si vous croyez qu'il donnera quelque chose qu'il n'est pas obligé de donner. Ça lui crève déjà le cœur que maman ait osé me léguer ce pauvre petit souvenir...

JÉRÉMIE, *lui tournant le dos.* Peuh!...

NOTAIRE. Eh! bien ma tâche est accomplie. *(Il s'approche de Jérémie.)* Quant à... *(Voyant que Beaujeu s'est éloigné: à voix basse.)* L'autre affaire...

JÉRÉMIE, *se retournant*. L'autre affaire n'a rien à voir ici! Nous réglerons ça à mon bureau.

NOTAIRE, *pacifiant*. Bien, bien... Comme vous voudrez. Au revoir M. Martin... *(Il tend la main à Jérémie.)*

JÉRÉMIE. Bonjour!

> *Il lui tourne le dos et va s'asseoir dans son fauteuil. Beaujeu se dépêche de serrer la main tendue du notaire désemparé.*

BEAUJEU. Merci de votre patience M. Beauchemin. Et de votre tact. Je m'en souviendrai à l'occasion, soyez-en sûr.

NOTAIRE, *réconforté. S'éloignant*. Il y a des cas où ce n'est pas facile! Pas facile!

BEAUJEU, *revenant à son père*. Faut-il que vous soyez toujours si rude? C'est pénible à la fin!

JÉRÉMIE, *haussant les épaules*. Bah! C'est un vieux râleux! Assieds-toi...

BEAUJEU, *consultant sa montre*. Je regrette, j'ai un rendez-vous à quatre heures...

JÉRÉMIE, *irrité*. C'est ça, c'est ça! Va-t'en comme les autres! Vous êtes tous furieux contre moi parce que votre mère m'a tout laissé!

BEAUJEU. Il serait dommage qu'à votre âge vous posiez des actes, sans en prévoir le résultat.

JÉRÉMIE, *furieux*. Laisse-moi donc bien tranquille! Est-ce moi qui l'ai fait ce testament-là? J'y étais même pas quand ça s'est passé! Vous êtes drôles! «Par ma volonté» elle l'a dit en toute lettre! Maudit! Est-ce qu'on va se battre à son sujet, quand on vient de l'enterrer ce matin!

BEAUJEU, *doucement*. Non, qu'elle dorme en paix. Et vous aussi!

JÉRÉMIE. Moi aussi, moi aussi!... Moi aussi, certain! J'ai rien à me reprocher!

BEAUJEU. Seriez-vous plus tranquille si je vous disais que je ne vous en veux pas?

> *Jérémie étonné hésite un moment et hausse les épaules d'un air bourru.*

JÉRÉMIE. Tu voulais t'en aller. Je te retiens pas!

BEAUJEU, *amusé*. Alors, bonjour...

> *Il sort. Jérémie hésite, se demande quoi faire et lève les yeux vers le mur où était accroché le portrait de sa femme, et secoue la tête, agacé de son erreur.*

JÉRÉMIE, *mécontent.* Quand même, ils auraient bien pu pas me laisser seul un jour comme aujourd'hui!...
Il va appuyer sur la sonnette près de la cheminée.
JÉRÉMIE, *avec une lueur de malice dans les yeux et un petit rire satisfait.* N'empêche que je les ai bien eus!... Fallait leur voir la tête! Oui, je les ai bien eus... *(Son rire se fige dans une grimace.)* Sauf Beaujeu... *(Soupir.)* comme toujours...
Albert paraît.
ALBERT. Monsieur?...
JÉRÉMIE, *sans aménité.* Va dire à Maurice d'amener l'auto devant la porte. Je vais travailler.
ALBERT, *étonné.* Aujourd'hui?...
JÉRÉMIE. Et pourquoi pas aujourd'hui? Prends-tu ça pour un jour de fête? T'imagines-tu que l'argent, ça se gagne à rien faire? Quand on n'en a pas, faut travailler pour en gagner, et quand on en a, faut travailler pour le garder. Ça fait qu'on a jamais fini! Dépêche, dépêche!...

3

Il ne fallait pas céder

Dans la bibliothèque, Albert sur un escabeau réussit à hisser le portrait de Jérémie Martin sur le manteau de la cheminée, assisté par Annette.

ALBERT, *essoufflé.* Il pèse, le vieux singe.

ANNETTE, *mécontente.* Albert!

ALBERT, *s'épongeant.* Il est encore dans sa chambre. Je sais même pas s'il est levé.

ANNETTE. Il est certainement levé, il a sonné pour que René aille l'aider à s'habiller. De toute façon, c'est pas une manière de parler de lui. C'est le maître après tout.

Albert suspend le cadre au crochet.

ALBERT, *entre ses dents.* Oui, c'est le maître... Est-ce qu'il est bien, là, «le maître»?

ANNETTE, *geste à l'appui.* Redresse-le du côté droit. Ça y est, ça y est!

Albert descend et recule pour regarder le portrait. C'est une peinture académique où l'on retrouve l'air arrogant de Jérémie Martin.

ALBERT. On peut pas dire qu'il est ben beau!

ANNETTE, *étonnée.* Non?...

ALBERT. Oh! il a l'air imposant, mais... pour la beauté!...

ANNETTE, *après un moment, avec un mélange de tristesse et d'admiration.* C'est un homme!

ALBERT. Chacun son goût, j'aimais mieux voir madame Martin à cette place-là.

ANNETTE. Va serrer ton escabeau, avant qu'il descende.

ALBERT, *suppliant.* Attends!

ANNETTE, *à voix basse.* Toi, si tu me parles encore du cahier...

ALBERT, *malheureux.* J'en dors plus, Annette!

ANNETTE. Puisque Martine a gardé le silence là-dessus le jour de la lecture du testament, c'est qu'on s'inquiétait inutilement.

ALBERT. Tu penses que Martine?...

ANNETTE. Elle a changé depuis l'affaire du médaillon, Martine. On la voit plus rôder dans la maison comme avant. Elle a eu assez honte pour que ça lui fasse une leçon. Vite, va serrer ton escabeau.

Carmelle entre. Elle porte un collier sur son uniforme. Et aussi des boucles d'oreilles.

CARMELLE. Qu'est-ce que vous faites donc, Albert? Ça fait deux fois que monsieur Martin sonne de la salle à manger.

ALBERT, *inquiet.* Ah?... Ça fait longtemps qu'il est descendu?

CARMELLE. Deux, trois minutes au moins!

Albert s'éloigne rapidement.

ANNETTE. Viens ici, Carmelle.

Carmelle s'approche, vaguement inquiète.

ANNETTE, *désignant le collier.* Enlève ça.

CARMELLE, *protestant.* Ah! ben, bon!

ANNETTE. Je t'ai dit que je voulais pas te voir avec des bijoux. T'imagines-tu que tu travailles dans un grill?

CARMELLE. C'est pas un couvent non plus!

ANNETTE, *désignant les boucles d'oreilles.* Enlève ça aussi! Personne te force à rester ici. Si la maison te déplaît va travailler ailleurs.

CARMELLE. En tout cas, votre fille, elle méprise pas les bijoux autant que vous, elle!

ANNETTE. D'abord ma fille travaille pas dans la maison. Elle est ici en passant seulement. En plus, des bijoux elle en a pas!

CARMELLE, *étonnée.* Si elle en avait pas, elle en a maintenant! Elle vient de recevoir un paquet de chez Birks...

ANNETTE, *étonnée.* Quoi?

CARMELLE, *avec un petit sourire.* Et quand on est rendue à s'acheter des bijoux dans les grands magasins, c'est pas parce qu'on déteste ça, hein?

ANNETTE. Ce que Martine fait te regarde pas. Retourne à ton travail. Tu me feras pas croire que t'as déjà fini tes chambres?

CARMELLE, *agacée.* Il est pas encore neuf heures, donnez-moi une chance!

Elle sort avec une grimace de dépit. Annette, mécontente et perplexe, va prendre l'escabeau en marmottant.

ANNETTE. Qu'est-ce que c'est que cette histoire-là!...

La salle à manger. Très grande. Longue table, buffet, cabinet à argenterie, chaises, le tout style Renaissance. Très sculpté. Au mur, natures mortes. Tentures et rideaux aux fenêtres. Jérémie au bout de la table, Michel à sa droite. Albert debout près du buffet dépose un plateau qu'il vient d'apporter de la cuisine. Jérémie baisse le journal qu'il lisait.

JÉRÉMIE, *maussade.* Vite donc, Albert! T'es donc bien lent ce matin?

Albert se dépêche et échappe une cuillère sur un des deux œufs au miroir de M. Martin. Il étouffe une exclamation.

JÉRÉMIE. Dépêche! Dépêche! J'ai faim moi!

Michel lève les yeux vers son père, agacé autant par son mauvais caractère que par sa façon de traiter Albert qui s'approche avec un plat.

ALBERT, *nerveux.* Excusez-moi, monsieur, je... j'ai... j'ai... je viens de crever le jaune d'un de vos œufs.

JÉRÉMIE, *furieux.* Espèce de fafoin! Tu le sais pas encore que j'endure pas ça un jaune qui pleure dans mon assiette? Ça l'air d'un œil crevé! Pouah!

Il se sert l'autre œuf posé sur une tranche de pain grillé.

MICHEL, *glacial.* Vous finiriez bien par y mettre la fourchette vous-même.

JÉRÉMIE, *à Albert.* Tu diras à Maria de m'en faire un autre. Et qu'elle se dépêche!

Albert s'éloigne. M. Martin se met à manger en lisant son journal appuyé sur une carafe. Michel le regarde et se tait.

Silence.

MICHEL, *après un temps. Sarcastique.* Je vous ferai remarquer que j'ai poliment replié mon journal quand vous vous êtes mis à table. Mais je suppose que ce sont là des détails qui vous échappent?

JÉRÉMIE, *sans daigner le regarder.* J'ai lu mes journaux toute ma vie en déjeunant, je suis certainement pas pour changer parce que t'es là.

MICHEL, *ironique.* En effet! Être aimable pour un fils qui revient après dix ans d'absence, ce serait du gaspillage!

Albert qui est revenu s'approche de M. Martin et se penche pour remplir sa tasse de café.

JÉRÉMIE, *agacé. Le toisant.* Est-ce que je t'ai demandé quelque chose, toi? Décolle! J'en veux pas de ton café. Quand j'en voudrai, je te le dirai.

Albert s'éloigne, imperturbable.

MICHEL, *sarcastique.* Toujours votre système de l'épanouissement total?

JÉRÉMIE. Mon p'tit gars, y a rien qu'une façon d'être dans la vie et c'est d'être soi-même! Comme ça les gens savent à quoi s'en tenir. Tout le reste, c'est de l'hypocrisie.

MICHEL. Bravo! Bravo! *(Sur un regard étonné de son père.)* Foin de toute retenue! On a envie de bâiller, on bâille; de cracher, on crache; de roter, on rote; de péter on pète... *(S'emportant peu à peu.)* Et ce n'est pas encore assez du confort qu'on en retire, il faut en plus faire passer pour une vertu le débordement de sa grosse nature, et traiter d'hypocrite quiconque agit avec plus de sensibilité!

JÉRÉMIE. T'es drôle...

MICHEL, *indigné.* Eh! bien, non! Et non, et non! Et encore non! Ce genre de vertu est tout simplement la preuve d'une absence totale de considération pour autrui!

JÉRÉMIE. Maudit que tu parles bien! On se croirait au théâtre! *(Il rit.)* Qu'est-ce que tu veux, j'ai pas eu, comme toi, la chance d'être éduqué par une demoiselle Beaujeu, moi! Ma mère était pas une élève des Dames du Sacré-Cœur. Ça fait que tes belles manières, je sais pas où je les aurais prises!

MICHEL. Mais de maman justement!

JÉRÉMIE. Y était trop tard. D'ailleurs j'ai pas marié ta mère pour ce qu'elle pouvait m'apprendre, mais parce qu'elle pouvait me servir.

MICHEL. «Parce qu'elle pouvait me servir» *(Méprisant.)* Cette phrase vous dépeint tout entier!

JÉRÉMIE. Quoi! J'étais pas fou; je me rendais bien compte que pour recevoir les gens de son monde, il me fallait quelqu'un comme elle. C'était pas leurs manières non plus qui m'intéressaient à ces gens-là, je te prie de le croire, c'était les affaires qu'ils brassaient. Je savais bien qu'un jour ils finiraient tous par m'accepter tel que j'étais! Avec ma grosse nature, comme tu dis...

MICHEL. Ce qu'il y a de plus triste, c'est que vous avez raison.

JÉRÉMIE, *s'emportant brusquement. Coup de poing sur la table.* Certain que j'ai raison! Ils m'ont critiqué tant qui ont pu pour commencer, mais aujourd'hui c'est à qui est-ce qui me lècherait les pieds! Pour pas dire plus! Les plus snobs comme les autres. Ça fait que c'est pas à un homme qui a réussi tel qu'il était, que tu vas demander de changer une fois qu'il est rendu en haut de l'échelle. *(Riant.)* Je pense pas, moi!

Assise sur le bord de son lit, Martine regarde un médaillon. À côté d'elle un écrin de velours, le papier d'emballage, ficelle et une carte de visite. On frappe à la porte. Martine referme ses mains sur le médaillon.

MARTINE. Qui est là?

La porte s'ouvre. Annette paraît et referme la porte derrière elle.

ANNETTE. Alors, c'est vrai!... *(Elle s'approche et prend la boîte.)* Birks!... On se prive de rien! Qu'est-ce qu'il y avait là-dedans?

Martine laisse la chaîne se dérouler au bout de sa main. Annette la prend et l'examine.

ANNETTE. Ma foi, c'est de l'or?

MARTINE, *petit sourire. La défiant.* 24 carats! C'est marqué!

ANNETTE. Qui t'a envoyé ça?...

Martine prend la carte et la lui tend.

ANNETTE, *lisant.* «Puisque vous aimez les médaillons, j'espère que celui-ci vous portera bonheur.» *(Saisie.)* Beaujeu Martin... *(Avec une rage froide.)* Beaujeu Martin!... Qu'est-ce que ça veut dire?

Martine détourne la tête.

MARTINE. Je vous ai dit qu'il avait deviné que j'avais pris le médaillon.

ANNETTE. En voilà une raison pour te faire des cadeaux! On dirait, ma foi, qu'il veut t'encourager à voler! Tu vas lui renvoyer son médaillon et plus vite que ça. Tu m'entends?

MARTINE, *étonnée.* Si vous voulez...

ANNETTE. Aujourd'hui même! Tout de suite. Ou plutôt non, je m'en charge! Et que je te vois jamais accepter un cadeau de lui, ou d'un de ses frères!

MARTINE, *cherchant à comprendre.* Vous pensez qu'il a voulu m'humilier?

ANNETTE, *coupante.* Laisse faire ce qu'il a voulu! Qu'il ait pas le malheur de s'approcher de toi, c'est tout ce que je veux te dire.

Martine comprend enfin et met sa main sur sa bouche pour étouffer une exclamation.

ANNETTE. Il est marié, qu'il reste chez lui! Qu'il te laisse tranquille, tu m'entends? Quant à toi, aie jamais le malheur de lui faire des avances!

MARTINE, *furieuse.* Mais j'ai jamais...! Et lui non plus d'ailleurs! Qu'est-ce que vous allez chercher là?

ANNETTE. C'est bon, c'est bon, je peux me tromper. *(Se radoucissant.)* Parlons-en plus. Excuse-moi, mais l'idée qu'il aurait pu... *(Elle la prend dans ses bras. Bouleversée.)* Je peux pas te dire ce que ça m'a fait...

MARTINE, *protestant.* C'est drôle, moi, ça m'est même pas venu à l'idée!

Elle remet le médaillon dans son écrin. Annette qui se ressaisit peu à peu est soudain hantée par un soupçon d'un autre ordre.

MARTINE, *amusée.* Un homme qui a pas loin de trente-cinq ans!
Vous êtes drôle!

ANNETTE, *nerveuse.* Regarde-moi donc, toi?... C'est pas... c'est pas
en échange de... de quelque chose qu'il t'aurait envoyé ce cadeau-
là, Beaujeu Martin?

MARTINE. Qu'est-ce que vous voulez dire?

ANNETTE. Tu... tu lui as pas donné le cahier toujours? *(Elle se laisse
choir sur le bord du lit.)* Martine, si tu... si tu as fait ça!...

MARTINE. Mais non j'ai pas fait ça! *(S'impatientant.)* Mon Dieu,
qu'est-ce que vous avez donc à craindre? Madame Martin vous
aimait, vous le savez bien! Je l'entends encore : « Sois bonne pour
ta mère, Martine, sois bonne pour ta mère »...

ANNETTE, *se ressaisissant.* Bien sûr, c'est vrai... Oui... Oui!

MARTINE, *enchaînant.* Alors pourquoi est-ce qu'elle aurait écrit
quelque chose de mal à votre sujet?

> *Annette change de ton et d'expression. Elle se met à rire.*

ANNETTE. Petite maligne! Tu me feras pas croire que tu le sais
pas déjà ce qu'il y a dans son journal, depuis dix jours que tu l'as
en ta possession!

MARTINE, *dépitée.* Je peux pas le lire, il est fermé à clé. Il faudrait
que je l'abîme pour l'ouvrir et j'ose pas...

ANNETTE, *se tournant vers elle en peu trop vivement.* Mais enfin qu'est-ce
qu'elle voulait que tu en fasses de son cahier? Elle te l'a certainement pas donné pour ton usage personnel!

> *Martine se tait.*

ANNETTE. Parle donc! Parle donc!

> *Dans la salle à manger. Jérémie lit toujours. Michel achève de plier sa
> serviette et se lève, ironique, comme s'il s'adressait à quelqu'un qui l'écoute-
> rait avec intérêt.*

MICHEL. Je m'excuse de vous fausser compagnie. Je me suis laissé
entraîner à donner une série de cours et de conférences qui vont
prolonger mon séjour de plus d'un mois, alors...

JÉRÉMIE, *laissant tomber son journal.* Ton séjour? T'es pas revenu au
Canada pour y rester?

MICHEL, *surpris.* Mais il n'en a jamais été question. *(Riant.)* Vous
n'écoutez donc même pas ce qu'on vous dit? J'ai parlé plusieurs
fois de mon départ devant vous. Hier encore...

JÉRÉMIE, *déçu.* Alors tu retournes en France?

MICHEL, *surpris.* Vous attendiez-vous vraiment à ce que je reste?

JÉRÉMIE. Pourquoi pas? C't'idée d'aller vivre dans les vieux pays décadents! C'est ici qu'est l'avenir, espèce de fou!

MICHEL. Vous *voudriez* que je reste?

JÉRÉMIE. Y a deux universités à Montréal : une des deux te prendra bien comme professeur... J'y verrai s'il faut. En habitant ici, ça te coûtera rien, tu as tout à y gagner!

MICHEL. Vous me demandez de rester!

JÉRÉMIE. Tu trouves pas que la maison est assez grande pour nous deux?

MICHEL, *qui n'en revient pas.* Vous me demandez vraiment de rester?

JÉRÉMIE, *riant.* Je suis pas pour me mettre à genoux, certain, mais si tu acceptais, je demanderais pas mieux. Ça serait moins ennuyant que de vivre tout seul.

MICHEL, *colère froide.* Vous avez l'audace de me demander d'habiter avec vous, chez vous, après ce que vous m'avez fait?

JÉRÉMIE, *étonné.* Ce que je t'ai fait?...

MICHEL, *avec véhémence.* Et l'héritage de maman, l'avez-vous oublié?

JÉRÉMIE, *maussade.* Comment, tu penses encore à ça après une semaine? Ben, t'es rancunier! *(Il sort sa pipe.)*

MICHEL, *indigné.* J'ai besoin de cet argent! J'avais même écrit à maman au cours de l'été pour lui demander de me prêter une certaine somme...

JÉRÉMIE, *allumant sa pipe.* Oui, oui! Elle m'en avait parlé...

MICHEL, *interloqué.* Ah!... je lui avais demandé le secret! C'était son argent, elle aurait pu...

JÉRÉMIE, *l'interrompant.* Rien! Elle pouvait pas toucher à son capital sans ma signature. Elle avait droit qu'au revenu. T'as pas encore compris que c'est pour ça qu'elle m'a tout laissé?

MICHEL. Et vous avez refusé, bien entendu!

JÉRÉMIE. Tu connais mes idées là-dessus. Pas une cent de mon vivant à aucun de mes fils.

Michel rageur fait un pas vers lui.

MICHEL. Mais pourquoi?... Pourquoi, je vous le demande? Vous n'avez pas refusé d'aider Gabriel. Céline m'a dit elle-même que c'était vous qui lui aviez acheté son siège à la Bourse! Et ce n'est qu'un gendre!

JÉRÉMIE. Justement! Il est pas de mon sang, j'ai rien à attendre de lui. Vous autres, c'est autre chose. Je vous ferais une injure si j'avais l'air de croire que vous êtes pas capables de réussir tout seuls dans la vie, aussi bien que votre père.

MICHEL. Mais donnez-moi le temps! Je n'ai même pas trente ans, je commence ma carrière! J'ai passé tous mes cours brillamment! C'est déjà quelque chose! Tout ce que je demandais à maman, c'est une somme d'argent qui me permettrait d'avoir un laboratoire convenablement équipé. Vous ne comprenez pas mon problème. L'ennui, c'est que nos recherches coûtent toujours plus chères qu'elles ne rapportent et que...

JÉRÉMIE, *l'interrompant. Avec un coup de poing sur la table.* Maudit fou, c'est ce que je te disais quand t'étais jeune, mais t'as jamais voulu m'écouter! C't'idée que t'avais de t'obstiner dans un métier de misère quand t'aurais pu venir dans la finance avec moi? Regarde tes frères, Laurent, Beaujeu, ils en font de l'argent! Beaujeu fait partie d'un des plus gros bureaux d'avocat de la ville, penses-tu que je suis pas fier de lui? C'est pas lui qui viendrait me quêter une cent!

MICHEL, *humilié.* D'abord, je ne quête pas. Et puis c'est à maman que je me suis adressé et non à vous. Je suis encore convaincu qu'elle aurait pu m'aider, malgré votre défense.

JÉRÉMIE, *de plus en plus irrité.* Cout' donc, toi, oublies-tu que c'est grâce à elle, si t'as pu faire les études que tu voulais? Hé misère! Les plus grandes batailles qu'on a eues ensemble ont été à ton sujet. Elle t'y assez insisté pour que je t'envoie faire tes études en France, comme tu le voulais! Tous les jours, pendant un an de temps, l'année de tes quinze ans, elle est revenue à la charge pour défendre ta cause!...

Michel s'assoit, bouleversé.

MICHEL. Pauvre maman... c'est vrai que je suis injuste... Vous avez raison de me rappeler que je lui dois de vivre suivant mes aptitudes.

JÉRÉMIE. Certain! Si ça avait été que de moi, veux, veux pas, tu serais resté ici comme tes frères et tu ferais de l'argent aujourd'hui au lieu de passer ton temps à jouer avec des grenouilles! *(Avec mépris.)* Avec des rats, avec des souris! Et quoi encore? Pourquoi pas des vers de terre, pendant que tu y es!

MICHEL, *colère froide.* Pourquoi pas, en effet? Qu'est-ce que vous connaissez de nos recherches? Hein? Si vous étiez moins ignorant, vous sauriez que la structure du ver de terre est aussi importante pour la compréhension de l'univers que celle de l'atome dont vous n'auriez d'ailleurs jamais entendu parler si la dernière guerre ne l'avait mis en évidence!

JÉRÉMIE, *maussade*. Si c'était de ça encore que tu t'occupais! Les recherches atomiques, au moins, ça a apporté quelque chose dans le monde!

MICHEL, *blessé et plein de rage*. Mais tout se tient dans la science, je m'évertue à vous le dire! Vous ne pensez qu'aux résultats éclatants, à ce qui se touche et qu'on peut évaluer, à ce qui se voit et qu'on peut acheter!

JÉRÉMIE. C't'affaire! J'ai les deux pieds sur terre moi!

MICHEL, *avec une colère grandissante*. Ça ne vous donne absolument pas le droit de mépriser ceux qui consacrent leur existence à la solution des problèmes de la vie. Passe encore que vous viviez dans la plus grasse abondance alors que nous nous débattons dans la pauvreté, passe encore que vous soyez trop avare de vos biens pour nous aider matériellement, mais vous n'avez pas le droit, m'entendez-vous, vous n'avez pas le droit de mépriser ce qui fait l'objet même de tous nos sacrifices!

JÉRÉMIE. Bon ça va faire, là!

Il jette sa serviette sur la table et va se lever mais Michel, au comble de la rage, vient brusquement le forcer à rester assis en appuyant de toutes ses forces sur ses épaules.

MICHEL. Tonnerre de tonnerre! La connaissance de l'univers doit bien avoir autant d'importance que vos entreprises personnelles, non?

JÉRÉMIE, *indigné*. Veux-tu bien me lâcher! Lâche-moi, je te dis!

MICHEL, *froidement*. Et si je vous tuais plutôt? Si je vous étouffais pour venger tous ces pauvres savants dont les recherches ne parviendront jamais à percer le mur de votre ignorance? Si je vous étouffais?

Il a entouré de ses mains le cou de son père. Albert inquiet entre dans la salle à manger.

JÉRÉMIE, *enchaînant. Durement*. Eh! ben fais-le donc si t'en as l'audace!

ALBERT. Monsieur Michel! Monsieur Martin!

Les mains de Michel se resserrent.

MICHEL. Ne me provoquez pas! Dans l'état où je suis, j'en serais bien capable! Et vous l'auriez bien mérité!

ALBERT, *les bras au ciel*. Mon Dieu, mon Dieu!... *(Il sort en courant.)*

La chambre de Martine.

ANNETTE, *pressante.* Tu peux au moins me dire ce qu'elle t'a demandé d'en faire de son cahier? Au moins ça!

Cris d'Albert et coups frappés à la porte.

ALBERT. Annette! Annette? Es-tu là?

Annette se dépêche d'ouvrir.

ALBERT. Vite! Viens vite! Monsieur Michel est en train de se battre avec son père.

ANNETTE. Quoi?

ALBERT. Il veut le tuer!

ANNETTE, *repoussant Martine.* Reste ici, toi!

Dans la salle à manger où Michel desserre enfin son étreinte.

MICHEL, *encore bouleversé par la colère.* Je n'ai jamais eu une tentation aussi forte de ma vie!

Jérémie masse son cou en respirant fortement.

JÉRÉMIE. Un peu plus ça y était!...

MICHEL. Hé oui, un peu plus j'étais orphelin!

JÉRÉMIE, *encore essoufflé mais non sans orgueil.* Je te ferai remarquer que j'ai pas crié... Que j'ai même pas demandé de l'aide quand Albert est venu voir ce qui se passait.

MICHEL. Oh! vous avez du cran, c'est sûr. Il ne me reste plus qu'à vous faire mes excuses.

Il s'éloigne et s'arrête après quelques pas.

MICHEL, *ironique.* Vous n'insistez plus pour que je reste?

JÉRÉMIE, *le défiant.* Pourquoi pas? La maison est pas moins grande qu'elle l'était.

MICHEL, *dépité.* Vous êtes fort.

Il sort. Jérémie soulagé se lève et se sert un grand verre d'eau qu'il boit avidement comme si elle devait lui rendre la vie, insouciant du fait qu'il en échappe sur son menton et ses vêtements. Un peu réconforté mais encore ébranlé il se laisse tomber dans son fauteuil.

JÉRÉMIE, *murmurant.* Le petit maudit! J'aurais jamais osé en faire autant à mon propre père! Et c'est pourtant pas l'envie qui m'a manqué!

Son visage se ferme à la vue d'Annette et d'Albert qui entrent en coup de vent.

ANNETTE, *s'arrêtant, angoissée.* Qu'est-ce qu'il y a? Qu'est-ce qui est arrivé?

JÉRÉMIE, *se levant avec hauteur.* Ça regarde personne.

49

Il passe sans même jeter les yeux sur elle, et sort dans le hall. On aperçoit Martine qui écoutait derrière la tenture. Jérémie continue de marcher puis réalisant la présence de Martine il fait une brusque volte-face et se précipite sur elle.

JÉRÉMIE. Petite effrontée! Ose donc me dire encore que tu passes pas ton temps à espionner!

MARTINE, *humiliée et furieuse.* Je vous défends de me toucher!

JÉRÉMIE. Qu'est-ce que t'as d'affaire à te cacher comme ça pour tout surprendre?

MARTINE, *exaspérée. Le défiant.* Albert disait que votre fils était en train de vous tuer. Je voulais savoir s'il réussirait!

Annette horrifiée recule et disparaît.

JÉRÉMIE, *enchaînant.* Eh! ben, tu vois, il a pas réussi! Essayer de me tuer c'est facile, mais avoir l'audace d'aller jusqu'au bout c'est autre chose! Essaie donc, si t'en es capable.

SON: On sonne à la porte.

Jérémie lâche Martine.

JÉRÉMIE. Ça a sonné! Va répondre, tu feras au moins quelque chose d'utile pour une fois!

MARTINE, *reculant.* J'irai pas. Je suis pas à votre service!

On voit Michel descendre l'escalier. La réplique de Martine l'arrête sur les dernières marches. Jérémie revient à Martine et lui prend le bras.

JÉRÉMIE. Qu'est-ce que tu dis?

Albert paraît dans l'entrée de la salle à manger.

ALBERT, *vivement.* Laissez faire, monsieur Martin. Je vais y aller.

JÉRÉMIE, *le repoussant.* Ôte-toi de là, toi! (*À Martine.*) Tu vas faire ce que je te dis, ou bien il va t'en cuire, ma fille!

MARTINE. Vous avez pas le droit de me donner des ordres!

JÉRÉMIE. Ah! tu veux me tenir tête? Fais bien attention, ma petite, parce que si je commence à m'occuper de toi, tu vas vite le regretter! Et y a des endroits pour les filles de ton âge qui veulent pas écouter. Ça me gênerait pas de te faire enfermer dans une école de réforme, t'es aussi bien de le savoir.

Michel va faire un geste pour protester mais il se ressaisit, curieux de voir si Martine cédera.

MARTINE, *balbutiant vaincue.* Vous... vous feriez ça?...

JÉRÉMIE. Va ouvrir!...

Elle lui lance un regard de haine et s'éloigne vers la porte. Jérémie fait une grimace amusée. Michel descend les dernières marches. Jérémie l'aperçoit et est contrarié.

MICHEL, *avec un regard méprisant.* Une enfant! Il y a bien de quoi être fier!

Jérémie hausse les épaules et s'éloigne vers la bibliothèque. Michel va rejoindre Martine qui marche vers la porte avec l'air d'une condamnée à mort. Il la retient en entourant ses épaules de son bras.

MICHEL, *à vois basse.* Il ne fallait pas céder. Il ne faut *jamais* lui céder dans n'importe quel domaine!

Elle le regarde, interdite, les yeux pleins de larmes. Il la laisse pour aller ouvrir la porte. Philippe entre.

PHILIPPE. Bonjour Michel...

Michel referme la porte, découvrant Martine que l'émotion semble avoir clouée sur place. Philippe la regarde avec étonnement.

MICHEL. Venez Martine. Venez que je vous présente mon cousin Philippe...

Mais Martine lui tourne le dos et se sauve vers la sortie des domestiques.

MICHEL. N'insistons pas...

PHILIPPE, *agité.* Mais qui est-ce?... Comme elle est étrange! Qui est-ce, Michel?

Michel va prendre son manteau au vestiaire.

MICHEL. Peu importe puisqu'il y a peu de chances que tu la revoies jamais.

PHILIPPE, *inquiet.* Il y avait des larmes dans ses yeux... Pourquoi?... Qui est-elle? Pourquoi ces larmes?...

MICHEL, *l'entraînant.* Viens! Je t'expliquerai en route.

PHILIPPE. Pourquoi dis-tu que je ne la reverrai jamais?

MICHEL. Ah! qu'il est ennuyeux! Et romantique en plus! Viens, viens, je te dirai le peu que je sais puisque ça t'intéresse... Mais partons! Tu ne sais pas encore que je déteste cette maison?

4

Annette se résigne et parle

Un corridor du Palais de Justice. Beaujeu Martin en toge, paperasses sous le bras, sort d'une salle d'audience au moment où un autre avocat, également en toge, va y entrer.

BEAUJEU, *amical et chaleureux.* Allô Pelletier... Ça va?

PELLETIER, *maussade et moqueur à la fois.* Mal. Je viens d'apprendre que c'est toi qui défends l'American Express dans une affaire dont je suis...

BEAUJEU, *l'interrompant.* Oui, oui! Mais mon vieux, ta cause est gagnée d'avance!

Jean Mounier, s'appuyant sur ses béquilles, s'avance derrière Beaujeu. Il s'arrête à l'écart. Pelletier lui fait signe d'attendre.

BEAUJEU. Je n'ai pas encore étudié le dossier à fond mais ton client me paraît tellement dans son droit que je vois mal comment j'arriverais à prouver le contraire.

PELLETIER. Je me méfie de toi. Tu gagnes toujours en définitive.

BEAUJEU. Cette fois, à moins d'une chance extraordinaire...

PELLETIER, *moqueur.* C'est bien ce qui m'inquiète! Elle est si souvent de ton côté la chance.

BEAUJEU, *riant.* Oui ça commence même à m'inquiéter! Salut, mon vieux.

Pelletier le regarde s'éloigner pendant que Jean Mounier s'approche.

PELLETIER. Bonjour, je parlais justement de notre affaire avec Beaujeu Martin. C'est l'avocat de l'American Express...

Mounier, perplexe, regarde Beaujeu qui s'éloigne.

MOUNIER. Beaujeu Martin! C'est lui?...*(Avec un demi-sourire.)* La vie ne cessera jamais de m'étonner...

La cuisine dans la maison de Jérémie Martin. Annette raccommode, près de la fenêtre. Assise devant la table, Martine feuillette une revue...

MARTINE, *sans regarder sa mère.* Maman...

ANNETTE. Oui?...

MARTINE. Hier, quand M. Martin m'a forcée à aller ouvrir la porte...

ANNETTE. Ce que tu as pu lui dire! Le sais-tu au moins à quel point tu m'as fait honte?

MARTINE, *poursuivant.* Il y a un jeune homme qui est entré. Michel Martin m'a dit : Venez que je vous présente mon cousin Philippe...

ANNETTE. Quelle idée ! Te présenter son cousin...

MARTINE, *toujours sans la regarder.* Je me suis sauvée... Qui est-ce, maman ?

ANNETTE, *à contrecœur.* Un neveu de M. Martin...

MARTINE. Un Martin lui aussi ?

ANNETTE. Non, un Beaujeu. Le fils du seul frère de madame Martin. Ses parents étaient toujours en voyage... Alors il venait vivre ici très souvent dans son enfance.

MARTINE, *rêveuse.* Ah ?... Il m'a semblé qu'il avait l'air triste... Et doux...

ANNETTE, *coupante.* Et après ?... Et après ?

Martine, étonnée par la véhémence du ton, se tourne vers elle.

ANNETTE. Le fils de l'un, ou le fils de l'autre, qu'est-ce que ça change ? Les Martin ne sont pas pour toi. Les Beaujeu non plus. Aucun d'eux.

MARTINE, *hochant la tête.* J'ai le droit de rêver...

ANNETTE. Pas ce genre de rêve-là.

MARTINE, *agacée.* Maman !... Vous avez pas l'air de vous rendre compte que c'est la première fois de ma vie que je vois des hommes de près !

ANNETTE, *sidérée.* Qu'est-ce que tu racontes ?

MARTINE. La vérité ! Où est-ce que j'en aurais vus ? Chez grand-mère il ne venait que des femmes. Au couvent encore des femmes !... Ce qui fait que je sais pas ce que c'est un homme... Oh ! bien sûr, ça a deux bras, une tête, deux pattes et entre les deux quelque chose qui leur sert à faire des enfants, mais...

ANNETTE, *proteste mais ne peut s'empêcher de rire.* Martine !

MARTINE. Quoi, c'est pas vrai ?

ANNETTE. Oui !... Mais qui est-ce qui t'a raconté ça ?

MARTINE. Pas les sœurs, rassurez-vous ! Mais des élèves qui avaient des frères et qui avaient vu... la chose ! C'est tout ce que j'en sais des hommes, moi !

ANNETTE. Tu devais bien aller au village de temps à autre ? En été ?...

MARTINE. Vous avez tout oublié, ma parole ! Rappelez-vous donc ! Les gens des rangs se mêlent pas aux gens du village ! Ils se connaissent à peine. En plus le rang des Quatorze, c'est le rang des pauvres, des plus pauvres! Ceux qu'on oublie d'inviter même quand il y a des fêtes collectives...

ANNETTE, *le cœur serré.* Tu... Tu te plaignais jamais!

MARTINE. J'attendais que vous me sortiez de là! En attendant je rêvais... je rêvais comme maintenant...

ANNETTE, *pressante.* C'est malsain, Martine! Crois-moi, c'est malsain. Tu devrais sortir, prendre l'air, marcher... Il y a tant de choses à voir à Montréal!... Hier soir, Maurice t'a proposé une promenade...

MARTINE, *les yeux au ciel. Petit rire.* Maurice!... Pourquoi pas René?

ANNETTE, *s'emportant.* Et pourquoi pas Maurice? C'est un beau garçon...

MARTINE. Trop beau, justement! Trop beau! J'aime mieux pas trop m'approcher de lui.

ANNETTE. Pourquoi pas René, alors?

Martine hausse les épaules.

ANNETTE, *poursuivant.* Dis donc ce que tu penses. Parce que Maurice est le chauffeur de M. Martin? Parce que René est son valet de chambre? Tu les trouves pas assez bien pour toi, peut-être?... Et moi, moi, ta mère?... Est-ce que tu crois que je suis en visite, ici?

MARTINE, *la défiant.* Eh! bien si vous me le disiez ce que vous faites ici, vous qui êtes propriétaire d'un magasin et par conséquent indépendante?

ANNETTE, *vivement.* Change pas de sujet. C'est de toi qu'il est question. C'est pas normal qu'une fille de ton âge reste enfermée toute la journée comme une vieille femme. Tu peux donc jamais rien faire comme les autres?

MARTINE, *la regardant tranquillement.* Est-ce que j'ai été élevée comme les autres? Est-ce que j'ai eu un père et une mère comme les autres? Une famille comme les autres? Des frères, des sœurs?... Alors pourquoi voulez-vous que je sois comme les autres?

ANNETTE, *mal à l'aise.* Tu as tous les diplômes qu'il te faut pour enseigner... On demande des professeurs dans tous les coins de la province. Puisque tu es qualifiée, tu pourrais...

MARTINE, *sèchement.* Aller m'enterrer à la campagne? Non, merci! D'ailleurs je préférerais continuer à étudier plutôt que d'enseigner. *(Rêveuse.)* Mais étudier quoi?... Peut-être passer mon baccalauréat?

Annette reprend son travail avec lassitude. Albert qui est entré a ôté son veston et tire la chaise berçante près de sa sœur. Il s'assoit avec un soupir d'aise.

ALBERT. Dites ce que vous voudrez c'est le meilleur moment de la journée ! Le seul où on peut vraiment se reposer.

On entend le timbre de la porte d'entrée. Annette et Albert se regardent.

ALBERT. C'est la cloche d'entrée ? J'ai pas rêvé ?

MARTINE. Non, non, j'ai bien entendu...

ANNETTE. C'est drôle, l'après-midi.

ALBERT. Qui ça peut bien être ?

Il se lève et met son veston.

ALBERT, *s'éloignant.* Juste comme je me préparais à souffler un peu...

ANNETTE, *perplexe.* C'est la première fois que ça sonne en avant l'après-midi, depuis la mort de madame Martin...

MARTINE, *pensive.* Où peut-elle bien être maintenant ?

ANNETTE. Qui ça ?

MARTINE. Madame Martin...

ANNETTE, *interdite.* Mais !... Au ciel, je suppose...

MARTINE, *même jeu.* Vous croyez ?

ANNETTE. Pourquoi pas ?... Pourquoi ?...

MARTINE. Mettons !... Alors, c'est quoi le ciel ?

ANNETTE, *rêveuse.* Je me le suis souvent demandé... *(La regardant.)* Mais pas à ton âge...

MARTINE, *s'animant.* Ce que j'aimerais savoir, c'est si madame Martin peut nous voir, d'où elle est ? Est-ce que vous croyez que les morts nous voient ? Est-ce que vous croyez qu'ils s'intéressent encore à ce qui se passe sur la terre ?

Annette l'a écoutée pensivement, cherchant elle-même une réponse.

ANNETTE. C'est possible, après tout. *(Elle s'arrête de nouveau perplexe.)* Maman dit souvent que les morts sont plus vivants que nous...

MARTINE, *étonnée.* Grand-mère ? C'est drôle ! J'ai lu ça dans un livre sur la mort. Madame Martin m'avait demandé de lui faire la lecture... La même phrase, mot pour mot ! Pourtant grand-mère a pas pu lire ce livre-là...

ANNETTE. Qu'est-ce qu'elle en disait madame Martin ?

MARTINE. Quand je lui ai demandé ce qu'elle en pensait, elle m'a regardé avec ce sourire extraordinaire qu'elle avait... Vous souvenez-vous de son sourire ?

ANNETTE, *émue.* Si je m'en souviens! C'était mon seul réconfort quand je la soignais.

MARTINE. Elle m'a répondu quelque chose de tellement étrange... J'en reviens pas encore.

ANNETTE. Qu'est-ce que c'était?

MARTINE. Elle m'a dit tout doucement: La mort n'existe pas, Martine.

ANNETTE. Mais!... Mais!... Qu'est-ce qu'elle voulait dire?

MARTINE. Je le sais pas. J'ai été aussi surprise que vous... J'allais l'interroger mais la garde de nuit est entrée dans la chambre, et j'ai dû m'en aller. C'était la veille de sa mort.

ANNETTE, *suffoquée.* Je comprends pas... je comprends pas...

MARTINE. Moi non plus...

Dans le hall. Albert ouvre la porte d'entrée et s'exclame.

ALBERT. Monsieur Beaujeu?...

BEAUJEU. Bonjour Albert. Ça va bien?

ALBERT, *encore étonné.* Oui, oui! Mais... monsieur Martin est pas à la maison à cette heure-ci, monsieur Beaujeu. Vous devez bien le savoir.

Il tend la main pour aider Beaujeu à enlever son manteau.

BEAUJEU. Non, non, laissez, je repars dans quelques minutes. Et ce n'est pas mon père que je viens voir, mais votre sœur... Annette, je crois?

ALBERT, *saisi.* Annette? *(Cherchant à se ressaisir.)* Oui, oui c'est ma sœur...

BEAUJEU. Voulez-vous la prévenir? Dites-lui que je l'attends dans le petit salon blanc.

ALBERT. Je regrette monsieur Beaujeu, mais il est fermé, le petit salon.

BEAUJEU. Il n'y a qu'à l'ouvrir.

ALBERT. Je ne peux pas. C'est monsieur Martin qui a la clé.

BEAUJEU. Ah!... J'aurais aimé revoir cette pièce où ma mère se tenait toujours... Dans la bibliothèque alors...

Il y entre, se dirige vers la cheminée et lève les yeux vers le portrait de son père. Déçu il s'en détourne. Pauvre maman, songe-t-il... J'avais oublié qu'il avait fait enlever votre portrait... Ce portrait que nous aimions tant et qui vous représentait au moment le plus brillant de votre vie... Les dernières années vous sembliez faire tout en votre possible pour éteindre votre person-

56

nalité. Pourquoi ?... Quel mobile secret a bien pu vous amener à vous retirer ainsi de la vie presque quinze ans avant de mourir ?

Albert entre dans la cuisine, tout excité, cherchant à comprendre.

ALBERT. Annette ! C'est monsieur Beaujeu... *(Éperdu.)* Il veut te voir, comprends-tu ça ?

Étonnée de son agitation, Martine se tourne vers lui. Annette surprend son regard, et s'empresse de calmer son frère.

ANNETTE. J'ai une affaire personnelle à régler avec lui. *(Ton léger.)* Rien de grave !

Elle s'éloigne. Martine la suit, mais Annette se tourne vers elle.

ANNETTE. Reste ici, toi.

MARTINE. Bien maman. *(À Albert.)* Qu'est-ce qui vous inquiète, tant, mon oncle ?

ALBERT, *se ressaisissant.* Rien, rien... Qu'est-ce que tu racontes ?

Martine se lève et s'éloigne à son tour.

ALBERT. Où vas-tu ?

MARTINE. Mais écouter aux portes évidemment.

Albert se précipite pour la retenir mais Martine lui échappe. Annette entre dans la bibliothèque.

ANNETTE, *froidement.* Vous m'avez fait demander, monsieur ?

Beaujeu, qui a sursauté à sa voix, se retourne.

BEAUJEU. Oui, je voulais vous voir au sujet du médaillon que j'ai fait parvenir à votre fille et que vous m'avez renvoyé...

ANNETTE, *sèche.* Vous n'avez aucune raison de faire des cadeaux à Martine.

BEAUJEU, *souriant. Désarmé par le ton.* Je crois que vous avez mal interprété mon geste.

ANNETTE, *le regardant bien en face.* Et comment fallait-il que je l'interprète ?

BEAUJEU. J'étais tout simplement heureux qu'elle me rende le médaillon de ma mère...

ANNETTE. Elle était forcée de le faire. Avez-vous cru qu'elle vous faisait une faveur ?

BEAUJEU. D'une façon, oui ! Et il m'a semblé que je devais le reconnaître. Si vous me connaissiez mieux, vous sauriez que je suis sujet à des impulsions de ce genre...

ANNETTE. Il serait bon à l'avenir que vos impulsions s'adressent ailleurs.

Beaujeu la regarde et comprend tout le mal qu'elle pense de lui. Il hoche la tête, et lui sourit.

BEAUJEU. Je ne suis pas ce que vous croyez... Annette.

ANNETTE, *sèchement.* Je me défends de faire des suppositions, tout ce que je demande, c'est de...

BEAUJEU, *sérieusement.* N'ajoutez rien, vous feriez une erreur. C'est ce que je suis venu vous dire. Effacez cette idée de votre tête.

ANNETTE, *désarmée.* Bon... Martine est jeune et je ne voudrais pas... *(Durement.)* Pour rien au monde...

Elle s'arrête désarmée une fois de plus par le regard calme de Beaujeu.

ANNETTE. Je dois dire d'ailleurs que Martine elle-même n'a pas pensé que...

BEAUJEU, *souriant.* Ah! non?... J'en suis très heureux. Au revoir, je m'excuse d'avoir été pour vous un sujet d'inquiétude.

Elle le suit dans le hall.

BEAUJEU. Mon père ne vous semble pas trop... trop désemparé depuis la mort de ma mère?

ANNETTE, *froidement.* C'est un homme d'une grande énergie.

BEAUJEU, *sérieusement.* Oui... *(Il réfléchit. Puis enchaîne.)* Allons, au revoir... Laissez...

Annette qui allait ouvrir la porte, recule. Il l'ouvre lui-même, étonné de se trouver face à face avec son père.

BEAUJEU. Papa...?

ANNETTE, *surprise.* Monsieur Martin?

BEAUJEU. En plein après-midi? Êtes-vous malade?

Il referme la porte derrière son père qui a l'air maussade et non moins surpris.

JÉRÉMIE. C'est plutôt à moi de te demander ce que tu viens faire ici en plein jour?

BEAUJEU. Une question que nous avions à régler Annette et moi.

Jérémie lance un regard soupçonneux à Annette qui l'aide à enlever son manteau et se tait.

BEAUJEU. Nous parlions justement de vous quand j'ai ouvert la porte.

JÉRÉMIE. Je comprends pas que tu...

Une quinte de toux le force à s'interrompre.

BEAUJEU. Je ne me trompais pas? Vous êtes grippé?

Beaujeu suit son père.

JÉRÉMIE, *bourru.* Je suis frissonnant depuis deux jours. Il me semble qu'on gèle aujourd'hui.

ANNETTE. Voulez-vous que j'envoie Albert faire un feu dans la cheminée?

JÉRÉMIE, *s'arrêtant.* Oui! Et que René m'apporte une robe de chambre. Je veux me mettre à mon aise.

ANNETTE. Je vais vous préparer une tasse de thé. Ça vous fera du bien.

JÉRÉMIE. Lâche-moi le thé! Mais fais-moi bouillir de l'eau. Je vais prendre une bonne vieille ponce au gin.

Dans la cuisine. René presse un complet de M. Martin. Albert se berce. Maurice entre par la porte de service. Livrée de chauffeur. Son regard cherche quelqu'un.

ALBERT, *surpris.* Maurice!

MAURICE. Monsieur Martin voulait rentrer. Il a l'air malade.

ALBERT, *se levant.* Ah?

MAURICE. Martine est-elle sortie?

ALBERT, *agacé.* Est-ce que je sais, moi, où elle est?

MAURICE, *déçu.* Je lui aurais fait faire un tour avant de serrer l'auto dans le garage.

RENÉ, *ironique.* Tu aurais plus de chance avec Carmelle...

Maurice hausse les épaules et sort.

ALBERT. Malade! Seigneur! Est-ce qu'il va nous mourir en pleine face, lui aussi?

ANNETTE, *entrant.* Vite, Albert, va chercher... *(Elle aperçoit René.)* Non, vous René. Allez chercher la robe de chambre de monsieur Martin. Toi Albert va allumer le feu dans la bibliothèque.

RENÉ. La robe de chambre! C'est qu'il en a une bonne demi-douzaine. A-t-il mentionné laquelle?

ANNETTE. Non, mais prenez-en une qui soit chaude. Dépêchez-vous. Dépêchez-vous.

RENÉ, *s'éloignant.* Ça alors!

ALBERT, *enfilant son veston.* Donc c'est vrai ce que Maurice dit, qu'il est pas bien?

MARTINE, *entrant.* Bah! Il a toussé une fois.

Annette regarde Martine qui revient, hausse les épaules et se dirige vers le poêle.

ANNETTE. Va vite, Albert, va vite. Tu sais qu'il aime pas attendre.

Albert s'éloigne. Annette prépare la bouilloire et sort de l'armoire un pot d'argent qu'elle place près du poêle tout en parlant.

ANNETTE. Tu te corrigeras donc jamais?

MARTINE. Tant qu'il y aura des choses que je saurai pas, je chercherai à les savoir.

ANNETTE. Par tous les moyens?

MARTINE. Oui.

ANNETTE. Je sais pas ce qui me retient de te renvoyer à Sainte-Anne-de-Remington.

MARTINE, *éclatant de rire.* Essayez donc!... Je vivrai plus jamais dans les rangs de Sainte-Anne! Et comme j'ai fini mes études, et que vous pouvez plus me mettre pensionnaire, vous allez bien être forcée de me garder. Vous êtes ma mère après tout, vous m'avez mis au monde, supportez-en les conséquences.

ANNETTE, *avec reproche.* Mauvaise!... Qu'est-ce que tu veux tant savoir. C'est ma vie que tu veux que je te raconte?

MARTINE. Oui! Et ce qui concerne la mienne surtout.

Annette vérifie le poêle et reste à sa place en attendant que l'eau bout.

ANNETTE. Par où commencer, mon Dieu, pour que tu comprennes?... À Sainte-Anne je suppose...

MARTINE, *s'agitant.* Ah! vous vous décidez à...

ANNETTE. Il faudra bien y venir un jour. *(Elle soupire.)* Tu connais la maison où j'ai grandi aussi bien que moi puisque tu l'as habitée... Sauf que dans ma jeunesse à moi, on y vivait bien plus misérablement... Tassés les uns sur les autres, dix enfants affamés, un père à moitié ivrogne et une pauvre mère qui s'arrachait le cœur pour nourrir et contenter tout son monde... Dans ces conditions-là, aussitôt qu'on avait treize ans, il y avait pas d'autre solution que de s'en aller pour faire une bouche de moins à nourrir. C'est à cet âge-là que j'ai commencé à gagner ma vie, comme servante, dans une maison privée au village... C'était les années de la crise. Je gagnais cinq piastres par mois... Puis la guerre est arrivée avec de l'ouvrage pour tout le monde... Et enfin des bons salaires! À seize ans, j'arrivais à Montréal pour m'engager dans les usines. C'était excitant la grande ville pour une petite fille du fond des rangs. Y avait des garçons en masse, avec de l'argent dans leur poche, des clubs, de la danse, de la boisson. Ça m'a monté à la tête. J'ai fait la folle, un peu... Maman l'a appris. C'est à ce moment-là qu'elle a demandé à monsieur Martin, qui était venu voir sa mère à Sainte-Anne-de-Remington... de me prendre comme servante chez lui à Montréal. Elle le connaissait bien, ils avaient été voisins dans leur jeunesse, ils avaient fréquenté la même école. Je suis entrée ici en même temps qu'Albert qui avait pas été jugé bon pour l'armée... J'avais seize ans... J'étais engagée comme bonne d'enfants et lui, plus ou moins comme homme à tout faire... Maman avait demandé à monsieur Martin de surveiller ma conduite. Pauvre maman, elle savait pas quelle sorte de train de vie on menait chez les Martin à cette époque-là ! Des réceptions sans arrêt. Et quand ils recevaient pas, ils sortaient, c'est te dire que de surveillance véritable, il y en avait pas.

À partir de ce moment, la voix d'Annette devient plus hésitante, et Martine n'est pas sans le remarquer.

ANNETTE. C'est cette année-là que j'ai connu ton père. Il était comme sur la photo que tu as de lui... jeune, beau... En uniforme de soldat... Les filles en étaient folles. Moi aussi... Et c'est moi qu'il a choisie. On commençait à parler de mariage quand il a été appelé en Angleterre brusquement comme tant d'autres... Ce qu'il savait pas à ce moment-là et moi non plus, c'est qu'il me laissait pas toute seule. Au bout du cinquième mois, madame Martin s'en est aperçu et elle m'a renvoyée à Sainte-Anne-de-Remington... C'est là qu'a eu lieu ta drôle de naissance comme tu dis toujours...

Martine écoute avec un visage dur.

MARTINE. Et papa?... Est-ce qu'il est vraiment mort à la guerre?

ANNETTE, *vivement.* Oui, oui, la même année. Tu peux continuer à le respecter. Dans toutes ses lettres, il parlait de mariage.

MARTINE. Et il portait vraiment le même nom que nous? Il s'appelait Julien comme nous?

Annette se trouble à cette question qu'elle n'avait pas prévue et se tourne vers la bouilloire.

ANNETTE. Non... c'est maman qui a inventé ça pour sauver les apparences. Je pouvais pas te faire porter son nom puisque j'étais pas sa femme.

MARTINE. Comment s'appelait-il?

ANNETTE. Heu... Jacques, le même prénom.

MARTINE, *agacée.* Son nom de famille?

ANNETTE. Jacques... Gilbert! Tu vois qu'elle a pas été bien drôle ma vie, et que j'avais des raisons de pas être pressée de te la raconter.

MARTINE, *impitoyable.* Et après? Qu'est-ce qui est arrivé après?

ANNETTE. Après, tu le sais. Toujours la même chose, il a fallu chercher du travail, gagner ma vie... Et la tienne par-dessus le marché. Je suis revenue à Montréal et j'ai réussi à me trouver un emploi de vendeuse chez une modiste qui m'a appris à faire des chapeaux...

MARTINE, *perplexe*. Madame Daignault...

ANNETTE. Oui, ma chance c'est qu'elle se soit attachée à moi et qu'à sa mort, elle m'ait laissé sa boutique.

MARTINE, *la regardant*. Je me souviens pas de l'avoir jamais vue au magasin quand grand-mère m'amenait vous voir à Montréal.

ANNETTE, *vivement*. Tu étais bien trop petite, pauvre enfant. C'est tout juste si tu avais sept ans quand elle est morte. Et puis tu venais si rarement. Ce qui compte c'est qu'elle m'a appris à gagner ma vie honorablement...

MARTINE, *perplexe*. Oui...

ANNETTE, *insistant*. Ce qui m'a permis de te faire instruire dans un bon couvent... J'aurais été au désespoir s'il avait fallu que tu sois forcée de travailler à treize ans comme moi.

Albert entre et vient rejoindre Annette.

ALBERT. Monsieur Martin veut son eau chaude.

ANNETTE. C'est prêt, je vais aller lui porter.

Elle verse l'eau dans le pot. Albert va chercher un petit plateau.

ALBERT. Dérange-toi pas, je vais m'en occuper.

Annette, ennuyée, va protester lorsque Martine la devance.

MARTINE, *à sa mère*. Oui, oui! pour une fois qu'on a une chance de parler. Revenez pas trop vite, mon oncle.

Annette dépose le pot dans le plateau d'Albert en le regardant avec insistance.

ANNETTE. Laisse-moi y aller.

ALBERT, *sans comprendre*. Non, non, continuez à placotter...

La bibliothèque. Jérémie Martin en robe de chambre, une couverture de fourrure sur les genoux, commence à boire son gin. Beaujeu a enlevé son manteau. Un feu brûle dans le foyer.

BEAUJEU. Commencez-vous à vous réchauffer?

JÉRÉMIE. J'ai vraiment eu le frisson. Mais ça va mieux.

BEAUJEU, *se levant*. Alors, je vous laisse. Il faut que je retourne au bureau.

JÉRÉMIE, *ton insouciant*. Tu m'as toujours pas dit de quoi tu étais venu lui parler à Annette.

BEAUJEU. Une affaire personnelle.

JÉRÉMIE, *méfiant et bourru.* J'aime pas beaucoup que tu aies des «affaires personnelles» avec les gens de ma maison.

BEAUJEU, *étonné.* C'est-à-dire?

JÉRÉMIE, *agacé.* Laisse mes domestiques tranquilles, c'est ça que ça veut dire. Est-ce que je vais faire du recrutement chez toi, moi?

BEAUJEU, *étonné.* Mais!... Est-ce que vous croyez que?... C'est ridicule. Quelle sorte d'homme suis-je donc pour qu'à deux reprises on me soupçonne de...

JÉRÉMIE, *l'interrompant.* Ah! je suis pas le seul à l'avoir remarqué? *(Éclatant.)* Beaujeu, si t'as le malheur de t'occuper d'Annette...

BEAUJEU, *tombant des nues.* Mais il n'était pas question d'Annette la première fois. Qu'est-ce qui vous prend?

Jérémie s'aperçoit qu'il s'est trompé et se radoucit aussitôt.

JÉRÉMIE. Bon, bon, bon. Excuse-moi... c'est parce que j'aime bien avoir la paix chez moi, et ces histoires-là finissent toujours mal.

BEAUJEU, *haussant les épaules.* Soyez donc bien tranquille. Je respecte vos domestiques autant que les miens, et il ne me serait jamais venu à l'idée de...

JÉRÉMIE, *secouant sa pipe dans le cendrier sans regarder son fils.* Bon, bon, parlons-en plus. Assis-toi un peu.

BEAUJEU, *ennuyé.* Mes affaires...

JÉRÉMIE. Elles attendront tes affaires. Tu peux bien m'accorder un quart d'heure on se voit si peu souvent.

Beaujeu, résigné, s'assoit.

JÉRÉMIE, *ton insouciant.* Pis, qu'est-ce que tu en as fait du médaillon de ta mère?

BEAUJEU, *avec réserve.* Mais... Je l'ai toujours sur moi comme elle me l'a demandé.

JÉRÉMIE. Ma foi, t'es aussi sentimental qu'elle! Montre-moi-le donc encore...

BEAUJEU. Mais non, pourquoi?

JÉRÉMIE. Curiosité... *(La main tendue)* Donne, donne. Je te le rendrai, aie pas peur...

BEAUJEU. Avec vous, on ne sait jamais!

Il détend sa cravate sans l'enlever, détache son col et sort la chaîne qu'il montre de loin.

JÉRÉMIE, *goguenard.* Te v'la avec un collier comme une femme. Enlève-le, que je le regarde.

Beaujeu à regret retire la chaîne et la tend à son père. Jérémie prend le
médaillon et le sert contre la paume de sa main, après l'avoir examiné.

JÉRÉMIE, *après un temps. Perplexe.* C'est ben drôle qu'elle t'ait laissé ça. Je comprends pas encore pourquoi!

BEAUJEU. Moi non plus.

JÉRÉMIE, *étonné.* Alors, c'est pas vrai que t'avais demandé à ta mère de te le laisser quand elle mourrait? T'as dit ça à tes frères l'autre jour.

BEAUJEU. Pour les apaiser. Je les sentais si jaloux.

JÉRÉMIE. Alors je comprends encore moins! Quelle pouvait être son idée à ta mère, je me le demande...

BEAUJEU, *tendant la main.* Donnez...

Jérémie se lève, laisse tomber la couverture et se met à marcher devant le foyer
en regardant le médaillon.

JÉRÉMIE. Je t'en offrirais une bonne somme, meilleure que la première fois, si tu voulais me le rendre.

BEAUJEU. Vous le rendre? Il n'a jamais été à vous...

JÉRÉMIE, *brusquement.* Ce qui était à ta mère était à moi.

BEAUJEU. Ce que vous lui aviez acheté vous-même, je veux bien, mais pas ce médaillon qui venait de sa famille. C'est peut-être la seule chose qui lui appartenait en propre.

JÉRÉMIE, *âprement.* C'est justement pour ça qu'elle aurait dû me le laisser.

BEAUJEU, *hésitant.* Mais pourquoi tenez-vous tellement à avoir d'elle un souvenir si personnel... si intime, puisque vous ne l'aimiez pas...

Jérémie se tourne vers lui avec étonnement, va pour protester mais se ravise et
se détourne brusquement.

JÉRÉMIE. Je lui avais interdit tout don personnel. Elle devait me léguer tout ce qu'elle possédait.

BEAUJEU, *amusé.* Ah! bon, vous avouez que vous avez été pour quelque chose dans la rédaction de son testament.

JÉRÉMIE, *petit rire.* Un fou! Vous auriez hérité de tout si j'avais pas fait ça.

BEAUJEU, *se levant.* Personnellement, je pouvais me passer de son héritage, mais Michel en avait le plus urgent besoin, et à cause de lui, permettez-moi de vous dire que vous avez bien mal agi.

JÉRÉMIE. Ah! non, par exemple, le petit maudit, prends pas sa part! Sais-tu qu'il s'est jeté sur moi avant-hier et qu'il a été à deux doigts de me tuer?

BEAUJEU, *incrédule.* Vous tuer? Michel...

JÉRÉMIE. M'étouffer! Oui, oui, ton frère Michel qui est toujours si digne. Tu lui demanderas! C'est de sa faute si je suis comme une guenille aujourd'hui. Ça m'a ébranlé plus que je pensais, c't'histoire-là.

BEAUJEU, *impressionné.* Il faut vraiment que vous l'ayez blessé profondément. Je ne vous comprends pas. Vous vivez seul ici, pourquoi ne pas avoir cherché à garder Michel avec vous au lieu de le laisser partir?

JÉRÉMIE, *protestant.* Je lui ai offert. Il a refusé.

BEAUJEU. Donnez-lui son laboratoire. Vous vous en ferez un ami pour la vie.

JÉRÉMIE, *agacé.* Est-ce que je te donne quelque chose, à toi?

BEAUJEU. Est-ce que je vous demande quelque chose?

JÉRÉMIE. Oh, toi, c'est un autre genre, tu mets tout ton orgueil à rien me devoir. Ben, que les autres en fassent autant.

BEAUJEU, *haussant les épaules.* Je n'en ai jamais fait une question d'orgueil. D'ailleurs nous ne sommes pas tous dans la même situation. Michel a besoin de vous. *(Mécontent.)* Vous êtes son père, après tout. Souvenez-vous-en donc!

JÉRÉMIE, *éclatant.* Pas une cent. Il aura pas une cent de mon vivant. C'est à croire. Il essaierait un jour de m'étouffer, pis deux jours après je lui ferais construire un laboratoire? Me prends-tu pour un fou?

BEAUJEU. Soit. N'en parlons plus et rendez-moi mon médaillon.

Jérémie encore en colère tourne le dos à son fils et regarde le médaillon.

JÉRÉMIE, *brusquement.* Tu veux pas me le laisser?

BEAUJEU, *agacé.* Pour rien au monde. Je vous l'ai déjà dit.

Jérémie regarde encore le médaillon et l'embrasse fougueusement avant de le tendre à son fils, auquel il tourne toujours le dos. Beaujeu, étonné, regarde son père puis le médaillon puis son père une dernière fois.

BEAUJEU, *plus doucement.* Bonjour papa. Soignez-vous bien...

Dans la cuisine. Annette a repris sa place et son raccommodage. Assise dans la chaise berçante, Martine la presse de question.

MARTINE, *âprement.* Et après?... Après?

ANNETTE, *avec lassitude.* Après, après rien. Tu sais tout maintenant. Laisse-moi.

MARTINE. Je sais même pas l'essentiel. Pourquoi êtes-vous revenue travailler ici puisque votre magasin de chapeaux vous avait rendue indépendante, c'est ça qui m'intéresse.

ANNETTE. Pourquoi, pourquoi... Parce que... *(Avec lassitude.)* Ah! Tu m'en fais remuer des souvenirs aujourd'hui. Un jour, au magasin, il y a un peu plus de six mois...

Elle se revoit dans sa boutique au moment où la porte d'entrée s'était ouverte. Elle s'était arrêtée, sidérée.

ANNETTE. Madame Martin?...

CLOTHILDE. Vous me reconnaissez, Annette?

ANNETTE, *troublée.* Comme vous avez changé...

CLOTHILDE. Et pourtant vous avez su tout de suite qui j'étais.

ANNETTE, *durement. Essayant de se ressaisir.* J'ai de bonnes raisons de pas vous avoir oubliée.

CLOTHILDE. Vous m'en voulez encore?

ANNETTE. M'avoir mise à la porte dans les conditions où j'étais, vous avez pensé que je vous le pardonnerais?

CLOTHILDE, *doucement mais fermement.* Maintenant il va falloir que vous me pardonniez, Annette.

Annette secoue la tête négativement.

CLOTHILDE. Je suis atteinte d'un cancer dont il est impossible que je guérisse. Il me reste un an à vivre... peut-être moins...

ANNETTE, *sèchement.* Ça me regarde pas.

CLOTHILDE, *enchaînant.* Il est indispensable que j'emploie cette dernière année à réparer le mal que j'ai pu faire au cours de ma vie.

ANNETTE, *sarcastique.* Les remords de la dernière heure!

CLOTHILDE. Rien de plus, vous avez raison. Mais n'est-ce pas assez? Pouvez-vous refuser de m'aider à bien mourir?

ANNETTE, *durement.* M'avez-vous aidée à vivre?

CLOTHILDE. Non... Je n'ai eu que des torts envers vous.

Annette hésite. Cette franchise simple la désarme, du moins partiellement.

ANNETTE. Au moins vous le reconnaissez... Eh bien... mettons que je vous pardonne, puisque vous allez mourir. *(Elle lui tourne le dos.)* Mais ça vous prouve que je valais mieux que vous le pensiez.

CLOTHILDE. Et si je vous demandais plus encore que de me pardonner?

ANNETTE. Je veux rien savoir, madame Martin!

CLOTHILDE, *avec effort.* Je voudrais... Je voudrais que vous reveniez à la maison, Annette.

ANNETTE, *catégorique*. Chez vous? Moi? Ah, non jamais! Jamais madame! J'ai plus besoin de travailler à domicile aujourd'hui. Je suis indépendante.

CLOTHILDE. Je sais, je vois... mais j'ai besoin de vous pour... pour me remplacer.

ANNETTE, *balbutiant*. Vous remplacer?

CLOTHILDE. Pour tenir maison à ma place.

ANNETTE. C'est pas mon métier, je saurais pas le faire.

CLOTHILDE. Vous l'apprendrez, je vous aiderai... Il se peut que cela vous soit utile un jour. *(Avec intention.)* Qui sait ce que vous réserve l'avenir?

ANNETTE, *protestant*. Madame Martin...

CLOTHILDE. Venez au moins pour quelques mois. Je vous dois une réparation et comment vous la donner mieux que chez moi? Albert sera si heureux de voir sa sœur réhabilitée dans une maison d'où elle a été chassée... Et moi, j'ai tellement besoin de votre présence.

Martine, dans la cuisine, le visage ardent de curiosité.

MARTINE. Et vous avez accepté?... Comme ça! Sans plus de protestations. Vous qui disiez la détester depuis des années, vous qu'elle avait chassée, vous avez accepté de laisser votre boutique pour venir ici vous occuper d'elle, la soigner, l'aider à mourir comme elle disait? *(Se ravisant, moqueuse.)* Comme vous dites qu'elle disait.

ANNETTE, *comme si elle cherchait elle-même à comprendre*. Oui... Comment t'expliquer? Je comprends pas encore moi-même que j'aie fini par céder... Elle me suppliait même pas. Elle me disait tout simplement ce que je devais faire... Et je me suis inclinée, oui, moi, je suis venue...

MARTINE, *plus doucement*. Et moi? Pourquoi a-t-elle voulu me connaître?

ANNETTE, *baissant la tête*. Je le sais pas... Toujours pour se faire pardonner, je suppose.

MARTINE, *hésitant*. Lui avez-vous vraiment pardonné?

ANNETTE. Pas au tout début, mais presque tout de suite quand même. Penses-tu que j'aurais pu la soigner jusqu'au bout autrement? *(Perplexe.)* Je sais pas ce qu'elle avait, mais qu'on l'aime ou qu'on l'aime pas, c'était presque impossible de lui refuser quelque chose. Toi-même, tu parlais de son sourire...

MARTINE, *spontanément.* Oui, oui, je le reconnais. Ça devait pas être facile de refuser. Mais...

ANNETTE. Quoi encore?

MARTINE, *la regardant. Lentement.* Ce qui m'étonne c'est qu'elle ait pas pensé à vous au moment de son testament. Vous qui aviez tellement fait pour elle. Je dis pas de l'argent, puisqu'elle a déshérité même ses enfants au profit de son mari, mais au moins un petit souvenir personnel...

ANNETTE, *hochant la tête.* Oui, moi aussi, ça m'est venu à l'idée. Pauvre femme, elle souffrait trop pour y penser, je suppose.

MARTINE, *avec défi.* Et le médaillon? Elle y a bien pensé. Et le cahier, son fameux cahier, elle y a bien pensé aussi! Si tout s'est passé comme vous le dites pourquoi est-ce pas à vous qu'elle l'a laissé ce cahier-là? Et surtout pourquoi vous fait-il si peur?

ANNETTE, *excédée.* Tu vas pas recommencer?

MARTINE, *se levant.* Non!... À quoi bon? À quoi bon vous forcer encore à mentir.

ANNETTE, *humiliée.* Martine!...

MARTINE. Je sais pas quoi penser de vos histoires, maman!

ANNETTE, *se levant.* Écoute-moi!...

MARTINE. Il y a peut-être du vrai dans ce que vous avez dit, mais je sens qu'il y a aussi tellement de mensonges que j'aime mieux rien croire.

> *Annette désigne la cuisinière qui vient d'entrer et qui se dirige vers le réfrigérateur.*

ANNETTE, *inquiète.* Chut!

MARTINE, *baissant la voix.* Rien m'empêchera de continuer à chercher! *(Petit rire.)* Je finirai bien par tout savoir. *(Perplexe.)* Et qui sait, peut-être même par tout comprendre...?

5

Le père, le fils, mais pas le St-Esprit

Dans la bibliothèque. Jérémie, debout devant René, se fait faire son nœud de cravate et s'impatiente après un moment.

JÉRÉMIE, *mécontent.* Ben non! Ben non! Tu me le fais encore trop serré. C'était pas la peine que je t'appelle pour le refaire si c'est pas pour l'améliorer.

RENÉ. Je me permettrai de dire à Monsieur...

JÉRÉMIE. Ah! lâche-moi avec tes formules compliquées. Va me chercher Annette...

RENÉ, *haussant les épaules.* Annette! Une femme!...

JÉRÉMIE. Dépêche! Dépêche! Je suis pressé!

RENÉ, *sec.* Je ferai quand même remarquer à Monsieur que c'était pas la peine que madame Martin ramène un valet de chambre de Paris pour s'occuper de...

JÉRÉMIE. Vas-tu finir? Je t'ai dit que j'étais pressé! Va me chercher Annette! Vite donc!

René sort, excédé, et arrête Annette qui traverse le hall au même moment.

RENÉ. Justement, Monsieur vous demande dans la bibliothèque.

ANNETTE, *surprise.* Moi?

RENÉ. Oui, vous! *(Avec dédain.)* Pour refaire son nœud de cravate! Je vous en souhaite!

Annette entre dans la bibliothèque. Jérémie debout devant son portrait, les mains dans les poches, semble en contemplation devant sa personne. Annette le regarde un moment avant de parler.

ANNETTE. Vous voulez me voir, monsieur Martin?

JÉRÉMIE, *sortant de sa rêverie.* Oui, je voudrais que tu m'arranges ça. *(Il désigne sa cravate.)* René a pas le tour à mon goût. Il me fait des petits nœuds serrés, serrés...

ANNETTE, *souriant et venant le rejoindre.* Qui est-ce qui croirait que vous attachez de l'importance à un si petit détail!

JÉRÉMIE, *préoccupé.* Il y a des fois où ça compte. Je vais manger avec un Anglais ce midi. Un Anglais d'Angleterre qui vient placer des capitaux au Canada. Tu sais comment ils sont ces Anglais-là, toujours tirés à quatre épingles! C'est pas le temps d'avoir l'air du petit gars de Sainte-Anne-de-Remington, comme dit Laurent.

ANNETTE, *rassurante.* Vous nous ferez honneur je suis pas inquiète.

JÉRÉMIE, *content.* Tu penses?...

ANNETTE. Oui, mais bougez plus, si vous voulez que je fasse quelque chose de bien.

Elle commence par défaire sa cravate.

JÉRÉMIE. J'étais justement en train de me demander comment je l'aborderais. *(Impressionné.)* Aïe, c'est pas n'importe qui! Une des plus grosses fortunes d'Angleterre! *(Fébrile.)* Faut absolument que je l'amène à me les confier à moi, ces capitaux. Pas à d'autres qu'à moi. Parce que pas besoin de te dire que je suis pas tout seul! Y a tous les Anglais de Montréal qui lui courent après.

ANNETTE. Bien sûr...

JÉRÉMIE, *fébrile.* Jusqu'ici, j'ai laissé faire les autres sans avoir l'air de manifester d'intérêt. Mais laisse faire, j'ai pas perdu mon temps! Pendant que les autres s'agitaient, moi, je le regardais, je l'étudiais, je réfléchissais... Je connais son visage par cœur, chacune de ses expressions.

Il s'est éloigné pris pas son monologue car c'est évidemment pour se convaincre lui-même qu'il parle.

JÉRÉMIE. Lui, de son côté, ça l'intriguait que je me jette pas à sa tête comme les autres, parce qu'il est informé, le gars! Il sait très bien qui je suis! La preuve, c'est que quand je lui ai fait téléphoner, hier, pour l'inviter à manger ce midi, il a accepté tout de suite malgré qu'on s'était à peine dit deux mots. *(Avec satisfaction.)* Aïe, c'est bon ça, hein? *(Il rit.)* Y a accepté tout de suite!

ANNETTE, *pleine d'admiration.* Ah! vous avez la manière, c'est sûr!

Elle va le rejoindre pour reprendre son nœud de cravate.

JÉRÉMIE. C'est parce que j'y pense! J'y réfléchis!

ANNETTE, *hochant la tête.* Vous... si vous apportiez à votre vie personnelle autant de soin, de finesse et d'attention que vous en mettez à vos affaires, vous seriez l'homme le plus heureux du monde.

JÉRÉMIE. Es-tu folle, toi? Si j'avais fait ça, j'aurais le derrière sur la paille! *(Il rit.)*

ANNETTE. Cessez de bouger si vous voulez que...

JÉRÉMIE, *bon enfant.* Correct! Correct! Tu sauras, ma petite fille, que pour réussir faut avoir rien qu'un but dans la tête. Pas deux, ni trois, mais un seul. Et jamais le perdre de vue! Moi, mon but, c'était d'être riche, puissamment riche... Et tu vois, je le suis!

Annette suspend son geste pour le regarder.

ANNETTE. Alors qu'est-ce que vous attendez pour vous arrêter?

JÉRÉMIE, *rêveur.* Je le sais pas! C'est vrai, tu sais, je me le demande des fois... Faut croire que je m'étais donné un si grand élan, pour partir dans la vie, que je suis plus capable de m'arrêter! *(Énergique.)* D'ailleurs, c'est mieux comme ça! Au moins, personne racontera que je suis tombé en enfance dans mes vieux jours. La mort me prendra debout, en pleine action.

ANNETTE. Dites donc pas ça! On sait jamais ce que la vie nous réserve.

JÉRÉMIE. Moi, je le sais.

ANNETTE, *protestant.* Taisez-vous donc! Taisez-vous donc!

JÉRÉMIE. Je tomberai comme une masse et quand on voudra me relever, je serai mort. Si tu penses que je serai le genre à traîner au lit pendant des mois, tu te trompes.

ANNETTE, *repoussant l'idée.* Bon, bon, si vous voulez, mais j'aime donc pas vous entendre parler comme ça!

Jérémie la prend dans ses bras.

JÉRÉMIE, *riant.* Inquiète-toi pas, ça sera pas pour cette année. Sais-tu ce qu'il m'a dit le docteur après mon dernier examen? *(Avec fierté.)* Il m'a dit: «Monsieur Martin, vous êtes pas un homme, vous êtes un cheval!» Il paraît que c'est bien rare une constitution pareille!

Il se frappe la poitrine avec contentement. Annette se bouche les oreilles.

ANNETTE. Allez-vous vous taire! C'est presque défier le ciel, de parler comme ça.

Jérémie se met à rire et met ses mains sur les épaules d'Annette avec tendresse.

JÉRÉMIE. Sacrée superstitieuse de campagne! T'es pareille comme ma mère. Je t'ai t'y déjà dit ça que tu me fais penser à elle par moment?

Il le lui a dit souvent. Annette sourit, désarmée.

ANNETTE. Il y a des fois, vous êtes comme un enfant.

Il éclate de rire en la serrant brusquement dans ses bras.

JÉRÉMIE, *il tâte sa cravate.* Bon, c'est fini?... Est-ce qu'elle est bien, là?... Ça t'y un certain... *(Gauchement.)* Un certain chic? *(Méfiant.)* Je sais pas si tu fais ça aussi bien que ma femme. Elle avait un art, elle, pour...

ANNETTE, *brusquement.* Elle est morte, M. Martin.

Jérémie la regarde, interloqué.

ANNETTE, *plus douce.* Je vous le dis, pour vous rappeler que moi-même je serai pas toujours ici pour faire vos nœuds de cravates.

71

Avant longtemps, je m'en irai... Il faudra que je retourne au magasin.

JÉRÉMIE, *catégorique.* Tu y retourneras quand je voudrai.

ANNETTE, *froidement.* Alors il faudrait que vous commenciez à le vouloir. Je suis pas toute seule en cause. Y a Martine. *(Plus émue qu'elle ne voudrait le montrer.)* Je... la façon dont vous vous parlez tous les deux... je supporterai pas ça longtemps!

JÉRÉMIE, *se fâchant.* Petite sotte aussi! Qu'elle cherche donc pas toujours à me tenir tête, à me défier tout le temps! C't'idée qu'elle a eue par exemple d'être allée remettre la lettre de ma femme au notaire! Et devant tout le monde encore!

ANNETTE, *surprise.* La lettre au sujet du médaillon?...

JÉRÉMIE. C'était à moi qu'elle devait la donner! À personne d'autre qu'à moi.

ANNETTE, *sèche.* Elle a fait ce que madame Martin lui avait demandé de faire.

JÉRÉMIE. Si elle avait été fine pour deux cents, elle aurait compris que c'est moi le maître et qu'elle avait bien plus à gagner en me remettant la lettre à moi, personnellement.

ANNETTE, *le regardant... après une pause.* Qu'est-ce que ça aurait changé puisque vous l'auriez vous-même remise au notaire?

JÉRÉMIE. Ça, ça me regarde.

ANNETTE. Autrement dit, vous l'auriez pas fait.

JÉRÉMIE, *s'emportant et la tirant par le bras.* Écoute-moi, toi! Jusqu'ici tu t'es toujours mêlée de ce qui te regardait et t'as pas eu à t'en plaindre, hein? Ben, continue.

Annette a une expression d'amertume ironique mais ne répond pas.

JÉRÉMIE, *enchaînant.* Ça vaudra mieux pour tout le monde. En attendant, sonne Maurice pour qu'il amène l'auto devant la porte. *(Regardant sa montre.)* Je suis en retard, crétac! Je fais mieux de téléphoner au bureau...

Bureau de Jérémie Martin. C'est l'antre d'un grand financier qui tient à impressionner. Très beaux meubles modernes, mur de fenêtres dominant la ville et le fleuve. Peintures, etc. Trudeau, l'homme de confiance de Jérémie, range des papiers sur le pupitre. Une porte s'ouvre et Laurent paraît.

LAURENT. Mon père n'est pas encore arrivé?

TRUDEAU. Il a téléphoné. Il s'en vient.

LAURENT. Prévenez-moi aussitôt qu'il sera là.

TRUDEAU, *indifférent.* Oui...

Laurent referme la porte. Trudeau hausse les épaules. Une sténographe, environ quarante ans, genre efficace, apporte un vase de fleurs qu'elle vient placer sur le pupitre. Trudeau les déplace.

TRUDEAU. Il ne les aime pas trop près de lui.

Jérémie entre, suivi par quatre de ses employés. Trudeau tire la chaise de Jérémie qui s'assoit. Les quatre employés viennent se placer devant le pupitre, chacun tenant dossiers, cartables, papiers, etc. La sténographe tend une boîte de cigares à Jérémie qui en prend un sans quitter une seconde son air de vieil ours. Trudeau lui tend un briquet allumé. Personne n'ose encore parler. Jérémie tire quelques bouffées de son cigare, regarde son monde autour de lui et commence sa journée.

JÉRÉMIE. Au travail. À toi, Trudeau.

TRUDEAU. Monsieur Stewart Babington Lancaster a fait téléphoner pour confirmer son rendez-vous. Il sera à midi et demi au Mount Stephens Club...

JÉRÉMIE, *grimace satisfaite.* Parfait.

TRUDEAU. Le président de la Steel Incorporated demande à vous rencontrer et vous laisse le choix du jour, de l'heure et du lieu...

La porte de communication s'ouvre entre le bureau de Laurent et de son père, et Laurent paraît.

LAURENT. Ah! vous êtes là! *(Mécontent.)* Je vous avais demandé de me prévenir, Trudeau...

JÉRÉMIE, *à Trudeau.* Continue...

Trudeau va parler mais Laurent l'interrompt. On le sent nerveux, fébrile.

LAURENT, *à son père.* J'ai une nouvelle importante à vous communiquer...

Jérémie le regarde mais en pointant le doigt vers Trudeau, avec un geste impatient pour le faire parler.

TRUDEAU. Vous avez reçu une lettre au sujet de...

LAURENT, *en même temps que Trudeau.* On vient de m'avertir que la compagnie... *(À Trudeau avec impatience.)* Voulez-vous me laisser parler! *(À son père.)* La compagnie Maritime Steward...

JÉRÉMIE, *le coupant. Sec.* Pas intéressé.

LAURENT, *irrité.* C'est une très grosse affaire.

JÉRÉMIE. Pour eux!

LAURENT. Mais!...

JÉRÉMIE, *impatient. L'écartant d'un geste.* Pas pour moi.

LAURENT. Mais il y a du nouveau, laissez-moi vous expliquer.

JÉRÉMIE, *éclatant.* Vas-tu me faire le plaisir de me laisser travailler. Tu vois pas que tu me déranges? Va-t'en dans ton bureau; je t'appellerai quand je serai prêt à te voir.

Laurent humilié sent la colère l'envahir. Il a un regard vers les employés qui baissent les yeux ou se détournent discrètement. Trudeau fait de même mais il a un petit sourire au coin des lèvres. Au prix d'un immense effort, Laurent parvient à se dominer.

LAURENT, *les dents serrées mais avec courtoisie.* Messieurs, voulez-vous sortir s'il vous plaît. Nous avons à nous parler, mon père et moi.

Jérémie, furieux, donne un coup de poing sur la table.

JÉRÉMIE. Laurent...

Mais il s'interrompt devant la rage froide de Laurent, et comprend qu'il est allé trop loin. Il réfléchit un moment pendant lequel tout le monde se tait, curieux de ce qui va suivre.

JÉRÉMIE, *à ses employés.* Sortez!... *(Il fait un geste des bras à droite et à gauche vers Trudeau et la sténographe.)* Allez, allez, sortez! Sortez tous...

Ce qu'ils font, non sans échanger des regards de connivence. La porte se referme. Laurent incapable de se retenir plus longtemps fait un pas vers son père.

LAURENT, *avec haine.* Le faites-vous exprès? Est-il possible que vous cherchiez volontairement à m'humilier devant des employés qui vont rapporter cette scène partout où ils iront? *(Parvenant tout juste, dans sa rage, à ne pas élever la voix. Reprenant le geste de son père.)* «Va-t'en dans ton bureau»... Comme dans notre enfance. «Va-t'en dans ta chambre!» Le faites-vous exprès? Dites-moi seulement ça! Le faites-vous exprès?

Pour l'instant Jérémie se contente de le regarder.

LAURENT. Au moins, répondez! Le faites-vous exprès? Nom de nom, si c'est à la suite d'une humiliation de ce genre que Michel s'est jeté sur vous avec la tentation de vous tuer, je regrette qu'il ne l'ait pas fait!

Jérémie à ces mots donne un coup de pied pour faire basculer son fauteuil et se lève pour échapper à son fils, bien qu'il y ait déjà le pupitre entre eux.

JÉRÉMIE. Dis donc tout de suite que tu souhaites ma mort!

LAURENT. Je le dis! Vous faites tout pour ça! *(Malheureux.)* Et pourtant non, je ne la souhaite pas. J'aimerais cent fois mieux être véritablement votre associé, votre bras droit... *(S'emportant.)* Mais sur un pied d'égalité, tonnerre! Pas comme un enfant qu'on mène par le bout du nez. Cessez de me tenir en laisse! Et cessez de m'humilier devant tout le monde! Je fais rire de moi partout!

Jérémie reprend sa place.

JÉRÉMIE, *bourru*. Voyons, voyons! Je voudrais bien voir qui est-ce qui se permettrait de rire de mon fils.

LAURENT. Mais vous-même pour commencer! La preuve, c'est que vous refusez encore de me confier la direction d'une seule de vos entreprises! Nos matériaux de construction, par exemple, que je vous demande depuis des années...

JÉRÉMIE, *perplexe*. Tu y tiens tant que ça?

LAURENT. Vous auriez tout à y gagner, car je connais la question bien mieux que vous. Le directeur de la Rooling Steel me le disait encore la semaine dernière!

JÉRÉMIE, *piqué*. Il disait ça...

LAURENT, *poursuivant*. Et il n'est pas le seul! Mais vous êtes de la vieille école des chefs d'entreprises qui veulent tout contrôler par eux-mêmes. Ce n'est plus possible, comprenez-le donc! Vous avez trop de fers au feu!

Jérémie lui lance un regard plein de rancœur mais ne proteste pas car il a une idée derrière la tête. Aussi prend-il un ton bon enfant pour répondre.

JÉRÉMIE, *hochant la tête*. T'as peut-être raison après tout.

LAURENT, *triomphant*. Enfin! Je peux pas croire que vous allez l'admettre...

JÉRÉMIE. Moi, je te gardais ici dans le but de t'initier à mes entreprises, pour que tu sois en mesure de me remplacer quand je disparaîtrai...

LAURENT, *vivement*. Mais il n'y a rien qui vous empêcherait de continuer à me renseigner.

JÉRÉMIE, *perplexe*. Où? Quand? Comment?... Les matériaux de construction prendront tout ton temps si tu veux que ça marche...

LAURENT. Mon Dieu, je pourrais... je pourrais aller vous voir à la maison le soir pour discuter de vos autres affaires.

JÉRÉMIE, *comme s'il étudiait la proposition*. C'est une idée, oui... *(Subitement.)* Au fait, y aurait une solution encore meilleure! Ce serait que tu viennes habiter à la maison.

LAURENT, *sidéré*. Quoi?

JÉRÉMIE. Pourquoi pas? Je suis tout seul, la maison est grande...

LAURENT. Vous voulez dire... Avec ma femme et mes enfants?

JÉRÉMIE. Bien entendu.

LAURENT, *réticent*. Mais... Mais je viens de me faire construire à Ville Mont-Royal! Nous sommes tout juste installés...

JÉRÉMIE. Loue ta maison! Ou vends-la! C'est un bénéfice pour toi! D'autant plus que chez moi, ça te coûterait rien pour vivre.

LAURENT, *désemparé.* Vous me prenez au dépourvu...

JÉRÉMIE. Penses-y en tout cas, penses-y, prends ton temps. Dans ces conditions-là, ça m'intéresserait de te laisser diriger nos matériaux de construction parce que je te verrais le soir pour te tenir au courant de ce qui se passe ici.

> *Le timbre résonne sur le bureau de Jérémie. Jérémie lève la manette.*

JÉRÉMIE. Oui?

VOIX STÉNOGRAPHE, *sur filtre.* Le notaire Beauchemin au téléphone.

JÉRÉMIE, *avec une grimace.* Le notaire? J'ai pas le temps. Qu'il rappelle!

VOIX. Il demande que vous lui fixiez un rendez-vous dans ce cas-là. Il veut absolument vous parler.

JÉRÉMIE, *maussade.* Un autre jour, une autre fois! Je suis trop occupé de ce temps-ci.

> *Il baisse la manette et se tourne vers Laurent.*

JÉRÉMIE. Eh bien?

LAURENT. Et si je refuse?

JÉRÉMIE, *lui donnant une tape sur l'épaule.* On en sera pas moins bons amis.

LAURENT. Mais vous ne me donnerez pas la direction de...

> *Le timbre l'interrompt. Jérémie lève la manette.*

JÉRÉMIE. Oui?...

VOIX STÉNOGRAPHE, *sur filtre.* Madame Laurent Martin vient d'entrer. Pouvez-vous la recevoir?

LAURENT, *étonné.* Ma femme?...

JÉRÉMIE. Vous êtes sûre que c'est moi qu'elle vient voir? Ça serait pas plutôt mon fils?...

VOIX. Un moment...

LAURENT. Elle doit se tromper, en effet.

VOIX. Non, non, c'est bien vous, monsieur Martin.

JÉRÉMIE, *bourru.* Bon... Faites-la entrer. *(Il referme la manette. À Laurent.)* Drôle d'idée! Qu'est-ce qu'elle vient faire ici?

LAURENT, *ennuyé. Plutôt inquiet.* C'est bien ce que je me demande!

> *La porte d'entrée s'ouvre. Simone paraît. Femme élégante dans les trente-trois ans. Très émotive, très impulsive. Pour l'instant on la sent impressionnée, mais décidée à parler coûte que coûte comme une personne qui s'y est préparée à l'avance par de nombreuses exhortations au courage. Laurent fait quelques pas au-devant d'elle.*

76

LAURENT. Veux-tu me dire, Simone...

SIMONE, *déçue.* Ah! tu es là! *(Fébrile.)* Ce n'est pas toi que je viens voir, ce n'est pas toi!

LAURENT. Dis-moi au moins de quoi il s'agit?

JÉRÉMIE, *aimablement.* Assoyez-vous, Simone. Comment ça va?

> *Désemparée par cet accueil aimable qu'elle n'avait pas prévu, elle reste debout, hésitante. Laurent lui approche un fauteuil dans lequel elle tombe assise, ce qui contribue à entamer son assurance.*

SIMONE, *agacée. À son mari.* Va-t'en, Laurent. Je veux être seule avec ton père.

LAURENT. Mais c'est ridicule. Qu'est-ce que tu veux lui dire?

SIMONE, *ennuyée.* Je veux... *(À son beau-père.)* Oh! ça m'agace qu'il soit là! Je voyais ça tout autrement!

JÉRÉMIE, *pressé d'en finir.* Voyons, voyons! Finissons-en! Qu'est-ce qu'il y a?

SIMONE. Il y a... il y a que... Monsieur Martin, Laurent ne vous en a probablement pas parlé, mais nous sommes épouvantablement malheureux à la maison!

> *Jérémie regarde son fils.*

LAURENT, *suppliant.* Simone, veux-tu bien!

SIMONE. Laisse-moi parler! *(Gémissante.)* C'est votre faute, monsieur Martin! Regardez-le votre fils! Écoutez-le! Il est dans un état de nervosité effroyable! Vous ne voyez donc pas qu'il est malade, qu'il est à bout de forces?

LAURENT, *furieux.* Simone...

SIMONE. Il a un ulcère d'estomac! Il ne digère plus rien et il passe des nuits entières sans dormir...

JÉRÉMIE, *qui commence à s'impatienter.* Qu'est-ce que vous voulez que je vous dise! Qu'il aille voir un médecin!

LAURENT, *excédé.* C'est ce que je fais, rassurez-vous! *(Prenant le bras de sa femme.)* Toi, va-t'en à la maison.

SIMONE. Donnez-lui une chance, monsieur Martin. Vous abusez de lui! Cessez de le tourmenter! Il n'en peut plus! Et je suis à la veille de craquer moi-même.

JÉRÉMIE, *éclatant.* Eh bien, allez craquer plus loin, ma fille! Un bureau, c'est pas un endroit pour discuter des histoires de famille.

SIMONE, *désespérée.* Essayez de comprendre! C'est votre fils, après tout!

> *Jérémie excédé se lève et frappe sur le pupitre avec colère.*

JÉRÉMIE. Allez-vous me ficher la paix tous les deux!

LAURENT, *blessé.* Papa!

JÉRÉMIE, *à Laurent.* Ta mère s'est jamais permis une seule fois de sa vie de venir me déranger dans mon travail, veux-tu me dire pourquoi je l'endurerais de ta femme?

LAURENT, *humilié.* Va, Simone, va!

JÉRÉMIE. Oui, oui, pis plus vite que ça! Vous me raconterez ça à la maison si vous voulez, mais pas ici!

> *Laurent entraîne Simone vers la porte.*

LAURENT, *avec reproche.* Tu n'aurais jamais dû, Simone!

SIMONE, *résistant. Le visage tourné vers Jérémie.* Mais c'est sa faute! Il faut qu'il le sache!

LAURENT, *impatient.* Va, va! Et cesse de pleurer, tonnerre! Tiens-toi!

SIMONE, *se tournant brusquement vers Jérémie.* Vous êtes un monstre! Un monstre! Un affreux monstre!

> *Elle échappe à Laurent et sort en claquant la porte.*

JÉRÉMIE, *avec mépris.* Espèce d'hystérique! T'es pas capable de la contrôler mieux que ça?

LAURENT, *rageur et humilié.* Elle va traverser tout le bureau en pleurant! Tout le monde va la voir! Et après la scène de ce matin... Oh! vous êtes impitoyable!

JÉRÉMIE. C'est ça! Tiens-moi responsable par-dessus le marché! Bon Dieu, on va t'y pouvoir travailler en paix aujourd'hui!

LAURENT, *le regardant.* Et vous vouliez que j'aille vivre chez vous!...

JÉRÉMIE. Ma foi, j'avais jamais remarqué que ta femme était scèneuse à ce point-là!

LAURENT, *avec haine.* Rassurez-vous! Oh! rassurez-vous car je ne voudrais pas vivre avec vous pour tout l'or du monde!

JÉRÉMIE, *pacifiant.* Bah! Bah! Bah! prends donc pas de décisions dans un moment de colère. Simone va se calmer, et on en reparlera. Je la mettrai à ma main, moi, ta femme.

LAURENT, *secouant la tête.* Non! Nous n'irons pas chez vous. Cette scène me rappelle trop à quel point j'y ai été malheureux pendant toute mon enfance.

JÉRÉMIE. Penses-y, Laurent, penses-y bien... Si tu viens, je te laisse diriger les matériaux de construction, si tu viens pas...

LAURENT, *désarmé. Haineux.* Me faire un marchandage pareil! Mais je refuse! Je ne sais même pas si je continuerai à travailler avec vous!

JÉRÉMIE. Es-tu fou, toi? Écoute, écoute là! T'es tout à l'envers, c'est pas le temps de parler. Rentre chez toi, repose-toi, réfléchis toute la journée, pis viens m'apporter ta réponse à la maison ce soir.

LAURENT. Elle est toute décidée ma réponse.
> *Jérémie qui s'est levé le pousse vers son bureau, amicalement mais comme on parle à un enfant.*

JÉRÉMIE. J'écoute pas, j'ai rien entendu. Va, va! Prends ta journée pour y penser.

LAURENT, *accablé.* Puisque je vous dis...

JÉRÉMIE. Ce soir, ce soir... Pas avant!
> *Laurent accablé courbe les épaules et entre dans son bureau. Jérémie referme la porte.*

JÉRÉMIE, *avec un gros soupir.* Y sont t'y compliqués tous ensemble!

> *Le même soir, chez Jérémie Martin. Martine, venant de l'escalier de service, va ouvrir la porte d'entrée. Philippe paraît. Il s'étonne à la vue de Martine.*

PHILIPPE. Ah?... Bonjour!... Ou plutôt bonsoir! Monsieur Martin est-il ici?

MARTINE, *souriant.* Non, malheureusement il est sorti.

PHILIPPE, *surpris.* Mais il avait donné rendez-vous ici même, ce soir, à son fils Laurent. Je ne comprends pas...

MARTINE, *interrompant.* Oh! Pardon, je croyais que vous parliez de Michel Martin.

PHILIPPE. Non, non. Ce soir, c'est mon oncle que je viens voir.

MARTINE. Il est dans la bibliothèque...

PHILIPPE, *hésite un moment.* Je me demande si vous ne feriez pas mieux de m'annoncer?

MARTINE, *avec une grimace.* Vous croyez?...

PHILIPPE. Il déteste qu'on entre à l'improviste...
> *Martine hésite un moment puis se décide.*

MARTINE. J'y vais. *(Elle a un geste d'hésitation.)* Heu... Voulez-vous enlever votre manteau?

PHILIPPE. Je me débrouillerai tout seul, merci.
> *Martine se dirige vers la bibliothèque. Philippe voit le vestiaire, mais il se ravise.*

PHILIPPE, *faisant un pas vers elle.* Attendez! Je ne vous ai pas dit mon nom...

MARTINE, *souriant.* Philippe Beaujeu.

PHILIPPE, *étonné.* Ah! bon...

Ils se regardent un moment en souriant. Puis Martine s'éloigne et entre dans la bibliothèque où Jérémie, assis dans son fauteuil au coin du feu, lit son journal. Il sursaute en entendant Martine.

MARTINE. Monsieur Philippe Beaujeu demande à vous voir.

JÉRÉMIE, *étonné.* Hein?... Mais d'abord en quel honneur est-ce toi qui réponds à la porte? Où est Albert?...

MARTINE, *suave.* Mon oncle a une crise de foie... et maman s'occupe de lui.

JÉRÉMIE. René pouvait le remplacer!

MARTINE. C'est le jour de congé de René! *(Moqueuse.)* L'avez-vous oublié?

JÉRÉMIE, *agacé.* C'est bon. C'est bon. Fais-le entrer.

Martine sort et retrouve Philippe qui attend sur le seuil.

MARTINE. Il vous attend.

PHILIPPE, *hésitant.* Comment est-il? Bonne humeur?...

Martine rit avec un geste qui veut dire comme ci comme ça.

PHILIPPE, *rassuré.* Au moins la température n'est pas à l'orage?

MARTINE. Non, non! Nuageux et frais...

Ils rient tous deux. Martine s'éloigne et Philippe entre dans la bibliothèque.

PHILIPPE. Bonsoir mon oncle...

JÉRÉMIE, *cordial.* Allô! Comment ça va, le futur médecin? Qu'est-ce qui t'amène?

PHILIPPE. J'arrive de chez Laurent et Simone qui m'avaient invité à dîner...

JÉRÉMIE. Ah?... Je l'attendais justement Laurent... Il n'est pas avec toi?

PHILIPPE, *hésitant.* Il était souffrant, il m'a demandé d'arrêter vous prévenir avant de rentrer chez moi.

JÉRÉMIE, *avec un petit rire.* Autrement dit il t'a envoyé en ambassadeur. Parce qu'ils t'ont tout raconté je vois ça d'ici – Et que j'avais mis Simone à la porte?

PHILIPPE, *tourmenté.* Ils sont très malheureux de cet incident.

JÉRÉMIE. Et Laurent a pas eu le courage de m'apporter sa réponse lui-même?

PHILIPPE, *protestant.* Je vous assure qu'il n'était pas en état de sortir. Simone ne mentait pas en vous disant qu'il est malade. Son estomac le fait cruellement souffrir...

JÉRÉMIE, *se lève. Impatient.* Il peut bien être malade, misère d'un nom! Il a le cœur plein de fiel, ton cousin. L'estomac digère pas ça, le fiel. Veux-tu que je te dise pourquoi il dort pas la nuit? C'est l'envie, c'est la rancune, c'est la haine qui le tiennent éveillé! N'importe qui serait malade à entretenir des sentiments pareils.

PHILIPPE, *hésitant. Malheureux.* Reste à savoir s'il n'est pas justifié de les éprouver.

JÉRÉMIE. Si tu veux dire que c'est moi qui le mets dans cet état-là, gêne-toi pas, dis-le! *(Riant.)* Autrement, tu serais capable d'en faire un ulcère!

PHILIPPE. Qui voulez-vous que ce soit?

JÉRÉMIE, *brusquement.* Alors pourquoi est-ce qu'il m'endure?

PHILIPPE, *étonné.* Quoi?

JÉRÉMIE. Penses-tu qu'à sa place, j'aurais accepté ça, moi, à trente-cinq ans, de vivre dans l'ombre de mon père? Je te dis que je l'aurais envoyé promener, le père! Mais Laurent, lui, il pense que c'est à moi de m'effacer, que c'est à moi de lui céder la place! C'est à croire! Qui est-ce qui l'a faite, cette fortune-là, est-ce que c'est lui ou bien moi?

PHILIPPE. Il le sait, mon oncle! Il le sait!

JÉRÉMIE. Si encore je le voyais faire quelque chose par lui-même, si encore il forçait mon admiration! Quitte à s'en aller travailler ailleurs, quitte à me faire de la compétition! Là je le respecterais. Mais en attendant il peut faire tous les ulcères qu'il voudra, je lui céderai pas un pouce de terrain!

PHILIPPE, *humilié pour Laurent.* Il souffre beaucoup de cette situation.

JÉRÉMIE. C'est un monde dur, il a pas encore compris ça? Est-ce qu'il croit que la vie m'a été facile? Finissons-en! Il t'a envoyé me dire qu'il refusait de venir vivre ici?

PHILIPPE. Oui.

Jérémie va se rasseoir.

JÉRÉMIE. Je le savais. C'est probablement mieux comme ça après tout. Oui! C'est même beaucoup mieux comme ça!

PHILIPPE. Oui! oui... ce serait affreux pour Laurent... et pour vous aussi d'ailleurs! Leur vie de famille est si pénible.

JÉRÉMIE. Ah! oui?

PHILIPPE. Tant de disputes! Tant de cris! Les enfants et les parents, Laurent et Simone... J'aime encore mieux vivre seul... Remarquez que je ne dis pas ça pour les critiquer! Ils sont très aimables pour moi. De temps à autre ils m'invitent à dîner ce qui me change des repas solitaires...

JÉRÉMIE, *le regardant.* C'est pas drôle la solitude hein?

PHILIPPE. Ah! mon oncle si vous saviez!

JÉRÉMIE, *avec une grimace.* Je suis à la veille de le savoir! Ça marche tes études de médecine? Il te reste combien de temps?

PHILIPPE. C'est ma dernière année. J'étudierais mieux si... *(Haussant les épaules.)* Bah! chacun de nous a ses problèmes.

JÉRÉMIE, *soudain triste.* Il me semble que les miens étaient moins lourds quand ta tante vivait – La paix se faisait toujours autour d'elle.

PHILIPPE, *ému.* Marraine était une femme exceptionnelle. Souvenez-vous dans mon enfance... Combien de fois elle est venue me chercher pour m'emmener ici, quand maman partait pour un de ses longs voyages. Sans marraine, j'aurais crevé de solitude!

> *Jérémie, perdu dans une rêverie triste, ne l'entend pas. Philippe se lève, malheureux, et va regarder le feu, les mains appuyées sur le manteau de la cheminée.*

JÉRÉMIE, *hochant la tête comme s'il se parlait à lui-même.* Si au moins elle avait pas été si difficile à comprendre...

PHILIPPE, *sombre.* Est-ce qu'on comprend jamais les autres, de toute façon? Et est-ce que les autres nous comprennent jamais?

> *Il se retourne, s'aperçoit que Jérémie ne s'adressait pas à lui et se demande comment le sortir de sa rêverie.*

PHILIPPE, *faisant un pas vers Jérémie.* Je... je vais m'en aller mon oncle...

> *Mais Jérémie ne l'entend pas. Pourtant il est sorti de son rêve, et regarde le feu.*

JÉRÉMIE. Quelqu'un m'a dit aujourd'hui que si j'avais apporté à ma vie personnelle autant de soin et d'attention que j'en avais apporté à mes affaires, j'aurais été l'homme le plus heureux du monde. Crois-tu ça, toi?

PHILIPPE, *étonné.* Ouuui... je suppose que oui.

JÉRÉMIE. Eh! bien, tu te trompes.

> *Il se lève et se met à marcher.*

JÉRÉMIE. Ça se passe pas comme ça! On veut tous être heureux, bien sûr, mais on veut l'être par surcroît! Autrement dit, sans faire d'efforts. Au moment de décider de sa vie, on se dit: moi je veux être médecin, avocat, homme d'affaires, n'importe quoi; mais personne pense: moi je veux d'abord être un homme heureux.

PHILIPPE. Mais... même en admettant qu'on y pense il faut bien gagner sa vie! Être heureux, ce n'est pas un métier!

JÉRÉMIE. Non, mais ça pourrait être un but. Or, c'en est même pas un! La preuve, c'est qu'il y a pas un homme qui pense à organiser sa vie en fonction du bonheur, comme on le fait en fonction de devenir riche ou puissant, par exemple...

PHILIPPE, *étonné*. Mais... À quoi voulez-vous en venir?

JÉRÉMIE. À te dire que le bonheur doit pas être indispensable puisque les hommes emploient toute leur énergie à autre chose!

PHILIPPE, *étonné*. C'est vrai... *(Amer.)* Et pourtant Dieu sait!... *(Il soupire et s'arrête.)*

JÉRÉMIE, *lui mettant la main sur l'épaule*. Et puisque c'est pas indispensable Philippe, toi qui es jeune, renonces-y donc tout de suite, comme ça tu seras pas déçu.

Il éclate de rire et lui tape l'épaule amicalement. Philippe un peu étonné ne répond pas. Ils se dirigent tous deux vers le hall. Sur le seuil, Philippe se tourne vers son oncle.

PHILIPPE, *brusquement*. Mon oncle, si jamais vous vous ennuyez trop quand Michel sera parti, faites-moi signe. Je viendrai, moi, vivre avec vous.

Jérémie, flatté, met ses mains sur les épaules de Philippe.

JÉRÉMIE. Toi? T'es pas sérieux! J'ai un caractère de chien, pauvre petit gars! Tu te ferais manger tout rond!

PHILIPPE, *hochant la tête*. Peut-être... *(Il sourit.)* Mais entre la première et la dernière bouchée, j'aurai peut-être appris quelque chose d'un homme comme vous.

Jérémie étonné et ravi le regarde et se met à rire avec une joie presque enfantine.

JÉRÉMIE. Oui. Tu crois?... Tu crois ça pour vrai?

Philippe rit de voir rire Jérémie qui, en vrai primaire, incapable d'exprimer ses émotions, ne trouve rien de mieux que de le bourrer de coups de poings amicaux en riant de tout son cœur.

Philippe qui est encore assez près de l'enfance pour comprendre cette réaction, essaie de parer les coups mais sans chercher à les rendre. Il prend son manteau dans le vestiaire. Jérémie très animé raconte une bataille qu'il aurait eue, et mime des coups de poings, avance, recule, simulant un combat. Philippe l'écoute en riant. Son oncle le reconduit à la porte. Ils se quittent enchantés l'un de l'autre.

6

Le Lion s'écroule, mais se relève

Martine descend le grand escalier regardant autour d'elle avec un intérêt à la fois passionné et perplexe. Elle s'arrête un moment sur la dernière marche.

MARTINE. Qu'est-ce qu'elle a donc cette maison-là à tant m'intéresser? Qu'est-ce que ça peut bien être qui me retient ici, qui m'empêche de sortir, de penser à autre chose... qui me tient même éveillée la nuit... Je comprends pas... Je sais bien que c'est la plus belle maison que j'ai vue de toute ma vie... Mais il y a plus que ça! Je sais pas quoi mais il y a plus que ça!

Toute à ses réflexions, elle entre dans la salle à manger où elle sursaute en apercevant Michel.

MARTINE. Oh! excusez-moi, je savais pas que vous étiez ici...

MICHEL. Et après?... Approchez, approchez... Assoyez-vous. Nous allons prendre un café ensemble...

MARTINE. Je sais pas si je peux...

MICHEL. Oui, oui, je vous le sers moi-même. Prenez la place en face de moi.

Martine s'assoit et sourit, apprivoisée. Michel se lève et prend la cafetière sur le buffet derrière lui. Albert paraît venant de la cuisine.

ALBERT. Monsieur Michel! Vous auriez dû sonner!...

Michel sert une tasse de café tout en parlant.

MICHEL, *amusé.* Rassurez-vous, Albert, je n'ai pas eu besoin de vous.

ALBERT. Mais, monsieur Michel...

MICHEL, *offrant la tasse à Martine.* Tout va très bien, comme vous voyez.

ALBERT, *comprenant qu'il n'a qu'à s'en aller.* Ah! bon... Bien monsieur.

Rendu à la porte, il se retourne et regarde Martine.

ALBERT. Tu viendras tout de suite après, Martine.

MARTINE, *souriante.* Quand je serai prête, mon oncle.

Albert sort, et Michel reprend sa place.

MICHEL. Crème? Sucre? Servez-vous... Et dites-moi... Mon père vous fait-il toujours aussi peur?

MARTINE, *protestant.* Je n'ai pas peur de lui!

MICHEL, *riant.* Bah! Vous étiez moins brave quand il voulait vous forcer à aller ouvrir la porte...

Martine dépitée ne répond pas.

MICHEL. Le matin où Philippe est venu me chercher, souvenez-vous...

MARTINE, *durement.* J'ai pas oublié.

MICHEL. Bravo! Les gens qui oublient n'apprennent rien.

Elle regarde autour d'elle, impressionnée d'être assise à la table familiale.

MICHEL. Vous n'avez pas besoin d'avoir honte.

Croyant qu'il fait allusion à sa présence dans la salle à manger, Martine blessée dans sa vanité se redresse.

MARTINE. Honte?...

MICHEL, *reprenant sa place.* D'avoir eu peur de lui. Vous n'êtes ni la première, ni la dernière.

Martine rassurée se détend.

MICHEL. Enfants, nous tremblions tous devant lui. Jusqu'à notre majorité! Et même après...

MARTINE. Tous?... Même... même votre frère Beaujeu?

MICHEL, *moue dépitée.* Pas Beaujeu, non... Comment l'avez-vous deviné? Il était le seul à ne pas le redouter. Mais Laurent, par exemple... Et Céline!... Pauvre Céline, elle en avait tellement peur qu'il lui arrivait de s'étouffer pendant un repas quand il lui adressait la parole...

MARTINE. Et vous?

MICHEL, *souriant.* Je n'étais pas plus brave! Ce qui m'a sauvé, c'est que j'ai quitté la maison à quinze ans, quand ma mère a obtenu que j'aille terminer mes études en France. À l'étranger, peu à peu, j'ai appris à me libérer de lui.

MARTINE. Pourquoi est-il si dur, si autoritaire?

MICHEL, *riant.* Pourquoi le citron est-il sur? Pourquoi un bélier fonce-t-il toujours sur un obstacle, même quand il peut le contourner? Je n'en sais rien. Bien sûr, je pourrais vous faire de mon père un portrait psychologique mais la psychologie ne tient aucun compte de ce qui est inné en nous. Sur cette part non acquise de la personnalité, qui fait de chaque être humain une entité absolument unique, nous ne savons pas grand-chose!

MARTINE, *étonnée.* Voulez-vous dire qu'il n'y a personne au monde qui soit exactement semblable à... à moi, par exemple?

MICHEL, *amusé.* Personne! Et c'est vrai aussi bien physiologiquement que psychologiquement.

Cette déclaration semble tellement impressionner Martine que Michel se met à rire.

MICHEL. Ça vous impressionne à ce point-là de penser que vous êtes seule de votre espèce?

MARTINE. Oui! C'est la première fois que j'entends ça!

Pendant qu'elle parle, Jérémie est entré et s'avance vers elle. Elle ne l'entend pas venir et porte sa tasse à sa bouche au moment où il abaisse sa main sur son épaule.

JÉRÉMIE. Qu'est-ce que tu fais ici, toi?

Martine manque de s'étouffer et se lève précipitamment, prête à fuir.

MICHEL. Rassoyez-vous Martine!

JÉRÉMIE. C'est pas ta place ici, finiras-tu par le comprendre?

Michel s'est levé et vient les rejoindre.

MARTINE, *se débattant*. Lâchez-moi!

MICHEL, *prenant Martine par les épaules*. C'est moi qui ai demandé à Martine de prendre un café avec moi. J'ai bien le droit, il me semble!

JÉRÉMIE, *à Michel*. Non! Tiens-toi-le pour dit, une fois pour toutes. T'as donc aucun sens des convenances?

Martine humiliée a un mouvement en avant pour se sauver. Michel la retient.

MICHEL, *enchaînant, ironique*. Aucun! En tout cas, pas dans le sens où vous l'entendez.

MARTINE, *durement à Jérémie*. Moi non plus!

JÉRÉMIE, *désignant Martine*. Regarde-la! Toujours prête à me défier! Sors d'ici, je t'ai assez vue!

Martine va répondre, mais Michel lui met la main sur la bouche en la forçant à tourner le dos à son père pour qu'il ne voit pas son geste. Jérémie s'installe pour manger et sonne Albert.

JÉRÉMIE, *à Martine sans la regarder*. Sors, sors! Déguerpis! Et que je te retrouve plus dans cette partie-ci de la maison. Assis-toi, Michel. Finis ton déjeuner.

MICHEL, *suave*. J'ai fini, excusez-moi. Nous allions justement sortir quand vous êtes entré.

Il s'éloigne entraînant Martine. Jérémie irrité les regarde, prêt à protester, mais se retient de le faire. Et comme il faut qu'il passe sa colère sur quelque chose, il s'exclame.

JÉRÉMIE. Voyons qu'est-ce qu'elle a cette sonnette-là!

Il agite son pied sous la table.

JÉRÉMIE, *hurlant*. Albert!...

ALBERT, *paraissant avant même que Jérémie ait fini de crier*. Oui Monsieur? Oui, Monsieur?...

JÉRÉMIE. Tu m'entendais donc pas sonner? Qu'est-ce que tu faisais encore? Apporte-moi à manger! Et vite!

ALBERT. Tout de suite, Monsieur, tout de suite.

JÉRÉMIE. Et puis dis à Annette qu'elle vienne me trouver dans la bibliothèque quand j'aurai fini. J'ai à lui parler de sa fille. On va bien voir si j'en viendrai à bout de cette petite effrontée-là!

Il déplie son journal avec colère tout en parlant. Dans le hall, Michel entraîne Martine vers la bibliothèque.

MARTINE, *rageuse mais sans élever la voix.* Oh! je le déteste! Je le déteste!

MICHEL, *pacifiant.* Bien sûr, tout le monde le déteste. *(Il s'arrête et prend Martine par les épaules.)* L'erreur c'est de se cacher à soi-même qu'on a peur d'une chose ou de quelqu'un, car alors on n'en vient jamais à bout. Admettez-vous maintenant que vous avez peur de lui?

Martine fait de la tête un signe d'acquiescement, humiliée, mais se redresse aussitôt.

MARTINE, *avec furie.* C'est bien pour ça que je le déteste!

MICHEL. Qu'importe, du moment que vous l'admettez! Car maintenant vous pourrez dominer vos craintes.

MARTINE. J'ai beau essayer, je réussis pas!

MICHEL. Il le faut pourtant! Savez-vous que sous l'influence de la peur, l'organisme sécrète une sorte de substance chimique que les chiens sentent et qui les poussent à attaquer et à mordre? Eh! bien, mon père est un peu comme les chiens! Dès qu'il a senti qu'une personne le craint, il faut qu'il l'attaque.

MARTINE. J'aurais jamais dû aller répondre à la porte quand il me l'a ordonné. Maintenant qu'il a eu prise sur moi, il me dominera toujours!

MICHEL. Pas si vous cessez de trembler devant lui. «En quoi peut-il t'atteindre?» me disait Beaujeu un jour où j'avais été particulièrement lâche devant mon père. «En quoi peut-il t'atteindre»... Il m'a fallu des années pour comprendre ce qu'il avait voulu dire, ce qu'il avait trouvé tout seul intuitivement dès son enfance...

MARTINE. Mais... je comprends pas! Puisque j'habite chez lui, il peut m'atteindre de bien des façons.

MICHEL. Dans votre vie extérieure seulement. Il ne peut rien changer en vous de ce qui est essentiel.

MARTINE. Vous voulez dire dans cette partie de moi que... qui ressemble à personne, comme vous disiez tantôt?

MICHEL, *lui prenant les mains. Souriant.* Oui, c'est ça que je veux dire. Dans cette partie de vous-même qui fait de vous un être unique au monde. Ça, si vous y prenez garde, ni mon père, ni personne ne pourra jamais rien y changer. Et croyez-moi, c'est la seule chose dans l'être qui ait une valeur certaine, absolue. Le reste importe peu. Pensez-y, Martine, pensez-y!...

> *Il s'éloigne vers la bibliothèque, laissant Martine peu convaincue. «Quand même, le reste, songe-t-elle, ça compte aussi, il me semble...»*

La cuisine. Annette au téléphone achève de donner une commande.

ANNETTE, *au téléphone.* Rien de plus, non... Vous mettrez ça sur le compte de monsieur Jérémie Martin...

> *Albert entre avec un plateau venant de la salle à manger. Annette raccroche.*

ALBERT. Il veut te voir après son déjeuner.

ANNETTE. J'attendrai qu'il sonne.

ALBERT. Il est pas prenable avec des pinces, ce matin! *(Furieux.)* C'est la faute de Martine aussi. Qu'est-ce qu'elle avait d'affaire à être assise à la table de la salle à manger, avec monsieur Michel. Si ça a du bon sens!

> *Martine paraît. Annette a un mouvement vers elle.*

MARTINE, *haussant les épaules.* Si on dirait pas que j'ai commis un crime.

ANNETTE, *s'approchant d'elle et lui prenant la main. Durement. Articulant chaque syllabe.* Reste à ta place, Martine! Cherche pas à t'élever au-dessus de ton niveau, combien de fois va-t-il falloir que je te le répète?

MARTINE, *la regardant froidement.* Et qu'est-ce que c'est mon niveau selon vous? La cuisine, comme «il» dit?

ALBERT, *insulté.* Orgueilleuse! Ce qui est bon pour ta mère et moi devrait être bon pour toi!

MARTINE. Vous aviez qu'à pas vous en contenter de la cuisine! *(À Albert avec mépris.)* Mais vous y croupirez toute votre vie parce que vous êtes fait pour servir. *(À sa mère.)* Quant à vous...

ANNETTE, *la défiant.* Quant à moi?...

MARTINE, *désarmée.* Vous... vous c'est autre chose! Je vous comprends pas. Vous êtes indépendante, vous avez votre magasin, un appartement. Pourquoi acceptez-vous d'habiter une maison où il y a des pièces dans lesquelles on ne vous trouve pas assez bien pour entrer à moins qu'on vous y ait appelée?

On entend sonner deux coups. Leurs regards se lèvent vers le tableau des sonnettes où une lumière s'est allumée.

ALBERT. C'est lui! Il est rendu dans la bibliothèque...

MARTINE, *à sa mère.* Eh! bien?... Deux coups, c'est pour vous! Allez-y donc puisqu'on vous appelle!

Annette la regarde durement en silence.

MARTINE, *de plus en plus sarcastique.* Eh! bien?... Eh! bien?... Deux coups, maman, voyons!

Annette la gifle.

MARTINE, *reculant.* Merci! Je me demandais ce que vous attendiez!

ALBERT, *nerveux.* Annette! Je t'avais dit qu'il voulait te voir après son déjeuner.

Annette continue à regarder Martine froidement.

ALBERT, *s'agitant.* Mais vas-y, Seigneur! As-tu envie qu'il vienne nous relancer ici?

Annette demeure immobile. Deux autres coups frénétiques se font entendre.

MARTINE, *impressionnée par l'attitude de sa mère.* Je retire ce que j'ai dit, maman, je le retire... Je... Je vous comprends pas, tout simplement...

ALBERT, *suppliant.* Annette! Fais quelque chose.

Martine se met aussi à s'agiter et regarde le tableau des sonneries avec inquiétude.

MARTINE, *nerveusement.* Je vous comprends pas, mais il est sûr que vous devez avoir des raisons d'agir comme vous le faites... parce que vous avez rien de servile, je le reconnais, je l'admets.

Le visage d'Annette se détend légèrement, mais elle demeure toujours immobile.

ALBERT, *suppliant.* Annette! Je t'en supplie! (*Reculant.*) Tu sais bien qu'il va venir, si tu y vas pas! Il va venir! Oh! moi je veux pas voir ça! Je peux pas voir ça!

Il lui tourne le dos et se sauve par l'escalier de service.

MARTINE, *prise aussi de panique.* Mais qu'est-ce que vous attendez? Que je vous fasse des excuses?...

Silence d'Annette.

MARTINE. Eh! bien, je vous les fais, là, êtes-vous contente? Je vous les fais. J'ai été grossière, je le reconnais, je l'admets.

Deux nouveaux coups de sonnette résonnent plus énergiquement que jamais et plus prolongés. Annette ne bronche pas, le regard toujours fixé sur sa fille.

MARTINE, *perdant pied.* Qu'est-ce qu'il vous faut de plus? Que je me mette à genoux?... Maman, je peux plus l'endurer! Je vous en prie! Allez-y! Allez-y!...

ANNETTE, *durement.* C'est ça que j'attendais. Que ce soit toi qui me le demandes.

Martine humiliée de s'être laissée dominer par la peur baisse les yeux, devant le regard de sa mère, et se détourne brusquement. Annette continue à la regarder un moment et s'éloigne. Martine se laisse choir sur une chaise devant la grande table.

MARTINE, *ébranlée.* Elle est forte... Bien plus forte que moi!

On entend deux nouveaux coups de sonnette impérieux. Martine se bouche les oreilles avec rage. La porte d'entrée de service s'ouvre. Maurice paraît. Uniforme de chauffeur. Il s'étonne du visage bouleversé de Martine, et s'avance vers elle. Brusquement...

MAURICE. Qu'est-ce qu'il y a, Martine?

MARTINE, *se ressaisissant.* Rien!

MAURICE. Es-tu malade?

MARTINE. Non.

MAURICE, *hésitant.* Tu sais, ta mère a raison, tu sors pas assez. Tu devrais prendre l'air plus souvent...

MARTINE, *brusquement.* Ah! non, vous allez pas recommencer!

MAURICE. Recommencer quoi?...

Il s'installe devant la table pour se rouler une cigarette. Martine agacée se lève.

MARTINE. À me dire que j'ai besoin d'air!... Si c'est un prétexte pour que je sorte avec vous, j'aime autant vous le dire tout de suite pendant qu'on est seul, vous perdez votre temps!

Maurice suspend son geste un moment pour la regarder.

MAURICE, *après une pause. Sombre.* J'ai compris.

MARTINE, *se retournant vers lui. Agacée.* Vous avez compris quoi? Qu'est-ce que vous avez compris?

MAURICE, *surpris par le ton.* Mais que... que... que je suis pas ton genre...

Martine soulagée se rassoit. Moins dure.

MARTINE. J'aime pas que vous me tutoyez.

MAURICE, *revenant à sa cigarette.* T'aimes rien de ce que je fais de toute façon.

MARTINE. Est-ce que je vous tutoie, moi?

MAURICE. C'est vrai, j'avais pas remarqué. C'est par exprès?

MARTINE, *moins dure.* Y a pas de raison... On... on est pas des amis... On le sera jamais, alors...

90

MAURICE, *haussant les épaules.* Comme tu voudras.

MARTINE, *corrigeant.* Comme vous voudrez.

MAURICE, *durement.* Demandes-en pas trop, veux-tu? Je te force pas à me tutoyer, force-moi pas à dire vous à une fille plus jeune que moi, qui a été élevée comme moi et qui est pas mieux que moi. *(Il se lève.)* Fais de la pose tant que tu voudras, ça prend pas avec moi! Salut.

Il lui tourne le dos et sort. Martine furieuse lui tire la langue.

MARTINE. Grossier! Mal élevé! Effronté!

Dans la bibliothèque, Annette debout devant Jérémie attend qu'il ait terminé une longue tirade injurieuse.

JÉRÉMIE. Et si elle s'imagine qu'elle va gagner, elle se trompe! Il manquerait plus que ça que je m'en laisse imposer par une punaise de son âge!

ANNETTE, *après une pause. Froidement.* Vous avez fini?

JÉRÉMIE, *furieux.* Comment, si j'ai fini? Fini quoi?

ANNETTE. Ce que vous avez à dire!

JÉRÉMIE, *avec rage.* Annette, défie-moi pas toi aussi!

Il s'approche d'elle le bras levé. Annette sourit, baisse son bras et le met autour de ses épaules.

ANNETTE. Toujours le bras levé pour abattre quelqu'un. *(L'entraînant.)* Venez vous asseoir... À votre âge, faire encore des colères pareilles!

JÉRÉMIE, *irrité mais se laissant entraîner.* Laisse mon âge tranquille. Tant que je vivrai, je veux être le maître dans ma maison.

ANNETTE. Vous l'êtes!... Personne sera assez fou pour le contester.

Elle le force à s'asseoir dans son fauteuil.

JÉRÉMIE, *encore furieux.* Alors fais-le comprendre à ta fille! J'endurerai pas qu'elle me résiste!

ANNETTE. Croyez-vous!... Elle tremblait d'épouvante tantôt à la pensée que vous pourriez venir me relancer dans la cuisine.

JÉRÉMIE, *petit rire satisfait.* Ah! oui... tant mieux, tant mieux! Je suis pas fâché de le savoir!

ANNETTE. Ça vous plaît donc tellement de faire trembler tout le monde?

JÉRÉMIE, *durement.* Connais-tu un autre moyen de se faire obéir?

ANNETTE, *le regardant.* Pour vous, non, je suppose... *(Elle secoue la tête.)* Mais qu'importe, pour l'instant. Moi aussi, j'ai à vous parler.

JÉRÉMIE, *étonné.* Ah!... ben assis-toi...

ANNETTE. Ici? Devant vous? Vous savez bien que non!

JÉRÉMIE, *la regardant.* Têtue! *(Affectueusement.)* Sacrée têtue! Mais toi au moins, t'as le tour d'arriver à ce que tu veux!

ANNETTE. Pourquoi me demander de faire justement ce que vous reprochez à Martine d'avoir fait?

JÉRÉMIE, *prêt à se fâcher.* Écoute, écoute! C'est pas la même chose! Entre toi et moi, y a...

ANNETTE. Vous êtes le maître, vous venez de le dire, et je suis à votre service. Et tant que je serai à votre service...

Jérémie a un petit rire sournois et la regarde par en dessous.

JÉRÉMIE. Tu vas tenir ça encore longtemps? À ta place je serais tannée pas pour rire! Depuis six mois que ça dure!

Le visage d'Annette se détend. Une grande lassitude l'envahit.

JÉRÉMIE. T'en as pas encore assez?

ANNETTE. Oh! Oui... Oui, j'en ai assez!

Jérémie cesse de rire.

ANNETTE. Je vous l'ai dit, je veux retourner au magasin, à l'appartement surtout...

JÉRÉMIE, *soupirant.* On l'a pas vu beaucoup l'appartement depuis que t'es ici!

ANNETTE. Comprenez-moi...

Albert paraît sur le seuil de la bibliothèque. Jérémie se redresse aussitôt.

ALBERT. Monsieur Martin, monsieur le notaire Beauchemin désire vous voir.

JÉRÉMIE, *surpris.* Le notaire? Ah! l'achalant!

ALBERT, *gêné. Désignant le hall. Baissant la voix.* Attention, monsieur Martin...

JÉRÉMIE, *baissant la voix.* Il fallait lui dire que j'étais parti pour le bureau!

ALBERT. Vous m'aviez pas donné d'ordre...

JÉRÉMIE, *brusquement.* Qu'il aille chez le diable! Je suis trop occupé! J'ai des choses à discuter avec Annette... Va lui dire!

ALBERT. Bien monsieur...

Il sort. Jérémie maussade lève les yeux vers Annette et change brusquement d'idée. Il bondit sur ses pieds.

JÉRÉMIE. Et puis, non! *(À voix forte.)* Albert! *(À Annette.)* J'aime autant en finir tout de suite avec lui.

Annette va protester lorsque Albert reparaît.

JÉRÉMIE, *vivement.* Fais-le entrer, fais-le entrer!

Albert s'éloigne. Jérémie met ses mains sur le manteau de la cheminée et tourne le dos à Annette.

JÉRÉMIE, *à Annette sans la regarder.* Va, va... Je te rappellerai aussitôt qu'il sera parti.

ANNETTE. Monsieur Martin!

Elle comprend qu'il a changé d'idée pour éviter une conversation avec elle et s'éloigne après un moment, refoulant sa colère. À l'entrée elle croise le notaire avec lequel elle échange un petit salut plein de réserve. Le notaire fait quelques pas vers Jérémie qui se retourne. Il a complètement changé d'attitude. C'est un homme jovial et hospitalier qui s'exclame.

JÉRÉMIE, *avec entrain.* Bonjour, mon cher Notaire!

Le notaire surpris, s'arrête hésitant.

JÉRÉMIE, *s'avançant la main tendue.* Venez, venez! Si j'ai hésité à vous recevoir, c'est que j'avais justement l'intention de passer à votre étude avant de me rendre au bureau.

NOTAIRE, *étonné.* Ah!

Rassuré, il serre plus fortement la main de Jérémie qui continue à faire le charmeur.

JÉRÉMIE. Je sais que vous essayez de me voir depuis quelque temps, mais j'ai été entraîné dans une série d'affaires qui ont demandé toute mon attention.

NOTAIRE. Oh! je sais bien qu'un homme comme vous...

JÉRÉMIE, *bon enfant.* Je vous le cache pas, depuis deux semaines, c'est tout juste si je trouve le temps de manger!

NOTAIRE, *séduit.* Bah! vous êtes pardonné. L'important c'est que...

JÉRÉMIE, *l'interrompant.* Croyez pas d'ailleurs que j'ai pas pensé à vous. Je suis en train de conclure une transaction considérable en ce moment. Des capitaux étrangers... Anglais... Il s'agit... *(Il s'arrête.)* Non, c'est trop tôt pour ébruiter l'affaire! Mais... *(Il tape l'épaule du notaire d'un air complice.)* Mais si ça marche, tenez-vous prêt, notaire, parce que j'aurai besoin de vous!

Le notaire qui redoute une sorte de chantage se refroidit.

NOTAIRE, *méfiant.* Merci, mais...

JÉRÉMIE, *se frottant les mains.* Une affaire énorme, notaire! Vous aurez plus rien qu'à vous tourner les pouces jusqu'à la fin de vos jours, tellement ça va vous rapporter!

NOTAIRE, *qui se sent faiblir.* Ah! oui?...

JÉRÉMIE. J'ai déjà parlé de vous aux parties en cause, d'ailleurs...

NOTAIRE, *faiblissant de plus en plus.* Alors?

JÉRÉMIE. Eh! bien, j'ai eu l'impression qu'il en tient qu'à moi de vous faire accepter. Cigare?...

Il lui tend la boîte avec un sourire affable. Son chantage devient tellement évident que le notaire ne peut plus avoir l'air de ne pas comprendre. Va-t-il l'accepter? Il a tendu la main vers la boîte. Les deux hommes se regardent comme s'ils s'évaluaient.

NOTAIRE, *retirant sa main.* Non... *(Lentement.)* Non, merci.

JÉRÉMIE, *le regardant.* Vous avez tort! C'est un bon cigare!

NOTAIRE, *sèchement.* Parlons plutôt de ce qui m'amène. Vous devez bien vous en douter d'ailleurs?

JÉRÉMIE, *l'air de chercher.* Je vois pas...?

NOTAIRE, *plus sec.* Il s'agit du billet que j'ai rédigé à la demande de madame Martin et que vous avez signé en ma présence le jour...

JÉRÉMIE, *l'interrompant. Comme si le souvenir lui revenait de très loin.* Oui, oui... oui, oui, oui...

NOTAIRE. Le jour même où elle a rédigé son testament... *(Lentement.)* Qui faisait de vous son seul héritier. Il est impossible que je vous remette les deux cent mille dollars qui constituent votre héritage, avant que...

JÉRÉMIE. Oh! vous savez, j'en presse pas.

NOTAIRE, *continuant.* Avant que vous n'ayez rempli les conditions stipulées dans ce billet par lequel vous vous engagez à verser à Annette Julien la somme de cent mille dollars, en argent comptant...

JÉRÉMIE, *sérieux.* En effet, il faudrait s'occuper de ça.

NOTAIRE. Il le faut, oui. Ce legs, pour être secret, n'en est pas moins un legs, et cette personne étant moins indépendante que vous, financièrement, apprécierait certainement...

JÉRÉMIE, *l'interrompant.* Rien de plus logique! Vous avez toujours ce billet en votre possession bien entendu...?

NOTAIRE, *surpris.* Bien entendu! Et puisqu'il s'agit de la volonté expresse de la défunte, il serait bon de voir à ce que cette condition soit remplie au plus tôt.

La main sur le cœur en proie à une douleur subite qu'il cherche à cacher, Jérémie s'éloigne de quelques pas.

JÉRÉMIE. Condition que nous sommes seuls à... à connaître vous et moi, si j'ai bonne mémoire?

NOTAIRE, *sec.* C'est justement parce que madame Martin voulait que cette clause demeure cachée qu'elle n'en a pas fait mention dans son testament. J'ignore ses raisons, et je n'ai pas à les connaître, mais je dois les faire respecter.

JÉRÉMIE, *avec effort.* Alors?... Excusez-moi... Alors?

Il se laisse tomber dans son fauteuil.

NOTAIRE, *qui aime de moins en moins le tour de la conversation.* Alors!... Alors je viens tout simplement vous demander de me signer un chèque de cent mille dollars, afin que je puisse le déposer à la banque au nom d'Annette Julien, qui, tel que convenu dans le billet, devra toujours croire que cette somme a été déposée pour elle par madame Martin elle-même. *(De mauvaise humeur.)* Nous avons déjà trop attendu si vous voulez m'en croire. Je serais heureux de...

Il ralentit son débit et se tait devant le changement de Jérémie qui, depuis quelques secondes, s'est recroquevillé dans son fauteuil, en proie à une souffrance qu'il cherche vainement à dominer.

NOTAIRE. Qu'est-ce que?... Êtes-vous?... Êtes-vous malade?

Jérémie le repousse avec un grognement et parvient à sortir son carnet de chèques.

JÉRÉMIE, *dans un souffle.* Faites le chèque... je signerai... Mais qu'est-ce que j'ai?... Qu'est-ce que j'ai donc!

NOTAIRE, *inquiet.* Monsieur Martin... *(Il se lève.)* Voulez-vous que j'appelle quelqu'un?

JÉRÉMIE, *faiblement.* La fenêtre... Ouvrez la fenêtre... J'étouffe!

Le notaire se précipite vers la fenêtre. Jérémie qui s'est levé le rappelle.

JÉRÉMIE. Non! non! Sonnez! Appelez quelqu'un...

Le notaire passe devant lui. Il se raccroche à lui avec angoisse.

JÉRÉMIE. Est-ce que... Est-ce que je vais mourir?

NOTAIRE, *affolé.* Mais non, mais non! Rasseyez-vous... Restez là! Je sonne! Je sonne...

Il cherche la sonnette, ne la trouve pas, court vers le hall et appelle.

NOTAIRE. Hé, quelqu'un!... Quelqu'un! *(Il court vers le hall.)* Au secours! Au secours!

Albert paraît suivi d'Annette, de Martine, de la cuisinière et de Maurice, de Carmelle et de René.

ALBERT. Qu'est-ce qu'il y a?

RENÉ. Que se passe-t-il?

NOTAIRE. Monsieur Martin! Venez vite!

Ils se précipitent tous vers la bibliothèque. Albert entre le premier, Annette retient les autres.

ANNETTE. Allez, allez, je vous appellerai si c'est nécessaire.

MARTINE, *essayant de voir par-dessus l'épaule de sa mère.* Il a l'air mort!

ANNETTE, *saisie.* Oh!...

Elle laisse Martine et se précipite vers Jérémie qui est déjà entouré d'Albert et du notaire.

ANNETTE, *angoissée.* Monsieur Martin! Monsieur Martin! C'est pas possible!

Jérémie ouvre les yeux et les referme aussitôt.

ANNETTE. Il vit! Ouvre la fenêtre, Albert! Vite! Toutes les fenêtres...

NOTAIRE. Oui, oui! Il voulait de l'air.

Il se précipite vers une fenêtre et Albert vers une autre. Annette détache la cravate de Jérémie qui lui prend le poignet et ouvre les yeux.

JÉRÉMIE, *bas. Impérieux.* Fais-le sortir!...

ANNETTE, *suffoquée.* Vous!

JÉRÉMIE. Fais-le sortir!

Annette se lève interdite et aperçoit Martine, Maurice, la cuisinière, Carmelle et René qui sont restés à l'entrée.

ANNETTE, *furieuse.* Voulez-vous vous en aller, vous autres!

Ils s'éloignent. Le notaire revient vers Annette qui se penche aussitôt vers Jérémie pour détacher son col.

NOTAIRE, *agité.* Puis-je vous être utile?

ANNETTE, *brusquement.* Oui, en vous en allant.

NOTAIRE, *suffoqué.* Mais!

Albert vient les rejoindre.

ANNETTE. Reculez, reculez! Laissez-le respirer, c'est mauvais qu'il y ait trop de monde autour de lui.

NOTAIRE, *s'éloignant à reculons.* Il faut prévenir le médecin. À son âge...

ANNETTE. Albert l'appellera. Va le reconduire Albert.

Ils sortent. Elle revient à Jérémie.

ANNETTE, *avec rancœur. Voix basse.* Me faire des peurs pareilles!

Sans bouger. Ouvrant seulement un œil malin.

JÉRÉMIE, *bas.* T'as eu peur pour vrai?

Il lui donne un uppercut amical sous le menton.

JÉRÉMIE. Merci!

ANNETTE. Merci de quoi?

JÉRÉMIE. D'avoir eu peur.

ANNETTE. Mais pourquoi avez-vous fait ça?

JÉRÉMIE, *agacé.* Il s'en allait pas, le vieux râleux!

ANNETTE, *mal remise de son émotion.* C'est bien la première fois que je vous vois prendre un moyen aussi détourné pour vous débarrasser de quelqu'un!

JÉRÉMIE. Chut!

Il referme les yeux. Annette se lève et se met devant lui pour le cacher. Albert paraît.

ANNETTE. Le notaire est-il parti?

ALBERT, *soucieux.* Oui... Quel docteur faut-y que j'appelle?

> *Jérémie se lève et pousse Annette.*

JÉRÉMIE. Laisse faire les docteurs! Je suis guéri! *(Riant de la stupeur hébétée d'Albert.)* Regarde donc, si y est drôle!

> *Mais Annette ne rit pas plus qu'Albert. Elle se penche pour ramasser le carnet de chèques.*

JÉRÉMIE, *dépité.* Si on peut plus rire! Vite Albert, mon manteau, mon chapeau. J'ai perdu trop de temps.

> *Albert ne bouge pas.*

JÉRÉMIE, *le poussant.* Vite donc, vite donc!

> *Albert lui tourne le dos et s'éloigne.*

JÉRÉMIE, *bourru.* Y est pas vite sur ses patins, ton frère.

> *Il prend le carnet qu'elle lui tend.*

JÉRÉMIE. Qu'est-ce que c'est?

ANNETTE. Votre carnet de chèques qui était tombé...

> *Il a un moment de remords.*

JÉRÉMIE, *après une pause.* Merci... *(Il va ajouter quelque chose, se ravise et s'éloigne mais s'arrête sur le seuil de la bibliothèque et se tourne vers Annette.)* Tu perdras rien avec moi, Annette, aie pas peur!

> *Annette étonnée fait un pas vers lui.*

ANNETTE, *protestant.* Mais?

JÉRÉMIE. Fais-moi confiance... Fais-moi confiance...

> *Il sort rapidement.*

7

Une belle institution

C'est la nuit. Envahie par ses hantises familières, Martine ne parvient pas à dormir. Elle se lève soudain, fait de la lumière, va ouvrir la fenêtre et tire sur la ficelle qui suspend la boîte à cigares dans le vide. Elle la prend, détache la corde, ouvre la boîte, sort le cahier et soupire d'aise en le retrouvant à sa place. «Ouf! Maman ne l'a pas encore trouvé, soupire-t-elle. C'est au moins ça!»(Elle s'assoit sur le bord de son lit et regarde le cahier avec perplexité.) Qu'est-ce qu'il peut bien y avoir là-dedans qui lui fasse si peur? Si au moins je pouvais savoir pourquoi c'est à moi que madame Martin s'est adressée?... Elle croit réentendre une fois de plus la conversation qu'elles ont eue ensemble toutes les deux.

CLOTHILDE, *anxieuse et pressante.* Puis-je avoir confiance en vous, Martine? Puis-je compter sur vous pour remettre ce cahier à mon fils Beaujeu? À lui seul... À personne d'autre qu'à lui?

MARTINE, *spontanément.* Oui, madame, oui, je vous le promets.

CLOTHILDE. Tout de suite après ma mort!... À lui seul, souvenez-vous, à lui seul!... Et ne le montrez à personne au cas où on chercherait à vous l'enlever...

MARTINE. Elle devait penser à son mari?... *(Alarmée.)* S'il fallait... S'il fallait que monsieur Martin sache que j'ai le journal de sa femme, lui qui m'en veut déjà de pas lui avoir remis la lettre adressée au Notaire!... S'il fallait qu'il l'apprenne...

La voix de Jérémie résonne encore dans sa tête.

JÉRÉMIE. Fais bien attention, ma petite fille, parce que ça me gênerait pas beaucoup de te faire enfermer dans une maison de correction, t'es aussi bien de le savoir tout de suite!

MARTINE. Vous voyez, madame Martin! S'il apprend que j'ai gardé le cahier, il est capable de me faire arrêter par la police. Il dira que je l'ai volé et alors... Mon Dieu!... *(Subitement.)* C'est à lui que je devrais le donner!

CLOTHILDE. À mon fils Beaujeu. À lui seul, Martine!

MARTINE, *protestant.* Mais...

CLOTHILDE. À lui seul!

MARTINE, *protestant.* Mais vous êtes morte, madame Martin! Et moi, je vis! Et votre journal est la seule chose que j'ai en ma possession pour détourner la colère de votre mari!

CLOTHILDE. À mon fils Beaujeu... À lui seul! À lui seul...

MARTINE, *durement.* Il l'aura pas! Il l'aura pas! C'est monsieur Martin qui l'aura. Et alors il cessera peut-être de me tourmenter. J'ai peur de lui, j'ai peur de lui, comprenez-le donc!

C'est maintenant la voix de Michel qui vient la hanter.

MICHEL. En quoi peut-il vous atteindre Martine? Il ne peut rien changer en vous de ce qui est essentiel... Et croyez-moi, c'est la seule chose dans l'être qui ait une valeur certaine, absolue. Le reste importe peu!

Martine se redresse pour protester.

MARTINE, *véhémente.* Pour vous peut-être, Michel Martin, mais pour moi, le reste compte encore plus! Je veux pas aller dans une maison de correction. Je veux pas! Est-ce que c'est pas assez, Seigneur, que j'aie passé toute mon enfance derrière les murs d'un couvent? Je ne veux plus de murs devant moi! J'en veux plus!

Dans la cuisine. Annette debout devant la grande table couverte de pièces d'argenterie de toutes sortes, procède au nettoyage. Martine entre dans la cuisine et va maussadement coller son front contre la vitre. L'horloge de la cuisine sonne onze heures.

ANNETTE. Puisque tu as tellement l'air de t'ennuyer, viens donc m'aider.

Mouvement de protestation de Martine qui se ravise et vient rejoindre sa mère sans entrain.

MARTINE, *après un moment. Durement.* C'est bien dommage qu'il soit pas mort pour vrai, ce matin!

ANNETTE, *saisie.* Tais-toi!

MARTINE, *étonnée.* Ça vous ferait tant de peine?

ANNETTE, *repoussant la question.* On sort tout juste des funérailles de madame Martin. Laisse-nous respirer.

MARTINE, *amèrement.* Personnellement, je respirerais mieux s'il était mort! J'ai bien cru que ça y était quand je l'ai vu dans son fauteuil, la tête penchée... les yeux fermés...

ANNETTE, *se détournant.* Tais-toi, je te dis. C'est mal de souhaiter la mort de quelqu'un.

MARTINE. Même quand il s'agit de quelqu'un qui vous parle toujours comme si vous étiez le dernier des vers de terre?

ANNETTE, *avec lassitude.* Cesse de le provoquer, si tu veux la paix.

MARTINE, *malheureuse.* Mais c'est plus fort que moi, maman, je peux pas m'en empêcher. Je sais pas ce qu'il y a en lui, mais chaque fois que je le vois, je sens des griffes qui me poussent et un

99

besoin irrésistible de le narguer, de le défier! *(Perplexe.)* Comprenez-vous, ça?

Annette alarmée, lui prenant la main.

ANNETTE. Joue pas ce jeu-là avec lui, Martine. Il est plus fort que toi.

MARTINE, *retirant violemment sa main.* J'accepte pas qu'il soit plus fort que moi, j'accepte pas surtout qu'il me le fasse sentir! D'abord pourquoi est-il plus fort que moi? C'est pas juste. On devrait tous être de la même force. Le monde est mal fait.

ANNETTE. Tu trouves pas que t'es un peu jeune pour décider si la vie est bonne ou mauvaise?

MARTINE. J'en sais assez pour savoir que c'est pas drôle de vivre. En tout cas, pas dans les conditions où je vis en ce moment avec cet espèce d'ours toujours en colère, toujours méprisant...

ANNETTE, *avec espoir.* Martine, veux-tu t'en aller?

MARTINE. Non, je m'en irai pas! Qu'est-ce que ça me donnerait?

ANNETTE. Tu le verrais plus! Et puisque c'est lui qui te rend malheureuse...

MARTINE, *âprement.* C'est pas lui, c'est ma lâcheté qui me rend malheureuse, qui m'empêche de dormir! Je peux pas m'empêcher de le défier, mais je peux encore moins m'empêcher de trembler devant lui, et c'est ça que je lui pardonne pas. Je lui pardonne pas de me forcer à constater que je suis lâche!

ANNETTE, *étonnée.* Au moins, tu commences à voir clair en toi!

MARTINE. Oh! je vois pas tout. Mais ça je le vois. Et je m'en irai pas tant que j'aurai pas cessé de trembler devant lui.

ANNETTE, *tristement.* Il te courbera avant que tu y parviennes.

MARTINE, *ébranlée.* Comme vous dites ça! *(Sarcastique.)* C'est... c'est une expérience personnelle?

ANNETTE, *froidement.* Je connais la vie mieux que toi...

MARTINE, *maussade.* Monsieur Martin aussi, vous le connaissez mieux que moi.

Annette la regarde, prête à riposter mais elle s'aperçoit que la remarque ne contenait aucune insinuation, et elle reprend son travail.

ANNETTE. Oui, je le connais mieux que toi. Et je peux te dire une chose: ce n'est pas ce qui fait le plus de bruit, Martine, qui est le plus dangereux. La foudre tombe pas chaque fois qu'il tonne.

MARTINE. Elle tombe quand même quelquefois!

ANNETTE, *avec un ton presque indifférent.* L'eau qui s'infiltre tout doucement presque en silence, jusqu'à tout inonder, jusqu'à ce qu'elle ait pris toute la place, est bien plus redoutable que le tonnerre.

MARTINE, *maussade.* Si vous vous mettez à parler en parabole!... Qu'est-ce que vous voulez dire? Qui est-ce, l'eau? Le tonnerre, c'est monsieur Martin, bien sûr, mais l'eau?...

Sonnerie du téléphone.

ANNETTE, *tout à son travail.* Va répondre. C'est le congé d'Albert et il est sorti.

Martine s'éloigne à reculons.

MARTINE. Qui est-ce l'eau?... Est-ce vous?...

ANNETTE. Réponds!

MARTINE. Est-ce vous?

ANNETTE, *riant.* C'est certainement pas toi. On t'entend trop pour ça!

Martine irritée, décroche.

MARTINE. Allô?... Monsieur Martin n'est pas ici, monsieur. Puis-je prendre le message?... Ah! monsieur Beauchemin...

Annette inquiète lui fait signe de ne rien dire.

MARTINE, *avec un petit rire malicieux.* Rassurez-vous, il n'est pas malade du tout! Il est parti à son bureau aussitôt après votre départ.

Annette vient la rejoindre, alarmée.

ANNETTE. Martine!...

MARTINE, *riant.* Oh! non, je crois qu'il s'est amusé à vous jouer un tour!

ANNETTE, *à mi-voix.* Es-tu folle?

Elle veut lui retirer le récepteur mais Martine la repousse avec une grimace amusée et met la main sur l'appareil.

MARTINE, *à sa mère.* Il est furieux!

ANNETTE, *à voix basse.* Fais-tu exprès pour...

MARTINE, *à l'appareil.* Pardon? J'ai mal entendu...

La porte de la cuisine s'ouvre. Martine lui tourne le dos. Maurice entre. Uniforme de chauffeur.

ANNETTE, *surprise.* Maurice!...

MARTINE, *surprise.* Hein?...

Elle se tourne et aperçoit Maurice.

MARTINE, *vivement au téléphone.* Oui, monsieur, oui, je lui ferai votre message. *(Elle raccroche.)*

ANNETTE, *à Maurice inquiète.* Qu'est-ce que vous faites ici en plein avant-midi?

On entend sonner deux coups et la lumière s'allume sur le tableau des sonneries.

MAURICE, *amusé. Désignant le tableau.* Vous voyez!...

MARTINE, *épouvantée.* Il est ici!

ANNETTE, *inquiète.* Malade?...

MAURICE. Non, il est venu se changer. Nous partons pour Québec. Il voudrait que René lui prépare sa valise. Où est-il?

ANNETTE. Il est en haut. Allez donc le prévenir.

> *Maurice s'éloigne. Martine le suit.*

MARTINE. Pour longtemps, Maurice?

MAURICE, *surpris.* Quelques jours... Pourquoi?

> *Sonneries. Deux coups. Annette sursaute.*

ANNETTE. J'oubliais...

> *Elle s'éloigne. Martine la rejoint vivement.*

MARTINE, *affolée.* Dites-lui pas... Parlez-lui pas du... du téléphone!

ANNETTE, *ironique.* Ah! non?

MARTINE. Maman!...

MAURICE, *intrigué.* Qu'est-ce qu'il y a ?

MARTINE, *tremblante.* Vous lui direz pas, hein, maman? Vous lui direz rien!

ANNETTE, *mécontente.* Quand on a peur de quelqu'un, on joue pas à le provoquer!

MARTINE, *malheureuse.* Maman!...

ANNETTE, *plus doucement.* Monte à ta chambre. J'irai te retrouver.

JÉRÉMIE, *appelant off caméra.* Annette!

> *Martine se sauve en courant. Monsieur Martin paraît par une autre porte. Maurice qui allait sortir, s'arrête, étonné.*

JÉRÉMIE, *appelant furieux.* Annette! *(La voyant.)* Ah! t'es là?... Qu'est-ce que tu faisais que tu venais pas? Tu m'as pas entendu sonner? Où est ta fille...

ANNETTE, *hésitant.* Elle...

MAURICE, *vivement.* Elle est pas ici, monsieur Martin.

JÉRÉMIE, *furieux.* Je le vois bien qu'elle est pas ici, mais, elle y était y a pas deux minutes!

ANNETTE. Heu...

JÉRÉMIE, *levant les bras, rageur.* Viens pas me dire le contraire quand je viens de l'entendre parler au notaire Beauchemin au téléphone! C'est pas d'ici qu'elle lui a répondu?

ANNETTE, *résolument.* Oui.

JÉRÉMIE, *rageur.* Alors, tu l'as entendue? Et t'as rien fait pour l'arrêter? J'étais dans le vestiaire quand le téléphone a sonné. Je décroche... Qu'est-ce que j'entends? Martine qui dit: «Oh, y est pas malade du tout. Y a fait ça pour vous jouer un tour!»

ANNETTE, *sèche.* Après tout, c'est la vérité!

JÉRÉMIE, *éclatant.* Annette! Fais-moi pas sortir de mes gonds! Certain que c'était la vérité, mais est-ce qu'elle peut pas se servir de son jugement, ta fille? Aller dire ça au notaire quand c'était justement pour me débarrasser de lui que j'ai inventé cette comédie-là!

MAURICE, *faisant un pas vers lui.* Ça, elle le savait peut-être pas monsieur Martin. En tout cas, moi, je le savais pas.

JÉRÉMIE. Mêle-toi pas de ça, toi! J'ai l'air fin moi, à présent. *(À Annette.)* Va la chercher. Je vais lui parler à ta fille, moi!

ANNETTE. Dans l'état où vous êtes? J'irai certainement pas.

JÉRÉMIE, *surpris, se tournant vers elle.* Ah! non? Alors vas-y Maurice. Va!

    Maurice hésite.

JÉRÉMIE. Vas-y!

ANNETTE, *avec un pas vers Maurice.* Maurice...

JÉRÉMIE, *furieux.* Annette, si tu te mets à monter les domestiques contre moi.

ANNETTE, *calme.* Allez-y Maurice.

    Maurice la regarde. Hésite encore.

JÉRÉMIE. Oh! donc! Qu'est-ce que t'attends?

    Maurice s'éloigne.

JÉRÉMIE, *à Maurice.* Pis qu'elle descende tout de suite! Ramène-la toi-même! Elle va savoir ma façon de penser la petite maudite!

    Maurice disparaît croisant René qui entre.

JÉRÉMIE. Ah! te v'là toi. Justement, j'ai besoin de toi. Va faire ma valise, je pars pour Québec.

RENÉ, *hésitant.* Pour longtemps?

JÉRÉMIE, *furieux.* Dis donc, toi! Est-ce que ça te regarde?

RENÉ. Forcément, monsieur, puisque je dois faire la valise. Faut-il mettre des vêtements pour plusieurs jours?

JÉRÉMIE. Ah! bon... *(Regardant Annette.)* Pour deux ou trois jours au plus! Vas-y!

RENÉ. Bien, monsieur!

    Il sort. Annette et Jérémie se défient du regard.

    La chambre de Martine. Martine assise sur le bord de son lit sursaute en entendant frapper. Angoisse. Nouveaux coups.

MAURICE. C'est moi, Martine! Ouvre, il faut que je te parle.

Elle va lui ouvrir. Maurice entre et ferme la porte derrière lui.

MAURICE. Il m'a envoyé te chercher.

MARTINE, *tremblante.* Pourquoi? Maman lui a dit?

MAURICE, *la prenant par les épaules.* Tremble pas comme ça, voyons!

MARTINE. Maman lui a dit?...

MAURICE. Il t'a entendue lui-même! Il a décroché pour télé-phoner pendant que tu parlais au notaire...

Martine se laisse choir sur son lit.

MARTINE. Oh!...

MAURICE. Mais, qu'est-ce qui te prend? Toi qui lui as toujours tenu tête?

MARTINE. Je suis plus capable! On dirait que je suis plus capable. C'est la peur qui l'emporte. Je veux pas le voir, Maurice! Je veux pas le voir!

MAURICE, *résolu.* Alors prends ton manteau, je vais te faire sortir de la maison.

MARTINE, *éperdue.* Tu vas m'aider?

MAURICE, *moqueur.* Tiens, tu me tutoies maintenant?

Martine désemparée le regarde.

MAURICE, *riant.* Faut-y que t'aies besoin de moi.

MARTINE, *balbutiant.* Oui...

MAURICE. Ton manteau... Non non, ton imperméable, il pleut.

Elle le prend dans l'armoire. Maurice l'aide à le revêtir.

MAURICE. Mais que t'es bête de te mettre dans des états pareils!

MARTINE, *balbutiant.* Il dit toujours qu'il va me faire enfermer dans une maison de correction!

MAURICE. Voyons donc! De quel droit?

Martine s'arrête, les bras ballants.

MARTINE. Tu crois qu'il aurait pas le droit?

MAURICE. J'en suis presque sûr! Mais tu devrais t'informer...

MARTINE, *vivement.* À qui? Qui pourrait me le dire?

MAURICE. N'importe quel avocat, je suppose.

MARTINE. Un avocat...

MAURICE. Viens vite, perdons pas de temps.

MARTINE, *reculant.* Je veux pas passer par la cuisine.

MAURICE. Tu as raison, il y est peut-être encore. Tu sortiras par la cave.

Elle prend un foulard et le rejoint près de la porte.

MAURICE, *affectueusement. Moqueur.* Quand même, moi qui croyais que tu avais peur de rien!

Dépitée, elle veut ouvrir la porte. Il la retient.

MAURICE. As-tu de l'argent, au moins?

Il met sa main dans sa poche.

MARTINE. J'ai tout ce qu'il me faut.

Elle ouvre la porte. Ils baissent aussitôt la voix.

MAURICE, *inquiet.* Tu vas revenir?

MARTINE. Il faut bien...

MAURICE, *s'excusant.* Je pensais à ta mère...

MARTINE, *alarmée.* Dis-lui pas que je vais voir un avocat!

MAURICE, *étonné.* Tout de suite? Aujourd'hui? Tu perds pas de temps!

MARTINE. Je vais essayer en tout cas. Dis-le pas...

MAURICE. Non, non, ça sera notre secret.

MARTINE, *rassurée, elle lui tourne le dos mais se retourne aussitôt.* Merci! Merci Maurice!

Maurice sourit sans répondre et l'entraîne.

L'ancien Palais de Justice. Martine marche dans un corridor, longeant le mur où sont suspendus les portraits des bâtonniers.

Des gens circulent. Elle s'arrête près d'une grande porte dont l'un des battants s'ouvre, poussé par un avocat en toge, portant sa serviette. Martine recule pour le laisser passer, et semble perplexe sur ce qu'elle doit faire. Un gardien en uniforme s'approche d'elle.

GARDIEN. Restez pas là. Entrez, ou tenez-vous plus loin. Vous bloquez le passage.

MARTINE. Excusez-moi...

Elle semble si hésitante qu'il la suit.

GARDIEN. Vous cherchez quelqu'un?

MARTINE. Oui... Monsieur Beaujeu Martin...

GARDIEN. Maître Martin? Il est justement en train de plaider... *(Il désigne la porte.)*

MARTINE. C'est ce qu'on m'a dit à son bureau.

GARDIEN. Trois heures et demie. Ça doit achever!

Il ouvre la porte. Les gens commencent à sortir.

GARDIEN. C'est ben dommage pour vous, mais ça vient de finir.

Brouhaha des gens qui sortent et parlent.

GARDIEN. Vous voyez le juge se lève...

MARTINE, *intéressée.* Je peux regarder?

GARDIEN, *blasé.* Ah! Pour ceux qui voient ça la première fois, c't'intéressant, c't'intéressant... Tenez, il est là, Maître Martin. Le voyez-vous qui parle avec l'autre avocat?

MARTINE. Oui... je peux l'attendre ici?

GARDIEN, *s'éloignant.* Ça sera pas long, il s'en vient.

Beaujeu et Pelletier, tous deux en toge, s'approchent.

BEAUJEU. Tu m'en veux?

PELLETIER. Tu as fait ce que tu avais à faire. Un simple point de droit à mettre en évidence et l'affaire était dans le sac. Dans ton sac!

BEAUJEU. Tu ne vas quand même pas me tenir responsable du jugement de la Cour?

PELLETIER. Le juge a fait ce qu'il avait à faire lui aussi! J'espérais seulement qu'on ne soulèverait pas ce point de droit.

BEAUJEU. Mais...

PELLETIER. Il était si peu évident! La majorité des avocats n'y aurait pas pensé.

BEAUJEU, *protestant.* Voyons!

PELLETIER. Quand j'ai su que c'était toi qui défendais l'American Express, j'ai compris tout de suite que l'affaire était perdue. Je t'en ai parlé l'autre jour, tu te souviens?

BEAUJEU, *gêné.* Mon vieux...

PELLETIER, *ironique.* C'est ta spécialité les points de droit.

BEAUJEU, *haussant les épaules.* Je n'ai pas ton éloquence! Avec un moins bon avocat, non seulement ton client perdait sa cause, mais en plus il attrapait les frais de cour. Il a eu de la chance de t'avoir.

PELLETIER. Il est là, tiens. Regarde-le. Trouves-tu qu'il a l'air d'un homme qui a de la chance?

Beaujeu se tourne. Appuyé sur ses béquilles, Jean Mounier le regarde. Beaujeu détourne aussitôt son regard.

BEAUJEU, *saisi.* Pauvre homme...

PELLETIER, *sarcastique.* Oui, pauvre homme.

BEAUJEU, *protestant.* Je suis désolé pour lui...

PELLETIER, *ironique.* Lui aussi...

BEAUJEU, *extrêmement irrité mais sans élever la voix.* Mais, mon vieux, est-ce ma faute, si...

PELLETIER. Ce n'est pas la mienne non plus.

Il hausse les épaules et s'éloigne pour aller rejoindre son client.

BEAUJEU, *entre ses dents.* C'est quand même un peu fort!

Il se dirige vers la sortie et passe devant Martine sans la voir. Elle fait un pas vers lui.

MARTINE. Monsieur Martin... Vous me reconnaissez pas?
Il se retourne et la reconnaît après un moment.
BEAUJEU. Oui, oui Martine... Julien, je crois? Excusez-moi, j'étais distrait...
MARTINE, *timide.* Je... Je voudrais vous parler.
Beaujeu ennuyé regarde sa montre.
MARTINE. Il faut absolument que je vous parle.
BEAUJEU. Demain?...
MARTINE, *pressante.* Tout de suite! Pourriez-vous?... Une minute seulement?
Beaujeu la regarde et l'anxiété de Martine lui fait oublier ses préoccupations personnelles.
BEAUJEU. Ici?
MARTINE. Si vous voulez.
BEAUJEU. De quoi s'agit-il?
MARTINE, *s'agitant.* C'est au sujet de... de... votre... père! Je voudrais savoir... Il... J'ai...
Beaujeu met ses mains sur les épaules de Martine.
BEAUJEU, *doucement.* Calmez-vous, voyons!
MARTINE, *tout d'un trait.* Il veut me faire enfermer dans une maison de correction!
BEAUJEU. Rien que ça! Et pourquoi donc?
MARTINE. Est-ce qu'il a le droit, monsieur Martin? Est-ce qu'il a le droit? C'est tout ce que je veux savoir!
BEAUJEU. Mais non! Qu'est-ce que vous me racontez là? Vous ne pouvez pas être enfermée dans une maison de ce genre à moins d'avoir commis un délit. Mon père serait d'abord forcé de porter plainte contre vous, ce qui susciterait une enquête... et toute une série de procédures...
MARTINE. C'est quoi un délit?
BEAUJEU. Un acte par lequel vous auriez violé la loi. À propos de quoi vous a-t-il menacé? Qu'aviez-vous fait?
MARTINE. Il m'interdit de circuler dans la maison, et j'étais dans la salle à manger...
BEAUJEU, *riant. Interdit.* Quoi... Est-ce tout? Il est inouï!
MARTINE. Aussi parce qu'il n'aime pas que je lui tienne tête! Et que... et que je lui réponde sur le même ton qu'il prend pour me parler.
BEAUJEU, *éclatant de rire.* Mais les prisons seraient pleines si on y allait pour si peu! J'y serais moi-même!

MARTINE, *reprenant espoir.* Alors?...

BEAUJEU. Cessez de trembler. Mon père n'a aucun droit sur vous. Vous n'êtes même pas tenue de lui obéir.

MARTINE. Quoi? *(Interdite.)*

BEAUJEU. Seuls les parents ou les tuteurs qui les remplacent ont des droits sur les mineurs. Et comme il n'est ni votre père, ni votre tuteur...

MARTINE, *riant, soulagée.* Dieu merci!

BEAUJEU. Alors, allez en paix. Le plus qu'il puisse faire, c'est de...

> *Il tressaille et s'interrompt en voyant Jean-Marie Mounier assis sur un banc le regard perdu dans une sombre rêverie. Beaujeu cherche à repousser le malaise que lui cause cette vue et se détourne.*

BEAUJEU, *se reprenant.* Le plus qu'il puisse faire, c'est de vous mettre à la porte puisqu'il est chez lui et que rien ne l'oblige à vous héberger.

MARTINE, *légèrement.* Ça, je le savais.

BEAUJEU. Ses droits ne vont pas plus loin. À moins qu'il n'ait d'autres raisons de vous en vouloir que celles que vous avez mentionnées.

MARTINE, *se détournant.* Il en a une autre.

BEAUJEU. Une autre raison?

MARTINE, *baissant la tête.* Il est furieux parce que le notaire Beauchemin est entré en possession de la lettre que votre mère m'avait confiée. La lettre au sujet du médaillon...

BEAUJEU. Ah! bon, je comprends.

MARTINE, *relevant la tête.* Il aurait voulu que je lui donne la lettre! Mais c'était impossible. *(Tâtant le terrain.)* Si je l'avais gardée, là vraiment ça aurait été un délit n'est-ce pas? Un vrai!

BEAUJEU. Non.

MARTINE, *surprise.* Comment, non?... Voulez-vous dire que cette lettre que votre mère m'avait demandé de remettre au notaire, je n'étais pas forcée de la lui remettre?

BEAUJEU. Non.

> *Martine, qui pense au cahier, n'en croit pas ses oreilles.*

MARTINE. Alors on peut garder pour soi une chose qu'un mourant vous confie pour une autre personne, sans que...

BEAUJEU. Sans être passible d'amende ou de prison, parfaitement. *(Se reprenant.)* À la condition bien entendu que la chose en question n'ait aucune valeur monétaire.

MARTINE, *presque indignée.* Je ne comprends pas!... C'est tromper pourtant!... Si je m'engage, moi, par exemple, si je promets à une personne mourante de remettre une... un cahier... enfin un message... à quelqu'un d'autre...

BEAUJEU. Vous êtes tenue de le faire, mais devant votre conscience seulement. C'est une obligation morale qui n'a rien à voir avec la loi.

> *Cette réponse laisse Martine si perplexe qu'elle en oublie de répondre. Beaujeu entoure ses épaules de son bras.*

BEAUJEU. Est-ce tout ce que vous vouliez savoir?

MARTINE, *se ressaisissant.* Oui... merci.

BEAUJEU, *lui souriant.* Partez-vous plus rassurée au moins?

MARTINE, *avec élan.* Oh! oui... Grâce à vous! Je ne sais pas comment vous remercier.

BEAUJEU. N'importe quel avocat aurait pu vous en dire autant. Mais je suis heureux que ce soit moi, puisque vous en retirez tant de satisfaction.

> *Il marche avec elle vers la porte. Martine, spontanément, prend le bras de Beaujeu.*

MARTINE, *enchaînant.* Je suis contente d'être venue, même si je vous ai dérangé!

> *Beaujeu sourit. Elle retire son bras, intimidée, et regarde autour d'elle avec ravissement tandis que Mounier, venant d'une autre direction, passe près d'eux.*

MARTINE, *enchaînant.* C'est beau, un Palais de Justice! C'est vraiment une belle institution!

> *Mounier, qui reçoit cette phrase en plein cœur, s'arrête. Son regard ironique glisse de Martine à Beaujeu comme pour le prendre à témoin. Beaujeu se sent aussitôt coupable de toutes les injustices de la vie.*
>
> *Les deux hommes se regardent un long moment, séparés par Martine. Trois regards, trois pensées. Le regard de Martine plein de ravissement, celui de l'infirme, ironique, posé sur Beaujeu, et celui de Beaujeu posé sur l'infirme comme s'il le suppliait de comprendre. Au bout de quelques secondes, l'infirme se détourne et continue à marcher vers la porte. C'est Beaujeu qui lui ouvre la porte. Mounier sort sans le regarder.*

8

Deux hommes à qui parler

Neuf heures du matin. Martine, à l'entrée de la bibliothèque, prend soin de regarder s'il y a quelqu'un et, voyant qu'elle est seule, se dirige vers les rayons de livres.

Albert venant de la cuisine avec des cendriers qu'il ira déposer à leur place, entre à son tour et s'exclame aussitôt.

ALBERT. Qu'est-ce que tu fais là, toi?

MARTINE. Mon oncle, soyez gentil! Monsieur Martin est à Québec pour deux jours! Ça ne peut pas le déranger!

ALBERT. C'est pas ta place, Martine!

Il lui tourne le dos car il a peur de céder. Martine s'approche de lui.

MARTINE. Croyez-vous que j'aie l'intention de passer la journée ici? Je veux seulement prendre un livre, et après je m'en irai.

ALBERT. Avec le livre? Il manquerait plus que ça!

MARTINE. Je le remettrai aussitôt que je l'aurai lu, je vous le jure!

ALBERT, *aussi catégorique que sa nature le lui permet.* Non, non, non!

MARTINE. Je vous en supplie, mon oncle. J'ai rien à faire toute la journée, ça me distrairait... *(Le prenant par le cou.)* Vous seriez bien plus tranquille... Pendant que je lirai, au moins, vous auriez la certitude que je me promène pas dans la maison.

ALBERT, *hésitant.* Y a de ça...

MARTINE. Vous auriez plus à me surveiller!

ALBERT, *furieux contre lui-même.* Hé que je suis donc faible!

MARTINE, *vivement.* Je peux rester?

ALBERT, *mécontent.* Seulement parce qu'il y a personne! Et seulement quelques minutes...

MARTINE, *insouciante.* Oui, oui, oui!

Elle retourne aux livres.

ALBERT. Et je te défends bien de le sortir de la maison ce livre-là. *(De plus en plus irrité contre lui-même.)* Et tâche de remarquer où tu le prends pour le remettre à la même place quand tu en auras fini!

MARTINE. Je vous le promets!

ALBERT, *avec un coup d'œil autour de lui.* Et touche à rien! Dérange rien! *(Il s'éloigne en soupirant.)* Que je suis donc pas content!

Dans le hall. Michel descend l'escalier en chandail, chargé d'un veston, d'une machine à écrire, cahiers, feuilles. Albert, dès qu'il le voit, s'arrête, mal à l'aise, redoutant de le voir se diriger vers la bibliothèque.

MICHEL, *hésitant.* Albert, croyez-vous qu'Annette pourrait me raccommoder ce veston?... Je l'ai déchiré en sortant d'une automobile... Vous voyez? Je... Je ne peux quand même pas sortir avec ça!

Il dépose sa valise pour montrer la déchirure à Albert.

ALBERT, *nerveux.* J'y verrai, monsieur Michel.

MICHEL. Vous croyez qu'elle acceptera?

Michel reprend sa valise. Albert fait un geste pour la lui enlever.

ALBERT. Mais bien sûr! Vous sortez? Je vous donne votre manteau...

MICHEL. Non, non, je ne sors pas, j'ai du travail à faire. C'est une machine à écrire.

ALBERT, *inquiet.* Ah!...

MICHEL. Je vais m'installer dans la bibliothèque.

ALBERT, *hésitant.* Heu...

Il n'ose le suivre et reste là, malheureux. Michel entre dans la bibliothèque et voit Martine grimpée sur l'escabeau qui permet d'atteindre les derniers rayons de livres. Elle feuillette un volume avec intérêt.

MICHEL. Bonjour Martine...

MARTINE, *qui se sent aussitôt coupable.* Oh!... je... je cherchais un livre...

MICHEL, *riant.* Là où vous êtes, je vois mal ce que vous pourriez faire d'autre!

Elle descend.

MICHEL. Mais non, mais non, continuez vos recherches.

MARTINE. Je voudrais pas vous déranger...

MICHEL. C'est moi qui vous dérange, vous étiez là avant moi. Mais rassurez-vous je m'installe ici et je ne dis plus un mot.

Il ouvre sa machine sur le pupitre et prépare ses feuilles. Martine hésite un moment, puis revient aux livres.

MICHEL, *continuant à s'installer.* Je ne sais pas si vous trouverez ce que vous cherchez. Cette bibliothèque est loin d'être complète...

MARTINE. Heu... je cherche rien de précis...

Michel vient la rejoindre.

MICHEL. Ma mère l'avait constituée suivant ses goûts qui étaient bons, mais peu encyclopédiques...

MARTINE. Ah! c'est votre mère qui...

MICHEL, *souriant.* Qui voulez-vous que ce soit? Certainement pas mon père! Je doute qu'il ait ouvert un livre depuis le jour où il a quitté la petite école du rang de Sainte-Anne-de-Remington, à l'âge de 14 ans!

MARTINE. C'est drôle de penser que je suis allée à la même école que lui quand j'étais petite...

MICHEL, *amusé.* C'est vrai, vous êtes de son village...

Gênée soudain de son humble origine, Martine détourne la tête. Michel semble le deviner et tend le bras vers le livre qu'elle tient.

MICHEL, *étonné.* «Le groupe zoologique humain»... Vous cherchez dans la section de la science?

Il lui rend le livre.

MARTINE, *vivement.* Oh! vous savez, ce n'est pas parce que j'y connais quelque chose! Au contraire!

MICHEL. Il n'est pas trop tard pour vous y intéresser. Bon! Je ne vous dérange plus. Excusez-moi.

Elle a un geste pour le retenir mais il lui a déjà tourné le dos pour s'installer devant le pupitre. Martine revient à ses livres. Michel se met à copier un texte avec un seul doigt. Martine qui a levé la tête au son de la machine ne peut s'empêcher de pouffer de rire silencieusement. Michel continue, laborieusement.

MICHEL, *s'exclamant.* Merde!

Martine éclate de rire. Michel se tourne vers elle.

MICHEL, *piteux.* Je voudrais bien vous voir à ma place!

MARTINE. Oh! j'y parviendrais certainement mieux que vous!

MICHEL, *sans entrain.* Vous croyez?

MARTINE. Bien sûr, j'ai appris ça au couvent.

MICHEL. Vous avez bien de la chance.

Mais l'idée ne lui vient même pas de lui demander de l'aider car il a perdu l'habitude de se faire servir par les autres. Il revient à son travail.

MARTINE, *hésitante.* S'il s'agit seulement de copier un texte, je pourrais peut-être vous aider...

MICHEL, *se tournant vers elle.* Oui?... Ça ne vous ennuyerait pas? Il est vrai que vous vous intéressez à la science, mais...

Martine vient le rejoindre.

MARTINE. Je peux toujours essayer.

MICHEL, *se levant.* Ah! Vous êtes un ange!

Elle s'assoit à sa place et prend le texte.

MICHEL, *reprenant ses feuilles.* Inutile, vous ne comprendriez pas. C'est plein d'abréviations. Je vais plutôt vous le dicter...

MARTINE. Attendez...

Elle remplace la feuille qu'il avait commencée.

MICHEL, *riant.* C'est la première fois que j'ai une secrétaire!

MARTINE, *riant.* Moi, c'est la première fois que j'ai un patron!

MICHEL. Vous n'avez jamais travaillé?

MARTINE. Non. Je viens seulement de finir mes études. J'ai un diplôme de professeur au primaire.

MICHEL. Bravo...

MARTINE. Au travail.

MICHEL. Au travail. C'est une conférence que je dois faire devant un auditoire de femmes.

MARTINE, *étonnée.* Ah?...

> *Il la regarde, interrogateur.*

MARTINE, *bafouillant.* Je ne savais pas que les femmes... Excusez-moi! Continuez!

MICHEL. Il faudra me dire ce que vous en pensez.

MARTINE, *effrayée.* Si je suis capable!

MICHEL, *dictant.* La biologie est la science même de la vie. Il conviendrait donc de nous entendre d'abord sur le sens du mot vie... Qu'est-ce que la vie?...

> *Martine s'est mise au travail. On doit la sentir contente aussi bien d'être utile que de faire quelque chose qu'elle est sûre de pouvoir très bien faire.*

> *Une partie de la cave, spécialement aménagée pour le vin. Annette, un papier et un crayon à la main, vérifie les bouteilles et au besoin note les cases vides qu'il faudra remplir. Albert la suit, tenant toujours le veston de Michel.*

ANNETTE, *mécontente.* Lui avoir permis de fouiller dans la bibliothèque. Je te comprends pas!

ALBERT. Elle me suppliait tellement...

ANNETTE. Toi, le jour où tu seras capable de refuser quelque chose à quelqu'un! *(Maussade.)* Six Beaujolais, Chauvenet... Note-le, puisque tu as voulu me relancer jusqu'ici.

> *Elle lui tend le crayon et le carnet. Albert tient le veston sous son bras pour écrire. Annette enchaîne, irritée.*

ANNETTE. Si au moins tu l'avais fait sortir quand monsieur Michel est entré!

ALBERT. C'était difficile... J'espérais qu'elle comprendrait d'elle-même qu'elle devait pas rester là quand il y était... Mais non!

ANNETTE, *irritée.* Cinq Côtes de Beaune...

ALBERT, *notant.* Côtes de Beaune...

ANNETTE. S'il faut que monsieur Martin apprenne qu'elle se prélasse dans la bibliothèque... Et avec ta permission, par-dessus le marché!... *(Crispée.)* Ah! Dieu que j'en ai assez par moment de cette fille qui fait rien qu'à sa tête sans se préoccuper des autres!

ALBERT. C'est à toi de pas la garder ici. Ça sera jamais fini avec elle!

ANNETTE, *excédée.* Mais qu'est-ce que tu veux que j'en fasse? Elle refuse de retourner à Sainte-Anne! Je peux toujours pas demander à maman de la garder de force! *(Comptant. Rageuse.)* Deux, quatre, cinq Château Pontet Canet...

ALBERT, *écrivant.* Cinq... Y a pas d'autres études qu'elle pourrait faire? Tu pourrais la remettre pensionnaire.

ANNETTE. J'aurais bien dû lui permettre de prendre son baccalauréat! Elle le voulait tellement. Ça lui aurait fait passer deux années de plus au couvent...

ALBERT, *se fâchant.* Ah! oui, ben t'aurais bien dû!

ANNETTE. J'y ai pensé, mais qu'est-ce qu'elle a besoin d'études classiques? L'important, c'était de la mettre en mesure de gagner sa vie. Le reste, c'est du superflu. Un superflu dangereux pour une fille comme elle.

ALBERT. En attendant, on est pas plus avancé!...

ANNETTE. Quatre Bourgogne mousseux... *(Subitement résolue.)* Je vais la chercher! Dans la salle à manger, la semaine dernière, dans la bibliothèque aujourd'hui, ça peut plus continuer. Si on la laisse faire, elle finira par s'installer dans le salon!

ALBERT, *énergiquement.* T'as bien raison.

> *Annette le regarde avec rancœur puis hausse les épaules en tirant sur le veston de Michel.*

ANNETTE. Donne, ça va te débarrasser.

ALBERT. Attention, c'est à monsieur Michel! Pour que tu le raccommodes.

ANNETTE, *examinant le veston.* À monsieur Michel?... Il a l'air bien usé...

> *Albert s'éloigne pour compter les cases vides.*

ALBERT. Il l'a déchiré hier seulement...

ANNETTE, *allant le rejoindre.* Et ça? Le bord des manches qui s'effiloche... C'est pas d'hier seulement.

ALBERT, *étonné.* Je vais dire comme toi... C'est drôle qu'un homme si riche porte du linge si usé!

ANNETTE, *corrigeant. Perplexe.* Si riche... C'est le père qui est riche.

114

ALBERT. Quand même, c'est toujours bien pas un pauvre! Écoute, je porterais pas ça, moi!

ANNETTE, *haussant les épaules.* Faut croire que ça lui est égal! *(Elle s'éloigne.)* Attends-moi, ici...

La bibliothèque où Martine tape à la machine. Michel éteint sa cigarette.

MICHEL. Ça va?...

MARTINE. Très bien... *(Elle s'arrête.)* C'est passionnant ce que vous racontez sur les cellules.

MICHEL, *perplexe.* Oui? Ça ne vous ennuie pas?... C'est mon premier essai de vulgarisation, et je me demandais si j'étais parvenu à simplifier suffisamment...

MARTINE, *riant.* Soyez-en sûr, puisque je comprends!

MICHEL, *se penchant sur la feuille de Martine.* Où en sommes-nous?...
Annette qui vient d'entrer semble surprise de voir Martine au pupitre et Michel si près d'elle.

ANNETTE. Martine!...
Martine et Michel redressent la tête, surpris. Annette se rend compte qu'elle allait commettre une erreur.

ANNETTE, *se ressaisissant.* Heu... Excusez-moi... je... je venais chercher Martine...

MICHEL, *déçu.* Ah!...

MARTINE, *vivement.* Je travaille, maman! Je copie un texte pour monsieur Martin...
Annette, désemparée, ne répond pas.

MICHEL, *venant vers Annette.* Elle me rend un grand service, Annette, mais si vous avez besoin d'elle...

ANNETTE. C'est-à-dire...

MICHEL. Pourriez-vous nous donner encore... disons une heure?... ou deux? Plutôt deux...
Annette les regarde, réfléchissant avant de répondre.

ANNETTE, *décidée.* C'est bien! Prenez tout le temps qu'il faudra.

MICHEL. Merci Annette...

MARTINE, *ravie. À sa mère.* C'est une bonne chose que je me remette à travailler. Il y avait trop longtemps que je restais à rien faire...

ANNETTE, *la regardant.* Peut-être, oui... peut-être. *(Elle s'éloigne.)*

MICHEL, *à Martine.* Puisque ça ne vous ennuie pas, accepteriez-vous de copier d'autres textes?...

MARTINE, *enthousiaste.* Je ne demande pas mieux!

115

MICHEL, *hésitant.* Je vous paierai bien entendu.

MARTINE, *vivement.* Il est pas question de ça.

MICHEL. Mais si, mais si!

MARTINE. Puisque je vous dis que ça m'intéresse! S'il s'agissait de lettres d'affaires je refuserais probablement, mais ça, vraiment... *(Elle rit et désigne le texte.)* C'est moi qui devrais vous payer pour m'instruire!

La cave où Annette vient retrouver Albert.

ANNETTE. Laisse ça et viens avec moi.

ALBERT, *désignant les bouteilles.* Attends! J'ai presque fini...

ANNETTE. Veux-tu le retrouver oui ou non le petit cahier bleu de madame Martin?

ALBERT. Quoi?... Martine accepte enfin de...?

ANNETTE. Es-tu fou? Il est toujours caché dans sa chambre, mais pour une fois on a le temps de regarder dans tous les coins, ce que j'ai jamais eu la possibilité de faire.

ALBERT, *la suivant.* Elle est sortie?

ANNETTE. Penses-tu! Elle a bien trop peur que quelque chose d'intéressant se passe ici pour mettre le nez dehors! Mais elle est occupée pour plus d'une heure au moins et je veux en profiter. Viens, viens vite, c'est notre chance, ou jamais!

Elle lui prend la main et l'entraîne. On entend le son lointain de la cloche d'entrée.

ALBERT, *déçu.* Ça sonne en avant!...

ANNETTE. Va répondre, mais viens me rejoindre sans faute dans la chambre de Martine. Je tiens à ce que tu cherches avec moi pour être plus sûre.

La bibliothèque. Son de la machine à écrire.

MICHEL. Le nombre des chromosomes est toujours fixe et caractéristique pour...

Albert entre.

ALBERT. Monsieur Philippe Beaujeu désire vous voir, monsieur Michel...

MICHEL. Ah?... Faites-le entrer. *(Déçu.)* Mais il nous dérange!

Albert sort. Martine se lève.

MARTINE. Je reviendrai plus tard si vous voulez...

MICHEL. Non, non! Attendez! Il ne restera peut-être pas longtemps.

Philippe paraît. Manteau, chapeau à la main.

PHILIPPE. Allô Michel...

Il semble surpris et ravi à la vue de Martine.

PHILIPPE. Bonjour!...

MARTINE. Bonjour...

MICHEL. Tu ne le savais pas, mais j'ai maintenant une secrétaire.

PHILIPPE, *souriant.* Ah! oui?... Vous avez bien de la grâce de travailler pour un pédant de son espèce.

MARTINE, *protestant.* Oh! il aurait le droit de l'être! Il est si instruit!

MICHEL, *piqué.* Ah! bon, vous me trouvez pédant!

MARTINE, *vivement.* Non, non... j'ai dit...

Philippe éclate de rire comme quelqu'un qui ne rit pas souvent. Martine confuse se met aussi à rire.

MICHEL, *riant.* Il va falloir que je me surveille. Mais d'abord pourquoi viens-tu me déranger toi?

PHILIPPE, *surpris.* As-tu oublié que tu devais visiter le laboratoire de biologie, ce matin?

MICHEL. Ce matin?... Je croyais...

PHILIPPE, *à Martine.* À l'avenir vous devriez bien noter ses rendez-vous. C'est la deuxième fois qu'il me fait ça! Pendant que j'y pense, demain, rendez-vous avec le Dr Rondeau...

MICHEL, *étonné.* Le Dr Rondeau?... Le spécialiste du cancer?

PHILIPPE. Oui, oui, celui-là même qui a soigné ta mère. *(À Martine.)* C'est un de mes professeurs à l'Université. *(À Michel.)* Il tient beaucoup à te rencontrer. *(Le menaçant du poing.)* Si tu as le malheur de refuser!... C'est justement au sujet de marraine qu'il veut te parler.

MICHEL, *de plus en plus étonné.* Au sujet de maman?

Martine a eu elle aussi un vif mouvement de curiosité. Les deux hommes se tournent vers elle. Intimidée, elle se lève aussitôt.

MARTINE. Si ma présence...

PHILIPPE. Mais non, ça n'a rien de confidentiel. *(À Michel.)* La mort de ta mère l'enrage. Il n'arrive pas encore à comprendre qu'elle soit survenue si vite. *(Tristement.)* Pauvre marraine... *(À Martine.)* L'avez-vous connue?

MARTINE. Presque pas, mais je l'aimais beaucoup.

MICHEL, *perplexe.* Il prétendait, paraît-il, qu'elle aurait dû vivre encore six ou sept mois?...

MARTINE, *vivement*. Dans l'état de souffrance où elle était?... Quelle horreur! Puisqu'il ne pouvait pas la guérir, il valait mieux qu'elle meure! *(Confuse.)* Du moins, il me semble.

PHILIPPE. Mais il affirme qu'il aurait pu la sauver si elle avait consenti à se faire opérer. Je me suis toujours demandé pourquoi elle avait refusé. *(Rêveur.)* Peut-être ne tenait-elle pas à vivre?

MICHEL, *haussant les épaules*. C'est aussi ce que prétend mon père!

La chambre de Martine. Tiroirs ouverts. Albert fouille les vêtements de Martine dans l'armoire. Annette refait le lit.

ANNETTE. Toujours rien?

ALBERT. Non! je regarde dans toutes ses poches...

ANNETTE, *maussade*. En tout cas, elle ne l'a pas caché dans son lit! Je l'ai complètement défait et refait!

ALBERT. Pas là non plus! *(Mécontent.)* Veux-tu me dire, ce fameux cahier-là...

ANNETTE. Sur la tablette du haut?...

ALBERT, *regardant*. Y a l'air d'avoir rien qu'un chapeau, des foulards...

ANNETTE. Cherche mieux que ça! Quand même ce serait rien que pour dire qu'on a regardé partout! *(S'impatientant.)* C'est impossible qu'il soit pas dans cette chambre! Où l'aurait-elle caché autrement? Elle connaît personne à Montréal, il faut bien qu'elle l'ait gardé ici!

ALBERT, *dans l'armoire*. Attends donc!...

ANNETTE, *vivement*. Tu le vois?...

ALBERT. Non, mais il y a une boîte tout à fait au fond cachée en dessous des foulards...

ANNETTE. Cachée? Le cahier doit être dedans!

ALBERT. J'arrive pas à l'atteindre.

ANNETTE, *péremptoire*. Il le faut Albert! Dépêche-toi! Monte sur la chaise...

ALBERT. Hé Seigneur...!

ANNETTE. Fais vite! Fais vite!

Retour à la bibliothèque.

118

PHILIPPE. Comment expliquer qu'une femme refuse une opération qui pourrait la guérir, sinon par dégoût de la vie, par refus de vivre?

MICHEL, *perplexe*. Par la crainte! La peur de souffrir...

PHILIPPE. Mais elle souffrait déjà terriblement!

MICHEL. Alors, dis-moi, si ce n'est pas la peur, qu'est-ce qui a pu la pousser à insister de toutes ses forces pour qu'on ne pratique pas d'autopsie sur son cadavre? Cette idée devait la hanter puisqu'elle en a parlé jusqu'à la dernière minute. «Pas d'autopsie... Pas d'autopsie»... Ce sont ses derniers mots.

MARTINE. C'est vrai! Je l'ai entendue le dire!

PHILIPPE, *protestant*. Mais que pouvait-elle craindre une fois morte?...

MICHEL. C'est bien ce que je me demande!

PHILIPPE. Le Dr Rondeau est d'avis que l'autopsie devrait être pratiquée coûte que coûte.

MARTINE, *scandalisée*. Malgré la volonté de?...

MICHEL. Il y tient à ce point?

PHILIPPE. Plus que jamais! Et il dit que toi qui fais de la recherche, tu devrais le comprendre. C'est pour ça qu'il veut te voir.

MICHEL. Au nom de la science, oui bien sûr.

MARTINE, *protestant*. Mais la volonté d'une mourante!...

MICHEL. Ça ne devrait pas compter quand il y a plus en cause. Songez aux malades qui pourraient être sauvés si on savait ce qui a provoqué la mort de maman!

PHILIPPE. En tout cas, Rondeau compte sur toi pour obtenir de mon oncle l'autorisation d'exhumer le cadavre.

MICHEL, *se levant*. Il rêve! Mon père n'y consentira jamais.

PHILIPPE. C'est ce que je lui ai dit!

MARTINE, *sidérée*. Mais!... Elle est morte depuis plus d'un mois!

PHILIPPE. Un examen immédiat aurait été évidemment préférable, mais il n'est pas trop tard pour savoir ce qui a provoqué la mort.

MARTINE, *à Michel*. Est-ce vrai?

MICHEL. Oui, c'est vrai.

PHILIPPE, *jouant l'indignation*. Vous doutiez de ma parole?

MARTINE, *amusée*. Il me semblait qu'il devait en savoir plus long que vous! Un tout petit peu en tout cas!

Ils rient tous les trois. Martine semble maintenant très à l'aise.

119

La chambre de Martine. Albert debout sur la chaise coupe la corde qui entoure la boîte. Annette s'impatiente.

ANNETTE. Vite donc! Vite donc! Quelle lenteur, mon Dieu!

Coups frappés à la porte. Annette et Albert, saisis, se regardent.

ALBERT, *bas.* C'est elle!

ANNETTE. Mais non, elle frapperait pas!

Nouveaux coups à la porte. Albert retient Annette.

ALBERT. Ouvre pas surtout!

René, dans le corridor, tenant une jupe sur un cintre recouvert d'un papier de polythène.

RENÉ. Oh! ça va, Martine. Je sais que tu es là, je t'ai entendue parler!

Annette ouvre la porte.

RENÉ. Annette! Excusez-moi, je croyais que Martine me faisait une blague. Tenez, ça vient d'arriver du nettoyeur pour elle.

ANNETTE. Merci, René. Voulez-vous le régler...

RENÉ. C'est déjà fait!

ANNETTE. Elle vous remboursera.

Annette referme la porte.

ANNETTE. Ouf!

Elle va accrocher la jupe dans la garde-robe.

ALBERT, *mécontent.* Avec tout ça, Martine va savoir qu'on est venu dans sa chambre.

ANNETTE, *impatiente.* Ah! Tant pis! Tant pis! D'ailleurs, toi, René t'a pas vu. As-tu regardé dans la boîte?

ALBERT. Non, j'osais pas bouger. Je vais te la donner, attends!

ANNETTE. Mais non, ouvre-la! Pas la peine de la descendre, si le cahier n'y est pas.

ALBERT, *déçu.* Ah!... C'est des lettres... Une pleine boîte.

ANNETTE, *intriguée.* Des lettres? De qui peut-elle recevoir des lettres? Montre-moi ça...

ALBERT. Des paquets attachés avec des élastiques...

ANNETTE. Donne! Donne!

Il lui tend deux ou trois paquets.

ANNETTE. Mais, c'est mon écriture!...

ALBERT. Ça m'avait pas frappé.

Annette s'assoit sur le lit et examine les paquets qu'Albert lui tend, enlevant les élastiques. Albert lui apporte la boîte.

ANNETTE, *lisant.* Mademoiselle Martine Julien, Couvent de l'Assomption...

Elle examine les enveloppes avec une fébrilité croissante.

ANNETTE. Couvent de l'Assomption... Couvent de l'Assomption... Les lettres que je lui écrivais quand elle était pensionnaire... Elles sont toutes là! Elle a tout gardé... tout gardé! *(Elle se met à pleurer.)* Tout gardé!

ALBERT, *lui tapotant gauchement l'épaule.* Annette!... Voyons!...

ANNETTE, *riant et pleurant à la fois.* Elle m'aime, Albert!... Tout ce temps-là, elle m'aimait... Je croyais qu'elle m'en voulait de lui avoir fait passer sa vie au couvent, je croyais... Depuis qu'elle est ici j'en arrivais même à croire qu'elle me détestait!

ALBERT. Si ça a du bon sens! Sa mère, voyons!...

ANNETTE, *avec ravissement.* Je me trompais, oh! comme je me trompais!

Elle se lève brusquement, avec remords.

ANNETTE. Et je suis là, à fouiller ses affaires comme une ennemie! Vite Albert, sers tout ça! Qu'au moins, elle sache pas jusqu'où j'ai pu m'abaisser par méfiance...

ALBERT, *inquiet.* Mais le cahier, Annette, le cahier?

ANNETTE, *joyeusement.* Laisse faire le cahier! Quoi qu'il contienne, je peux plus croire maintenant qu'elle s'en servirait contre moi.

ALBERT, *protestant.* Annette!...

Annette range fébrilement autour d'elle fermant les tiroirs pendant qu'Albert replace la boîte dans l'armoire.

ANNETTE. J'en suis sûre! Oh! Je douterai plus jamais d'elle! *(Avec émerveillement.)* Toutes mes lettres!... *(Avec tendresse.)* Pauvre Martine, moi qui l'accusais de pas avoir de cœur!

ALBERT, *encore soucieux.* Quand même, le cahier, à ta place...

ANNETTE, *avec un accent de triomphe.* J'y renonce, je te dis! Qu'elle le garde! Qu'elle en fasse ce qu'elle voudra. Qu'est-ce que j'ai à craindre du moment qu'elle m'aime? Viens, viens!...

La bibliothèque et le groupe Martine, Philippe et Michel.

PHILIPPE, *à Michel.* Accepterais-tu au moins d'en parler à ton père?

MICHEL, *moqueur.* Si je comprends bien, tu comptes sur moi pour te faire bien voir de ton professeur?

PHILIPPE. Si ça peut l'amadouer! Il est d'une sévérité, d'une rigueur!

MICHEL. Je veux bien essayer, mais ça ne sera pas facile!

121

PHILIPPE. Oh! il va certainement refuser, mais au moins j'aurai fait mon possible.

MARTINE. Qui vous dit que monsieur Martin refusera?

PHILIPPE. L'expérience de la déception! Il serait bon qu'il y ait une autopsie, j'en conclus qu'il n'y en aura pas, ce qui est bon ne se produisant pas une fois sur cent!

MICHEL. Ne l'écoutez pas! Il n'y a pas de pire pessimiste!

PHILIPPE. Tu verras!

MICHEL. D'ailleurs, avant de l'aborder, je veux être moi-même convaincu de la nécessité de l'autopsie. Quand ton professeur veut-il me voir?

PHILIPPE. Demain, à partir de... Trois heures...

Michel se tourne vers Martine en souriant.

MARTINE. Je prends note.

MICHEL. Rappelez-le-moi si vous ne l'oubliez pas vous-même.

MARTINE. C'est inscrit!

PHILIPPE. Et maintenant, en route pour l'Université, oui ou non?

MICHEL. Minute. *(À Martine. Hésitant.)* Pourrions-nous continuer cet après-midi? *(Vivement.)* Si vous êtes libre!

MARTINE. Je le suis. En attendant, je vais étudier le texte pour essayer de me familiariser avec votre système d'abréviation.

MICHEL. Bonne idée. À plus tard, Martine. Et merci!

PHILIPPE, *souriant.* Au revoir Martine...

MARTINE, *avec défi.* Au revoir Philippe!

PHILIPPE, *étonné.* Mais... C'est une menace?

MARTINE, *riant, désarmée.* Non, non, c'était pour rire!

MICHEL. Allons-y *(À Martine.)* Merci encore! Vous n'avez pas idée à quel point vous me rendez service.

MARTINE. Au revoir, monsieur Martin...

MICHEL. Ah! non! Je ne veux pas être le seul monsieur! Il est temps que vous m'appeliez par mon prénom!

MARTINE, *riant.* À plus tard, Michel!

Ils s'éloignent. Martine, toute à la joie de ce qui lui arrive, s'exclame.

MARTINE. Enfin quelqu'un à qui parler! Deux personnes à qui parler! Et qui me font pas la leçon! Qui me prennent telle que je suis, enfin! Deux hommes... *(Perplexe.)* Des hommes... C'est étrange...

9

Albert, sur un mot, s'évanouit

Le lendemain après-midi, dans la cuisine. Albert enlève son veston et va se bercer. Il allume sa pipe pendant qu'Annette installe la planche à repasser.

ALBERT. Viens donc t'asseoir un peu Annette. T'arrêtes jamais de travailler.

ANNETTE. Faut croire que c'est dans ma nature!

Albert s'installe plus confortablement et se met à se bercer. Le téléphone sonne.

ALBERT. Dérange-toi pas. *(Il décroche.)* Allô?... *(Impressionné.)* Un instant, s'il vous plaît. *(À Annette.)* Vite, c'est Québec qui appelle.

ANNETTE. Monsieur Martin?...

ALBERT. C't'affaire!

ANNETTE, *au téléphone.* Allô?... Oui, c'est moi... *(Elle attend.)*

ALBERT. C'est lui?

Elle acquiesce en silence. Albert détourne la tête et ne s'occupe plus d'elle.

ANNETTE, *au téléphone.* Oui, monsieur Martin... Oui, tout va bien ici. Et vous?... Vous faites un bon voyage?... Non, je suis dans la cuisine avec Albert. Quand pensez-vous revenir?... *(Elle écoute la réponse. Petit rire gêné qui laisse deviner que monsieur Martin lui demande une question personnelle. Coup d'œil vers Albert avant de répondre.* Mon Dieu... oui!... *(Il doit insister, car elle tourne le dos à Albert pour répondre en baissant un peu la voix.)* Oui, oui, ça me fait plaisir... Bonjour, monsieur Martin.

Elle raccroche et va reprendre sa place en silence. Albert, plus embarrassé qu'elle, tousse pour se donner une contenance.

ALBERT. Voyons est-ce que j'ai pris le rhume!... Quand est-ce qu'il revient?

ANNETTE. Il pense pas que ce soit avant demain après-midi.

ALBERT. Y avait rien de spécial?...

ANNETTE. Il voulait savoir si tout allait bien...

ALBERT, *hochant la tête.* Je pense qu'il s'ennuie de la maison, quand il s'en va. Je lui dirais pas, mais pour ma part, j'aime mieux quand il est pas ici!

Annette ne répond pas.

ALBERT, *hésitant.* Pas toi?

ANNETTE, *s'arrêtant de travailler. Perplexe.* Moi?... Je sais pas...? Personne m'a jamais fait éprouver des sentiments aussi contradictoires que cet homme-là.

ALBERT, *toujours hésitant.* Tu respires pas mieux depuis deux jours qu'il est parti?

ANNETTE. Peut-être... *(Rêveuse.)* Mais, je suppose que pour respirer tout à fait bien, il faudrait qu'il revienne jamais... *(Vivement.)* Non, non. C'est pas vrai!

ALBERT, *résigné.* Me semblait bien!

ANNETTE, *secouant la tête.* Vivre sans jamais le voir, non. Je peux pas imaginer ça! Et pourtant, il va bien falloir...

ALBERT, *secouant la tête.* Je te comprends pas.

ANNETTE, *âprement.* Tu comprends pas quoi? Qu'on puisse à la fois aimer et détester, admirer et mépriser?... Qu'on ait à la fois envie de se révolter et de céder, à la fois envie de vaincre et d'être vaincu? Tu comprends pas ça? Alors t'as pas vécu, Albert!

ALBERT, *perplexe.* C'est peut-être des sentiments de femme...

ANNETTE, *pensive.* Oui... Oui, c'est bien possible... Ça doit être pour ça qu'aimer un homme c'est être en état de défense perpétuelle...

ALBERT, *étonné.* Pourquoi ça?

ANNETTE. Pourquoi ça! Pourquoi ça! Parce qu'ils veulent toujours nous contrôler, nous dominer... *(Perplexe.)* Enfin pas tous peut-être...

ALBERT, *hochant la tête avec sympathie.* Ça a pas l'air facile d'être une femme...

> *Martine paraît, portant trois ou quatre livres dont un gros dictionnaire. Annette la regarde venir.*

ANNETTE, *rêveuse.* Pour elle, ce sera encore plus difficile que pour une autre.

> *Albert se tourne comprenant qu'elle parle de Martine, et sursaute.*

ALBERT. Dis donc, toi!

> *Il vient la rejoindre à la table où Martine dépose ses livres.*

ALBERT. Tu y vas pas de main morte avec les livres de monsieur Martin!

MARTINE. De madame Martin. Tous les livres étaient à elle.

ALBERT. Essaie de lui dire ça et tu verras ce qu'il te répondra, le bonhomme!

ANNETTE, *avec reproche.* Albert!

ALBERT. Fais-lui donc comprendre, Annette, qu'elle exagère! *(Il les compte.)* Un, deux... trois, quatre! Quatre!

ANNETTE, *moqueuse.* Qui est-ce qui lui a permis de fouiller dans la bibliothèque?

MARTINE, *voix d'enfant moqueuse.* C'est mon oncle! Et pendant ce temps-là, mon oncle et ma mère se croient permis de fouiller ma chambre! N'est-ce pas étrange? *(Elle rit. Annette se met à rire. Albert furieux vient lui secouer le bras.)*

ALBERT. Petite ingrate! Tu me remercies en te moquant de moi?

ANNETTE. René t'a dit?...

MARTINE. Qu'il vous avait trouvés dans ma chambre oui! Drôle de maison, où tout le monde espionne tout le monde!

ANNETTE, *gravement.* C'est fini, Martine. Pour ma part c'est fini.

MARTINE, *avec défi.* Vous n'avez pourtant pas trouvé ce que vous cherchiez!

ANNETTE, *sans la regarder. Avec tendresse.* J'ai trouvé mieux. Tellement mieux que ce que je cherchais!

> Martine cherche à comprendre, mais y renonce, apaisée par le visage adouci de sa mère.

MARTINE. En tout cas, moi, je ne renonce pas aux livres, je vous préviens! *(Gaiement.)* Vous avez d'ailleurs tout à y gagner. Avez-vous remarqué que je suis sage comme une image depuis hier?

ANNETTE, *riant.* C'est vrai... Tu le disais toi-même, ce matin, Albert.

MARTINE. Je suis occupée, voilà tout! Du travail pour Michel...

ALBERT. Pour Michel? Tu l'appelles Michel maintenant?

MARTINE. Il me l'a demandé! Il a même insisté!

ALBERT. Tu veux dire que même devant lui?...

MARTINE, *avec insistance.* Oui. oui. Il m'appelle Martine, je l'appelle Michel! Il me traite comme une égale quoi! Et Philippe aussi! Et pourquoi pas voulez-vous me dire? *(Elle s'adresse surtout à sa mère).*

ANNETTE, *calmement.* Ça m'enchante pas et tu le sais!

MARTINE, *doucement.* Oui je le sais. Mais du moment où vous m'acceptez telle que je suis, je vous en demande pas plus!

ALBERT, *perplexe.* C'est peut-être l'absence de monsieur Martin qui te calme?... En fait, ça calme tout le monde, faut bien l'avouer.

ANNETTE, *sévèrement.* Albert!

> Martine a un petit rire et se plonge dans le dictionnaire.

ALBERT. De toute façon, les livres, faudra que tu les remettes dans la bibliothèque avant qu'il revienne.

MARTINE, *impatiente.* Oui, oui... Parlez-moi plus mon oncle, vous me dérangez. *(Cherchant.)* Voyons, je l'avais... Autopsie, autopsie, autopsie...?

> *Albert et Annette échangent un regard étonné. Albert va pour parler. Annette lui fait signe de se taire.*

ANNETTE. Qu'est-ce que tu dis?

MARTINE, *triomphante. Arrêtant son doigt sur un mot.* Autopsie!... *(À sa mère.)* C'est un dictionnaire médical...

> *Albert ne peut s'empêcher de se lever et de s'approcher lentement.*

ALBERT, *nerveux.* Mais pourquoi? Pourquoi?...

ANNETTE. Pourquoi le mot autopsie en particulier?

> *Martine relève la tête.*

MARTINE. Parce qu'il est question de faire l'autopsie du cadavre de madame Martin pour...

ALBERT, *dans un cri.* Quoi?...

> *Annette aussi alarmée que lui se raccroche à la planche à repasser.*

ANNETTE. Qu'est-ce que tu dis?...

> *Elle parvient à se ressaisir devant l'étonnement de Martine et serre le bras d'Albert pour l'inciter à se dominer. Saisie par ce qu'elle devine en eux d'angoisse, Martine se lève, hésitant à répondre.*

ANNETTE, *encore fébrile.* Qu'est-ce que tu racontes?

MARTINE, *balbutiant.* Je pensais jamais que ça vous ferait un tel effet!

ALBERT, *gémissant.* Pourquoi, pourquoi une autopsie?...

ANNETTE. Tu peux pas comprendre, Martine... Tu l'as à peine connue... Nous... Nous autres on l'a soignée... Elle est morte presque dans mes bras... Aujourd'hui, tu nous parles d'autopsie, a-lors... alors c'est comme si tout était à recommencer...

> *Albert se dégage et s'approche de Martine.*

ALBERT, *s'emportant.* Mais réponds donc!... Qu'est-ce que ça veut dire? Pourquoi faire une autopsie quand il y a plus d'un mois qu'elle est morte!

MARTINE, *mal à l'aise.* Philippe Beaujeu prétend que... qu'on peut encore voir... Qu'il n'est pas trop tard.

ANNETTE, *vivement.* Voir?... Voir quoi?

MARTINE. Ce qui a provoqué la mort.

ALBERT, *dans un souffle.* Ce qui a...

> *Il tombe par terre, sur place, comme un pantin de son presque sans faire de bruit. Martine se précipite vers lui.*

MARTINE. Mon oncle!...

Elle se tourne vers Annette qui est restée debout, immobile, clouée sur le sol, statue de marbre.

MARTINE, *appelant.* Maman!

ANNETTE, *machinalement.* Quoi, maman?...

MARTINE. Mon oncle! Regardez-le donc!...

Annette secoue vivement la tête et vient la rejoindre. Elle tape les joues de son frère et dénoue sa cravate.

MARTINE, *affolée.* Il est mort!

ANNETTE. Mais non! Va vite chercher les sels d'ammoniaque.

MARTINE, *se levant.* Où?...

ANNETTE. Dans la salle de bain de monsieur Martin... Va vite...

Martine sort en courant. Annette s'agite. Pressante.

ANNETTE, *secouant Albert.* Albert!... Albert!... Albert, faut que je te parle!... Albert!...

Voyant qu'elle ne parvient pas à le ranimer, elle va faire couler l'eau froide, prend un verre, l'emplit et revient près d'Albert à qui elle lance l'eau en plein visage. Ce moyen énergique ramène Albert à la vie. Annette recommence à lui taper le visage.

ANNETTE, *pressante.* M'entends-tu, Albert? Écoute-moi! Écoute-moi avant qu'elle revienne! Albert!

Il se remet peu à peu, à demi hébété au début et repoussant Annette.

ALBERT. Laisse-moi, laisse-moi...

ANNETTE. M'entends-tu, là? Il faut que tu m'entendes...

ALBERT, *la prenant par le cou. Désespéré.* Annette!...

ANNETTE. Martine va revenir. Écoute-moi!... Laisse-toi pas aller comme ça!

Il se laisse retomber avec un gémissement. Annette le force à s'asseoir.

ANNETTE. Tiens-toi! As-tu envie que tout le monde pense que... Déjà Martine a eu l'air de... *(S'impatientant.)* M'entends-tu, Albert? Écoutes-tu?

Il secoue la tête affirmativement sans la regarder et se met à pleurer, la tête entre ses jambes.

ANNETTE, *le prenant dans ses bras, à genoux à côté de lui.* Seigneur, non, pleure pas! Tout va s'arranger, tu vas voir!

ALBERT. Ils vont tout découvrir!

ANNETTE, *lui pressant la tête contre sa poitrine pour l'empêcher de parler.* Tais-toi! Tais-toi!

Elle le berce contre elle pour le calmer.

ANNETTE. Laisse-moi faire... Je te dis, tout va s'arranger.

On entend sonner un coup au tableau des sonneries.

ALBERT, *se dégageant. Affolé.* C'est pour moi?... Monsieur Martin est revenu!

Ils se lèvent.

ANNETTE. Voyons donc!... Il vient d'appeler de Québec! C'est monsieur Michel... Je vais aller voir ce qu'il veut, mais toi, retrouve tes sens! Et surveille tes paroles, si Martine revient. Parle le moins possible! Surtout pose-lui pas de questions!

ALBERT, *s'agitant.* C'est elle qui va m'en poser! Tu la connais...

ANNETTE. Eh! bien, prends pas de chance, va-t'en dans ta chambre.

ALBERT, *complètement désemparé.* Mais... Monsieur Michel?...

ANNETTE, *impatiente et autoritaire.* Je te dis que j'y vais. Va-t'en dans ta chambre, je veux pas te voir ici avant que tu aies retrouvé toute ta tête.

Il se raccroche à elle, la retenant par le bras. On entend rire Carmelle.

ALBERT. Ils vont la sortir de son cercueil !

ANNETTE. Tais-toi!

Carmelle et René paraissent, vêtus pour sortir. Annette entraîne Albert vers une chaise pour le forcer à s'asseoir – Carmelle et René s'arrêtent.

RENÉ. Qu'est-ce qu'il y a? Ça va pas, Albert?

ANNETTE, *vivement.* Son foie! Toujours son foie! *(Étonnée.)* Où vas-tu Carmelle?

CARMELLE, *suppliante.* S'il vous plaît, laissez-moi sortir!

ANNETTE. C'est pas ton après-midi?

CARMELLE. Je vous en supplie! René m'invite au cinéma. Je sortirai pas jeudi.

ANNETTE, *vivement.* C'est bon, c'est bon. Pour une fois! Allez-y!...

RENÉ, *entraînant Carmelle.* Je te disais bien qu'elle accepterait!

Il la prend par le cou et l'entraîne.

CARMELLE, *se retournant.* Merci!

ANNETTE. Amusez-vous!

Ils sortent.

ANNETTE. Ouf! J'aime autant qu'ils s'en aillent, dans l'état où tu es!

ALBERT. Ça va mal finir, Annette!

ANNETTE. Veux-tu te taire? Veux-tu bien te taire? Laisse-moi m'occuper de ça. Quoi qu'il arrive, je prends tout à mon compte. Il t'arrivera rien, je te le jure. Me crois-tu?...

ALBERT. J'ai peur! C'est plus fort que moi!

On entend un coup au tableau des sonneries. Annette pousse son frère.

ANNETTE. Va-t'en dans ta chambre. Et attends-moi là, j'irai te rejoindre. Va, va...

Il s'éloigne titubant presque, Annette le regarde s'éloigner, pousse un soupir de soulagement et passe ses deux mains sur son visage et sur ses cheveux pour se refaire un masque sans expression.

Le hall. Michel, sortant de la bibliothèque, va se diriger vers la cuisine lorsqu'Annette paraît. Michel s'arrête.

MICHEL. Albert n'est pas dans la cuisine?

ANNETTE. Il peut pas venir en ce moment, mais si je peux le remplacer?...

MICHEL. Mon Dieu, je regrette de vous avoir dérangée! Je voulais simplement savoir si Martine était dans la maison.

Martine qui descend justement l'escalier entend la dernière phrase et vient vivement les rejoindre.

MARTINE. Oui, oui, je suis ici! *(À sa mère.)* Je n'ai pas trouvé les sels de...

ANNETTE, *vivement, l'interrompant.* C'est bon, c'est bon! J'en ai plus besoin.

MARTINE, *à Michel.* Vous aviez du travail à me donner?

MICHEL, *souriant.* Pas aujourd'hui, non. Philippe doit venir me chercher pour aller faire cette conférence dont vous avez copié le texte et je me demandais si ça vous intéresserait d'y assister...

MARTINE, *flattée. Impressionnée, en un mot éblouie.* Moi?... Vous?... Moi?... Je... Oh! Oui!...

Elle les regarde à tour de rôle. Michel se met à rire. Annette ne peut s'empêcher de sourire malgré ses préoccupations.

MICHEL. Eh! bien, allez vous préparer!

MARTINE, *hésitant.* Je peux, maman?

Annette hoche la tête, perplexe. Il est évident que cette invitation ne lui plaît pas outre mesure. Par ailleurs, voir Martine sortir...

MICHEL, *amusé.* Une conférence sur la biologie n'a rien de bien compromettant pour une jeune fille, Annette. Vous pourriez difficilement refuser.

ANNETTE. C'est bon... Va t'habiller...

Martine va remonter l'escalier, mais Annette la rappelle.

ANNETTE, *avec intention.* Non, Martine! Par l'escalier de service...

Martine, humiliée, s'arrête.

MICHEL, *haussant les épaules.* Allons donc! Un escalier ou un autre!...

129

ANNETTE, *le regardant. Implacable.* Chacun sa place, monsieur Michel.

Martine se tourne brusquement vers Michel.

MARTINE, *brusquement.* Je n'irai pas à la conférence. Excusez-moi mais j'y tiens plus!

Elle va s'éloigner, mais il la retient. Comprenant soudain l'importance qu'elles attachent l'une à l'autre à cette question. Il s'en étonne, mécontent.

MICHEL. Ma parole, vous vous croyez au Moyen Âge, Annette? Ou alors vous me prenez pour mon père!

ANNETTE, *sèchement.* Vous êtes son fils, pour moi, c'est la même chose. Je suis...

MICHEL, *l'interrompant. Irrité.* Mais, vous êtes aussi orgueilleuse que les pires bourgeois! Et vos préjugés ne valent pas mieux que les leurs! C'est ridicule à notre époque d'élever une enfant avec l'idée qu'elle appartient à une classe inférieure dont elle ne sortira jamais! Tout aussi absurde que l'inverse!

ANNETTE, *durement.* C'est pas moi qui fais la loi, ici, monsieur Michel.

MICHEL, *plus doux.* Je m'excuse Annette... Votre vie ne doit pas être facile, j'en conviens. Mais de votre côté, j'aimerais que vous fassiez une différence entre mon père et moi!

ANNETTE. Pour l'instant, il s'agit pas seulement de vous, mais de Martine. Vous lui donnez des habitudes auxquelles elle devra renoncer dès le retour de monsieur Martin. Il tolérera pas, lui, qu'elle soit dans la bibliothèque, quand il y est, par exemple...

MICHEL. Eh! bien, elle fera comme moi, elle l'évitera! *(Ironique.)* Croyez-vous que je tienne plus qu'elle au charme de sa conversation?

Il échange une grimace complice avec Martine rassérénée.

ANNETTE, *avec une pause.* Va Martine... Va chercher ton manteau. Passe par où tu voudras pour l'instant. Nous en reparlerons.

MICHEL, *souriant.* Faites vite, autrement nous serons en retard. *(Il la pousse vers l'escalier.)*

MARTINE, *avec un rire joyeux.* Ça sera pas long!

Elle monte rapidement.

MICHEL, *à Annette.* Vous m'en voulez?...

ANNETTE, *haussant les épaules.* Vous me rendez pas la tâche facile. Je suis ici au service de votre père. Ce qu'il défend, je dois pas l'autoriser.

MICHEL. J'aime votre intégrité, Annette.

ANNETTE. Moi, j'aime votre sens de l'égalité. *(Avec un demi-sourire.)* Vous voyez, nous sommes quittes!

Elle s'éloigne de quelques pas et revient.

ANNETTE, *avec effort.* Pouvez-vous me promettre que... Je sais pas comment vous dire. Martine est si jeune... S'il fallait qu'elle se mette des idées en tête à votre sujet...

MICHEL, *étonné.* Vous croyez? Mais rien dans mon comportement ne pourrait...

ANNETTE, *vivement.* Rien, n'est-ce pas, rien?

MICHEL. J'en serais très malheureux moi-même, car il n'y a de place dans ma vie que pour la science.

ANNETTE, *s'éloignant.* Dites-le-lui! Qu'elle le sache bien.

MICHEL. Mais je suis sûr que Martine le sent, le sait! Je la traite un peu comme... comme je traiterais une sœur plus jeune que moi... Oui, c'est ça... Rien de plus!

Annette saisie par l'expression le regarde un moment avant de répondre.

ANNETTE, *cachant mal son émotion.* Je vous fais confiance.

Elle fait un petit salut un peu gauche et s'éloigne vers la cuisine.

La page du dictionnaire médical au mot autopsie et le doigt d'Albert qui souligne chaque mot.

ALBERT, *lisant péniblement.* ...Autopsie... examen de toutes les parties d'un cadavre, et...

ANNETTE, *vient vivement le rejoindre.* Je t'avais dit de t'en aller dans ta chambre!

ALBERT, *recommençant à s'agiter.* J'y vais, j'y vais... *(Il ferme le dictionnaire.)* Qu'est-ce qu'il voulait monsieur Michel? Est-ce que c'était pour te parler de l'autopsie?...

ANNETTE, *cherchant à l'entraîner.* Es-tu fou? Viens!...

ALBERT. Tu mens pas? Il en a rien dit?

ANNETTE. Pas un mot! Et tu penses bien que j'ai pas abordé la question!

ALBERT, *gémissant.* Pourquoi est-ce qu'ils veulent faire ça? Pourquoi est-ce qu'ils la laissent pas en paix! Elle est morte, Seigneur, morte! Je commençais tout juste à m'y habituer...

ANNETTE, *l'entraînant.* Je t'en supplie, pas ici, Albert! Viens!...

ALBERT, *se dégageant.* Qu'est-ce que ça peut leur faire de quoi elle est morte, veux-tu me dire? Ils lui rendront pas la vie! C'est moi

131

qu'ils feront mourir avec leurs histoires. J'en ai le cœur dans la bouche!

Annette l'entraîne.

ANNETTE. Viens, viens...

Plus tard, dans la nuit. Toutes lumières éteintes. La porte d'entrée s'ouvre et Maurice entre avec une valise d'homme qu'il dépose dans le hall.

MAURICE. Attendez que je fasse de la lumière, monsieur Martin.

Il marche vers le commutateur. Lumière.

JÉRÉMIE. Quelle heure est-il?

MAURICE. Deux heures. Nous sommes partis de Québec à minuit. C'est pas mal!

JÉRÉMIE. Tout le monde a l'air de dormir dans la maison. Ils vont être surpris demain matin de nous voir revenus.

Maurice aide monsieur Martin à enlever son manteau.

MAURICE. Je vais aller réveiller René. Vous aurez besoin de lui.

JÉRÉMIE. Pas René. Annette...

L'étonnement de Maurice pousse monsieur Martin à se raviser.

JÉRÉMIE. Je veux dire Albert. Albert!... Laisse la valise, il la montera.

MAURICE. Je vais allumer...

JÉRÉMIE. Laisse, laisse...

Quelques minutes plus tard, Annette entre dans la bibliothèque. En robe de chambre, cheveux dénoués, Jérémie debout près du cabinet à liqueurs se tourne vers elle un verre à la main.

JÉRÉMIE, *surpris et content.* Annette?... En robe de chambre!... Ça fait si longtemps que je t'ai vue comme ça!

ANNETTE. Presque sept mois maintenant...

JÉRÉMIE. Tu les as comptés les jours toi aussi, même si t'en parlais pas, hein?

Il l'attire dans ses bras et l'embrasse très doucement sur les yeux.

ANNETTE. Albert est malade. J'étais dans sa chambre quand Maurice est venu le prévenir, alors je suis descendue pour voir si vous aviez besoin de quelque chose.

JÉRÉMIE. J'ai besoin de te parler surtout.

ANNETTE, *avec un demi-sourire.* C'était pour parler avec moi que vous faisiez réveiller Albert?

JÉRÉMIE. Ce qui a de plus drôle c'est que c'est toi que je voulais voir! *(Avec satisfaction.)* Tu vois, la vie me donne toujours ce que je veux, puisque tu es là! Comme si tu l'avais deviné!... Assis-toi, tiens, je te sers un verre...

Annette hésite, regarde le sofa qu'il désigne, mais demeure immobile.

JÉRÉMIE, *haussant les épaules.* Tout le monde est couché! Qui est-ce qui te verra à deux heures du matin? Assis-toi, assis-toi... On va prendre un verre ensemble, tu veux-tu? Comme à l'appartement!

ANNETTE, *troublée.* C'est là qu'on devrait être.

Il la prend dans ses bras fougueusement.

JÉRÉMIE. Oui, oui! Allons-y! Telle que t'es là, en robe de chambre! Hé que j't'aimerais ce soir!

ANNETTE. Moi aussi... Oui, moi aussi, je vous aimerais ce soir...

JÉRÉMIE. Enfin j'te retrouve comme avant! T'es tellement frette avec moi depuis que t'es ici!

ANNETTE. Ici, je peux pas faire autrement.

Elle cherche à se dégager, il la retient.

JÉRÉMIE. T'as raison. Ici c'est chez moi, c'est pas *chez nous!* Allons-nous-en! Viens, viens.

ANNETTE. Non Jérémie, non. Je regrette! Albert fait une crise de foie. Je peux pas le laisser trop longtemps.

JÉRÉMIE, *la retenant.* Ça aurait été si bon de s'aimer un peu...

ANNETTE. Oui...

JÉRÉMIE. Oui, mais c'est non quand même?

ANNETTE, *à regret.* Oui, c'est non.

JÉRÉMIE. Alors, on va au moins prendre un verre ensemble. Et se parler!...

Il l'entraîne et sort bouteilles, verres, etc.

ANNETTE. Vous êtes content de votre voyage?

JÉRÉMIE, *avec entrain.* Un voyage en or!... En or pur! Aïe! C'était pas une petite entreprise que je leur apportais là. Il va se dépenser des millions là-dedans! *(Avec une satisfaction de petit gars.)* Je te l'avais bien dit, hein, que je l'aurais mon Anglais avec ses capitaux? Je te l'avais bien dit!

ANNETTE. C'est à cause de lui que vous êtes allé à Québec?

JÉRÉMIE. Oui. Pour obtenir les droits d'exploitation d'une mine de cuivre... Une affaire colossale! *(Riant.)*

ANNETTE, *amusée.* Félicitations une fois de plus!

Jérémie lui tend un verre.

JÉRÉMIE. Bois... Un vrai succès, je te dis! J'ai obtenu tous les papiers que je voulais en un temps record. C'est à qui aurait fait le plus de zèle pour me servir. J'avais hâte de te raconter ça. *(Il la regarde, affectueusement, perplexe.)* On dirait qu'il y a plus rien qu'à toi que j'ai du plaisir à raconter mes victoires, c'est drôle, hein?

Il l'entraîne vers le sofa où ils s'assoient tous les deux.

ANNETTE, *d'une voix mal assurée.* J'espère que vous viendrez me les raconter quand je partirai d'ici...

JÉRÉMIE, *maussade.* Ah! non! Tu vas pas reparler de t'en aller?

ANNETTE. Il faut bien... *(Sur un geste de Jérémie. Vivement.)* La semaine prochaine au plus tard! Écoutez-moi! Protestez pas tout de suite. Albert est malade...

JÉRÉMIE. Mais qu'il s'en aille, s'il en a assez! Je le force pas à travailler. Qu'il prenne des vacances, qu'il aille où il voudra! Il reviendra quand il sera mieux. C'est pas une raison pour que tu partes toi aussi.

ANNETTE. Oui, parce qu'il a besoin de soins! Je le garderai avec moi pour un temps, tout en m'occupant de la boutique...

JÉRÉMIE. Sacré magasin, j'aurais jamais dû t'acheter ça! Ça te rend trop indépendante!

ANNETTE, *le regardant avec colère.* Vous devriez avoir honte de le regretter!

JÉRÉMIE. Au fait, j'y pense!... Il est à moi ce magasin-là! Il est pas à toi!

ANNETTE, *se levant, indignée.* À moi! Il est à moi! Il est à moi, même si légalement c'est à vous qu'il appartient! Ça fait seize ans que j'y travaille. Je peux dire que je l'ai fait! Il est à moi! Et vous l'avez toujours dit vous-même d'ailleurs!

JÉRÉMIE, *brusquement.* En tout cas, il est pas à ton frère! Je veux pas qu'Albert aille s'installer dans notre appartement. Qu'il s'en aille à Sainte-Anne-de-Remington, chez ta mère. L'air de la campagne lui fera bien plus de bien! Et toi, tu resteras ici! Vous êtes toujours ben pas pour partir tous ensemble, misère de Dieu? Qu'est-ce que je ferais moi, ici, tout seul avec René, Maurice, Carmelle?... Des petits jeunes qui sont tout nouveaux dans la maison!... Et Maria à qui je dis jamais un mot. C't'idée que t'as de t'en aller, aussi! Pourquoi c'est que tu te laisses pas mourir comme elle pendant que tu y es!

Il fait un pas vers la cheminée, le bras levé pour désigner le portrait. Annette sourit doucement, sarcastique.

134

ANNETTE. C'est plus elle qui est là. Vous l'oubliez toujours! C'est vous! Vous tout seul!

Jérémie dépité s'éloigne du portrait.

ANNETTE, *lentement.* Elle est plus nulle part dans la maison.

JÉRÉMIE, *rejetant le sujet.* C'est bon, c'est bon, laisse-la tranquille!

ANNETTE, *changeant de ton. Pressante.* Quand elle est venue me chercher, rappelez-vous, il a été bien entendu qu'après sa mort, je retournerais au magasin. Je suis restée un mois de plus à cause de vous, mais maintenant... Il faut que je pense à Martine, à Albert... et à moi aussi!

JÉRÉMIE. Mais elle est morte six mois plus vite qu'on pensait! Tu t'attendais à rester un an... Finis au moins ton année!

ANNETTE. Ma place est pas ici, vous devez bien le comprendre.

Jérémie commence à redouter de ne pas la convaincre et s'inquiète.

JÉRÉMIE, *s'agitant.* Y a rien qui presse, Annette! Donne-moi au moins le temps de m'organiser!... Tu me prends par surprise!

ANNETTE. C'est la troisième fois que je vous en parle.

JÉRÉMIE. Je pensais te convaincre de rester!... Laisse-moi m'habituer à l'idée. Patiente encore... Michel est à la veille de s'en aller, attends au moins qu'il soit parti!

ANNETTE. Vous serez encore plus seul après son départ et vous voudrez encore moins que je parte.

JÉRÉMIE. Mais non, mais non, parce que d'ici là, j'aurai trouvé quelqu'un d'autre pour venir vivre avec moi. J'ai même déjà fait des démarches dans ce sens-là...

Annette le regarde sceptique.

JÉRÉMIE. Je te jure! J'ai demandé à Laurent de venir s'installer ici avec sa famille. Il a refusé, c'est pas de ma faute! Je le regrette pas d'ailleurs! Sa femme est une espèce d'hystérique! J'en parlerai à Céline, tiens! Céline viendrait peut-être avec son mari? Qu'est-ce que t'en penses? Ils ont pas d'enfants, ça me dérangerait pas trop.

ANNETTE. Et s'ils refusent?...

JÉRÉMIE, *désemparé.* Tu crois que?... *(Se fâchant.)* Je chercherai ailleurs, dans ce cas-là! Mais bouscule-moi pas! Misère, elle vient seulement de mourir, laisse-moi respirer! Je peux pas la remplacer du jour au lendemain!

ANNETTE, *le regardant avec une tristesse ironique.* La remplacer?... C'est vrai, vous pourriez vous remarier...

JÉRÉMIE. La remplacer de cette façon-là? Jamais!... *(Il la regarde avec méfiance.)* Si tu t'es mis des idées en tête...

Annette a un petit rire désabusé.

JÉRÉMIE, *âprement.* Jamais, Annette, jamais!

Il lui tourne le dos.

ANNETTE, *haussant les épaules.* Vous êtes un enfant. Un vieil enfant, mais un enfant tout de même. *(Implacable.)* Vous êtes-vous regardé dans un miroir? Vous avez soixante et cinq et j'en ai trente-huit! Pensez-y quand il vous viendra des idées semblables.

JÉRÉMIE, *insulté.* Veux-tu dire que tu refuserais d'être ma femme?

ANNETTE. On parlait de mon départ.

JÉRÉMIE, *retrouvant son inquiétude.* C'est vrai... Alors tu vas attendre? Tu vas me donner le temps?

Annette dépose son verre sur le manteau de la cheminée.

ANNETTE, *froidement.* Je vais y réfléchir, monsieur Martin.

JÉRÉMIE, *content.* C'est ça, c'est ça, penses-y! Penses-y! T'as bien le temps.

Annette pose sur lui un regard sans pitié.

ANNETTE, *lentement.* Moi, j'ai le temps, oui...

JÉRÉMIE, *soupçonneux.* Qu'est-ce que tu veux dire?...

ANNETTE, *s'éloignant. Ton léger.* Il y a Albert, il y a Martine... *(Elle s'arrête et se retourne pour le regarder.)* Je vous donnerai ma réponse demain matin.

Il vient la retrouver, l'air convaincant.

JÉRÉMIE. Si c'est parce que tu as trop d'ouvrage ici, je te l'ai dit, arrête-toi! Laisse faire les autres! Enlève ton tablier, pis repose-toi. C'est pas moi qui m'en plaindrai, je le déteste ton grand tablier! T'aurais pas pu en choisir un plus petit au moins? Ou même pas du tout!

ANNETTE, *le défiant.* Non! Je voulais le plus grand qui soit pour qu'il vous crève les yeux, pour qu'il vous rappelle chaque fois que je ne suis pas ici pour votre plaisir mais à votre service.

JÉRÉMIE, *souriant. Après une pause.* La leçon est faite. Tu peux l'enlever à partir de maintenant.

ANNETTE, *avec une moue de dépit.* Il est trop tard. À cause des autres, je suis forcée de le garder. Comment expliqueriez-vous ma présence dans votre maison si j'y travaillais pas?

Jérémie qui tient à la reconquérir lui donne une petite tape amicale.

JÉRÉMIE. Peuh! C'est moi le maître! Laisse parler, je m'en moque!

ANNETTE, *ironique.* Eh! bien... Et le sens des convenances auxquelles vous avez toujours attaché tant d'importance? Non, monsieur Martin, non! Changeons rien à ce que vous avez si bien établi vous-même il y a presque vingt ans!

JÉRÉMIE, *désarmé*. Tête de pioche!...

Il se met à rire, bon enfant, et cherche à l'attirer dans ses bras. Annette se dégage, mi-sérieuse, mi-rieuse.

ANNETTE. Non, non, non, non! Tant que je serai dans cette maison, demandez-moi rien de plus que d'être votre servante. Votre humble servante.

Elle lui fait un petit salut ironique qui fait rire Jérémie. Il essaie de la prendre dans ses bras.

JÉRÉMIE, *croyant que c'est un jeu*. Viens donc! Viens dans mes bras! Faut-il que je te prenne de force?

Mais Annette qui a reculé secoue la tête en le regardant.

ANNETTE. J'ai plus seize ans, monsieur Martin...

Le rire de Jérémie se fige tandis qu'elle se dégage et disparaît. Il fait un pas vers elle, y renonce et se donne un coup de poing dans la paume de la main.

JÉRÉMIE, *bas*. Elle me l'a jamais pardonné!...

Il secoue négativement la tête, recommence à frapper la paume de sa main de son poing fermé, pris de panique, cherchant à réagir.

JÉRÉMIE. Ça fait rien! Ça fait rien!... L'important, c'est qu'elle m'échappe pas! Il faut pas, il faut pas que je la laisse m'échapper!

10

Je suis là... je suis là...

La chambre d'Albert. Neuf heures du matin. Albert est couché. Debout près de lui Annette lui tient la main et se tourne vers le médecin qui referme sa trousse.

ANNETTE. Vaut-il mieux qu'il reste au lit?

MÉDECIN. Il n'aura pas envie de se lever.

ANNETTE, *déçue.* J'aurais voulu l'emmener... ailleurs!...

MÉDECIN. Évidemment, si vous ne pouvez le soigner ici!... Mais il faudra le transporter en ambulance.

ALBERT, *redressant la tête.* Je veux pas aller à l'hôpital!

ANNETTE. Non, non, c'est chez moi que j'aurais voulu t'emmener. À l'appartement...

MÉDECIN. Attendez donc encore quelques jours. Ça serait plus prudent. Bonjour, monsieur Julien, soignez-vous bien et surtout cessez de vous tourmenter. *(Avec un sourire.)* Votre vie n'est pas plus en danger que la mienne!

Annette l'accompagne vers la porte.

ALBERT, *inquiet.* Annette!...

ANNETTE. Je reviens tout de suite, Albert.

Elle sort avec le médecin et referme soigneusement la porte. Couloir sur lequel donnent les chambres des autres domestiques.

MÉDECIN, *hochant la tête.* Il n'est pas bien votre mari, madame Julien.

ANNETTE. Mon frère...

MÉDECIN. J'avais cru... Le même nom...

ANNETTE. Coïncidence.

MÉDECIN, *pensif.* Cette fièvre!... C'est mauvais signe dans un cas de jaunisse. Si ça continuait, ce n'est pas chez vous, mais à l'hôpital qu'il faudrait le conduire.

ANNETTE, *surprise.* Est-il si malade que ça?

MÉDECIN, *haussant les épaules.* On ne soigne pas que des mourants à l'hôpital.

ANNETTE, *impressionnée.* Quand même!...

MÉDECIN. Il y a toutes sortes de jaunisses. Bénignes, graves, mortelles... Le premier jour, on ne peut pas savoir. Est-il vrai que votre père soit mort d'une jaunisse?

ANNETTE. Oui. Mais c'était un alcoolique! Albert boit pas, il a jamais bu.

MÉDECIN. A-t-il fait des abus de nourriture dernièrement?

ANNETTE, *haussant les épaules.* Il mange à peine...

MÉDECIN. Oui, mais quoi? Des fritures, du lard, des sauces grasses?

Annette secoue la tête.

MÉDECIN, *patient.* Et du côté émotif? A-t-il en ce moment des soucis particuliers?

Annette ne répond pas.

MÉDECIN. L'avez-vous vu s'inquiéter, se tourmenter?...

Annette continue à se taire.

MÉDECIN, *agacé.* Madame, je ne vous demande pas de me raconter les secrets de votre frère, j'essaie tout simplement de comprendre sa maladie.

ANNETTE, *à contrecœur.* Il est tourmenté depuis quelques jours. Oui...

MÉDECIN. Il me semblait bien! Faites votre possible pour lui éviter tout sujet d'angoisse, c'est tout ce que je vous demande.

Ce conseil paraît dérisoire à Annette qui proteste brusquement.

ANNETTE. J'ai aucun pouvoir sur la vie.

MÉDECIN, *froidement.* J'ai dit: faites votre possible, madame. Pas davantage.

ANNETTE, *se ressaisissant.* Excusez-moi.

MÉDECIN, *plus doux.* Et appelez-moi, si ça va plus mal. De toute façon, je reviendrai ce soir.

ANNETTE. Est-ce nécessaire?

MÉDECIN, *sérieux.* Oui. Au revoir madame Julien.

Il s'éloigne au moment où Martine sort de sa chambre. Elle le regarde passer avec étonnement et vient rejoindre sa mère.

MARTINE. Vous avez fait venir le médecin? Mon oncle est-il vraiment malade?

ANNETTE. Tu vois...

MARTINE. Mon Dieu!...

ANNETTE. As-tu déjeuné?

MARTINE. Je vous attendais pour descendre. Maman?... C'est pas ce que je lui ai dit hier qui l'a rendu malade, j'espère?

Annette a la présence d'esprit de faire semblant de ne pas comprendre.

ANNETTE, *cherchant.* Ce que tu lui as dit?...

MARTINE. À propos de l'autopsie?...

ANNETTE. Ah! j'avais oublié... Je sais pas. Les gens qui ont mal au foie sont tellement impressionnables... *(Secouant la tête.)* Pourtant non, quand même! On ne fait pas une jaunisse en un jour! Ça devait être en lui depuis quelque temps déjà...

MARTINE. Ouf! Tant mieux! J'aurais eu des remords!

ANNETTE. Est-ce que... Est-ce qu'il y a eu quelque chose de décidé à ce sujet-là?

MARTINE. Non. Michel attend que son père revienne de Québec pour lui en parler.

ANNETTE. Il est revenu dans la nuit.

MARTINE. Ah! bon, Michel va...

ANNETTE, *l'interrompant.* Je m'habitue pas tu sais!

MARTINE. À ce que je l'appelle Michel?

ANNETTE. Tu es la seule ici à faire ça.

MARTINE. De ce côté-ci de la maison, c'est vrai.

ANNETTE, *ironique.* Ah! bon...

MARTINE. Maman!...

ANNETTE, *la regardant sans ironie cette fois.* On doit être bien mal à l'aise quand on rougit de sa condition.

MARTINE. Bah! J'y pense de moins en moins! Michel dit que ces choses-là ont plus aucune importance de nos jours.

> On entend la voix d'Albert. Faible.

ALBERT, *appelant.* Annette...

ANNETTE, *doucement.* Il a peut-être raison après tout! Va... Va déjeuner, il est passé neuf heures!

MARTINE, *suppliante.* Venez avec moi! J'aimerais vous parler de la conférence!

> Annette, spontanément, lui caresse la joue.

ANNETTE, *souriant.* Tu étais contente d'y aller?

MARTINE, *vibrante.* Oh! maman, oui! Vous le croiriez pas, mais c'est fascinant la biologie! Philippe... Philippe Beaujeu vous savez? Il disait...

ALBERT, *appelant.* Annette!

> Le sourire d'Annette s'évanouit.

ANNETTE, *à Martine.* Il faut que j'y aille.

MARTINE, *déçue.* Vous êtes avec lui tout le temps!

ANNETTE, *partagée.* Il est si malade, Martine!

MARTINE, *âprement.* Mais moi aussi j'ai besoin de vous!

140

Annette la prend affectueusement par le cou.

ANNETTE. Oui?...

ALBERT, *appelant.* Annette!...

Il y a un tel gémissement dans sa voix qu'Annette ne résiste plus.

ANNETTE. Moins que lui, tu vois bien!

Elle s'éloigne.

MARTINE, *agressive.* Allez-y... Allez-y! Mais il faudra pas vous étonner le jour où j'aurai plus rien à vous dire, faute d'avoir pu vous parler quand j'en avais besoin!

Elle s'éloigne rapidement. Annette s'est arrêtée, malheureuse, mais un gémissement d'Albert la rappelle à une autre urgence. Annette entre dans la chambre et referme la porte.

ALBERT, *maussade et gémissant.* Tu as bien pris du temps! Qu'est-ce qu'il te disait donc, lui?...

Annette va le rejoindre et arrange ses couvertures, son oreiller.

ANNETTE. Que tu as besoin du repos le plus complet et surtout que tu dois pas te tourmenter si tu veux guérir.

ALBERT, *gémissant.* Guérir! Ça vaut-y seulement la peine? Pour ce qui m'attend!

ANNETTE, *crispée et véhémente.* Veux-tu te taire!

ALBERT. Mais avec l'autopsie, Annette...

ANNETTE, *l'interrompant.* Attends donc! *(Avec force.)* Ils peuvent rien faire sans le consentement de monsieur Martin, et il a refusé quand ils en ont parlé après la mort de sa femme! Pourquoi est-ce qu'il accepterait plus aujourd'hui? Pourquoi? Elle en voulait pas d'autopsie!

ALBERT. Dis-le encore! Dis-le encore!

ANNETTE. Elle en voulait pas! Elle l'a dit plusieurs fois et devant plusieurs personnes. Je leur rappellerai! J'étais là! Je le dirai! Je saurai bien les empêcher de passer par-dessus la volonté de madame Martin, tu verras!

ALBERT, *reprenant espoir.* Oui, oui! T'es capable de les empêcher, Annette. Toi, t'es capable!

ANNETTE. Mais, toi, de ton côté, tu vas te soigner! Guérir! Et pour ça, il faut que tu cesses de te tourmenter.

ALBERT, *plein d'espoir.* Oui, oui... Oui! tu m'as délivré de la plus grande partie de ma peur. Je pense même que je vais dormir.

ANNETTE, *rassurée.* C'est ce qui peut t'arriver de mieux après une nuit sans sommeil. *(Elle l'embrasse.)* Dors, maintenant. *(S'éloignant.)* Dors bien. Je vais en profiter pour faire venir tes remèdes.

ALBERT, *soulevant sa tête. Avec tendresse.* T'es bonne, Annette... Merci, t'es bonne...

ANNETTE, *troublée.* Repose-toi...

Elle sort, refermant la porte sur laquelle elle s'appuie.

ANNETTE, *dans un murmure.* «T'es bonne, Annette»... Ah! oui, t'es bonne, parlons-en! C'est ma faute si t'es malade, pauvre Albert. C'est ma faute!

La bibliothèque où Jérémie appuie avec impatience sur le bouton de la sonnette. Annette paraît.

ANNETTE. Bonjour...

JÉRÉMIE, *maussade.* Je te dis que tu te fais désirer, toi, ce matin! J'ai sonné je sais pas combien de fois.

Annette ne répond pas. Jérémie se radoucit.

JÉRÉMIE. Il va pas mieux, Albert? René m'a dit au déjeuner qu'il avait été malade toute la nuit?

ANNETTE. Oui...

Jérémie ne prend même pas la peine de cacher sa satisfaction.

JÉRÉMIE. Qu'il reste dans sa chambre, Maurice et René le remplaceront pour le temps qu'il faudra. Toi aussi, prends ça tranquillement. Il y a seulement Michel et moi dans la maison, ça doit pas être si compliqué, deux personnes à servir? En tout cas, il est plus question que tu t'en ailles, hein?

ANNETTE. Pas pour le moment, non.

Jérémie se frotte les mains de contentement.

JÉRÉMIE. Dans le temps comme dans le temps!

ANNETTE, *avec colère.* Je vous défends de vous réjouir de la maladie d'Albert, même si elle vous arrange!

JÉRÉMIE, *brusquement. Lui prenant le bras.* Et moi, je te défends de me parler sur ce ton-là! Et je te défends aussi de me dire comment je dois me comporter!

Ils se confrontent du regard. Michel paraît. Il n'a rien entendu mais l'attitude de son père et d'Annette lui fait regretter d'être entré.

MICHEL, *gêné.* Excusez-moi!... (*À son père.*) Je croyais que vous étiez seul...

Il reste sur place, embarrassé. Annette se détourne pour éviter son regard.
Jérémie est le premier à réagir.

JÉRÉMIE, *brusquement.* Ben, tu le vois, je suis pas seul. Qu'est-ce que tu veux?

MICHEL, *désemparé.* René vient de me dire que vous étiez arrivé dans la nuit. Je... je venais... *(Riant.)* D'abord vous dire bonjour...

JÉRÉMIE, *bourru.* Bon, ben bonjour! C'est tout?

MICHEL, *froidement.* Non, ce n'est pas tout. J'ai aussi à vous parler de choses importantes.

JÉRÉMIE. Pas ce matin. Je m'en vais dans deux minutes. Après trois jours d'absence, tu penses bien que je suis pressé de retrouver le bureau.

MICHEL, Ce soir, alors?

JÉRÉMIE, *lui tournant le dos.* Ce soir. Ce soir. C'est ça, ce soir!

> *Le ton est définitif. Michel regarde son père un moment et sort sans ajouter un mot.*

ANNETTE. Croirait-on que c'est votre fils!...

JÉRÉMIE, *sur la défensive.* Ce qui veut dire?

ANNETTE. La façon dont vous le traitez!...

JÉRÉMIE, *inquiet et mécontent.* Laisse-moi donc tranquille! Qu'est-ce qui te prend donc toi, aujourd'hui? J'étais tout content de te retrouver cette nuit, et tout à l'heure encore, tout content d'apprendre que tu restes, et tu fais tout ce que tu peux pour gâter mon plaisir!

ANNETTE, *plus doucement.* Je reste, oui, mais pas pour longtemps. Dès que le médecin me permettra de faire transporter Albert...

JÉRÉMIE, *se calmant.* C'est bon! C'est bon! On en reparlera à ce moment-là.

> *Il la prend par les épaules.*

JÉRÉMIE. Mais en attendant, je peux toujours bien être content de te garder, non? *(Avec une grande tendresse.)* J'ai pas le droit? Vas-tu me dire que j'ai pas le droit?

> *Désarmée comme chaque fois qu'il manifeste cette tendresse qui garde toujours pour elle un caractère inattendu, nouveau, irrésistible, Annette sourit de ce sourire tellement beau des gens plus habitués à la souffrance qu'au bonheur. Tout son visage en est illuminé et l'amour s'y exprime enfin dans un épanouissement bouleversant. Pendant une brève minute, l'amour vibre entre eux à l'état pur, presque visible, presque tangible.*

JÉRÉMIE. Peux-tu m'empêcher de tenir à toi? De tenir à toi plus qu'à n'importe qui au monde?

> *Moment de trêve. Ce regard longuement échangé témoigne mieux qu'aucune parole de leurs liens profonds. Elle est à lui quoi qu'il fasse, et elle le sait. Et il le sait aussi, tout comme il sait qu'il ne peut plus se passer d'elle. Annette appuie son front sur la poitrine de Jérémie qui la serre dans ses bras.*

JÉRÉMIE, *rassuré, heureux. Doucement.* Va, ma belle... Va maintenant...
Il faut que j'aille au bureau. Si je tarde trop, Laurent est capable
de se prendre pour le grand patron!

*La porte de communication s'ouvre entre les bureaux du père et du fils.
Laurent entre, hésite un moment tenant toujours la poignée de porte. Il
regarde autour de lui, impressionné par l'absence de son père, et se décide à
entrer, fermant la porte derrière lui. Il marche jusqu'au fauteuil. On doit
sentir toute sa convoitise et sa hâte secrète de prendre possession de ce bureau
où il est toujours si mal traité. Il caresse le dos du fauteuil et finalement s'y
installe, copiant malgré lui l'attitude de son père. Il prend un cigare dans la
boîte d'argent, le coupe, le porte à sa bouche avec le même air renfrogné de
Jérémie. La porte d'entrée s'ouvre. Laurent sursaute comme un enfant pris
en faute. Trudeau paraît.*

LAURENT. Ah!... Ah! C'est vous, Trudeau...

TRUDEAU, *ironique.* Ce n'est que moi, oui.
Il vient déposer un dossier sur le pupitre.

LAURENT, *mal à l'aise, tortillant son cigare.* Je... J'étais venu...

TRUDEAU, *replaçant la boîte à cigares.* Vous n'avez pas de comptes à
me rendre monsieur Laurent.

LAURENT, *furieux.* Je vous serais reconnaissant de ne pas
m'appeler monsieur Laurent en l'absence de mon père. Il ne
peut y avoir d'équivoque quand il n'est pas là.

TRUDEAU. Excusez-moi. L'habitude...
*Il tend un briquet allumé à Laurent qui lui lance un regard méfiant pour
voir s'il se moque de lui, mais Trudeau offre un visage sans expression.
Laurent approche son cigare de la flamme tandis que le buzz se fait entendre. Le secrétaire regarde Laurent qui se lève.*

LAURENT, *heureux de commander.* Voyez ce que c'est...
Trudeau pousse la manette.

TRUDEAU. Oui?...

STÉNOGRAPHE, *voix.* Monsieur le notaire Beauchemin est ici
pour voir monsieur Martin. Il demande quand monsieur Martin
reviendra de Québec.

TRUDEAU. Il m'a dit hier au téléphone qu'il rentrerait cet après-
midi, mais je doute que monsieur Martin puisse le recevoir
aujourd'hui de toute façon.
Il referme la manette. Laurent se dirige vers son bureau.

LAURENT. À quelle heure mon père a-t-il dit qu'il arriverait?

TRUDEAU. Il ne l'a pas dit.
Le buzz résonne de nouveau. Laurent s'arrête. Trudeau lève la manette.

TRUDEAU. Oui?...

STÉNOGRAPHE, *voix.* Monsieur Beauchemin demande que vous lui fixiez un rendez-vous avec monsieur Martin.

TRUDEAU. Impossible avant que je l'aie revu. Il peut avoir disposé de son temps sans que je le sache.

LAURENT, *sec.* Dites-lui d'entrer puisqu'il est là! Je vais le recevoir.

TRUDEAU, *étonné.* Mais?... C'est votre père qu'il veut voir.

LAURENT, *ironique.* Rassurez-vous, Trudeau, il s'agit d'une affaire tellement simple que mon père lui-même m'autoriserait à m'en occuper.

TRUDEAU. Bien. *(Levant la manette.)* Demandez à monsieur Beauchemin de passer dans le bureau de monsieur Laurent qui va le recevoir.

LAURENT, *sec.* Pas dans mon bureau. Ici, puisque j'y suis.

TRUDEAU, *hésitant.* Ici?...

LAURENT, *le toisant.* Ici!

TRUDEAU. Dans le bureau de...

STÉNOGRAPHE, *voix.* J'ai entendu. Je vous envoie monsieur Beauchemin.

> *Trudeau repousse la manette. Laurent reprend sa place au pupitre de son père. La porte s'ouvre et le notaire paraît.*

LAURENT, *à Trudeau.* Je n'ai plus besoin de vous.

TRUDEAU, *moqueur. S'inclinant.* Bien... «Monsieur Martin»...

> *Il s'incline. Laurent lui lance un mauvais regard tandis que Trudeau salue Beauchemin. Laurent se lève et tend la main au notaire.*

LAURENT, *imitant toujours son père.* Bonjour, mon cher notaire...

> *Le notaire s'étonne de cette familiarité d'abord parce qu'il est plus âgé que Laurent, et surtout parce qu'il le connaît à peine.*

LAURENT. Enlevez votre manteau...

NOTAIRE, *serrant la main de Laurent.* Mais non, je... je ne crois pas rester bien longtemps. C'est à votre père que j'avais affaire.

LAURENT, *reprenant sa place.* Mon père ou moi, vous savez, c'est la même chose. Enfin... presque!... En tout cas de plus en plus! *(Avec complaisance.)* Il n'aime pas le reconnaître, mais il arrive fréquemment que je sois forcé de le remplacer. Et qu'il le veuille ou non, il faudra bien qu'un jour, je le remplace complètement! *(Il rit.)*

NOTAIRE, *perplexe.* Oui... Dites-moi... Votre père est-il complètement remis de la syncope qu'il a eue, il y a quelques jours?

LAURENT, *sursautant.* Une syncope?... Mon père?...

NOTAIRE, *préoccupé.* Une faiblesse, en tout cas... J'étais là! J'ai même cru qu'il allait mourir...

LAURENT, *vivement.* Êtes-vous sérieux?

Son espoir est tellement évident que le notaire qui allait parler s'arrête pour le regarder, l'air désapprobateur.

LAURENT, *bafouillant avec un effort pour se ressaisir.* À son âge... On peut s'attendre à tout...

NOTAIRE, *froidement.* Ce que je ne comprends pas c'est que quand j'ai téléphoné chez lui pour prendre de ses nouvelles un peu plus tard dans la matinée, je me suis fait répondre qu'il allait très bien et que cette syncope n'avait été qu'une comédie de sa part. Le jour même, d'ailleurs, il partait pour Québec!...

LAURENT. Ah! c'était le jour de son départ?

NOTAIRE. Oui?... Il ne vous a rien dit de cela?

LAURENT, *perplexe.* Rien du tout! Mais, vous savez, ça ne m'étonne pas. Avouer qu'il aurait eu une syncope, ce serait admettre qu'il est près de la fin, que tôt ou tard, il faudra bien qu'il démissionne! Mais il ne l'admettra jamais!

NOTAIRE, *soucieux.* Alors vous y croyez, à cette syncope?

LAURENT, *étonné.* Comment, mais?... Puisque vous étiez là!

NOTAIRE, *hésitant.* Je venais de parler à votre père de choses qui... qui l'ennuyaient... Je me suis demandé s'il... s'il n'avait pas simulé cette syncope pour... mon Dieu, pour se débarrasser de moi!...

LAURENT, *éclatant de rire. Féroce.* Oh! ça, il en serait bien capable! En fait, il est capable de tout! De quoi s'agissait-il?...

NOTAIRE, *se refermant.* Une affaire personnelle...

LAURENT. Au sujet du testament de ma mère peut-être?...

NOTAIRE, *sec.* J'ai dit qu'il s'agissait d'une affaire personnelle.

LAURENT. Bon, je n'insiste pas, mais cette histoire de testament, vous savez...

La porte s'ouvre. Jérémie Martin paraît suivi de Trudeau et d'un jeune employé. Il s'arrête sur le seuil, regardant Laurent qui se lève aussitôt avec stupeur et confusion. Le notaire fait un pas vers lui.

NOTAIRE. Monsieur Martin!...

LAURENT. Je... je recevais monsieur Beauchemin... croyant pouvoir vous rempla... enfin, lui être utile en votre absence... mais il paraît qu'il s'agit d'une affaire personnelle...

Jérémie ne cesse pas une seconde de regarder Laurent qui se trouble de plus en plus. Le notaire, embarrassé, ne sait s'il doit rester ou partir. Jérémie a un geste pour faire sortir Trudeau et l'employé qui s'éloignent, refermant la

146

porte. Jérémie se dirige vers son pupitre, et désigne un fauteuil au notaire, sans plus se préoccuper de son fils.

JÉRÉMIE. Assoyez-vous...

Le notaire hésite, gêné. Laurent fait un pas vers son père.

LAURENT. Vous avez fait un bon voyage?

Le buzz résonne. Jérémie pousse la manette.

JÉRÉMIE. Oui?...

STÉNOGRAPHE, *voix.* Je viens d'obtenir la communication avec votre agent d'immeubles, monsieur Martin. Voulez-vous lui parler tout de suite?

JÉRÉMIE. Oui. Merci.

Il repousse la manette et décroche, toujours debout.

JÉRÉMIE. Massé?... Je voulais vous demander de mettre en vente mon immeuble de la rue Bélanger... Justement, oui, celui où il y a un magasin de chapeaux, une pharmacie et une... c'est ça!

Laurent écoute intrigué. Il est évident qu'il n'a jamais entendu parler de cet immeuble.

JÉRÉMIE. Le plus haut prix que vous pourrez obtenir évidemment... *(La vue du notaire lui suggère une idée.)* Attendez donc!... Pendant que j'y suis... essayez donc de vendre aussi l'édifice de la rue Craig. Ça ne tient plus debout ces vieilles pierres-là, mais le terrain a de la valeur... Oui dans ces prix-là... Plus si vous pouvez! *(Il raccroche.)*

LAURENT, *faisant un pas vers son père. Souriant.* Vous avez fait un bon voyage?

Jérémie qui n'a pas l'air de le voir s'assoit et fait signe au notaire d'en faire autant.

JÉRÉMIE. Je regrette de pas avoir pu communiquer avec vous avant de partir pour Québec, notaire. Il s'est produit avant mon départ...

LAURENT, *l'interrompant. Les dents serrées.* Je vous ai demandé si vous aviez fait un bon voyage?

Jérémie, qui n'a pas quitté le notaire des yeux, enchaîne aussitôt que Laurent se tait.

JÉRÉMIE. Il s'est produit un incident que j'aurais voulu éclaircir, mais malheureusement...

LAURENT, *humilié. Rageur et suppliant.* Je vous parle!

JÉRÉMIE, *enchaînant.* J'ai dû partir plus vite que je pensais. J'avais obtenu un rendez-vous du premier ministre... *(Riant.)* Et vous savez comme moi qu'on ne fait pas attendre un premier ministre! Pas «Mossieur Duplessis» en tout cas!

147

Laurent avance cette fois jusqu'au pupitre. Il y a de la détresse dans sa voix.
LAURENT. Je suis là, papa!
Jérémie continue à s'adresser au notaire que cette scène rend très mal à l'aise.
JÉRÉMIE. Il s'agit de cette affaire de capitaux anglais dont je vous ai déjà parlé...
LAURENT, *obstiné*. Je suis là!... Je suis là!...
JÉRÉMIE. Une entreprise énorme, qui va exiger des travaux incroyables avant même de commencer l'extraction du cuivre. Une affaire qui va demander une mise de fond dans les millions...
Pendant qu'il parle, Laurent a commencé à reculer en murmurant dans un état de détresse de plus en plus grande.
LAURENT. Je suis là... Je suis là... Je suis là...
JÉRÉMIE. Il va falloir ni plus ni moins détourner le cours d'eau d'une rivière pour atteindre le gisement qui...
La porte du bureau de Laurent vient de se refermer sur son humiliation. Le visage de Jérémie se détend. Il s'appuie au dossier de son fauteuil et pousse un soupir de soulagement.
JÉRÉMIE, *avec une voix soudain lasse et sans regarder le notaire.* Vous voyez... il dit toujours qu'il est là, mais il ment... La preuve, c'est qu'il y est déjà plus!...
NOTAIRE, *protestant.* Monsieur Martin!...
JÉRÉMIE. Depuis des années, il essaie de me dire qu'il est là, et qu'il faut que je l'écoute, mais c'est pas vrai... Je sens pas de présence en face de moi, même quand il dit qu'il est là.
NOTAIRE, *indigné.* Mais!... Mais c'est que vous prenez trop de place, monsieur Martin! C'est peut-être vous qui l'empêchez d'être!... *(Confus.)* À votre insu, bien entendu!
JÉRÉMIE, *bas.* Oui, quand je serai mort, il commencera peut-être à vivre. Ma mort lui donnera peut-être enfin une présence. C'est lui ou moi, vous comprenez?...
NOTAIRE. Non, je ne comprends pas! Vous pourriez tellement l'aider. C'est une telle chance pour un père d'avoir un fils qui lui succédera, qui continuera sa vie...
JÉRÉMIE. Peuh! C'est encore une invention de la civilisation, ça! Fondamentalement, le père devrait détester le fils qui est destiné à le remplacer. Qui est-ce qui veut se faire remplacer?
NOTAIRE. Mais!... Personnellement, je peux vous jurer que c'est le regret de ma vie de ne pas avoir de fils à qui je puisse léguer mon étude. Vous n'imaginez pas combien de fois j'ai pensé au plaisir que j'aurais à l'initier à mes affaires...
Jérémie se lève et se met à marcher.

148

JÉRÉMIE, *âprement.* Lâchez-moi donc! Vous savez pas de quoi vous parlez. Qu'est-ce qu'il peut y avoir de réjouissant pour un homme à servir d'escabeau à son fils? Regardez donc la réalité en face! En quoi ça peut-y être drôle pour un homme de voir son fils guetter le moment de lui arracher ses possessions, ses pouvoirs!... Jusqu'à ce que le père en crève!...

NOTAIRE. Monsieur Martin, je regrette de vous contredire, mais j'ai traité toute ma vie avec des hommes d'affaires et je n'en ai jamais connu un seul aussi récalcitrant que vous!

JÉRÉMIE. Ben sûr! Ils s'en cachent parce que c'est pas des beaux sentiments! On dit pas ça ces choses-là! Mais moi, je les dis! Ça existe pas un père qui veut spontanément céder sa place à son fils. *(S'emportant.)* Soyez bien sûr que quand ça se fait, ça se fait pas sans douleur. Il faut pas avoir de fils pour penser autrement. Ou bien être un vieux fou sentimental!

Il s'est levé pour que son accès de colère s'épanouisse plus librement. Le notaire blessé par ses dernières paroles se redresse dans son fauteuil.

NOTAIRE. Monsieur Martin, je suis peut-être un vieux fou, en effet, mais si fou que je sois, tout ne me passe pas inaperçu, et j'aimerais bien que vous m'expliquiez la petite comédie que vous m'avez jouée, chez vous, mardi matin. *(Sarcastique.)* Cette syncope, vous savez?... Votre fameuse syncope!

Ramené à une autre réalité, Jérémie change d'expression. Toute son intelligence est aussitôt en éveil pour parer le coup. Il n'a pas à chercher longtemps, car le buzz résonne. Sans répondre au notaire, il se tourne vivement pour lever la manette.

JÉRÉMIE. Qu'est-ce que c'est?...

STÉNOGRAPHE, *voix.* Monsieur Babington Lancaster de Londres. Il dit que vous l'attendez.

JÉRÉMIE. Bon Dieu, oui, faites-le entrer tout de suite. Trudeau est-il avec lui?

STÉNOGRAPHE, *voix.* Oui, monsieur Martin.

JÉRÉMIE. Qu'ils entrent!

Il repousse la manette.

JÉRÉMIE. S'il y a quelqu'un que je peux pas faire attendre!... *(Avec regrets.)* Notaire, je suis désolé...

Le notaire se lève, furieux.

JÉRÉMIE. Non, non, restez là! C'est le financier anglais dont je vous ai parlé. J'aurai besoin de vous dans cette affaire-là, comme je vous l'ai dit...

Le notaire ne sait plus sur quel pied danser.

NOTAIRE, *mécontent*. Monsieur Martin, j'étais venu pour l'affaire d'Annette Julien et non...

JÉRÉMIE, *vivement*. Je sais, je sais! *(Avec reproche.)* Mais c'est pas ma faute si vous êtes venu sans rendez-vous!

NOTAIRE, *pincé*. J'y suis bien forcé, vous n'acceptez jamais de me recevoir!

JÉRÉMIE. Restez, restez! Je tiens à vous présenter mon Anglais! Et revenez me voir à la fin de l'après-midi, ça vous va? Quand vous serez au courant de cette affaire-là, notaire, vous comprendrez mieux que j'y aie apporté mon attention au détriment de tout le reste. *(Avec intention.)* Vous comprendrez surtout à quel point il était important pour moi qu'on sache pas que j'ai eu deux syncopes en dix jours.

NOTAIRE, *s'exclamant*. Deux syn...

JÉRÉMIE, *l'interrompant vivement*. Chut! Pas un mot là-dessus. Vous me feriez manquer l'entreprise la plus importante de ma vie. On ne conclut pas des affaires avec un moribond, vous le savez aussi bien que moi!

> *Il laisse le notaire, très impressionné, pour aller au devant de son client qui entre escorté par Trudeau. Jérémie l'accueille avec cette cordialité que lui connaissent tous ceux qui lui rapportent quelque chose. Il lui serre longuement la main en lui tenant amicalement l'épaule de sa main libre.*

JÉRÉMIE, *chaleureux*. How are you, Mr. Babington? I have wonderful news for you! Wonderful news!

11

Autopsie

René ouvre la porte d'entrée. Monsieur Martin entre, accompagné du notaire.

JÉRÉMIE. René?... Ah! bon, tu remplaces Albert?... Il est pas mieux?...

RENÉ. Il a passé la journée au lit.

Jérémie, qui n'aime pas les malades, va hausser les épaules lorsque l'idée lui vient à la vue du notaire qu'il serait bon de l'impressionner par sa bonté envers ses domestiques.

JÉRÉMIE, *sympathique.* Pauvre Albert... Ça me fait de la peine de le voir malade. *(Au notaire.)* Il est ici depuis vingt ans! C'est le frère d'Annette, vous savez?... *(À René avec bonté.)* Arrives-tu à faire son ouvrage en plus du tien?

René lui jette un regard étonné et l'aide à enlever son manteau.

RENÉ. Pour l'instant, oui. Et Annette dit qu'elle le remplacera dans la salle à manger.

JÉRÉMIE, *soucieux.* Mais je veux pas non plus qu'elle se fatigue! Tu pourrais pas nous servir toi-même?

RENÉ, *pincé.* Je regrette mais je ne connais pas le service de table. C'est un tout autre métier que celui de valet de chambre.

JÉRÉMIE. Bon. En tout cas, dis à Annette de voir à ce qu'Albert se soigne le mieux possible, et que je me charge de toutes les dépenses... médecin, remèdes, hôpital s'il doit y aller, enfin tout...

RENÉ. Bien, monsieur.

JÉRÉMIE. Et avertis Maria que nous avons un invité ce soir.

On entend sonner le téléphone du vestiaire.

JÉRÉMIE, *à René.* Réponds donc...

Il entraîne le notaire dans la bibliothèque.

JÉRÉMIE. Puis, qu'est-ce que vous avez pensé de mon Anglais, notaire? *(Avec emphase.)* Stewart Babington Lancaster!...

NOTAIRE, *pensif.* Eh bien, il m'a semblé avoir un esprit plutôt vif, bien que dissimulé sous une apparence qui se veut froide et flegmatique...

Jérémie se met à rire et lui donne une grande tape sur l'épaule.

JÉRÉMIE. Cher notaire! C'est t'y beau de bien parler!

NOTAIRE, *piqué.* Mais... qu'en diriez-vous vous-même?

JÉRÉMIE. Oh! moi, je dirais qu'il pète d'intelligence! Mais, moi je suis un grossier personnage!

René paraît.

RENÉ. On demande monsieur au téléphone.

JÉRÉMIE. De la part de qui?

RENÉ. Un agent d'immeubles. Monsieur Paul Massé.

JÉRÉMIE. Ah! bon, donne-lui donc mon numéro personnel.

RENÉ. Dois-je lui demander de rappeler monsieur tout de suite?

JÉRÉMIE. Oui, oui, tout de suite!

Il se dirige vers le pupitre. René sort. Jérémie désigne le téléphone.

JÉRÉMIE. Prenez-le donc en note, ce numéro-là, notaire, au cas où vous auriez à m'appeler ici. Ça nous permettrait de parler sans que toute la maisonnée nous écoute.

Le notaire a sorti son carnet et son stylo.

NOTAIRE. Cette ligne ne communique pas avec les autres?

JÉRÉMIE. Non.

Sonnerie. Jérémie décroche. Le notaire s'éloigne discrètement.

JÉRÉMIE. Oui, Massé, qu'est-ce qu'il y a?... *(Surpris.)* Vous avez déjà un client? Mais je vous ai parlé de ça ce matin seulement!... *(Riant.)* Non, non, je m'en plains pas! À quel prix?... *(Perplexe.)* Ouais... Vous pourriez pas obtenir un peu plus? Ah! bon, acceptez dans ce cas-là. Et dès que votre client sera d'accord, appelez le notaire Beauchemin pour le contrat de vente... Mes félicitations, oubliez pas mon édifice de la rue Craig! Bonjour!

Il raccroche, ravi, car il pense aussitôt à Annette et se dit intérieurement: T'en parleras plus de ton magasin, ma petite Annette!

Il se tourne vers le notaire (qui à l'écart feuillette un livre) et s'exclame avec entrain.

JÉRÉMIE. Je vais avoir besoin de vous pour un contrat de vente, notaire. Peut-être deux!... Massé vous tiendra au courant.

NOTAIRE. À votre disposition.

JÉRÉMIE. Mouillons ça! Un petit coup? Gin, scotch, rye?...

NOTAIRE. Scotch... très peu.

Jérémie sort les verres, carafes, syphon.

JÉRÉMIE. Vous m'avez pas encore donné votre opinion là-dessus, mais j'espère que vous avez vu quels avantages vous aurez à tirer de votre rencontre avec Babington Lancaster!

NOTAIRE, *se levant pour être en possession de toute sa dignité.* Monsieur Martin... Je ne vous cache pas que je me sentirai beaucoup plus libre de vous exprimer ma reconnaissance quand nous aurons réglé l'autre affaire... celle d'Annette Julien...

JÉRÉMIE, *lui tournant le dos.* Glace?...

NOTAIRE. Non, non.

JÉRÉMIE, *lui tendant son verre.* Au moins vous savez boire vous! La glace et l'alcool ça devrait jamais se mêler. Mais assoyez-vous... Vous disiez?... Ah! oui, l'affaire d'Annette! C'est pour ça que je vous ai invité à dîner. Pour en parler justement. *(S'exclamant.)* Notaire, que c'est donc regrettable que ma syncope m'ait empêché de vous signer le chèque d'Annette mardi dernier! Ça serait fini et on n'en parlerait plus!

NOTAIRE, *sur la défensive.* Il est encore temps, monsieur Martin.

JÉRÉMIE, *soucieux.* Non, malheureusement! Il est trop tard!

NOTAIRE, *protestant.* Comment?...

JÉRÉMIE. Notaire, vous savez maintenant la mise de fond que ça va prendre avant même de pouvoir exploiter la mine... Des millions, pensez-y! C'est quelque chose! Et vous savez que je me suis engagé à souscrire une somme considérable. C'est vous dire que je suis forcé de rassembler en un temps record tout ce que je peux trouver de capitaux disponibles.

NOTAIRE, *sec.* Monsieur Martin, je ne suis pas un homme d'affaires, mais j'ai bien l'impression que quand on brasse des millions, une petite somme de cent mille dollars ne doit pas représenter grand-chose!

JÉRÉMIE, *protestant.* Eh! là... Eh! là... Donnez-moi dix fois cette somme et j'ai déjà un million! Je vais d'ailleurs vous demander un service, à ce sujet-là. Celui de verser à mon compte dès demain les deux cent mille dollars que ma femme m'a légués.

NOTAIRE, *catégorique.* Impossible, monsieur Martin, impossible! *(Fâché.)* Pourquoi me demander ça! Je commettrais une illégalité! Je ne peux rien vous donner avant que les conditions du billet n'aient été remplies. Tant que vous ne m'aurez pas remis les cent mille dollars qui reviennent à Annette Julien, vous ne pourrez pas entrer en possession de votre héritage. C'est une condition sine qua non.

JÉRÉMIE. Mon cher Beauchemin, si j'admirais pas tant votre parfaite intégrité, je vous aurais jamais choisi comme notaire. Rassurez-vous, il est pas question de léser personne. Tout ce que je demande, c'est un délai. Un délai qui me permettra de déplacer d'autres capitaux sans risquer de compromettre les affaires que j'ai déjà en jeu.

NOTAIRE. En réglant les cent mille dollars d'Annette Julien, vous recevez les deux cent mille dollars de votre femme, n'est-ce pas?

JÉRÉMIE, *s'impatientant.* Mais il m'en restera rien que la moitié si j'en donne cent à Annette! Je vous dis que j'ai besoin d'argent liquide en ce moment! Vous avez entendu mon téléphone tantôt, je suis allé jusqu'à mettre deux édifices en vente aujourd'hui.

NOTAIRE, *désemparé.* Mais la banque pourrait...

JÉRÉMIE, *s'emportant.* Bien sûr, j'aurai recours aux banques comme tout le monde, mais pas avant d'avoir trouvé le plus possible sans leur concours. Vous n'êtes pas un homme d'affaires, vous venez de le dire. Mêlez-vous donc pas de me donner des conseils!

NOTAIRE, *irrité.* Et vous, vous n'êtes pas notaire, monsieur Martin. Autrement, vous comprendriez ma répugnance.

JÉRÉMIE, *plus amical.* Mais vous lésez personne, je vous le répète, Annette Julien est même pas au courant du don que ma femme lui a fait! Et comme elle vit sous mon toit, c'est vous dire qu'elle manque de rien!

NOTAIRE. Mais cette somme justement la rendrait indépendante! Ces cent mille dollars lui permettraient de ne plus gagner sa vie.

JÉRÉMIE, *comme s'il réfléchissait.* En effet... Mais est-ce qu'elle y tiendrait? J'en doute...

NOTAIRE. Au moins, consultons-la! Elle a voix au chapitre.

JÉRÉMIE, *avec un haut-le-corps.* Consulter Annette! Il manquerait plus que ça! Mêler une domestique à mes affaires! Jamais de la vie!

NOTAIRE. Monsieur Martin, je ne veux pas être indiscret, mais permettez-moi de vous rappeler qu'Annette Julien ne doit pas être une domestique ordinaire pour que votre femme ait tenu à lui laisser la moitié de ce qu'elle possédait. Elle est même allée jusqu'à vous suggérer d'épouser Annette Julien après sa mort, si vous préfériez cela au fait de lui donner cent mille dollars.

JÉRÉMIE, *furieux. Se levant.* Y'a jamais été question de ça dans le billet! J'ai rien signé de ce genre-là!

NOTAIRE. Cette proposition était verbale en effet, mais pour qu'elle soit venue à l'esprit de votre femme, c'est qu'elle ne considérait pas Annette Julien comme...

JÉRÉMIE, *l'arrêtant d'un geste.* C'est vrai! C'est juste! Ma femme avait des raisons d'être attachée à Annette... Autant que moi d'ailleurs... Parce que... parce qu'elle nous a autrefois rendu un grand service... Un service trop personnel pour que je puisse vous en parler!...

Il s'arrête pour reprendre son souffle. Il croyait avoir raison du notaire plus facilement et s'irrite de ce débat qui n'en finit plus.

JÉRÉMIE. Mais il est évident que la... la suggestion de ma femme... l'idée que j'épouse Annette... était rien de plus qu'une boutade! Épouser Annette!... Rien que ça!... Épouser Annette!

La chambre d'Albert. Martine paraît et s'approche de sa mère à pas de loup.

MARTINE, *à voix basse.* René m'envoie vous dire...

Albert se soulève dans son lit.

ALBERT. Tu peux parler plus fort. Je dors pas.

MARTINE. Ah!... Le dîner va être prêt, maman. René voudrait que vous alliez vérifier la table pour savoir s'il a mis le couvert correctement.

ANNETTE, *se levant.* J'y vais...

ALBERT, *gémissant.* Vas-tu être capable? Te rappelles-tu ce que je t'ai dit au moins? On sert à gauche et on dessert à droite...

ANNETTE, *s'éloignant.* Tourmente-toi donc pas pour si peu. Ils comprendront.

MARTINE. Je vais rester avec lui, maman, soyez tranquille.

ANNETTE. Il a pas besoin de toi! Il faut qu'il dorme!

ALBERT, *déçu.* J'aimerais ça qu'elle reste...

MARTINE. J'ai mon livre. Je lirai pendant qu'il dormira.

ANNETTE, *fébrile.* Non, je te dis. Viens!...

Martine, étonnée, la regarde.

MARTINE. C'était... c'était pour vous rendre service.

ANNETTE. Il sera tenté de parler si tu es là. Je remonterai tout de suite après le repas, Albert, inquiète-toi pas.

ALBERT, *résigné.* Bon... Mais laisse la porte ouverte.

ANNETTE. Non, non! Les autres peuvent monter et te déranger. Carmelle est si bruyante... *(Elle prend vivement la main de Martine.)* Viens!

Elle sort et ferme la porte.

MARTINE. Il aurait aimé avoir quelqu'un près de lui...

ANNETTE. Je sais mieux que lui ce qu'il lui faut.

MARTINE, *agacée.* On dirait que vous avez peur qu'il parle!

ANNETTE. Mais non, mais non! Je... *(Elle se ravise et secoue la tête affirmativement.)* Enfin, oui, j'ai peur!... Ça le fatiguerait. Je t'ai dit que le médecin le trouvait très malade. Pour qu'il soit venu deux fois aujourd'hui!...

Elles arrivent devant la porte de la chambre de Martine. Martine s'arrête.

MARTINE, *avec remords.* C'est vrai... Dans ce cas, je vais lire dans ma chambre, la porte ouverte. S'il appelle, je vous préviendrai...

ANNETTE, *inquiète.* Bon, mais reste pas avec lui!

Elle s'éloigne. Maurice paraît au bout du corridor rencontrant Annette avant qu'elle ne s'engage dans l'escalier. Martine entre dans sa chambre. Elle s'assoit devant la table à écrire lorsque Maurice s'arrête sur le seuil.

MAURICE, *hésitant.* Allô...

Il sourit. Martine qui est dans de bonnes dispositions lui a rendu son sourire.

MARTINE. Allô!...

Ils se mettent à rire.

MAURICE. Comment est Albert?...

MARTINE. Toujours malade.

MAURICE. Est-ce qu'on peut le voir?

MARTINE. Non, non, maman veut pas qu'on entre dans sa chambre.

MAURICE, *désignant le livre.* Tu lisais?...

MARTINE. Oui...

MAURICE, *pour dire quelque chose.* Un roman d'amour?...

MARTINE, *riant.* Oui, dans la mesure où il y a de l'amour partout dans la nature.

MAURICE, *étonné.* Qu'est-ce que tu veux dire?

Il s'approche et prend le livre dont il regarde le titre.

MAURICE. Qu'est-ce que c'est que ça?...

MARTINE, *avec enthousiasme.* Un livre sur l'origine de la vie, sur les liens qui relient la matière inanimée à la matière vivante... C'est fascinant, Maurice! Sais-tu quoi? Ils ont découvert que...

Maurice qui fixe sur elle un regard de plus en plus sombre, l'interrompt brusquement.

MAURICE. Pourquoi lire ça? Qu'est-ce que tu as besoin de lire ça?

Martine, vexée, lui reprend son livre, furieuse contre elle-même surtout.

MARTINE, *le regardant.* Que je suis bête! Comme si tu pouvais comprendre de toute façon!

MAURICE, *sarcastique.* Que tu cherches à t'instruire?

MARTINE. Ça te regarde pas. Va-t'en! Laisse-moi lire.

MAURICE, *brusquement.* Qu'est-ce que ça va te donner? Avant longtemps tu vas être obligée de gagner ta vie petitement, maigrement, comme tout le monde! C'est des distractions de riches, la lecture!

MARTINE, *protestant.* Quelle idée! S'il y a une distraction à la portée de tout le monde!...

MAURICE. Ah oui?... Quand est-ce que t'as vu des livres chez des pauvres, toi? Même si tu leur en donnais, ils auraient pas le temps de les lire!

MARTINE. Le jour, non, mais le soir, oui!

MAURICE. Le soir, ils sont crevés, idiote! Crevés par le travail du jour! Il leur reste tout juste assez de force pour s'écraser devant leur télévision, achetée à crédit! Des gens qui travaillent physiquement à cœur d'année sont incapables de concentrer leur esprit sur un livre. Tu sais pas ça encore?

MARTINE, *se bouchant les oreilles.* Et après? Et après? C'est pas ma vie à moi! C'est pas ça qui m'attend! J'en ferai pas de travail manuel! J'ai mes diplômes d'enseignement; quand je gagnerai ma vie, ce sera comme institutrice, et le soir, je serai encore capable de penser!

MAURICE. Pour combien de temps? Un an ou deux?... Et après tu te marieras! Et qui est-ce que tu épouseras? Y as-tu déjà pensé? As-tu déjà envisagé ton avenir? Hein?... As-tu déjà envisagé ton avenir?

MARTINE, *balbutiant.* Non, mais...

MAURICE. Je vais t'aider Martine!

MARTINE. Laisse-moi! Laisse-moi!

MAURICE. T'épouseras un gars qui a pas d'argent parce que ceux qui en ont, personne te fournira l'occasion de les rencontrer. Aussitôt après le mariage, ton mari te fera des enfants... Un, deux, trois, quatre, cinq... peut-être six, sept... Et le cœur de lire, de t'instruire, tu l'auras plus! C'est ça qui t'attend!

MARTINE. Alors, à plus forte raison! Laisse-moi apprendre tout ce que je peux en attendant!

MAURICE, *violemment.* Non! C'est là où tu te trompes! Parce qu'il t'en restera un regret dont tu te consoleras jamais! Et la rage de penser à ce qu'aurait pu être ta vie si le monde était pas si mal fait! T'arriveras plus à te sortir ça de la tête! T'arriveras plus à te contenter de ton sort de mère de famille! De ton sort de pauvresse!

MARTINE, *impressionnée*. Mais tais-toi donc, mais tais-toi donc! Qu'est-ce que tu as à voir la vie si noire? J'en veux pas du sort que tu me réserves!

MAURICE, *la secouant*. Qu'est-ce que tu crois que c'est, la vie? Ouvre tes beaux grands yeux, pauvre folle! C'est le sort du plus grand nombre que je t'ai décrit, pourquoi y échapperais-tu? Il y a pas à dire, ça t'éblouit de vivre dans une maison de millionnaire! Tu ferais mieux de regarder la réalité en face dès maintenant, si tu veux pas te réveiller un beau matin la tête pleine d'amertume et les mains vides d'illusions.

MARTINE. Va-t'en, va-t'en! Je veux plus t'écouter!

Maurice la retenant par les épaules.

MAURICE. Comprends donc que c'est pour te réveiller! Tu vis pas sur la terre! Tu rêves, Martine! Tu rêves!

MARTINE. Alors laisse-moi rêver! Je veux pas me réveiller dans la réalité dont tu parles. Elle est trop laide! Va-t'en! Va-t'en! Je te dis!

MAURICE, *la repoussant*. Eh! bien rêve donc! Et tant pis pour toi le jour où ton rêve deviendra un cauchemar, le jour où tu constateras comme moi que l'ignorance totale serait moins pénible à supporter qu'une instruction restée en plan, arrêtée, à jamais incomplète! Ce jour-là, tu me donneras raison.

Il sort. Martine ferme brusquement la porte et s'y adosse un moment, ébran-lée, croyant encore entendre la voix de Maurice.

MAURICE. «As-tu déjà envisagé ton avenir?...»

Elle secoue la tête et va se rasseoir devant son livre ouvert, incapable de se concentrer sur sa lecture.

MAURICE. «As-tu déjà envisagé ton avenir? As-tu déjà envisagé ton avenir? As-tu déjà envisagé ton avenir?»

Comme un disque qui répète la même phrase toujours sur le même ton. Martine excédée se bouche les oreilles pour ne plus l'entendre.

Beaujeu Martin descend de son automobile devant son club. Au moment où il met le pied sur le trottoir, il aperçoit Jean Mounier qui vient vers lui. Repris par le sentiment de culpabilité que lui inspire cet homme, Beaujeu ne peut détourner son regard. Ils se rencontrent devant la porte du club. Beaujeu s'efface pour le laisser passer et soulève son chapeau dans un demi-salut. L'infirme passe avec une esquisse de sourire mi-triste, mi-ironique. Beaujeu le suit des yeux, secoue la tête pour rejeter ses impressions pénibles et monte les marches pour disparaître dans le club.

La bibliothèque où l'on retrouve Jérémie harcelant la conscience du notaire.

JÉRÉMIE. Tout ce que je vous demande après tout, c'est un délai. Il s'agit pas de priver Annette d'une somme qui lui revient, mais de retarder le moment de la lui donner. Elle risque rien, vous avez le billet signé de ma main. D'ici trois mois tout sera réglé, je vous le garantis.

NOTAIRE. Trois mois! C'est beaucoup...

JÉRÉMIE. Disons que c'est un emprunt pour lequel je paierai un intérêt. Elle aura tout à y gagner.

NOTAIRE, *à contrecœur*. C'est bien! C'est bien! Mais trois mois au plus, monsieur Martin, au plus trois mois!

JÉRÉMIE. Enfin, vous réagissez comme un être humain! Merci, notaire! Je compte sur vous pour entrer en possession des deux cent mille piastres de ma femme aussitôt que possible.

NOTAIRE. Demain, puisque vous êtes si pressé, mais... pour trois mois au plus!

Jérémie s'éloigne vers les fenêtres donnant sur la terrasse dont la vue domine la ville. Soupir de soulagement et de satisfaction. Enfin, pense-t-il. «Tu ne m'échapperas pas, Annette! Ton rêve d'indépendance, tu peux lui dire adieu!»

NOTAIRE. Pour trois mois seulement monsieur Martin!

Jérémie sursaute comme si l'avertissement venait d'Annette elle-même. Mais il hausse aussitôt les épaules en venant retrouver le notaire.

JÉRÉMIE, *avec bonne humeur*. Et après... Savez-vous ce que c'est l'expérience de ma vie, notaire? C'est qu'il y a rien qu'une minute qui a de la valeur; celle qu'on vit! L'instant même! Pas la minute qui est passée, pas celle qui viendra, celle que vous tenez! Et celle-ci, grâce à vous, vaut son pesant d'or. Pourquoi c'est que je l'apprécierais pas? Pourquoi?

Il rit, débordant de force. Plus lion que jamais! Le notaire ne peut s'empêcher de le regarder avec envie en hochant la tête tandis qu'Annette entre. Les deux hommes se tournent vers elle, étonnés de la voir là, après qu'ils viennent de régler son cas. Bref échange de regards aussitôt détournés.

ANNETTE. Monsieur est servi...

Elle sort. Jérémie se ressaisit le premier.

JÉRÉMIE, *bourru*. Venez, notaire, venez manger...

Ils sortent de la bibliothèque au moment où Michel descend l'escalier. Il ralentit à la vue du notaire, se forçant à sourire.

MICHEL. Bonjour, monsieur Beauchemin...

Poignée de mains.

JÉRÉMIE. Le notaire va manger avec nous.

159

MICHEL, *cachant son agacement.* J'en suis très heureux.

Ils se dirigent vers la salle à manger. Jérémie prend sa place à un bout de la table, le notaire à sa droite, Michel à sa gauche. Annette qui attendait debout près du buffet apporte la soupière devant monsieur Martin et reste debout près de lui, un plateau à la main.

NOTAIRE. Une soupière! Il y a des années que je n'ai vu cela!

JÉRÉMIE. Ma femme tenait beaucoup à ce que je serve la soupe moi-même. Elle y voyait une espèce de... comment dire donc...

MICHEL, *légèrement ironique.* De symbole!... Le père nourrissant ses enfants. Comme le pélican lassé d'un long voyage...

Le notaire se met à rire.

JÉRÉMIE. Ma femme était forte sur les traditions.

Il tend une assiette à Annette, qui la met dans le plateau et va la placer devant le notaire.

MICHEL, *avec un léger reproche.* C'est au sujet de maman, justement, que je voulais vous parler ce matin.

JÉRÉMIE. Ah! oui, j'avais oublié que tu... *(Surpris.)* Au sujet de ta mère?... *(Maussade.)* Pas encore au sujet de son testament toujours?

Annette debout près de lui écoute attentivement. Il lui tend l'assiette. Elle sert Michel qui proteste.

MICHEL. Mais non, qui pense encore à cela! C'est la question de l'autopsie que je voudrais remettre en cause.

Annette réussit à déposer l'assiette sans trahir son émotion et va se placer près du buffet.

JÉRÉMIE, *surpris.* L'autopsie?... Qu'est-ce que tu racontes donc toi?... *(Il se tourne vers Annette. Aimablement.)* Crois-toi pas obligée de rester là, Annette. Va te reposer. Je sonnerai quand j'aurai besoin de toi.

Annette s'éloigne à regret tandis que la conversation se poursuit.

MICHEL. Philippe me disait que son professeur, le Dr Rondeau, qui a soigné maman...

NOTAIRE, *vivement.* Il désirait vivement vous rencontrer. Lui avez-vous parlé?...

MICHEL. Comment savez-vous?...

NOTAIRE. C'est un de mes grands amis.

JÉRÉMIE. Entre nous, est-ce qui connaît quelque chose celui-là?

NOTAIRE, *protestant.* Rondeau? C'est une autorité, n'importe qui vous le dira.

MICHEL. En effet.

NOTAIRE, *scandalisé.* Même ses confrères s'accordent là-dessus.

160

JÉRÉMIE, *méprisant.* Peuh! Il a pas été bien extraordinaire dans le cas de ma femme, en tout cas! Il lui donnait au moins un an à vivre et elle est morte au bout de six mois!
Le notaire et Michel répondent en même temps.
NOTAIRE. Il n'a jamais compris lui non plus qu'elle...
MICHEL. C'est justement parce qu'il ne s'explique pas... Excusez-moi!... *(Au notaire.)* Il vous a dit la stupéfaction que lui a causée la mort de ma mère?
Jérémie interrompt le notaire qui allait répondre.
JÉRÉMIE. Oui, oui, je le sais, il exigeait l'autopsie sur tous les tons! *(Sarcastique.)* C't'affaire! Il voulait sauver sa face!... Ça lui donnait pas l'air bien intelligent, entre nous!...
NOTAIRE, *protestant.* Monsieur Martin, je peux vous jurer que Rondeau n'en a pas fait une question de vanité. C'est l'homme le plus intègre du monde.
MICHEL. Tout ce qui l'intéresse c'est de savoir ce qui a causé la mort, afin d'éviter qu'un accident semblable ne se produise dans le cas d'un autre malade. Et il a raison d'y tenir.
JÉRÉMIE, *indifférent.* C'est possible, après tout. De toute façon il est trop tard. Encore un peu de soupe, notaire?
NOTAIRE. Non merci...
Jérémie regarde Michel qui secoue négativement la tête. Jérémie sonne. Annette entre portant un plat dans un plateau. Elle dépose le tout sur le buffet et enlève les assiettes à soupe tandis que les autres poursuivent la conversation.
MICHEL, *enchaînant.* Il n'est pas trop tard! Le Dr Rondeau insiste encore pour qu'on le laisse procéder à l'autopsie.
JÉRÉMIE, *sursautant.* Quoi? Est-ce qu'il est fou, lui? Ta mère est morte depuis presque deux mois...
NOTAIRE. La justice force parfois l'exhumation des cadavres quatre ou cinq mois après le décès. Quelquefois plus!
JÉRÉMIE. Bien sûr, bien sûr, quand il s'agit de savoir s'il y a eu meurtre et qu'on est à la recherche du coupable. *(À Annette.)* Qu'est-ce qu'il y a comme entrée ce soir?
ANNETTE, *d'une voix qui se veut ferme.* Des pétoncles...
MICHEL. Ce que vous ne comprenez pas, c'est que le Dr Rondeau est justement à la recherche d'un coupable.
JÉRÉMIE, *sursautant.* Quoi?...
La main d'Annette tremble en déposant une assiette devant le notaire, au point qu'on entend le frottement des deux assiettes l'une sur l'autre. Jérémie la regarde avec étonnement.

161

JÉRÉMIE. Ça t'énerve à ce point-là de faire le service ? Dans ce cas-là, mets les assiettes et les plats sur la table, on se servira tout seul.

ANNETTE, *faisant un effort surhumain pour se dominer.* Non, non, monsieur Martin. Il faut que je m'y habitue. Albert n'est pas prêt de se lever.

JÉRÉMIE. Prends ça tranquillement. On sait bien que c'est pas ton métier. *(À Michel.)* Qu'est-ce que tu disais, toi ? Un coupable ? Rondeau s'imagine-t-il par hasard que ta mère ?...

MICHEL, *l'interrompant.* Mais non, rassurez-vous ! Il ne croit pas qu'elle ait été assassinée. Le coupable, à ses yeux, c'est le facteur X, l'élément inconnu, la réaction qui a provoqué la mort. Rondeau voyait maman tous les jours... Il l'avait vue la veille, et selon lui, rien n'indiquait qu'il devait la trouver morte le lendemain.

Annette circule avec le plat de pétoncles. Chacun se sert.

NOTAIRE. Si vous saviez comme il m'en a souvent parlé ! Il a essayé d'envisager toutes les solutions possibles, mais aucune ne le conduit à la vérité. Il en arrive à se demander s'il n'a pas exagéré la dose des médicaments qu'il prescrivait à madame Martin.

MICHEL, *à son père.* Vous comprenez à quel point dans ce cas, il serait important pour lui de savoir à quoi s'en tenir. Posons la question autrement. Tenez... Disons par exemple, que vous auriez raté une affaire à laquelle vous auriez apporté tous vos soins, toute votre attention... Est-ce qu'après coup, vous ne chercheriez pas quelle erreur vous auriez commise afin de ne pas la renouveler dans l'avenir ?

JÉRÉMIE. Tu parles ! Et je la trouverais, je te prie de le croire.

MICHEL. Eh ! bien, c'est le cas de Rondeau et dans son cas, c'est d'autant plus grave qu'il s'agit de vies humaines ! C'est pourquoi il m'a demandé d'insister pour que vous l'autorisiez à...

JÉRÉMIE, *perplexe et mécontent. L'interrompant.* Mais qu'est-ce que tu veux que j'y fasse ? Ta mère en voulait pas d'autopsie ! Tu le sais, elle a passé son temps à le répéter les deux derniers jours, au point qu'on se demandait pourquoi elle en parlait tant.

MICHEL. Mais papa...

JÉRÉMIE. Bon Dieu, la dernière volonté d'une mourante ça doit bien compter il me semble !

MICHEL. Pas lorsqu'il y a d'autres vies en jeu ! Vous ne pensez pas, notaire ?

162

NOTAIRE. Je crois en effet que dans un cas semblable...

JÉRÉMIE, *frappant sur la table.* Ben, moi, je le crois pas! Je respecte pas grand-chose, mais je respecte au moins ça. Ta mère m'a fait jurer qu'il y aurait pas d'autopsie, et il y en aura pas!

MICHEL, *vivement.* Mais elle est morte, papa, qu'est-ce que ça lui donnera de plus? Alors que scientifiquement, l'autopsie...

JÉRÉMIE. Laisse-moi tranquille avec ta science. Il y a d'autres valeurs dans le monde. J'ai dit non, c'est non! Je l'ai juré à ta mère, je vais tenir ma promesse! *(Se tournant vers Annette debout près du buffet.)* Reste donc pas là, Annette, je te l'ai dit, je sonnerai quand on aura besoin de toi. Va t'asseoir.

ANNETTE, *rayonnante.* Merci, monsieur Martin.

Elle sort vivement.

La chambre d'Albert. La porte s'ouvre et l'on voit Annette entrer, le visage animé par un sourire. Albert se soulève dans son lit, Annette vient vivement le rejoindre.

ANNETTE, *bas. Vibrante.* Albert!... Tu peux dormir tranquille, Albert! Il y en aura pas d'autopsie. Ils sont en train d'en discuter dans la salle à manger, et monsieur Martin a refusé! Il a refusé, Albert! Il a refusé en donnant un grand coup de poing sur la table!

ALBERT, *avec espoir.* C'est vrai?...

ANNETTE. Je suis montée te le dire tout de suite pour que tu t'inquiètes plus.

ALBERT. Merci! Annette, merci!

ANNETTE, *cachant son visage entre ses mains.* Oh! Mon Dieu, je suis tellement contente! Mais il faut que je descende, ils vont avoir besoin de moi. Je te raconterai le reste plus tard. Tu vas bien dormir, hein, maintenant?

ALBERT. Oui, oui!... Oh! oui!...

ANNETTE. À plus tard!...

Dans la salle à manger, Michel revient à la charge.

MICHEL, *pressant.* Imaginez que ce soit vous qui soyez atteint d'un cancer... Ce qui pourrait vous arriver comme à n'importe qui... Imaginez que ce soit vous, et qu'à cause d'une femme que vous ne connaissez même pas et qui avait peur de l'autopsie, les médecins ne parviennent pas à vous guérir. Qu'en penseriez-vous?

JÉRÉMIE, *troublé.* Hé Seigneur, je déteste donc ça ces complications-là! C'est pas mon affaire moi, les cas de conscience!

MICHEL, *durement.* C'est l'affaire de tout le monde! Avouez quand même que ça change l'angle de la question quand on se met à la place des autres, n'est-ce pas?

JÉRÉMIE, *bourru.* Je sais plus quoi te dire. Vous êtes pour ça, vous, notaire?

Annette paraît avec le plat de résistance qu'elle va déposer sur le buffet.

NOTAIRE, *enchaînant.* J'ai si souvent discuté cette question avec Rondeau qu'il a fini par me convaincre. Oui, je crois qu'il faut lui donner raison... Au nom des malades qui pourraient être guéris grâce à ce que l'autopsie révélera...

JÉRÉMIE, *perplexe.* Ouais... Je suis perdu, là, moi!...

Annette qui vient de servir son assiette le regarde avec stupéfaction, et se refait aussitôt un visage imperturbable.

JÉRÉMIE. Je sais plus quoi vous dire! *(À Michel.)* Écoute... Puisqu'il s'agit de ta mère, on va demander l'avis de tes frères et de Céline...

MICHEL, *vivement.* Mais, en quoi est-ce nécessaire? La discussion va aussitôt prendre un caractère émotif là où il faudrait un raisonnement pur et simple. Vous connaissez Céline! Elle va pousser des cris! Et Laurent...

JÉRÉMIE, *sèchement.* Ils ont le droit de donner leur opinion autant que toi. Réunis-les ici demain soir, c'est l'avis de la majorité qui l'emportera.

Le ton est définitif. Annette retrouve tout le poids de ses inquiétudes. Michel n'insiste pas. Jérémie se tourne vers le notaire avec intention.

JÉRÉMIE. Mais je suis surpris, notaire, de voir que vous seriez prêt à passer si facilement sur une promesse faite à une mourante... Verbale ou écrite, j'aurais cru qu'aux yeux d'un notaire, une promesse à une mourante, c'était sacré!

NOTAIRE. Mais!... J'ai... J'ai parlé à titre d'homme, monsieur Martin, pas à titre de notaire!

Jouant le naïf, Jérémie se penche pour lui toucher le bras.

JÉRÉMIE. Ah!... Comme ça, vous avez deux consciences? Une conscience d'homme et une conscience de notaire? Aïe! Ça doit être commode, ça!

Il éclate de rire bruyamment.

NOTAIRE, *blessé.* Monsieur Martin!...

Jérémie goguenard lui donne une tape amicale.

JÉRÉMIE. Fâchez-vous donc pas notaire! Vous savez bien que je disais ça pour rire, voyons!

Mais il rit encore et son regard garde une telle pointe de moquerie que le notaire ne s'y trompe pas et pique le nez dans son assiette. Annette dépose le poulet devant monsieur Martin qui se lève pour dépecer. Annette reste près de lui pour prendre les assiettes. Elle parvient à demeurer imperturbable. Le service se fait en silence. Agacé par la décision de son père, Michel évite de le regarder. Quant au notaire, il médite les derniers mots de Jérémie et se demande quel usage son client en fera dans l'avenir. Jérémie seul a l'air content de lui.

12

Une réunion de famille

Dans la cuisine, Annette, manifestement épuisée, est assise dans la chaise berçante près de la fenêtre, la tête renversée en arrière, les yeux fermés. Visage douloureux. La demie de cinq heures la fait sursauter. Elle regarde l'heure, se lève et se met à préparer le plateau d'Albert.

Martine entre en coup de vent, l'air résolu.

MARTINE. Maman, je voudrais vous parler.

ANNETTE, *aussitôt préoccupée.* Albert?...

MARTINE, *vexée.* Non, c'est de moi qu'il s'agit. Faut-il absolument être à l'agonie pour avoir droit à votre attention?

ANNETTE. Tu m'as fait peur. *(Elle reprend ses occupations.)*

MARTINE. Vous disiez qu'il allait mieux aujourd'hui, qu'il avait passé une très bonne nuit...

ANNETTE, *soupirant.* Oui... *(Effort de gaieté.)* Il veut même manger ce soir!

Elle continue à s'affairer autour du poêle. Martine revient à son problème.

MARTINE. Maman, est-ce nécessaire que je gagne ma vie? Je veux dire tout de suite... Parce qu'un jour bien sûr...

ANNETTE, *étonnée.* Explique-toi?

MARTINE. Je suis en vacances depuis le mois de juin, ça peut pas durer jusqu'à la fin des siècles!

ANNETTE, *souriant.* J'espérais bien que tu finirais par en avoir assez de toutes ces heures inutiles!

MARTINE. Depuis que je suis ici j'ai eu la tête trop pleine de tout ce que je voyais, de tout ce que je cherchais à comprendre, pour penser à autre chose. Mais j'y renonce! *(La regardant.)* Je ne peux pas passer ma vie à vous regarder vivre...

ANNETTE, *se détournant.* Tu as bien raison!

MARTINE, *reprise par ses problèmes.* Il faut que je pense à mon avenir, que je le prépare... Si c'est pas indispensable que je travaille, tout de suite, j'aimerais reprendre mes études...

ANNETTE, *sourcils froncés.* Ah?

MARTINE. Depuis que je me suis mise à lire, depuis surtout que je parle avec... avec Michel, je me rends compte à quel point j'ai des lacunes... Je voudrais passer mon baccalauréat, maman. Est-ce que je peux?... *(Vibrante.)* Est-ce que je peux?...

ANNETTE. Qu'est-ce que ça te donnera de plus, Martine? La vie qui t'attend...

MARTINE, *ardente protestation.* Qu'est-ce que vous en savez de la vie qui m'attend? Vous êtes bien pressée de régler mon sort! Pourquoi est-ce que j'essaierais pas de la faire, la vie qui m'attend? De la préparer, de la construire... Savez-vous ce que Michel Martin disait l'autre jour? Il disait: C'est pas l'argent, c'est l'instruction qui crée des barrières entre les différentes classes d'une société.

ANNETTE, *réfléchissant.* Il disait ça?...

MARTINE. Oui, il disait que tous les gens instruits sont égaux, quel que soit le milieu d'où ils sortent.

ANNETTE, *pensive.* Si c'est vrai... le contraire est tout aussi vrai.

MARTINE. Le contraire?

ANNETTE, *vivement.* Tous les ignorants se valent quel que soit leur degré de fortune...

MARTINE. Moi, je le dis en tout cas!

ANNETTE, *âprement.* Et c'est vrai! Ils sont sur le même plan. L'argent n'élève personne, quoi qu'on en pense!

Martine a un moment d'étonnement. Elle n'espérait pas être si vite comprise.

MARTINE. Alors, je peux?... Je peux continuer mes études?

ANNETTE. Tant que tu voudras, si ça doit te rendre plus heureuse.

MARTINE. Mais aurez-vous les moyens?... Les maisons d'enseignement de Montréal doivent coûter deux fois plus cher que...

ANNETTE. Martine, cesse de t'inquiéter, j'ai de l'argent en banque, je te l'ai déjà dit. Je paierai ce qu'il faudra. D'ailleurs tu seras externe! Je sauverai la pension et ça reviendra au même. Tu habiteras ici, avec moi... *(Elle la prend par le cou, les yeux brillants.)* Et bientôt, Martine, bientôt, je reprendrai le magasin et nous vivrons dans l'appartement au-dessus.

MARTINE, *étonnée et perplexe.* Ah?...

ANNETTE. Toi et moi... Albert aussi peut-être... *(Avec lassitude.)* Ah! je voudrais que ce soit déjà fait! Patiente, Martine, patiente, ça sera pas long!

MARTINE, *hésitant.* Et quand j'aurai mon bachot, maman, est-ce que... Est-ce que je pourrai aller à l'université?

ANNETTE, *moqueuse.* Rien que ça! Je vais en avoir une fille instruite! Oui, Martine, oui, si c'est possible à ce moment-là.

Martine lui saute au cou.

MARTINE. Oh! vous êtes un ange. Je pensais jamais que vous comprendriez si bien!

La cuisinière entre, énergiquement, bougonne.

CUISINIÈRE, *à Annette.* Comment, vous êtes encore là, vous? Vous deviez aller dormir?

ANNETTE. Je monte, je monte, Maria. Je voulais d'abord préparer le souper d'Albert.

CUISINIÈRE. Il fallait appeler Martine qui ne fait jamais rien de ses dix doigts!

MARTINE, *piquée.* Je pouvais pas savoir, moi! *(Elle regarde sa mère.)* Vous êtes fatiguée?

CUISINIÈRE, *répétant, moqueuse.* Vous êtes fatiguée? Ça saute aux yeux de tout le monde, mais elle, elle ne voit rien!

ANNETTE, *gaiement.* Maria, Maria, voyons!...

MARTINE. Donnez-moi le plateau, je vais le monter.

CUISINIÈRE. Et voyez à ce qu'elle se couche! Elle n'a pas fermé l'œil depuis deux nuits.

MARTINE. C'est vrai?

ANNETTE, *ennuyée.* Ça arrive à n'importe qui! Quelle histoire! Vite, vite! Bonsoir, Maria.

Le corridor à l'étage des domestiques. Martine porte le plateau et sa mère la suit. Elles s'arrêtent devant la porte d'Albert.

MARTINE. Allez vous reposer. Je m'occupe de mon oncle.

ANNETTE, *soucieuse.* Tu crois?... Ouuuui, j'aimerais mieux. Si j'entre dans sa chambre...

MARTINE. Je me charge de lui ce soir. S'il y a quelque chose, je vous appelle...

ANNETTE, *ouvrant sa porte. Hésitant.* Reste pas avec lui, hein, Martine? Ça le fatiguerait. Parle-lui le moins possible.

MARTINE. Promis!

Annette ouvre la porte et s'éloigne vivement.

MARTINE, *frappant.* Je peux entrer?

ALBERT. Oui, oui...

Albert est toujours dans son lit. Encore faible mais l'air plus heureux. Il se redresse et s'assoit.

ALBERT. Ah! Je croyais que c'était ta mère...

MARTINE, *hésitant.* Elle... elle est occupée en ce moment. Elle viendra vous voir un peu plus tard.

168

Elle dépose le plateau sur les genoux d'Albert qui soulève le plat couvrant le morceau de viande.

ALBERT. Du steak!... Je peux manger ça?...

MARTINE. Il faut bien que vous repreniez des forces.

ALBERT. J'ai presque faim ce soir, ça tombe bien! Assis-toi un peu, tiens-moi compagnie.

MARTINE, *hésitant.* Heu... Je regrette, il faut que j'aille souper moi-même. Maria veut déblayer la cuisine au plus vite, parce que monsieur Martin reçoit ce soir...

ALBERT, *étonné et scandalisé.* Quoi? Mais il est encore en grand deuil!

MARTINE. Oh! seulement la famille. Ses enfants...

ALBERT, *soucieux.* Et qui est-ce qui va les servir? Annette saura jamais! Est-ce qu'ils viennent avec leurs femmes?

MARTINE. Non. Michel m'a dit qu'ils se réunissaient pour discuter de l'autopsie...

ALBERT, *pâlissant.* L'autopsie!

MARTINE. De toute façon, monsieur Martin a fait venir un maître d'hôtel d'un de ses clubs, alors soyez tranquille, tout sera bien fait...

ALBERT, *faiblement.* Attends!... Je pensais... Ta mère m'avait dit... que monsieur Martin avait refusé!

MARTINE. Pas du tout! Il doit arriver à six heures, c'est entendu. *(Gentiment.)* Cessez donc de vous tourmenter, mon oncle.

ALBERT, *fébrile.* Je te parle pas du maître d'hôtel. Je te parle de l'autopsie! Annette disait qu'il y en aurait pas, que monsieur Martin avait dit non!

Martine se rend compte qu'elle a fait une gaffe et se met à bafouiller.

MARTINE. Elle a dit ça?... Ah! oui, Ah! oui... Je me trompais! Alors ils viennent pour se voir, quoi!

Albert fixe sur elle des yeux agrandis par la peur.

MARTINE, *pressée de s'en aller.* Je serai dans ma chambre, mon oncle. Si vous avez besoin de quelque chose, appelez-moi. Je laisse la porte entrouverte...

Elle sort si vivement qu'elle ferme la porte. Mais elle se dépêche de l'entrouvrir aussitôt.

MARTINE, *confuse.* Excusez-moi!...

Elle s'éloigne. Maurice paraît sur les dernières marches. Martine ne cherche pas à le fuir et reste debout près de sa porte, souriant à demi.

MAURICE, *venant la rejoindre.* Je venais prendre des nouvelles d'Albert...

MARTINE. Maman dit qu'il est un petit peu mieux qu'hier.

MAURICE, *la regardant.* Tu étais fâchée contre moi, tu l'es plus?

Martine a un petit rire plein de défi et entre dans sa chambre, laissant la porte ouverte. Maurice demeure sur le seuil.

MAURICE. J'entre pas, j'ai peur que tu me mettes encore à la porte!

MARTINE. Tu risques rien. J'ai réfléchi depuis hier! *(Pleine d'âpreté et de défi.)* Oh! Maurice, tu m'as rendu service, tu peux pas savoir! C'était vrai que j'avais jamais envisagé mon avenir. Hier soir, je l'ai fait. J'ai même passé la soirée et la nuit à ça et même une bonne partie de la journée! Et j'ai vu ce qui m'attendait! Je l'ai vu, Maurice, et tu avais raison, c'est pas endurable!

Il fait un pas vers elle, sombre, et la prend par les épaules.

MAURICE. Tu sais, j'ai mis les choses au pire. Ta vie sera peut-être pas si noire.

Martine se dégage brusquement.

MARTINE. Elle sera telle que tu l'as dit si je m'en occupe pas tout de suite! Mais je vais y voir! Oh! je te le jure! Que tu as donc bien fait de me réveiller. Tu avais raison, je dormais, je rêvais, j'étais pas sur terre! Mais c'est fini, j'ai les deux pieds sur le sol maintenant. Et sais-tu quoi? Elle est pas si laide qu'on pense la réalité!

MAURICE, *la regardant.* Comment ça?

MARTINE. Il s'agit seulement de la prendre en main! Chacun peut la faire, sa vie. Mais il y a une condition, et c'est de savoir ce qu'on veut.

Maurice a un mauvais petit rire et s'appuie au chambranle de la porte, les bras croisés, moqueur.

MAURICE. Bon! bon!... Et qu'est-ce que c'est que tu veux, toi?

MARTINE. Sortir de la médiocrité que tu me prédisais hier soir!

MAURICE. Félicitations! Et comment vas-tu t'y prendre?

MARTINE. Par l'instruction. Tu vois, je renonce pas à lire! Au contraire, tout ce que tu m'as dit me pousse plus que jamais à m'instruire. Je vais commencer par passer mon baccalauréat et après j'irai à l'université. Je prendrai une carrière! Pas un métier, Maurice une carrière! La médecine, peut-être!

MAURICE. Pourquoi pas? Mais aux frais de qui?

MARTINE, *freinée en plein vol.* Mais... Aux frais de... *(Elle lui lance cela comme une injure.)* Maman m'a dit que je pouvais le faire!

MAURICE. Ma mère aussi disait ça! *(Avec rage.)* Mais je suis pas retourné à l'université!

MARTINE, *stupéfaite.* À l'université? Toi?...

MAURICE, *violemment*. À Polytechnique. Oui! J'y étais même depuis un an et demi quand mon père est mort. Maman disait: «Je ferai des ménages, je ferai n'importe quoi!» Avec huit enfants à la maison! Elle en pleurait. Et moi aussi je pleurais. Parce que je savais bien que je la laisserais pas se tuer à l'ouvrage au nom de mon instruction!

Martine bouleversée repousse ce tableau misérable.

MARTINE. Mais dans mon cas, c'est pas la même chose! Maman a un magasin... Elle... elle...

On entend un bruit de vaisselle qui tombe par terre. Le temps d'échanger un regard saisi et de sursauter, et l'on entend la chute d'un corps. Martine passe devant Maurice qui la suit et se précipite vers la chambre de son oncle. Le plateau, la vaisselle, les aliments, tout est tombé par terre. Le thé se répand sur le plancher. Martine cherche Albert...

MARTINE. Mon oncle!...

MAURICE. Il est là!

Par terre, de l'autre côté du lit, sans connaissance. Martine, en l'apercevant, a un geste d'effroi et pousse une exclamation qui prouve bien qu'elle n'appartient pas encore au clan des adultes.

MARTINE, *figée sur place*. Maman!

Maurice qui s'est penché vers Albert se tourne vers elle avec autorité.

MAURICE. Va la chercher ta mère! Je vais le remettre dans son lit.

Mais Martine est trop saisie pour comprendre.

MAURICE, *durement*. As-tu compris? Va chercher ta mère.

MARTINE, *balbutiant*. Oui, oui, oui...

Elle sort en courant et frappe à la porte d'Annette.

MARTINE. Maman! Maman!

Annette ouvre aussitôt.

ANNETTE, *angoissée*. Qu'est-ce que...

MARTINE. Vite!... mon oncle...

Elles courent toutes les deux vers la chambre d'Albert et entrent au moment où Maurice le dépose dans son lit. Annette pousse Martine qui lui bloque le passage et s'approche de son frère. Martine reste debout près de la porte.

MAURICE. Il était tombé par terre...

ANNETTE. Vous auriez dû le laisser là... Il faut jamais les remuer avant qu'ils aient repris connaissance. On sait pas... Les sels, Martine! *(S'impatientant.)* Vite! Sur la tablette au-dessus de l'évier.

Martine se précipite, renverse un verre qui se casse dans l'évier et prend une bouteille qu'elle tend à sa mère.

ANNETTE, *la repoussant*. Pas ça!...

Maurice devance Martine et rapporte le flacon de sels qu'Annette débouche et passe sous le nez de son frère. Maurice attend auprès d'elle. Au bout du lit,

Martine, malheureuse, se sent gauche, inutile et enfantine. Les vapeurs d'ammoniaque parviennent enfin au cerveau d'Albert qui renvoie la tête en arrière pour repousser l'odeur. Annette lui caresse la joue.

ANNETTE, *doucement.* Ça va mieux?... Ça va mieux?...

Il se réveille tout à fait et se met à pleurer comme un enfant.

ANNETTE, *le calmant.* Voyons, voyons... *(Aux autres.)* Sortez...

ALBERT, *pleurant.* Annette!...

Martine désigne la vaisselle.

MARTINE. Je vais ramasser ça.

ANNETTE, *impatiente.* Non, non, va!... Va-t'en! Emmenez-la, Maurice.

Maurice prend le coude de Martine pour l'entraîner. Martine se dégage brusquement, tandis que Maurice referme la porte.

MARTINE, *coléreuse et humiliée. Près des larmes.* Laisse-moi tranquille, toi!

MAURICE. Chut, pas si fort! *(Il la pousse vers sa chambre.)*

MARTINE. Touche-moi pas! Laisse-moi tranquille, as-tu compris? Achalle-moi pas!

Elle met sa main sur sa bouche pour effacer ce cri qui lui est venu du plus loin de son enfance. Maurice éclate de rire, sarcastique.

MAURICE. Hé! que t'as bien dit ça! On fait sa raffinée, mais ce qui vient des entrailles hein, c'est le premier langage qu'on a appris! *(Avec colère.)* Eh! ben ma petite, ça va être facile de pas t'achaler parce que t'es pas drôle! Je viens de te voir à l'œuvre, et je te dis que tu vaux pas grand-chose!

MARTINE, *humiliée.* Mais qu'est-ce que je pouvais faire? J'ai pas l'habitude, moi!...

MAURICE. Tu l'as dit! T'as pas l'habitude des autres! Rien que de toi! T'es bonne à rien quand les autres ont besoin de toi. Tu seras peut-être plus instruite que ta mère un jour, mais tu peux toujours courir pour avoir la moitié du cœur qu'elle a! Des femmes comme ta mère, c'est rare mais des petites égoïstes comme toi, on en trouve à tous les coins de rue!

Il s'éloigne vers l'escalier et disparaît. Martine fait un pas vers lui, le menaçant du poing dans une rage impuissante.

MARTINE. J'te déteste! J'te déteste!

Elle revient vers sa chambre au moment où Annette sort de la chambre d'Albert.

ANNETTE, *fâchée.* Chut! Es-tu folle de crier comme ça?

MARTINE, *en larmes.* Maman!...

172

Mais Annette est tout hérissée par la scène qu'Albert vient de lui faire en proie à la peur qui s'est de nouveau emparée de lui. Elle entre, poussant Martine et refermant la porte.

ANNETTE. Tu m'avais promis de pas lui parler!

MARTINE, *balbutiant.* Mais je lui ai à peine dit deux mots!

ANNETTE, *se dominant mal.* Les seuls qu'il fallait pas dire! Tu sais pas ce que c'est encore les gens qui ont une maladie de foie? J'ai pas cessé de te le dire. Tout les inquiète, tout les tourmente! Faut rien leur dire. Rien! Rien! Rien! Qu'est-ce que t'avais besoin de ramener encore cette histoire d'autopsie?

MARTINE, *avec remords.* J'y ai pas pensé, je vous le jure!

ANNETTE, *s'emportant.* C'est *ça* que je te reproche! Il fallait y penser! Avec un peu plus de cœur tu te serais souvenu qu'il a perdu connaissance la première fois que tu en as parlé devant lui!

MARTINE, *secouant la tête.* Vous m'aviez dit que... que c'était pas ça!

ANNETTE. Et après? Et après? Mon Dieu, t'as donc aucune intuition pour sentir ce qui peut troubler les autres? Toi qui es toujours là à nous épier, à nous guetter, t'aurais pu comprendre que ça le trouble ton oncle, cette histoire-là!

MARTINE, *craignant de comprendre. Affolée.* Mais pourquoi, maman? Maman? Pourquoi?...

ANNETTE, *se détournant.* Pourquoi? Pourquoi? Parce qu'il avait de l'affection pour elle! Parce qu'il était... il était aussi attaché à elle qu'à... qu'à notre propre mère, si tu veux! Peut-être même plus! Vingt ans à la voir tous les jours, c'est quelque chose! *(S'emportant.)* Il se serait jeté au feu pour elle. Tu aurais pu t'en apercevoir! Mais non! C'est seulement dans la mesure de ce qu'ils te cachent que tu t'intéresses aux autres! Ce qui te crève les yeux, tu le vois pas!

Martine éclate en sanglots, et cherche à prendre sa mère dans ses bras.

MARTINE. Maman, je vous demande pardon...

Annette se dégage, impatiente.

ANNETTE. Laisse! C'est pas le temps des attendrissements. Il faut que je fasse venir le médecin, autrement Albert dormira pas de la nuit. Et il faut que je répare tes dégâts. La vaisselle par terre, le thé répandu sur le plancher...

MARTINE, *suppliante.* Non, non, allez vous reposer! Laissez-moi faire ça!

ANNETTE, *brusquement.* Ah! non par exemple! Tu mettras plus les pieds dans sa chambre!

Martine se remet à pleurer, débordée de remords.

MARTINE. Vous me pardonnez pas!

173

Annette désarmée par son désespoir la prend dans ses bras.

ANNETTE, *avec lassitude.* Martine!

MARTINE. Je regrette tellement!

ANNETTE. Bien sûr... Je suis folle de te parler si durement. Mais je suis si... *(Désespérée.)* Si... Ah! J'en peux plus, à quoi bon le cacher! Je voudrais me cogner la tête contre les murs!

MARTINE, *encore plus désespérée.* C'est ma faute, c'est ma faute! Disputez-moi, giflez-moi, couvrez-moi d'injures, je le mérite! Je vaux rien! Je suis une sans-cœur!

L'excès de son désespoir redonne à Annette son sens de la mesure. Elle ne peut s'empêcher de sourire non sans amertume en imitant l'emphase de Martine.

ANNETTE. Bien sûr, une sans-cœur! Rien qu'une sans-cœur! La dernière des sans-cœur! La pire des sans-cœur!

MARTINE, *désemparée.* Mais c'est vrai!

ANNETTE, *lasse.* Si tu veux, mais on en reparlera demain. Ce soir je t'embrasse et on fait la paix, tiens...

Elle l'embrasse. Martine la serre dans ses bras.

MARTINE, *avec amour.* Maman!...

Annette lui caresse les cheveux avec un regard où se mêlent la pitié, la tendresse et de nouveau le désespoir.

Jérémie lit son journal. Le nouveau maître d'hôtel entre apportant un seau à glace thermos.

MAÎTRE H.. C'est la glace, monsieur.

JÉRÉMIE. Mets ça là... *(Il désigne le cabinet à liqueurs.)* Tu te débrouilles dans la maison?

MAÎTRE H.. Sans difficulté.

JÉRÉMIE. On sera cinq à table, Maria te l'a dit?

MAÎTRE H.. Oui, monsieur.

JÉRÉMIE. J'attends seulement ma fille et mes deux fils. Tu les feras entrer ici directement. Pas besoin de les annoncer.

MAÎTRE H.. Bien, monsieur.

Il sort, s'effaçant pour laisser passer Michel.

MICHEL. Personne n'est encore arrivé?

JÉRÉMIE, *le nez dans son journal.* Ça se verrait.

MICHEL, *ennuyé.* Je n'ai aucune confiance dans cette réunion. Je parie que nous n'arriverons même pas à discuter la question d'autopsie jusqu'au bout. Ça va dégénérer en disputes, vous verrez!

174

JÉRÉMIE, *abattant son journal.* C'est à croire! Vous êtes plus des enfants ni les uns ni les autres! Vous êtes capables de parler sans vous chamailler. *(Il se remet à lire.)*

MICHEL. Pas en votre présence.

JÉRÉMIE, *rabaissant de nouveau son journal. Méfiant.* Comment ça?

MICHEL. Mon Dieu, voyons les choses avec réalisme. Nous sommes tous plus ou moins bloqués, émotionnellement bloqués, en votre présence.

JÉRÉMIE, *cherchant à comprendre.* Qu'est-ce que ça veut dire, ça?

MICHEL. Ça veut dire... *(Il hésite un moment.)* Ça veut... *(Résolument.)* Ça veut dire que chacun de nous garde de son enfance trop de souvenirs pénibles, trop de rancunes mal digérées, trop de rage refoulée... Ça veut dire qu'il nous est presque impossible aujourd'hui d'être parfaitement à l'aise devant vous.

> *Jérémie irrité se lève et va se servir un verre.*

JÉRÉMIE, *haussant les épaules.* Je sais même pas de quoi tu parles! Rancune, rage... En v'là des enfants! Je dois avoir plus de cœur que vous autres parce que personnellement, moi, je vous en veux pas, ni aux uns ni aux autres!

MICHEL, *ironique.* Il ne manquerait plus que ça! Mais où est le mérite? Les lions non plus n'en veulent pas à leurs victimes!

JÉRÉMIE, *irrité.* Marche donc te secouer! Si on dirait pas que j'ai passé ma vie à vous mordre! *(Vaguement méprisant.)* Ce que tu peux être compliqué, pauvre Michel!

MICHEL, *froidement.* Excusez-moi. Je reviendrai quand les autres seront là. *(Il sort.)*

> *Jérémie, le verre à la main, le regarde partir et va se rasseoir, perplexe.*

JÉRÉMIE, *marmottant.* Qu'est-ce qu'il a donc lui? C'est à croire que je les ai martyrisés, ma parole!... *(Un temps de réflexion.)* Comment est-ce que je pourrais bien lui prouver que les autres pensent pas comme lui?

> *Il réfléchit. Céline entre et s'arrête net en s'apercevant que son père est seul. Crispation. Effort pour se ressaisir. Elle se fait le visage le plus mondain qui soit, et s'avance vers le fauteuil de son père.*

CÉLINE. Bonsoir... Vous êtes seul?

JÉRÉMIE, *cordial.* Tiens, Céline! Comment ça va, ma belle Céline? Mais embrasse-moi sans-cœur.

CÉLINE, *étonnée.* Vous savez, après un certain âge, ça ne se fait plus beaucoup. *(Elle recule.)*

JÉRÉMIE. C'est à croire! Tu as beau être devenue «une dame», tu restes toujours ma fille.

Il l'attire. Elle dépose un baiser froid sur le front de son père en évitant le plus possible de se rapprocher de lui et s'éloigne aussitôt vers les portes fenêtres donnant sur la terrasse.

JÉRÉMIE. Ouais!... Je veux pas t'insulter mais c'est un peu «fret»! Je pense que t'as besoin d'un coup pour te dégeler!

CÉLINE, *s'agitant.* Oh! oui, oh! oui! Bonne idée!

Il va la servir. Céline regarde au dehors les lumières de la ville.

CÉLINE. Quelle vue vous avez d'ici!... C'est ce que j'ai le plus manqué quand j'ai quitté la maison. Aussi la grandeur des pièces, bien sûr... mais surtout la vue...

JÉRÉMIE, *sautant sur l'occasion.* Y en tient qu'à toi de la voir tous les jours!

CÉLINE, *petit rire.* Je n'en demande pas tant!

Il lui apporte son verre et reste près d'elle face à la ville.

JÉRÉMIE. Je parle sérieusement, Céline. Si ça te plaisait de venir vivre ici avec Gabriel...

CÉLINE, *inquiète.* Moi?

JÉRÉMIE. Je demanderais pas mieux. Vous pourriez vous organiser toute une série de pièces en haut. On se verrait rien qu'à l'heure des repas. Peut-être un peu le soir, quand ça vous le dirait... Avant longtemps Michel va s'en aller, je vais être tout seul...

CÉLINE, *ennuyée.* Ah! c'est pour cela qu'il nous a convoqués!

JÉRÉMIE. Michel? Pas du tout! Lui, c'est pour... tiens, le v'là!

Michel vient embrasser Céline. On ne sent aucune tendresse véritable entre eux. Tout juste une aimable politesse.

MICHEL. Allô, Céline...

CÉLINE. Allô... Au fait, comment se fait-il que tu sois encore ici, toi? Tu devais retourner en Europe quelques jours après la mort de maman...

MICHEL, *ton léger.* Tu ne me croiras jamais... Figure-toi que je n'avais plus un sou! *(Riant.)* Oui, oui! Même pas de quoi prendre l'avion!

CÉLINE, *consternée.* Michel...

JÉRÉMIE. Tu vois bien qu'il te fait marcher!

CÉLINE. Ah! c'est une blague?

MICHEL, *riant.* Mais pas du tout! Je n'ai jamais été plus sérieux.

CÉLINE, *regardant son père.* Si c'est vrai, c'est une honte!

176

JÉRÉMIE, *maussade, lui tournant le dos.* Voyons donc!... T'avais qu'à m'en demander espèce de fafouin!

MICHEL, *sarcastique.* Pour me faire reprocher ensuite de quêter?

CÉLINE. Mais tu aurais pu venir me voir! Ou Gabriel encore, si ça te gênait moins... Une si petite somme, c'est ridicule! Un billet de retour! Tu es vraiment trop bête!

MICHEL. Bah! Je me suis dépanné tout seul. Des conférences, des interviews à la télévision, à la radio... J'ai ce qu'il me faut maintenant. Et même plus. *(Plus gentiment. À Céline.)* Merci quand même.

CÉLINE, *avec remords.* Je comprends pourquoi tu étais si déçu de voir que maman ne nous laissait rien!

JÉRÉMIE, *comme s'il n'avait pas entendu.* Qu'est-ce que je te sers, Michel?

LAURENT, *entrant.* Bonsoir, bonsoir!

> *Laurent s'avance. En dehors du bureau c'est un conquérant sûr de lui, au-dessus de ses affaires.*

LAURENT, *enchaînant.* Bonsoir tout le monde!

JÉRÉMIE. Bonsoir toi tout seul! *(Il rit.)*

LAURENT. Erreur! Je ne suis pas seul!

> *Il désigne Simone qui entre justement.*

SIMONE. Bonsoir!...

JÉRÉMIE, *surpris.* Simone?

MICHEL. Simone!

LAURENT, *sarcastique. Regardant sa femme.* Hé! oui, Simone!

SIMONE, *pincée.* Alors, c'est vrai?... Je n'étais pas invitée?

LAURENT, *triomphant.* Tu vois! *(Aux autres.)* Elle ne voulait pas me croire!

SIMONE. Dans ce cas!... *(Jérémie la retient.)*

JÉRÉMIE, *mécontent.* Faites donc pas d'histoire pour rien! C'est une réunion de famille, c'est pas une réunion mondaine.

MICHEL. C'est ma faute, Simone, je m'excuse, j'ai oublié de mentionner à Laurent que...

SIMONE, *piquée.* Qu'il ne devait pas m'amener.

LAURENT, *levant les bras.* Ce qu'elle peut être chichiteuse!

> *Moue éloquente de Céline. Simone la voit.*

SIMONE, *exaspérée.* Céline!...

CÉLINE, *avec innocence.* Quoi donc?...

JÉRÉMIE, *excédé.* Les femmes!... Sers-lui à boire, Céline. Allez jaser ensemble toutes les deux.

> *Céline lui lance un regard noir et entraîne Simone.*

177

CÉLINE, *suave*. Vous avez une jolie robe...

Jérémie va sonner.

LAURENT, *à Michel*. Et alors, saurons-nous bientôt pourquoi tu nous as convoqués?

Le maître d'hôtel paraît.

JÉRÉMIE. Tu ajouteras un couvert de plus à table. On sera six au lieu de cinq.

MAÎTRE H.. Bien monsieur. *(Il sort.)*

LAURENT. Pourquoi n'est-ce pas Albert qui est là?

JÉRÉMIE, *s'éloignant*. Il est malade.

LAURENT. Dis donc, ça ne serait pas au sujet du testament de maman que tu nous as fait venir, par hasard?

MICHEL, *excédé*. Non, Laurent, non! Cette soirée ne te rapportera pas l'ombre d'un bénéfice!

Gabriel entre et vient aussitôt les rejoindre.

GABRIEL. Bonsoir...

MICHEL, *surpris*. Gabriel?

LAURENT. Tu es vengée, Simone. En voilà un autre qui n'était pas invité!

GABRIEL, *étonné. À Michel*. Non?

MICHEL, *riant. Désarmé*. Non!...

Jérémie, Simone et Céline se rapprochent.

JÉRÉMIE. Gabriel! Ça, c'est une bonne surprise!

Il serre affectueusement la main de son gendre. C'est celui qu'il traitera avec le plus d'amitié.

GABRIEL, *amusé. À Céline*. C'était pour me jouer un tour?

CÉLINE. Mais non. J'ai pris pour acquis que tu étais invité.

SIMONE, *aigrement à Laurent*. Tu vois!

Gabriel donne une tape amicale dans le dos de Michel.

GABRIEL. Mon vieux Michel, ça t'apprendra à faire tes invitations correctement. J'y suis, j'y reste!

JÉRÉMIE, *l'entraînant*. Comment donc! Comment donc! *(Il se tourne vers Simone.)* Vous voyez, il est pas compliqué, lui!

Il fait un écart pour aller sonner.

MICHEL. Je veux être pendu si cette réunion aboutit à quelque chose!

Céline ne répond pas. Elle a l'air si triste que Michel a pitié d'elle.

MICHEL, *la prenant par les épaules*. Céline?

Le maître d'hôtel paraît. Michel laisse tomber ses bras.

MICHEL. Oui?...

MAÎTRE H.. Vous avez sonné...

MICHEL. Ah! oui... *(Tourné vers son père.)* C'est pour faire ajouter un couvert, que vous avez sonné?

JÉRÉMIE, *de loin.* Oui, oui! On est rendu à sept. Avertis Maria.

Le maître d'hôtel fait une grimace et sort. Michel revient à Céline.

MICHEL. Ça ne va pas, Céline?...

CÉLINE. Je m'ennuie...

MICHEL. Mais de qui?... Ou, de quoi?...

CÉLINE. De rien. Tout m'ennuie! m'ennuie, m'ennuie, m'ennuie...

Il y a un tel désespoir dans ses yeux que Michel n'ose pas hausser les épaules bien que cette sorte d'état d'âme lui soit totalement étrangère.

CÉLINE. Vivre m'ennuie! Connais-tu un remède à cela?

MICHEL. Pour la majorité des femmes, il y en a un...

CÉLINE, *blasée d'avance.* Lequel?...

MICHEL. L'amour!...

CÉLINE, *éclatant de rire.* L'amour! Ah! il faudra que j'en parle à Gabriel!

MICHEL, *mal à l'aise.* Je t'en prie...

LAURENT, *à Céline.* Encore en pleine crise d'euphorie? Pour ne pas dire d'hystérie!

CÉLINE, *riant toujours.* Il ne vaut rien, ton remède Michel. Le mien est meilleur.

LAURENT. Quel remède?

CÉLINE. Boire! Et rassure-toi, je ne m'en prive pas!

Elle s'éloigne riant toujours. Laurent hausse les épaules.

LAURENT. Elle est mûre pour le canapé?

MICHEL, *étonné.* Le canapé?

LAURENT, *riant et lui donnant une tape dans le dos.* Le canapé d'un psychanalyste, tiens!

Beaujeu et Geneviève paraissent. Geneviève tient son mari par le bras. Environ trente ans. Belle, enjouée, civilisée, beaucoup de charme. Ils s'inclinent tous les deux en même temps avec un petit salut comique comme s'ils exécutaient un numéro de music-hall.

GENEVIÈVE ET BEAUJEU. Bonsoir...! Bonsoir...!

MICHEL, *interdit.* Vous aussi, Geneviève!

LAURENT, *éclatant de rire. À Michel.* Eh! bien, mon vieux! Encore une qu'on n'attendait pas! Cette fois, la famille est au complet!

BEAUJEU, *interloqué.* Que se passe-t-il?

GENEVIÈVE, *amusée.* Sommes-nous de trop?

Jérémie est enchanté de la tournure de cette réunion qui l'ennuyait d'avance. Le côté social de sa nature s'épanouit.

179

JÉRÉMIE. Jamais de la vie, Geneviève! C'est tellement rare qu'on vous voit ici.
Il l'embrasse cordialement.
GENEVIÈVE. Ah! voilà qui est plus sympathique!
BEAUJEU, *à Laurent.* Alors, qu'est-ce que tu voulais dire?
Jérémie s'éloigne pour aller sonner. Gabriel prend sa place et enchaîne.
GABRIEL, *gaiement, s'approchant.* Les conjoints n'étaient pas invités!
GENEVIÈVE. Oh! sont-ils égoïstes!
GABRIEL, *à Geneviève.* Ils nous feront manger à part dans une autre pièce, vous verrez!
GENEVIÈVE, *prenant le bras de Gabriel.* Fort bien! Nous flirterons ensemble, Gabriel, ça leur apprendra!
JÉRÉMIE, *revenant.* Jamais de la vie! Si vous nous laissez ensemble, entre Martin, il paraît qu'on va s'entredévorer! Du moins c'est l'avis de «not' savant!»
GENEVIÈVE, *riant.* Il pourrait bien avoir raison!
Jérémie l'entraîne en riant. Simone pousse son mari du coude.
SIMONE, *sarcastique.* Elle lui en fait du charme!
LAURENT. Imite-la donc au lieu de la critiquer! Ce serait plus profitable pour tout le monde!
Il la laisse, dépitée, et va rejoindre Michel.
LAURENT. Eh! bien, papa qui disait que ce ne serait pas une réunion mondaine, le voilà servi! Avec Geneviève parmi nous!...
MICHEL, *agacé.* Oh! c'est raté, j'en ai bien peur.
Le maître d'hôtel paraît. L'air plutôt sec.
MAÎTRE H., *à Michel.* Oui?...
MICHEL, *agacé.* Zut! arrangez-vous avec mon père!
Il va s'isoler près des rayons de la bibliothèque et prend un livre. Jérémie s'approche.
JÉRÉMIE. Une personne de plus! *(Sur un geste de protestation.)* C'est la dernière, c'est la dernière!
MAÎTRE H., *irrité.* Monsieur, moi, je veux bien, mais la cuisinière m'a chargé de vous dire que si je lui annonçais encore un invité, elle prenait la porte!
JÉRÉMIE. Dans ce cas-là, ajoute un couvert de plus et parle-lui en pas!
MAÎTRE H., *exaspéré.* Mais, monsieur, elle a quatre perdrix à vous offrir et vous êtes huit maintenant!
JÉRÉMIE, *avec entrain.* On partagera! On partagera! Dis à Maria d'ajouter des viandes froides, des fromages, n'importe quoi!
MAÎTRE H., *snob.* Ça fera un drôle de dîner!

Il s'éloigne mécontent. Jérémie va retrouver le groupe.

JÉRÉMIE. Si vous voulez mon avis, mes enfants, on serait aussi bien de prendre la salle à manger d'assaut avant qu'ils aient le temps de réfléchir! Autrement ils sont bien capables de nous planter là!

Il fait un geste pour les rassembler. Tout le monde sort avec des exclamations animées. Jérémie va chercher Michel et l'entraîne.

JÉRÉMIE. Viens, viens, Michel. Et déride-toi! *(Moqueur avec une pointe de défi.)* Tu vois, ils ont pas l'air tellement «bloqués» en ma présence! *(Riant.)* Ils se débloquent, Michel, ils se débloquent!

Il l'entraîne en riant.

13

La clé de l'énigme

À l'étage des domestiques. Annette se dirige vers la chambre de sa fille, dont la porte est ouverte. Martine se tourne aussitôt vers elle et va la prendre par le cou.

MARTINE. Je croyais que vous dormiez.

Annette la repousse doucement et va s'asseoir sur le bord du lit, en secouant la tête en signe de négation.

MARTINE, *baissant la voix.* Je voudrais tellement vous enlever toutes vos inquiétudes.

ANNETTE. Inquiétude!... Le mot est faible... Tant que cette histoire d'autopsie sera pas réglée... Albert en fait une crise!

MARTINE. Je sais. J'ai compris.

ANNETTE. Tu as compris quoi? C'est son foie qui le rend si nerveux. C'est un émotif, le médecin l'a dit.

MARTINE. Mais... c'est... c'est ce que j'avais compris.

ANNETTE, *désemparée.* Ah!... Avec toi on ne sait jamais. Ton imagination... Si au moins je pouvais savoir où ils en sont, quelles décisions ils prennent...

MARTINE. Je suis descendue tantôt. J'ai écouté derrière la tenture... Ils n'avaient pas l'air d'avoir encore parlé d'autopsie... Ils faisaient des blagues, ils riaient...

ANNETTE. Ils riaient!...

MARTINE. Ils avaient l'air d'avoir pas mal bu.

ANNETTE. Ils riaient...

La salle à manger où l'on voit entrer le maître d'hôtel venant de la cuisine avec le plat contenant les perdrix coupées en deux et entourées de chou. On entend rire les Martin, particulièrement Jérémie. Le maître d'hôtel tend un plat à Geneviève.

GENEVIÈVE. Les fameuses perdrix!

BEAUJEU. Quatre pour huit personnes? Quelle abondance!

SIMONE. Les affaires vont mal!

GABRIEL. Pauvre monsieur Martin, je ne vous savais pas si près de la faillite.

JÉRÉMIE, *riant.* Vous autres, taisez-vous. Ça vous apprendra à venir sans être invités.

BEAUJEU, *avec une dignité scandalisée.* Personnellement, je cède ma part à qui la veut. *(Se levant, solennel.)* À titre d'avocat, défenseur de la loi, je refuse d'être complice d'un acte interdit par la loi.

JÉRÉMIE. Il est fou!

BEAUJEU. Jérémie Martin, vous êtes accusé d'avoir servi à votre table du gibier chassé en un temps prohibé par la loi, vous rendant ainsi coupable de deux offenses graves: complicité et recel. Qu'avez-vous à dire pour votre défense?

GENEVIÈVE. Il mérite la prison.

GABRIEL. En prison, le coupable.

SIMONE. En prison. Pas de pitié.

CÉLINE. Oui, oui! Qu'il soit puni! Puni!

LAURENT, *férocement.* Bravo! En prison. En prison. Qu'il paie pour tous ses crimes.

> *Il s'est levé dans son agitation. Ils y mettent trop d'ardeur. Céline, Simone et Laurent particulièrement. Jérémie s'étonne et les regarde. Les rires s'évanouissent. Le maître d'hôtel, imperturbable, continue son service tandis que Laurent, mal à l'aise, se rassoit.*

BEAUJEU, *riant.* Ma foi, s'il n'en tient qu'à nous, vous finirez derrière les barreaux!

JÉRÉMIE, *gouailleur.* J'ai souvent pensé que ça pourrait bien m'arriver un jour, mais ce que j'avais pas prévu, c'est que ça vous ferait tellement plaisir.

LAURENT. Avouez quand même que ce serait drôle de vous voir faire de la prison pour le plus maigre de vos délits.

JÉRÉMIE. Écoutez-le donc! Si on dirait pas que j'en ai commis pour vrai, des crimes.

LAURENT. Des crimes, non, bien sûr, mais des... comment appeler cela?... Votre histoire de douane l'an dernier, par exemple, hein, c'était... hum! hum!

JÉRÉMIE, *éclatant de rire.* Ah! tu tombes mal, mon pauvre Laurent. Cette affaire-là pouvait pas être plus légale. J'avais consulté trois avocats là-dessus pour être sûr de mon coup.

LAURENT. Soit! Mais le coup de la Rington Gold Mines par exemple?... Allez-vous me dire que c'était légal?

JÉRÉMIE, *à Beaujeu. Riant.* Y a pas à dire, il y tient.

BEAUJEU. Laurent, tu nous ennuies.

MICHEL. Tirez-vous les cheveux au bureau si ça vous amuse, mais laissez-nous manger en paix.

LAURENT, *fébrile*. Les parts qui montaient, qui montaient, quand tout à coup un beau matin qu'est-ce qu'on apprend? Jérémie Martin met toutes ses parts en vente. Au moment où elles atteignent leur plus haute cote! Qu'est-ce à dire? Le soir même dans les journaux, des petits entrefilets paraissaient, insinuant qu'il n'y a pas d'or dans la mine...

GABRIEL. Et après? Un homme d'affaires est forcément renseigné plus vite qu'un autre. Et il n'y a rien d'illégal à ce qu'il vende ses parts, s'il entend dire...

CÉLINE. Bravo, Gabriel. Bravo!

LAURENT. Bon, bon, mais est-ce légal qu'il fasse lui-même répandre ces rumeurs dans le but de racheter à bon compte la majorité des parts mises en vente les jours suivants par des gens pris de panique? Car il y en avait de l'or dans cette mine! Il y en avait tant qu'on voulait et même plus! Et aujourd'hui, après les démentis officiels, la confiance étant revenue, tout le monde en veut de la Rington Gold Mines. Seulement trop tard. Jérémie Martin contrôle tout.

JÉRÉMIE, *froidement*. Et après, Laurent?... Après?

LAURENT. Après... rien! Mais quand on parle d'illégalité au sujet de quatre petites perdrix, permettez-moi de rire.

JÉRÉMIE. Hé! bien ris... Mais ris donc! Je trouve pas que tu ris tellement? (*Féroce.*) Mais ris donc Laurent, ris donc! Ris donc.

La scène a pris de telles proportions que tout le monde se sent mal à l'aise.

JÉRÉMIE. Pas capable, hein? Évidemment! Pour rire, il faudrait que tu sois en mesure de prouver ce que tu viens de dire, mais t'as aucune preuve. C'est pour ça que le rire sort pas.

LAURENT, *hargneux*. Peuh. Gabriel lui-même s'il voulait parler...

Éclat de rire de Céline, rire nerveux qui se prolonge.

LAURENT, *rageur*. Oh! toi, tais-toi.

CÉLINE. Que c'est drôle. Mon Dieu que c'est drôle!

JÉRÉMIE, *agacé*. Qu'est-ce qui lui prend, celle-là? Encore trop bu je suppose?

SIMONE. Ça ne serait pas nouveau.

BEAUJEU, *se levant et caricaturant un prédicateur plein d'onction à l'accent vaguement italien*. Et pourquoi ne rirait-elle pas, je vous le demande, mes bien chers frères? Car enfin, dites-moi, qu'y a-t-il de plus joyeux, de plus réjouissant que ces réunions de famille où règne une franche et saine gaieté que je qualifierais de... (*Cherchant le mot.*) de... de familiale. Une affection et une compréhension... (*Cherchant*

184

le mot.) heu... toute familiale. Une indulgence réciproque, une tendresse qui vous réchauffe le cœur et les entrailles, une harmonie...

> *Tout le monde s'est mis à rire. Jérémie content de la diversion rit aussi de bon cœur.*

JÉRÉMIE. Est-il bête, cet animal-là!

CÉLINE, *qui a ri aussi.* Gabriel remplis mon verre et buvons tous aux charmes de la vie de famille.

> *Elle rit et tend son verre à Gabriel, qui obéit après un moment d'hésitation.*

MICHEL, *désarmé.* Des enfants. Vous êtes des enfants.

SIMONE. Tout de même, Michel!...

CÉLINE. Quand je pense que quelqu'un a osé dire, qui donc déjà? «Familles, je vous hais.»

SIMONE, *avec assurance.* François Mauriac.

GABRIEL, *riant.* Roger Lemelin!

GENEVIÈVE. Non, non, c'est Gide.

MICHEL, *se levant.* Peu importe! Puisqu'il y a un moment d'accalmie, je demande la parole. J'aurais préféré attendre que le repas soit terminé, mais au rythme où vous bu... *(Il se reprend avec un sourire.)* ou nous buvons... si j'attends cinq minutes de plus, il n'y aura jamais moyen d'avoir une discussion sérieuse. Êtes-vous disposés à m'écouter?

BEAUJEU. Commence toujours, nous verrons bien...

MICHEL. C'est au sujet de maman que je vous ai réunis. Puis-je vous demander quelques minutes d'attention?

> *Le silence s'établit. Curiosité en éveil. Michel se rassoit.*

MICHEL. Vous savez tous comme moi que, dès la mort de maman, le docteur Rondeau a demandé l'autorisation de pratiquer une autopsie...

> *La chambre de Martine. Annette entre venant du passage. Martine se lève.*

MARTINE. Eh bien?...

> *Annette se laisse choir sur le bord du lit en proie à un découragement sans nom.*

ANNETTE. J'en peux plus... J'en peux plus...

MARTINE. Vous avez appris quelque chose?

ANNETTE. Rien!... De la cuisine on entend rien!... Ils sont rendus au dessert... Je n'ai pas osé demander au maître d'hôtel de quoi ils parlaient.

MARTINE. Si au moins c'était mon oncle qui faisait le service, vous seriez renseignée.

ANNETTE. Tais-toi! Heureusement que ça lui a été épargné. Heureusement!...

MARTINE. Voulez-vous que je descende? Que j'essaie d'écouter comme tantôt?

ANNETTE, *avec répugnance.* Encore espionner...

MARTINE. Mais vous mourez d'inquiétude!

ANNETTE. Alors, si c'est pour moi que tu le fais, sois plus généreuse. Demande-moi pas la permission.

Elle sort précipitamment. Martine qui a eu un geste pour la retenir s'arrête, bouleversée. Toutes sortes de pensées se bousculent dans sa tête. Mais qu'est-ce qu'elle a tant à s'inquiéter? Et mon oncle qui en fait une maladie... Si, au moins, je pouvais les aider! Mais comment?... (Exclamation.) Le cahier!... Le cahier de madame Martin. C'est peut-être le temps de le donner à son fils? Elle doit en parler de l'autopsie, puisqu'elle en avait si peur... (Angoissée.) Est-ce ça qu'il faut faire, Madame Martin? Est-ce ça?

La salle à manger où le repas est terminé. Les uns fument déjà. La discussion est très animée.

CÉLINE, *véhémente.* Une autopsie. Mais c'est dégoûtant, affreux! Gabriel, tu ne protestes même pas.

GABRIEL. C'est que je ne suis pas de ton avis.

SIMONE. On devrait laisser les morts dormir en paix.

LAURENT. Ne te mêle pas de cela, Simone! Tu n'es nullement concernée.

BEAUJEU. Comment peux-tu nous demander une chose pareille quand maman elle-même s'est opposée à l'autopsie.

CÉLINE. Parfaitement. Et à cause de cela je ne donnerai jamais mon consentement. Jamais. Je le répète. Jamais.

MICHEL. Mais vous ne m'avez même pas laissé vous expliquer jusqu'au bout les raisons du Dr Rondeau. Écoutez-moi.

Ils parlent tous plus ou moins ensemble. Le maître d'hôtel s'est approché de Jérémie pour lui parler à voix basse.

JÉRÉMIE, *élevant la voix.* Un instant, s'il vous plaît, un instant. On ne s'entend plus. Voulez-vous prendre le café ici ou dans la bibliothèque?

MICHEL, *agacé.* Oh! qu'est-ce que ça peut faire, je vous le demande.

BEAUJEU, *se levant.* Si nous le prenions dans le petit salon blanc comme autrefois, quand maman vivait?

CÉLINE. Oui, oui! Oh! que j'aimerais ça!

JÉRÉMIE. Je regrette mais il est fermé depuis la mort de votre mère, le petit salon.

BEAUJEU. Il n'y a qu'à l'ouvrir. Puisqu'il s'agit de maman il me semble que c'est dans cette pièce qu'elle aimait particulièrement, et où elle se tenait toujours, que nous aurions le plus de chance de nous entendre.

JÉRÉMIE, *irrité.* T'es donc compliqué, Beaujeu. Ça doit être tout en désordre là-dedans. Une autre fois, une autre fois. *(Au maître d'hôtel.)* Dans la bibliothèque. *(Il se lève.)* Venez...

Il s'éloigne rapidement. Les autres se lèvent échangeant des regards qui en disent long sur l'autorité paternelle.

CÉLINE. Le jour où il pensera aux autres, celui-là!...

GABRIEL. Viens...

Beaujeu recule la chaise de sa femme.

BEAUJEU, *vivement en aparté.* Tu vois bien qu'il l'aimait.

GENEVIÈVE. Qu'il l'aimait?...

BEAUJEU. Au point de ne même pas vouloir partager son souvenir avec nous. Tu viens d'en avoir la preuve.

LAURENT, *s'approchant.* Hein, pensez-vous! Pauvre maman, s'est-il assez dépêché de la sortir de sa vie? Il agit vraiment comme quelqu'un qui se venge.

Geneviève et Beaujeu se regardent.

GENEVIÈVE. Et si c'était lui qui avait raison?

LAURENT, *étonné.* En doutez-vous? Ça crève pourtant les yeux! La hâte avec laquelle il a détruit tout ce qui vient d'elle. L'insistance qu'il met à tenir fermées les deux pièces où elle se tenait le plus souvent... Qu'est-ce qu'il vous faut de plus? *(Il hausse les épaules et s'éloigne.)*

GENEVIÈVE, *désemparée.* Que faut-il croire?

BEAUJEU. Je ne sais plus. Je ne sais plus.

Geneviève se met à rire et l'entraîne affectueusement en le prenant par le bras.

Martine ferme la porte de sa chambre, se dirige vers l'escalier de service et se trouve face à face avec René et Carmelle qui s'embrassent. Cette scène étonne et trouble Martine qui étouffe une exclamation. Carmelle et René se dégagent aussitôt.

187

RENÉ, *moqueur*. Ben quoi, t'as déjà vu ça dans ta vie, non? *(Il dégringole l'escalier rapidement.)*
    Carmelle le suit des yeux avec émerveillement.
CARMELLE, *riant*. Il est extraordinaire, tu trouves pas? *(Avec transport.)* Et tu sais pas quoi? Il m'aime! Il m'aime, Martine! Il m'aime!
MARTINE, *émue*. Et toi, Carmelle, tu l'aimes aussi?
CARMELLE, *avec ravissement*. Oh! moi... Moi. Je me reconnais plus!
    René reparaît.
RENÉ. Hé! mon pigeon, la vaisselle!
    Carmelle descend le rejoindre à toute allure. Martine troublée demeure immobile.
MARTINE. «Je me reconnais plus...» *(Elle rêve un moment, une lueur vive dans les yeux, perplexe, étonnée.)* C'est ça l'amour? Plus se reconnaître? *(Elle sourit à demi, le regard perdu mais se ressaisit aussitôt.)* C'est bien le moment de penser à l'amour!

    La bibliothèque. On y retrouve les Martin prenant le café.
MICHEL. Pour résumer la question, nous sommes en face de deux devoirs. Celui de respecter la volonté d'une mourante, et celui d'aider la science en autorisant une autopsie qui permettra peut-être de découvrir un fait nouveau sur le cancer. Il s'agit de savoir auquel de ces deux devoirs il faut donner la priorité.
GABRIEL. Il s'agit donc, autant que possible, d'envisager le problème sans émotivité.
CÉLINE. Autrement dit, tu es pour l'autopsie.
GABRIEL. Mon opinion n'est pas en cause. Je préfère même, si vous le permettez, me retirer de la discussion.
JÉRÉMIE. Je m'en mêle pas moi non plus. J'ai promis à Michel de respecter l'avis de la majorité. Décidez ça ensemble. *(Il s'éloigne avec Gabriel.)*
LAURENT. Par exemple!... *(À Michel.)* Comment as-tu pu obtenir ça?
SIMONE. Personnellement, s'il s'agissait de ma mère...
LAURENT. Il ne s'agit pas de ta mère. Alors fais comme Gabriel, tais-toi.
SIMONE. Laurent, si...
GENEVIÈVE, *interrompant Simone*. Merci de l'avertissement. Moi qui allais donner mon avis. Venez Simone, nous en discuterons entre nous.

LAURENT, *à Beaujeu.* C'est facile d'être un mari parfait avec une femme comme la tienne.

MICHEL. Si nous revenions à notre sujet s'il vous plaît.

LAURENT. Moi, mon opinion est faite. Je suis pour le progrès, c'est dire que je vote pour l'autopsie.

MICHEL. Ah! oui?

LAURENT, *lui donnant une tape condescendante.* Tu diras que je n'ai pas l'esprit scientifique!

CÉLINE. Je me moque bien de votre esprit scientifique. Je refuse. Pauvre maman...

MICHEL, *impatient.* Il ne s'agit plus de maman, Céline, mais d'un cadavre, rien de plus qu'un cadavre.

CÉLINE, *indignée.* Tu l'entends Beaujeu?

> *Beaujeu la prend par le cou.*

LAURENT, *s'éloignant.* Vous n'avez plus besoin de moi, n'est-ce pas?

BEAUJEU, *à Céline.* Calme-toi, Michel a raison. Maman est morte, qu'importe son corps? Son esprit seul doit continuer à compter pour nous. *(À Michel.)* C'est d'ailleurs ce qui me fait hésiter. Car c'est en pleine possession de son esprit, de toutes ses facultés mentales que maman a tant insisté pour qu'il n'y ait pas d'autopsie. Exactement comme si elle avait deviné que la question pourrait un jour être soulevée.

MICHEL. Appréhension! Crainte, peur, rien de plus!

CÉLINE, *avec un frisson de répugnance.* Peux-tu la blâmer? Je frémis à la seule pensée que cela pourrait m'arriver, à moi.

MICHEL, *à Beaujeu.* Voilà. Ne cherche pas d'autre explication.

BEAUJEU. Permets-moi d'en douter. Maman était si remarquablement équilibrée, si raisonnablement intelligente que j'hésite à ne pas tenir compte autant de son insistance que de notre promesse.

> *Martine, debout derrière la tenture, le visage empreint d'espoir, écoute les paroles de Beaujeu.*

MICHEL. Mais tu es aussi sentimental que Céline à ta manière!

CÉLINE, *véhémente.* Il ne manquerait plus qu'il trahisse maman! Beaujeu le bien-aimé! Lui qu'elle a choyé plus qu'aucun de nous.

BEAUJEU, *protestant.* Céline...

MICHEL, *à Beaujeu.* Crois-tu vraiment que maman elle-même aurait hésité une seconde si elle avait su que cette autopsie pouvait aider d'autres malades?

BEAUJEU, *frappé.* C'est juste.

MICHEL. Elle qui ne pensait qu'aux autres.

BEAUJEU. Tu as raison. Elle aurait été la première à l'exiger!

CÉLINE, *furieuse.* Beaujeu, vas-tu te laisser influencer?

MICHEL. Oh! toi quand tu te butes sur une idée!... D'ailleurs, peu importe ton consentement, du moment que j'ai celui de Laurent et de Beaujeu. Nous sommes trois contre un. Ça suffit.

CÉLINE. Pardon. Beaujeu n'a pas encore dit qu'il acceptait.

MICHEL, *se tournant vers son frère.* Beaujeu?

BEAUJEU. Ma foi, ton dernier argument m'a ébranlé.

MICHEL. Donc, c'est oui?

Martine entre précipitamment dans le salon.

MARTINE, *haletante.* Monsieur Beaujeu Martin est demandé au téléphone...

MICHEL, *lui souriant.* Bonsoir Martine.

BEAUJEU, *étonné.* Moi?... Vous êtes sûre qu'il s'agit de...

Martine s'agite en voyant monsieur Martin foncer sur elle de l'autre bout de la pièce.

MARTINE, *pressante.* Oui, oui, vous! Venez, venez... Dans le vestiaire.

Elle s'éloigne rapidement.

JÉRÉMIE, *à Beaujeu.* Qu'est-ce qui se passe?

BEAUJEU. Mais rien! Je suis demandé au téléphone. *(À Michel.)* Excuse-moi, je reviens tout de suite.

Le vestiaire. Martine entre, referme la porte et attend, l'air inquiet. Beaujeu arrive presque tout de suite. Il regarde Martine avec étonnement, surpris de la trouver là.

MARTINE, *nerveuse.* Fermez la porte...

Beaujeu ferme la porte en jetant un coup d'œil sur le téléphone.

MARTINE, *brusquement.* Il fallait que je vous parle. *(Pressante.)* Monsieur Martin, ne donnez pas votre réponse ce soir.

BEAUJEU. Ma réponse?

MARTINE. Au sujet de l'autopsie.

BEAUJEU, *riant.* Ainsi mon père a raison? Vous écoutez aux portes?

Martine à qui il avait fallu une forte dose de courage pour faire cette démarche est si désemparée par cette question qui la place sur un plan d'infériorité qu'elle sent fondre son audace. Elle recule et secoue vivement la tête.

MARTINE. Non!... Je veux dire oui, mais... *(Éperdue.)* Mais si je l'avais pas fait vous seriez pas ici! Et puis ça a pas d'importance! Enfin, pas tout de suite. Pas ce soir! *(Désespérée.)* Oh! je pourrai plus rien vous dire maintenant!

Elle veut fuir, il la retient.

BEAUJEU, *pressé de la rassurer.* Voyons, voyons, calmez-vous... *(Doucement.)* Qu'y a-t-il Martine? Je vous assure que vous pouvez me faire confiance. Ce que vous me direz sera rigoureusement confidentiel. Pourquoi ne dois-je pas donner de réponse au sujet de l'autopsie...

MARTINE, *luttant pour se ressaisir.* Parce que... Parce que le matin même de sa mort... madame Martin...

BEAUJEU. Continuez.

MARTINE. Elle m'a fait demander dans sa chambre...

Elle s'interrompt trop émue pour parler.

BEAUJEU. Pour vous dire à vous aussi qu'il ne devait pas y avoir d'autopsie?

MARTINE. Non!... Pour... pour me donner... je veux dire pour me... pour me confier...

BEAUJEU. Vous confier quoi?...

MARTINE, *vivement.* Un cahier dans lequel elle écrivait tous les jours... Son journal, je crois...

BEAUJEU, *ému.* Son journal?... Martine, ce que vous dites est-il vrai? *(Désemparé.)* Je ne sais plus à quoi m'en tenir à votre sujet. Vous avez le regard le plus droit qui soit, mais par ailleurs certains de vos actes sont si déroutants. Ce cahier existe-t-il vraiment?

MARTINE, *pressante.* Oui, oui, vous l'aurez ce soir même. C'est pour ça que je suis allée vous chercher. Je voulais... je voulais vous demander de ne pas prendre de décision avant d'avoir lu ce cahier...

BEAUJEU, *étonné.* Vous savez donc ce qu'il contient? Vous l'avez lu?

MARTINE. Non, non, non! Je le jure. Vous en aurez la preuve d'ailleurs, il faut une clé pour ouvrir le cahier. Vous serez forcé de détruire la serrure pour le lire parce qu'on n'a pas retrouvé la clé...

BEAUJEU, *intrigué.* Qui «on»...

MARTINE, *bafouillant.* Moi!... moi, oui!

BEAUJEU, *après un temps sans cesser de la regarder.* Je n'y comprends rien. Où est ce cahier?

MARTINE. Dans ma chambre... Je vais le chercher...

BEAUJEU, *l'arrêtant.* Attendez! Tout ça est bien vrai, n'est-ce pas? Ma mère m'a bien mentionné, moi, particulièrement...

MARTINE, *les yeux fermés revoyant la scène.* «Pour mon fils Beaujeu... À personne d'autre qu'à mon fils Beaujeu»...

BEAUJEU. Et malgré tout vous avez gardé ce cahier depuis plus de deux mois? Pourquoi?

MARTINE. Je le sais pas. Je vous jure que je le sais pas. *(Reculant, effrayée.)* Mais c'est pas un délit! Vous me l'avez dit vous-même!

BEAUJEU, *cherchant à comprendre.* Un délit?

MARTINE, *véhémente.* Oui, oui, vous me l'avez dit quand je suis allée vous voir au Palais de Justice. Il était question de la lettre à ce moment-là, mais ça revient au même, non?

BEAUJEU. Mais je me moque bien de la loi pour l'instant. Je pense à ma mère qui, sur le point de mourir, vous a choisie, vous, parmi toutes les personnes de la maison, vous particulièrement, vous donnant ainsi la plus grande preuve de confiance qu'on puisse accorder à un être humain... et je ne comprends pas!... Pourquoi avoir gardé ce cahier?... Dans quel but?

MARTINE, *les larmes aux yeux.* J'avais pas de but! Je voulais vous le remettre... Et puis je l'ai pas fait... Je sais pas exactement pourquoi... Est-ce qu'on sait toujours pourquoi on fait les choses? Vous, est-ce que vous le savez chaque fois?

BEAUJEU, *désarmé.* Non... non, je ne le sais pas toujours... Vous avez raison, je serais la dernière personne à pouvoir juger qui que ce soit...

La porte s'ouvre et Laurent paraît.

LAURENT, *saisi.* Oh...

Il a un sourire équivoque prouvant qu'il a tout de suite compris la situation.

LAURENT. Mon vieux, excuse-moi.

BEAUJEU, *protestant.* Veux-tu bien!...

LAURENT, *un doigt sur la bouche.* Motus! Discrétion garantie. *(Petit rire.)* Peuh! le parfait mari.

Il referme la porte. Beaujeu renonce à se fâcher et se met à rire.

BEAUJEU. L'imbécile...

MARTINE, *irritée.* Qu'est-ce qu'il voulait dire?

BEAUJEU. Aucune importance! Allez chercher le cahier, Martine, pour l'instant c'est tout ce qui compte.

MARTINE, *s'agitant.* Je ne vous le remettrai certainement pas devant témoin. Votre mère avait dit: «pas devant les autres».
BEAUJEU. Ah?... *(Pensif.)* Attendez, j'ai une idée...
Il va ouvrir une des portes des armoires et désigne son manteau.
BEAUJEU. Voici mon manteau... Vous n'aurez qu'à déposer le cahier dans ma poche pendant que nous serons tous dans la bibliothèque?
MARTINE, *examinant le manteau.* Pourvu que je le reconnaisse. Tous vos manteaux se ressemblent tellement.
BEAUJEU, *amusé.* Hé! oui, c'est l'idéal bourgeois. Mais regardez... nous nous distinguons quand même par nos initiales brodées à l'intérieur.
MARTINE. Bon. Vous ne prendrez pas de décision avant d'avoir lu le cahier, n'est-ce pas? C'est juré?
BEAUJEU. Juré craché!
Martine sursaute.
BEAUJEU, *riant.* Quoi, on disait ça quand on était petit, non?
MARTINE, *riant.* Moi oui! Mais vous?...
BEAUJEU. Moi aussi! *(Il redevient sérieux.)* Une dernière chose... Est-ce cette fameuse question d'autopsie qui vous a décidée à me rendre le journal de maman?
MARTINE, *troublée.* Ouuui...
BEAUJEU. Pourquoi?
MARTINE. Je... je me suis dit... j'ai pensé qu'elle expliquait peut-être dans ce cahier pourquoi elle s'opposait à l'autopsie et qu'ainsi sa volonté serait respectée.
BEAUJEU, *ému.* C'est pour que sa volonté soit respectée que vous...? Et moi qui vous faisais des reproches! Je devrais vous remercier...
Martine qui n'a pensé qu'à sa mère et à son oncle proteste aussitôt.
MARTINE. Mais non! Mais non! Qui vous demande des remerciements?
Elle s'éloigne vers la porte et se tourne vers lui.
MARTINE. Sachez que je mérite rien et que ça m'est bien égal!
Il fait vivement un pas vers elle, pour protester mais elle a déjà fermé la porte.
BEAUJEU, *interdit.* Quelle drôle de fille.
La porte s'ouvre et la tête de Martine paraît.
MARTINE, *avec défi.* En plus, c'est parfaitement vrai que j'écoute aux portes! Et je le ferai encore!
La porte se referme. Beaujeu se met à rire.

Dans la bibliothèque, Michel s'impatiente.

MICHEL, *impatient.* Mais que fait-il donc? Va-t-il nous faire attendre toute la soirée?

JÉRÉMIE. Bah, on est bien tous ensemble. Pas vrai, ma belle Céline?

CÉLINE, *sans entrain.* Vous trouvez?

JÉRÉMIE. Puis, qu'est-ce que tu penses de ma proposition, Gabriel? Est-ce que ça te déplairait de venir habiter ici? Avoue que ce serait une bonne solution aussi bien pour vous autres que pour moi. Je dis pas si je vous demandais d'abandonner un château, mais c'est grand comme ma main chez vous.

GABRIEL. Oui, pour recevoir, c'est très ennuyeux.

JÉRÉMIE. Et toi dans ta situation, tu es souvent forcé de...

CÉLINE, *vivement.* Oh! nous recevons à l'hôtel.

JÉRÉMIE, *avec un bon rire jovial.* Alors à plus forte raison. Venez donc ici ça vous coûtera rien.

GABRIEL, *riant.* Merci... À vrai dire, je songe depuis longtemps à acheter une grande maison dans la montagne, mais... Mais Céline manifeste si peu d'enthousiasme...

CÉLINE. Ici, là, ailleurs...

JÉRÉMIE. De toute façon, vous trouverez jamais une maison plus grande que celle-ci. Et craignez pas que je vous dérange tout le temps! Moi, c'est à l'heure des repas surtout que j'aimerais retrouver quelqu'un... En dehors de ça, chacun sa vie. Vous faites ce que vous voulez, et moi aussi.

GABRIEL. C'est très aimable de votre part de nous inviter monsieur Martin. Je crois que...

CÉLINE, *l'interrompant fébrile.* Ce serait ridicule, papa. Vous savez très bien que nous ne pourrions jamais nous entendre.

JÉRÉMIE, *sentencieux et catégorique.* Ma fille, y a rien de parfait, c'est entendu, mais pense pas rien qu'à toi. Ton mari aurait tout avantage à vivre avec moi. Je l'ai déjà aidé dans le passé, je peux encore lui être utile. Pas vrai, Gabriel?...

GABRIEL, *gêné.* Il est évident que... Un homme comme vous...

JÉRÉMIE, *paternel.* Parlons-en plus pour ce soir, mais pensez-y bien avant de refuser. Tiens, Beaujeu, qui revient. *(Il s'éloigne.)*

GABRIEL, *à Céline, baissant la voix.* Si ça ne s'appelle pas du chantage!...

CÉLINE, *vivement.* Je ne veux pas, Gabriel, tu m'entends, je ne veux pas revenir vivre ici!

GABRIEL, *conciliant.* Chut. Nous en reparlerons. *(Il la prend par les épaules.)* Veux-tu me faire confiance? pour une fois, Céline?

CÉLINE. Pas quand il s'agit de papa. Tu lui dois trop.

Gabriel la regarde froidement, laisse tomber son bras et s'éloigne rapidement pour aller rejoindre les autres. Visage meurtri de Céline qui le suit des yeux. Beaujeu revient.

GABRIEL. Eh! bien, Beaujeu, tu en fais des téléphones!

MICHEL. C'est à croire que le sort de ta vie était en jeu!

LAURENT, *narquois.* Il l'était peut-être.

GENEVIÈVE. Sans doute, une jolie cliente?

LAURENT, *tapant dans le dos de son frère avec un éclat de rire plein de sous-entendus.* Sacré Beaujeu!

BEAUJEU, *agacé.* Idiot!

MICHEL, *impatient.* Si nous revenions à notre sujet?

SIMONE. Comment, ce n'est pas encore réglé?

MICHEL. J'ai déjà l'adhésion de Laurent, je croyais avoir aussi celle de Beaujeu, mais... *(À Beaujeu.)* Céline prétend que tu n'as donné la tienne qu'à demi...

Céline se rapproche.

BEAUJEU, *sérieux.* Elle a raison. Je demande à réfléchir.

CÉLINE. Tu vois. Tu vois!

MICHEL. Ah! non, nous n'allons pas reprendre toute la discussion.

BEAUJEU. Je ne demande qu'un délai. Il s'agit d'une promesse que nous avons faite à maman, et cela me paraît suffisamment important pour que j'y réfléchisse.

MICHEL, *excédé.* Mais je pars après-demain.

BEAUJEU. Accorde-moi une journée.

JÉRÉMIE, *à Michel.* D'ailleurs la chose peut se faire sans toi. J'appellerai Rondeau moi-même, au besoin.

MICHEL, *mécontent.* Ajoutez donc plutôt votre consentement à celui de Laurent et nous serons trois contre Céline et Beaujeu.

JÉRÉMIE. Ça doit se passer entre vous! Je t'ai dit que j'accepterais si tu avais la majorité, pas autrement. Parle-moi plus de ça.

Il s'éloigne, Laurent le suit.

BEAUJEU. Michel, je t'assure que je n'agis pas par caprice.

MICHEL. Je sais, je sais, par sentimentalité! Ça ne vaut pas mieux. Oh! que j'ai hâte de me retrouver parmi des gens sensés, capables de discuter rationnellement.

CÉLINE, *irritée*. Eh bien, retourne donc à tes laboratoires puisqu'il n'y a que ça qui t'intéresse.

Elle s'éloigne.

MICHEL, *haussant les épaules*. Et voilà! Je n'attendais rien de cette réunion, elle n'a rien donné, je ne devrais même pas être déçu. Et pourtant je le suis... *(Avec reproche.)* Et c'est ton opposition qui me déçoit surtout, pourquoi te le cacher? Je m'étais dit: Il y aura au moins Beaujeu qui comprendra...

Beaujeu hésite comme s'il allait dire quelque chose mais il se ravise aussi vite.

MICHEL. Tant pis! Tant pis pour ceux que cette autopsie aurait peut-être sauvés de la mort.

BEAUJEU. Seras-tu ici demain après-midi?

MICHEL. C'est tout ce que cette réflexion t'inspire?

BEAUJEU, *agacé*. Et qui te dit que ma réponse n'a pas un rapport direct avec ta réflexion? Pour un savant, tu sautes bien vite aux conclusions.

MICHEL. Tu as raison, excuse-moi, j'ai perdu l'habitude des réunions de famille et tout ce bla-bla-bla m'a crispé. Oui je serai ici demain après-midi. Viens me donner ta réponse.

Il va s'éloigner mais se retourne une dernière fois.

MICHEL. Quand même, tu me déçois, Beaujeu! Intellectuellement aussi bien que fraternellement, tu me déçois.

Martine traverse le hall le plus discrètement possible. Elle ouvre la porte du vestiaire qu'elle referme aussitôt et cherche fébrilement le manteau de Beaujeu, lorsque la porte du vestiaire s'ouvre. Beaujeu entre.

BEAUJEU. Chut!

Il referme la porte et tourne la clé dans la serrure.

BEAUJEU. Là, nous aurons la paix... Je vous ai vue passer...

Martine lui tend le cahier.

BEAUJEU. Merci. Je ne pensais qu'à cela.

Il le prend comme une chose très précieuse.

MARTINE. Vous voyez, il est impossible de l'ouvrir sans l'abîmer.

BEAUJEU. Quel dommage...

MARTINE. Oui.

Exclamation de Beaujeu.

MARTINE. Quoi?

Beaujeu détache vivement son col.

196

BEAUJEU. La clé! Je suis sûr que je l'ai. Que je la porte sur moi sans le savoir... Dans le médaillon de maman...

MARTINE. Vous croyez qu'il y aurait de la place pour...

BEAUJEU, *fébrile.* Mais oui, elle doit être toute petite, regardez la serrure.

Il enlève le médaillon de son cou et essaie de l'ouvrir.

MARTINE. Vous ne l'avez donc jamais ouvert?

BEAUJEU. Plusieurs fois... Il y a une boucle de cheveux protégée par une vitre... Regardez. Cette vitre... elle s'ouvre peut-être?... *(Triomphant.)* Parfaitement. Et la clé est là cachée par la boucle de cheveux! Elle était là Martine. Je la portais sur moi!

Il lui tend le médaillon et essaie la clé sur la serrure du journal. La clé tourne parfaitement.

BEAUJEU. Vous voyez bien!

MARTINE, *ravie.* C'est merveilleux!

BEAUJEU. Maman a évidemment pensé que je ferais le rapprochement.

MARTINE, *elle lui tend le médaillon.* Il y a une inscription gravée au fond du médaillon. Vous avez vu? Là où était la clé?...

BEAUJEU. Non?

Il regarde et cherche à lire.

BEAUJEU, *déçu.* Les lettres sont trop fines, vos yeux sont-ils meilleurs?

MARTINE, *prenant le médaillon après une légère pause. Perplexe. Lentement.* «Qui suis-je?»

BEAUJEU, *surpris.* «Qui suis-je?» Vous êtes sûre?... *(Intrigué.)* Qui suis-je? Qu'est-ce que ça veut dire?

MARTINE. Peut-être en parle-t-elle dans son journal?

BEAUJEU, *impressionné.* Qui suis-je?... N'est-ce pas étrange... Vous comprenez?

MARTINE. La clé aurait-elle un rapport avec le «Qui suis-je?»...

BEAUJEU. La clé de l'énigme! Alors la réponse pourrait être dans le journal de maman? Comme c'est étrange... Mais vite! Cachons tout ça avant que quelqu'un arrive!

Il remet la clé dans le médaillon et le referme.

BEAUJEU. Martine, ce sera notre secret, n'est-ce pas?

Il y a une supplication anxieuse dans sa voix.

MARTINE, *avec élan.* Je vous le jure!

BEAUJEU, *doucement.* Merci!

Il glisse le journal dans sa poche.

BEAUJEU. Dites-moi... Ma mère vous a-t-elle confié le cahier et le médaillon le même jour?

MARTINE. Oui, le jour même de sa mort...

BEAUJEU. Ainsi, deux fois, vous avez été mêlée à ma vie en des circonstances où ma mère était en cause. Croyez-vous que ce soit un hasard?

MARTINE, *perplexe.* Je sais pas... Vous?

BEAUJEU. Moi non plus, Martine, moi non plus! Je ne sais pas grand-chose, vous voyez...

Il l'entraîne vers la porte.

MARTINE. Il vaudrait peut-être mieux ne pas sortir d'ici ensemble?

BEAUJEU. Oui, oui, vous avez raison! Je suis tellement heureux que je n'y pensais pas! Merci encore Martine, et à bientôt.

Il sort et referme la porte.

MARTINE, *joyeuse.* C'est ça que vous vouliez madame Martin? Oui! Autrement, je me sentirais pas si libérée! Oui, j'ai fait ce que j'avais à faire. La seule chose que je comprends pas, c'est votre question: «Qui suis-je?» *(Grande perplexité.)* Qu'est-ce que ça peut bien vouloir dire?...

14

Qui suis-je?

La bibliothèque. Michel dicte une lettre à Martine. Papiers, enveloppes, timbres, etc.

MICHEL. ...et que je vous remercie très sincèrement. Je demeure votre obligé, Michel Martin...

MARTINE, *écrivant au fur et à mesure.* C'est tout?...

MICHEL. C'est tout! Et c'est la dernière lettre! *(Soupir de satisfaction.)* Je peux m'en aller en paix, je suis en règle avec tout le monde.

MARTINE, *avec amertume.* En paix!

MICHEL, *moqueur.* Oh!... quel ton sinistre!

MARTINE. J'ai tant de peine de vous voir partir! Depuis que je suis à Montréal, à part ma mère, vous êtes la seule personne qui m'ait témoigné un peu d'amitié... de... de... considération...

MICHEL. Et Philippe?... mon cousin?

MARTINE. Oui, mais il ne peut pas m'aider! Il est de mon âge!

MICHEL. S'il vous entendait!... Lui qui a au moins cinq ans de plus que vous!

MARTINE. Vous m'avez déjà dit que l'âge réel n'a aucune importance.

MICHEL, *perplexe.* C'est vrai que d'une façon vous avez plus de maturité que lui... Eh! bien, ce sera vous qui l'aiderez. Il a été très malheureux dans son enfance, il l'est encore. Aidez-le à avoir confiance en lui, à aimer la vie... À s'aimer lui-même surtout! Vous dites que j'ai fait quelque chose pour vous...

MARTINE. Vous m'avez rendu le goût de l'étude que j'avais perdu...

MICHEL. Eh! bien, en échange rendez à Philippe le goût de la vie. Quant à vous, continuez à vous instruire...

MARTINE. C'est bien mon intention!

MICHEL. Étudiez, développez votre intelligence, mais... *(Il sourit, moqueur.)* Et prenez bien garde de ne pas vous laisser bourrer le crâne de notions toutes faites, car ce serait encore pire que l'ignorance!

MARTINE. Que voulez-vous dire?

MICHEL. Qu'il vaut mieux vivre dans le doute perpétuel, et même dans l'erreur, que de se contenter des réponses trouvées par les autres. Que votre vie soit une recherche inlassable de la vérité dans quelque domaine que ce soit, et que le reste soit pour vous sans importance! C'est la grâce que je vous souhaite. Amen! *Il a dit les derniers mots avec un sourire qui se moque de lui-même en faisant un petit salut plein d'onction.*

MARTINE, *même jeu. Joignant les mains avec ferveur.* Je garde tout cela inscrit dans mon cœur.

MICHEL, *riant, lui frappant le front de son poing.* Dans votre cerveau, malheureuse! Dans votre cerveau! Le cœur oublie trop vite.

Éclat de rire et applaudissements de Philippe qui est entré vers la fin de la tirade de Michel.

PHILIPPE. Bravo, Polonius!

MICHEL, *riant.* Insolent!

MARTINE. Ne l'insultez pas, vous avez encore besoin de lui aujourd'hui.

MICHEL. Ah! zut oui! As-tu pu te libérer?

PHILIPPE. Ma journée est à ta disposition. Par quoi commençons-nous?

MICHEL, *cherchant.* J'ai toute une liste... *(Martine lui tend un calepin ouvert.)*

MARTINE. Voilà... Je vous rappelle que votre frère doit venir cet après-midi à quatre heures.

MICHEL, *à Philippe.* Beaujeu!... Il doit m'apporter sa réponse au sujet de l'autopsie.

PHILIPPE. Je ne m'explique pas son attitude!

MICHEL. Il était prêt à me donner son adhésion, il l'avait presque fait quand brusquement...

PHILIPPE. Tu t'y es mal pris! Il fallait leur dire que le Dr Rondeau attribuait la mort de ta mère à un crime. Un empoisonnement par exemple...

MARTINE. Quoi!

PHILIPPE. Mais oui, dans ce cas même mon oncle aurait donné son consentement.

MARTINE, *le souffle coupé.* Oh!...

PHILIPPE. Quand il s'agit de remuer un peu de boue, de saleté, tout le monde est prêt à collaborer, mais pour aider la science!...

MICHEL, *haussant les épaules.* J'ai passé l'âge où l'on croit qu'on peut changer le monde! Allons viens, nous perdons du temps...

PHILIPPE, *à Martine*. Venez donc aussi!... (*À Michel.*) Elle pourrait nous aider à choisir la montre...

MICHEL, *vivement*. Philippe!...

PHILIPPE, *le regardant avec insistance*. De maman!... Pour l'anniversaire de maman...

MICHEL, *désemparé*. Ah!...

PHILIPPE, *à Martine*. Voulez-vous?

MARTINE. Oui, mais pas pour donner mon avis! J'aime seulement les montres d'hommes... (*Riant.*) Et je doute que votre mère...

> *Philippe et Michel se regardent interloqués.*

PHILIPPE. Les montres d'hommes?...

MICHEL. Même pour une femme?

MARTINE, *amusée de leur étonnement*. Pourquoi pas?... C'est ridicule de nous forcer à porter ces petits bijoux absurdes où l'on s'arrache les yeux pour voir l'heure. Parlez-moi d'une montre comme celle-là... (*Elle prend le poignet de Philippe.*)

PHILIPPE. Sais-tu qu'elle a raison? Et je parie que maman qui a une mauvaise vue serait très contente de...

MICHEL, *il prend Martine par la main*. Venez! Vous êtes pleine de bon sens, vous nous conseillerez!

MARTINE, *tentée*. Vous voulez vraiment?

PHILIPPE. Vous voyez bien que vous nous êtes indispensable!

MARTINE, *joyeusement*. Je vais m'habiller et je vous retrouve à la porte!

> *Elle s'éloigne.*

MICHEL, *se rapprochant de Philippe*. Attention, toi. C'est une surprise que je veux lui faire!

PHILIPPE. Mais j'ai bien fait d'en parler! Elle n'aurait pas aimé la montre que nous aurions choisie!

MICHEL. C'est juste.

PHILIPPE. D'ailleurs, c'est toi qui as failli nous trahir. Ces savants! Ça croit tout savoir et ça ne sait même pas mentir!

> *La cuisine où Annette entre avec un plateau. Elle a l'air plus lasse que jamais. Maurice qui prend sa casquette sur la table la regarde avec sympathie.*

MAURICE. Ça va pas mieux?... Albert?...

ANNETTE. Non, ça va pas mieux. J'ai même été obligée de faire venir le médecin cette nuit, tellement il m'inquiétait...

MAURICE. Autrement dit, encore une nuit sans sommeil pour vous aussi!

Le téléphone sonne. Maurice qui est à côté décroche.

MAURICE. Allô?... Un instant... C'est pour vous... *(S'excusant.)* Il faut que je parte. Monsieur Martin avait oublié sa serviette et il m'a dit de me dépêcher...

ANNETTE. Allô?...

Son visage marque d'abord l'étonnement puis se décompose peu à peu.

ANNETTE. Je comprends pas?... Qu'est-ce que vous racontez?... *(Après une pause.)* Oui, oui! Oui, oui! Je suis toujours là!... Oui... Non, j'en savais rien... J'y vais tout de suite, j'y vais...

Elle raccroche.

ANNETTE. C'est impossible... C'est impossible! *(Joignant les mains. Les yeux fermés. Bas avec force.)* Non, mon Dieu, non, mon Dieu, c'est impossible!...

Martine entre, l'air joyeux, revêtue de son manteau, enfilant ses gants.

MARTINE. Maman, je sors avec... *(Elle s'interrompt devant le visage défait de sa mère. Balbutiant.)* Qu'est-ce qu'il y a?...

ANNETTE, *immense effort pour se ressaisir.* Rien... Rien.

MARTINE. Mais oui, il y a quelque chose! Mon oncle?... Il est plus mal?...

ANNETTE, *se relevant et secouant la tête.* Rien, je te dis... Enfin rien que je puisse te dire. Seulement, il va falloir que je sorte...

MARTINE, *le cœur serré.* Mon Dieu... Qu'est-ce qui se passe encore?

ANNETTE. Rien... *(Elle ne parvient pas à détacher son tablier. Presque machinalement.)* C'est rien... C'est rien...

Martine passe derrière elle pour l'aider.

MARTINE, *hésitant.* Si nous sortons toutes les deux, mon oncle va se trouver seul...

ANNETTE, *le regard absent.* Bah! tant pis, je suppose, tant pis...

MARTINE, *la prenant dans ses bras.* Maman!... Je vais rester avec lui, vous le savez bien!

ANNETTE. Ah! oui?... Bon!... *(Restant sur place.)* Je vais m'habiller...

MARTINE. Maman, maman!... Je vous ai jamais vue comme ça! Qu'est-ce que vous me cachez?

ANNETTE. Laisse, laisse! C'est... *(Essayant de réagir.)* Il faut que je parte!

Martine la force à s'asseoir.

MARTINE. Restez là, je vais chercher votre manteau. Reposez-vous...

Annette, morne, ne bouge plus. Martine s'éloigne à reculons la surveillant avec anxiété.

La boutique d'Annette. Cécile empile des chapeaux dans des boîtes. Annette assise la regarde, sans manifester aucun instinct de lutte.

CÉCILE. Je pensais que vous étiez au courant, moi! Vous m'aviez toujours laissé entendre que le magasin vous appartenait. Mais vous étiez même pas locataire! Tout était au nom de votre monsieur Martin...

Annette la regarde et dédaigne de répondre.

CÉCILE. Pourquoi est-ce que vous avez pas arrangé vos affaires mieux que ça, pauvre vous, si ça a du bon sens! Les vieux d'habitude... *(Sur un geste d'Annette.)* Enfin!... En tout cas, ça a pas arrêté d'entrer et de sortir depuis quelques jours. Des contracteurs, des ingénieurs, pour prendre des mesures, pour tâter les murs, pour fouiller la comptabilité... Quand je pense que votre monsieur Martin vous a rien raconté!

ANNETTE. Il est jamais venu lui-même?

CÉCILE. Il s'est pas montré, c'est son agent qui est venu... Mais vous qui étiez dans sa maison, vous qui le voyiez tous les jours... *(Le regard froid d'Annette la fait protester.)* Quoi? Bon, bon, je sais bien que ça me regarde pas! N'empêche que si vous aviez été plus fine, plus...

ANNETTE. Vous êtes bien sûre que le nouveau propriétaire veut pas garder le magasin?

CÉCILE. Aïe, non! Les quatre magasins en façade vont y passer.

ANNETTE. Mais avez-vous essayé de le convaincre? Ça rapporte bien les chapeaux, vous le savez... Je pourrais louer à mon nom cette fois...

CÉCILE. Ça sert à rien, il veut faire un seul grand magasin qu'il compte louer à une grosse compagnie d'épicerie à la chaîne... Comme il me paie bien pour m'occuper du déménagement j'ai pas trop trop protesté... *(Coup d'œil désabusé d'Annette.)* Écoutez, madame Julien, je gagne ma vie, moi! *(Avec intention.)* C'est pas toutes les femmes qui ont un protecteur pour...

ANNETTE. Quand veulent-ils commencer à démolir?...

CÉCILE. Le plus vite possible...

203

ANNETTE. Les appartements aussi?

CÉCILE. Non, non, là, vous, abusez pas sur le malheur! Il est obligé de respecter le bail de chaque locataire.

ANNETTE, *d'une voix morne.* Dix ans... Je me donnais encore dix ans pour me retirer des affaires et vivre en paix. Pas richement bien sûr, mais en paix... Vous voyez, c'était un rêve...

René ouvre la porte d'entrée à Beaujeu.

BEAUJEU. Bonjour René. Albert n'est pas mieux?

Il enlève son manteau tout en parlant.

RENÉ. Non, monsieur. Toujours au lit. Et pour quelque temps, je crois!

BEAUJEU, *soucieux.* Y a-t-il longtemps qu'il est malade?

RENÉ. Quelques jours, monsieur.

BEAUJEU. Dites-lui... *(Il se ravise.)* Non! Transmettez-lui simplement mes vœux de guérison.

RENÉ. Bien monsieur.

BEAUJEU. Voulez-vous prévenir mon frère que je l'attends dans la bibliothèque.

RENÉ. Il y est déjà, monsieur.

BEAUJEU. C'est bien. Heu... Mon père est-il rentré?

RENÉ. Non, monsieur, pas encore.

BEAUJEU. Merci!...

Il se dirige vers la bibliothèque où Michel rassemble des papiers, des enveloppes. Jette des notes au panier, etc.

MICHEL. Ah! te voilà, toi! Je te retiens pour la ponctualité! Sais-tu qu'il est cinq heures?

BEAUJEU. Impossible de venir plus tôt! Dieu sait que j'y tenais, car je craignais de trouver papa et comme je n'ai pas du tout envie de le voir en ce moment...

Ils se mettent à rire. Beaujeu va vers le bar et se sert un verre.

BEAUJEU. Content de partir?

MICHEL. Oui, je l'ai assez vu!

BEAUJEU. Pauvre papa...

MICHEL. Tu le trouves à plaindre?

BEAUJEU. D'être si peu généreux, oui! Je pense à ce laboratoire qu'il aurait pu te donner par exemple... Soixante et quinze mille dollars, qu'est-ce que ce serait pour lui!...

MICHEL. Pire que la mort, tu le sais bien! Bah! résignons-nous, les Canadiens ne sont pas une race de mécènes.

BEAUJEU. Bien sûr, s'il était Américain, il y a longtemps qu'il commanditerait un centre de recherches, des bourses d'études...

MICHEL. Une troupe de ballet!...

Ils éclatent de rire.

BEAUJEU. Je te sers un verre?

MICHEL. Merci. Dis-moi plutôt quelle décision tu as prise.

BEAUJEU. Pas tout de suite, veux-tu? Je voudrais d'abord que tu éclaires ma lanterne. Dis-moi... Si tu te posais à toi-même la question: «Qui suis-je?» Quelle serait ta réponse?

MICHEL. Qui suis-je? C'est un jeu?

BEAUJEU. Qu'est-ce qui n'est pas un jeu?

MICHEL. Pour moi, rien n'est un jeu! Surtout pas une question de cet ordre.

BEAUJEU. Ah?... Tu y as déjà réfléchi?

MICHEL. Mais Beaujeu!... Pas toi?

BEAUJEU. Et tu es arrivé à une conclusion?

MICHEL. Qui me satisfait pour l'instant, oui.

BEAUJEU. Laquelle?

MICHEL. Que je suis un descendant de primates, lesquels étaient eux-mêmes des descendants de... Et ainsi de suite en remontant jusqu'à la cellule initiale. Bref je suis un des maillons de la grande chaîne de l'évolution...

BEAUJEU, *perplexe.* Mais... je suppose qu'il peut y avoir d'autres réponses à cette question?

MICHEL. Bien sûr! Toutes les religions du monde en sont la preuve.

BEAUJEU, *toujours perplexe.* Donc tu ne trouves pas étrange que cette question puisse prendre une importance primordiale dans la vie de quelqu'un?...

MICHEL. Beaujeu, te moques-tu de moi?

BEAUJEU, *riant.* Non, tu en profiterais pour me mépriser! Dis-moi plutôt, selon toi, quel sens il faut donner à cette question pour qu'elle devienne une question essentielle?

MICHEL. Mais je viens de te le dire implicitement. Un sens métaphysique, mystique...

BEAUJEU. Mystique?...

MICHEL. Ma parole, on croirait vraiment que tu ne t'es jamais posé la moindre question!

BEAUJEU, *qui ne l'a pas écouté*. Eh! bien plaçons-la sur le plan mystique... Dans ce cas quelle est la réponse?

MICHEL, *s'exclamant*. Ah! non, mon vieux, ce n'est plus mon affaire! Pour le savoir il faudrait se donner tout entier à la recherche de Dieu... Si ça te tente...

BEAUJEU. Ah?...

MICHEL. À moins que tu ne te contentes des réponses trouvées par les grands mystiques en lisant leurs œuvres, comme faisait maman...

BEAUJEU, *interloqué*. Maman?... Qu'en sais-tu?

MICHEL. La bibliothèque est pleine de livres de ce genre. Il y en a sur toutes les grandes religions du monde. Le Coran, les Vedas, le Bouddhisme, la Bible, St-Jean de la Croix, le Talmud, etc. Tu as le choix!

> *Beaujeu s'est dirigé vers la bibliothèque. Michel lui désigne trois ou quatre rayons.*

BEAUJEU, *perplexe*. Maman aurait tout lu ça?

MICHEL. Je le suppose, oui. Elle les a achetés en tout cas! D'ailleurs je vois mal papa plongé dans des lectures aussi abstraites!...

BEAUJEU. Tous ces livres!... Il y en a trop, c'est décourageant!

MICHEL, *étonné*. Mais puisque le sujet t'intéresse!...

BEAUJEU. Je ne suis pas un intellectuel. Lire m'ennuie...

> *Michel le regarde et ne dit rien.*

BEAUJEU, *amusé*. Je te scandalise?

MICHEL, *haussant les épaules*. Oui, pourquoi te le cacher? La lecture a toujours été une de mes passions...

BEAUJEU, *rêveur*. Moi, je n'ai jamais eu qu'une seule passion...

MICHEL. Laquelle?

BEAUJEU, *perplexe*. Vivre! Le seul fait de vivre... Chaque fois que j'en prends conscience, ça me plonge dans un état d'émerveillement... inexplicable!... (*Presque avec étonnement.*) Indescriptible...

MICHEL, *pensif*. Ça commence peut-être comme ça, l'expérience mystique?

BEAUJEU, *s'exclamant*. Mais alors ce serait à la portée de n'importe qui!

MICHEL. Ça l'est! Comme toutes les expériences humaines! (*Riant.*) Mais entre nous, ça doit drôlement déranger la vie d'un homme normal! Et maintenant que j'ai répondu à tes questions, à ton tour. Ta décision?...

206

BEAUJEU. Comme tu es pressé... Il y a eu si peu de moments dans notre vie où nous avons pu nous parler...

MICHEL. Réponse négative, autrement dit?

Beaujeu incline la tête.

MICHEL, *ironique.* Et tu crois que maman en sera plus heureuse, là où elle est maintenant?... En admettant qu'elle soit quelque part?...

BEAUJEU, *avec fermeté.* Oui.

MICHEL. Et si elle n'était nulle part? S'il ne restait rien d'elle, même pas une pensée?

BEAUJEU. Alors ça n'aurait plus d'importance. Du moins pour elle!

MICHEL. Beaujeu, ne fais pas l'enfant! Si même après la mort, il faut encore se tourmenter au sujet de son corps, eh! bien... *(Riant.)* Eh! bien ça ne vaut vraiment pas la peine de mourir!

BEAUJEU. Tu avais quinze ans quand tu es parti Michel. Honnêtement, qu'est-ce que tu sais de maman? Crois-tu vraiment que ses courts voyages à Paris pour te retrouver puissent t'autoriser aujourd'hui à la juger et à décider que seule la peur ait pu la pousser à refuser l'autopsie?

MICHEL, *haussant les épaules.* Que veux-tu que ce soit?

BEAUJEU, *se détournant.* Je suis ennuyé de te décevoir puisque tu tenais à cette autopsie, mais...

MICHEL. J'y tenais pour Rondeau. C'est toute ma vie la recherche, il ne manquerait plus que je me désintéresse de celle des autres!

BEAUJEU, *s'éloignant de quelques pas.* Me croiras-tu au moins, si je t'assure que mon refus n'est pas dicté, comme celui de Céline, par la simple sentimentalité?

MICHEL, *le regardant.* Par quoi alors? Certainement pas par la raison!

BEAUJEU. Pourquoi pas la raison?

MICHEL, *avec un sourire.* Parce que la raison n'a jamais dicté aucun de tes actes, reconnais-le.

BEAUJEU, *amusé.* En général c'est vrai, mais il ne faudrait pas non plus exagérer.

Michel qui ne l'écoute pas enchaîne, perplexe.

MICHEL, *le regardant.* Ce qui est bizarre, c'est que malgré ça... ou à cause de ça?... tu fais presque toujours exactement la seule chose qui soit bonne à faire, comme si tu savais spontanément ce que moi, par exemple, je ne parviens à trouver qu'après de longs raisonnements. Avoue que c'est vexant! Vexant pour les autres...

BEAUJEU, *vivement.* Mais c'est tout aussi vexant pour moi à certains moments, de n'être même pas capable d'expliquer ce qui m'a poussé à faire telle ou telle chose!

Martine paraît tenant une pile de feuilles.

MARTINE. Excusez-moi! *(À Michel.)* Je vous croyais seul.

BEAUJEU, *vivement.* Restez, restez, Martine!

MICHEL. Encore des papiers? Ma serviette en est déjà bourrée!

MARTINE. Les textes de vos conférences... Vous m'aviez dit qu'ils pourraient vous être utiles.

MICHEL. Bon! Mais aurais-je de la place?...

Martine vient l'aider à les placer dans la serviette.

MICHEL, *à Beaujeu.* Tu ne peux t'imaginer les services qu'elle m'a rendus pendant mon séjour. Sans elle et Philippe, je ne sais ce que j'aurais fait!

MARTINE. Bah!...

MICHEL. Si, si! Nous allons d'ailleurs fêter ça ensemble ce soir même.

MARTINE. Ah?...

MICHEL. Je vous emmène dîner Philippe et vous.

MARTINE. Si maman...

MICHEL. Votre mère ne peut pas me refuser cela, la veille de mon départ!

MARTINE. Je voulais dire, si elle revient à temps!

MICHEL. Elle n'est pas rentrée?...

MARTINE, *inquiète.* Non...

Elle se tourne vers Beaujeu comme si elle attendait de lui un réconfort.

MARTINE. Elle est partie depuis dix heures, ce matin!

MICHEL. Sans dire où elle allait?

MARTINE. Sans rien me dire. Elle avait l'air si... si tourmentée!

BEAUJEU, *troublé.* Tourmentée? Mais voyons, elle a pu être retenue quelque part...

MARTINE, *avec intention.* Vous ne savez pas où elle a pu aller?

BEAUJEU. Pauvre Martine, comment le saurais-je?

MARTINE, *s'éloignant.* Oui, oui, excusez-moi...

MICHEL, *la suivant.* Martine, ne vous alarmez pas...

Mais Martine est déjà sortie.

MICHEL, *revenant à Beaujeu.* Saurais-tu quelque chose?...

BEAUJEU. Comment veux-tu?...

MICHEL. Elle semblait croire?... Pourvu que rien de grave ne soit arrivé à sa mère! Comment pourrais-je partir en paix, la sachant malheureuse?

BEAUJEU, *perplexe.* Elle compte donc tellement pour toi?

MICHEL. J'ai beaucoup d'amitié pour elle. C'est la seule personne que je quitte à regret. À regret et non sans inquiétude au sujet de son avenir!

BEAUJEU. Elle a sa mère...

MICHEL. Oui, mais sa mère n'a pas d'argent et Martine tient tellement à poursuivre ses études.

BEAUJEU, *spontanément.* Veux-tu que je m'en charge?

MICHEL. Toi?

BEAUJEU. Que je me charge de ses études?...

MICHEL, *avec espoir.* Ah! oui?... Il est vrai que financièrement, pour toi, ça ne serait pas un problème...

BEAUJEU. Pars en paix. Va reprendre tes recherches et oublie Martine.

MICHEL. Pourquoi l'oublier? *(De nouveau préoccupé.)* Écoute... si tu dois l'aider... Agis avec le plus de discrétion possible, car si elle ou sa mère avait l'impression que tu le fais par charité... *(Cherchant.)* Voyons, comment pourrais-tu t'y prendre, laisse-moi réfléchir...

BEAUJEU, *avec un sourire désarmant de grâce.* Pourquoi réfléchir, puisque je les aime toutes les deux...

MICHEL, *désarmé.* Tu as de ces réponses!

Beaujeu qui est près de la fenêtre l'interrompt en sursautant.

BEAUJEU. Merde! papa...

MICHEL, *regardant dehors.* Il arrive en effet!

BEAUJEU. Ai-je assez bien fait de ne pas laisser mon auto devant la porte! Adieu!... Je me sauve par en arrière car je n'ai nullement envie de lui parler. Bon voyage, mon vieux!

Ils échangent une poignée de mains rapide.

MICHEL. Adieu Beaujeu...

Dans la cuisine, Martine court vers le téléphone qui sonne.

MARTINE. Allô?... Ouf! c'est vous! Je commençais à m'affoler. Qu'est-ce que vous avez fait? Où êtes-vous?... À la gare! Mais où allez-vous... *(Étonnée.)* Non, non, j'en parlerai à personne, mais je vois pas?... *(Vivement.)* Ah! bon... je comprends, reposez-vous bien. Je me charge de mon oncle, soyez tranquille... Maman! Vous pleurez!... Oui, oui vous pleurez, je le sais... Quoi?... Non, non, je prendrai pas de chance, si le médecin dit que c'est nécessaire je le ferai transporter à l'hôpital...

Beaujeu entre dans la cuisine. Martine ne le voit pas.

MARTINE. Vous pouvez compter sur moi. Je le soignerai à la perfection! Pensez à vous, rien qu'à vous, et reposez-vous!... À bientôt!... Je vous embrasse, maman...

Elle raccroche avec un soupir, et aperçoit Beaujeu.

BEAUJEU. Eh! bien, vous voilà rassurée?

MARTINE, *bouleversée.* Oui...

BEAUJEU. Elle n'a pas d'ennuis j'espère?

MARTINE. Heu... Non... *(Vivement.)* non, non, non, non, non.

BEAUJEU, *la regardant.* Alors pourquoi cet air inquiet?

MARTINE. Elle a besoin de repos. Rien de plus!

BEAUJEU. Voulez-vous me promettre que si jamais quelque chose allait mal pour elle ou pour vous, vous n'hésiteriez pas à me prévenir?

MARTINE. Merci... Oui, je le ferais.

BEAUJEU. Bien... Heu... je n'ai pas osé vous le dire tantôt devant Michel pour ne pas avoir à parler du cahier devant lui, mais je voulais que vous sachiez... Il n'y aura pas d'autopsie.

MARTINE, *avec élan.* Ah! non?... Alors, votre mère en parlait dans son cahier? Je ne m'étais pas trompée?

BEAUJEU. Elle en parlait...

MARTINE, *avec un grand soupir.* Ah! Je suis contente!... *(Se ressaisissant.)* Enfin, à cause d'elle... Puisqu'elle n'en voulait pas d'autopsie...

BEAUJEU. C'est juste. *(Ton insouciant.)* Il faudra le dire à votre mère, si vous y pensez...

MARTINE, *avec un effort pour prendre le ton insouciant de Beaujeu.* Je le ferai, oui... Certainement...

BEAUJEU. Dommage que vous ne l'ayez pas su plus tôt... *(Avec un geste vers le téléphone.)* Vous auriez pu...

MARTINE, *même jeu.* J'y pensais aussi...

BEAUJEU. Vous vous reprendrez. En attendant prévenez donc votre oncle...

Martine le regarde avec étonnement.

BEAUJEU, *avec la même indifférence apparente.* Il était très dévoué à ma mère lui aussi. Je suis sûr que cette nouvelle lui sera agréable.

MARTINE. En effet... Oui c'est juste...

Ils se regardent soudain et se mettent à rire en même temps.

BEAUJEU. Drôle de jeu que nous jouons là!

MARTINE. Oui, mais pour qui, puisque nous sommes seuls?

BEAUJEU. Pour le simple bonheur de rire, je suppose! On ne rit pas souvent ici... il faudra que je vous revoie, Martine, au sujet du cahier...

MARTINE, *inquiète.* Ah?...

BEAUJEU. Rien de déplaisant pour vous, soyez tranquille.

MARTINE. Quand vous voudrez.

BEAUJEU. Demain peut-être, si je peux trouver un moment dans la journée...

Martine lui sourit. La porte de service de la cuisine s'ouvre et Maurice paraît. Il ôte aussitôt sa casquette.

BEAUJEU. Au revoir, Martine.

MARTINE. Au revoir, monsieur Martin.

Beaujeu passe à côté de Maurice.

BEAUJEU. Bonsoir, Maurice.

MAURICE. Bonsoir, monsieur.

Il sort. Martine ne parvient plus à se contenir, saute de joie.

MAURICE, *moqueur.* Eh! ben! Après un Martin, un autre Martin?

MARTINE. Ah! Maurice! Maurice! Je suis tellement heureuse! Il faut que je le dise à quelqu'un! Il faut que j'embrasse quelqu'un et puisque maman n'est pas là ce sera toi!

Elle lui saute au cou et l'embrasse sur la joue. Maurice la repousse brusquement.

MAURICE. Ah! non! Pas de ça!

MARTINE, *étonnée.* Qu'est-ce qui te prend?...

MAURICE. J'aime pas qu'une fille se jette au cou des garçons!

MARTINE. Mais!... C'était pour rire! *(Elle s'éloigne.)* Espèce de brute sans éducation.

Il la rattrape et la retient par les épaules.

MAURICE. Répète-le donc pour voir? Répète-le donc?

MARTINE. Espèce de brute! C'est ça que j'ai dit! Penses-tu que tu me fais peur?

Furieux, il hésite entre le désir de l'embrasser, et celui de la frapper. Finalement, il l'embrasse. Elle se débat puis ne résiste plus. Long baiser. Ils se dégagent enfin et se regardent mal réconciliés.

MARTINE. Toi!...

MAURICE, *avec rage et mépris.* Je savais bien qu'un jour je t'aurais dans mes bras.

MARTINE. Oh!...

211

Elle le gifle. Il la gifle aussitôt en retour.
MARTINE, *stupéfaction indignée.* Oh!...
MAURICE. Ben quoi? Qu'est-ce que tu attends de plus d'une brute?
Il lui secoue le bras avec colère.
MARTINE. Je te défends de me toucher! Voyou!
La cuisinière qui entre hausse les épaules.
MARIA. Eh! ben!... Eh! ben! Une autre histoire d'amour qui commence? Mais, ça tourne moins rondement que Carmelle et René, à ce que je vois!
MARTINE, *insultée.* Carmelle et René!... Merci bien!
Éclat de rire insolent de Maurice.
MAURICE, *avec une tape sur l'épaule de Maria.* Maria, vous pouviez pas plus l'insulter! La comparer à Carmelle! Elle qui est à la veille de loucher à force de tourner les yeux du côté des patrons!
MARIA, *intéressée.* Sans blague? Lequel en particulier? *(Riant.)* Pas le vieux toujours?
Martine, rageuse, s'avance la main levée, de nouveau prête à frapper.
MAURICE, *rabaissant la main de Martine.* Attention, Martine! La prochaine fois que tu me frapperas, ça pourrait bien être un coup de poing que tu recevras en échange! Puisque je suis une brute, provoque-moi pas!
MARTINE, *au comble de la rage. Humiliée.* Oh!...
Elle sort en courant. Maria regarde Maurice avec admiration.
MARIA. Eh! ben, mais c'est un dompteur, ma parole! *(Complice.)* Entre nous, ça ne lui ferait pas de tort à la petite de trouver son maître.
Maurice ne prend pas la peine de lui répondre. Il lui tourne le dos et sort en claquant la porte.
MARIA, *stupéfaite.* Ça, alors!
MICHEL, *entrant.* Que se passe-t-il?
Maria qui ne l'avait pas vu, sursaute.
MARIA. Oh! rien, rien, monsieur Michel! Rien d'important.
MICHEL. Je voulais parler à Martine. Savez-vous où elle est?
MARIA, *comme elle dirait : Tiens, tiens!.* Martine?
MICHEL, *agacé.* Oui, Martine.
MARIA, *se ressaisissant.* Elle vient justement de monter monsieur Michel. Voulez-vous que?...
MICHEL. Laissez donc, je vais y aller moi-même. Par là, n'est-ce pas?...
Il se dirige vers l'escalier de service.

MARIA. Oui, oui...

Il disparaît.

MARIA, *les poings sur les hanches.* Eh! ben...

Martine dans la chambre d'Albert, à qui elle a annoncé la dernière nouvelle. Elle se penche vers son oncle qui lui prend les mains.

ALBERT. Pas d'autopsie? T'es certaine, Martine? T'es bien certaine de ça?

MARTINE. Oui, la question est réglée une fois pour toutes! Êtes-vous content mon oncle?

Albert tressaille, cherche à se ressaisir et lui laisse les mains.

ALBERT. Heu!... Oui... Écoute!... Heu... La pauvre femme...

MARTINE. Bien sûr, c'est pour elle que je suis contente moi aussi.

ALBERT, *vivement.* Pour elle, justement, pour elle! Pour moi, qu'est-ce que tu veux... (*Il s'arrête, sidéré.*) Monsieur Michel!

MICHEL. J'allais frapper pour m'annoncer, vous ne m'en avez pas donné le temps!

ALBERT, *aussitôt inquiet.* Qu'est-ce qu'il y a?...

MARTINE, *étonnée.* Est-ce moi que vous voulez voir?

MICHEL. Oui... (*À Albert.*) Mais d'abord, je tenais à vous faire mes adieux, Albert. Martine a dû vous dire que je pars demain?

ALBERT. Ah! oui... Je vous souhaite un bon voyage, monsieur Michel.

MICHEL. Et moi une meilleure santé, mon pauvre Albert.

ALBERT, *avec espoir.* Oh! ça va aller mieux maintenant que j'ai appris la bonne nouvelle!

MICHEL. La bonne nouvelle?... (*Riant.*) Mon départ?...

ALBERT, *hébété.* Heu?...

Il se trouble aussitôt, et regarde Martine avec supplication.

MARTINE, *vivement.* Non, non!... Il veut dire... Il parle du téléphone que je viens de recevoir de maman.

MICHEL. Ah! bon, elle a appelé?

MARTINE. Il s'inquiétait lui aussi.

MICHEL. Donc tout va bien maintenant?

Martine répond par un sourire.

MICHEL. Dans ce cas vous pourrez venir dîner au restaurant avec Philippe et moi?

MARTINE, *à regret.* Non!... J'ai promis à maman de rester au cas où mon oncle aurait besoin de moi...

MICHEL, *déçu.* Moi qui tenais tant à cette dernière soirée!

ALBERT, *sans entrain.* Si tu veux sortir, Martine...

MICHEL, *joyeusement.* Attendez, attendez, j'ai une idée! Mon père vient de me dire qu'il dînait au club ce soir, alors qu'est-ce qui nous empêche de manger ici tous les trois, puisque vous ne pouvez pas sortir?

MARTINE. Ici?...

ALBERT, *scandalisé.* Non, non, vous êtes pas sérieux! Si monsieur Martin savait...

MICHEL. Ne vous inquiétez pas Albert. Je me charge de «monsieur Martin»! *(À Martine.)* Qu'en dites-vous?

MARTINE. Si vous croyez que c'est possible!

MICHEL. Je vais tout de suite prévenir Maria. *(S'éloignant.)* À plus tard. Je vous attends dans la bibliothèque à sept heures...

MARTINE, *gaiement.* J'y serai!...

MICHEL. Adieu, Albert. Guérissez vite.

   Il disparaît.

MARTINE, *se tournant vers son oncle.* Mon oncle, dites-moi si on peut trouver un homme plus sympathique? *(Avec rancœur pensant à Maurice.)* Ah! si tous les hommes étaient comme lui!

ALBERT, *riant.* Tu penses à Monsieur Martin? Attends de voir comment il se comportera, lui, quand il saura que tu as dîné dans la salle à manger avec son fils et son neveu! Tu m'en donneras des nouvelles!

MARTINE, *gaiement.* Oh! celui-là!... Que le diable l'emporte!

ALBERT. Eh! ben, pour une fois, Martine, ça va te surprendre, mais je vais te donner raison!

15

La colère du lion

Le lendemain matin dans le hall. Michel, prêt à partir, se penche pour prendre sa valise. Martine paraît et vient vivement le rejoindre au pied de l'escalier.

MARTINE. Ouf! J'avais peur que vous soyez parti!

MICHEL. Ah! C'est gentil d'être venue me dire adieu!

MARTINE, *triste mais essayant de sourire.* Je voulais encore vous remercier...

Elle exhibe fièrement la montre à son poignet.

MARTINE. Je n'ai jamais reçu un cadeau qui m'ait fait autant plaisir!

MICHEL. C'était bien le moins! Vous m'avez si souvent rendu service!

MARTINE. Chut! Laissez-moi plutôt croire que je la dois à votre amitié.

MICHEL. Mais ça n'exclut pas mon amitié!

MARTINE, *gênée.* Heu... Vous avez bien tout ce qu'il vous faut? Vous n'oubliez rien?

MICHEL. Non...

MARTINE. Billets, passeport?...

MICHEL. J'espère... Comment ferai-je maintenant pour me passer de secrétaire? *(Ému.)* Quel dommage que je ne puisse vous emmener en France!

MARTINE. Ce serait trop beau!

MICHEL. Pourquoi trop beau? Passez d'abord votre bachot et je trouverai bien le moyen de vous organiser un voyage à Paris.

MARTINE. Moi?... Moi à Paris?...

MICHEL. Ce sera votre récompense et aussi un encouragement à poursuivre vos études universitaires.

MARTINE, *riant.* Vous qui dites toujours que l'étude est une récompense en soi!

MICHEL. En effet, mais je crois aussi à la vertu des stimulants. Allons, je vous quitte...

MARTINE, *émue.* Bon voyage... Et merci... Merci de la lumière que vous avez apportée dans ma vie...

215

MICHEL. À vous maintenant de voir à ce qu'elle ne s'éteigne plus! Adieu, ma petite Martine...

Il l'attire vers lui (un peu gauchement, car il est peu habitué aux manifestations extérieures d'affection), la serre dans ses bras, et l'embrasse sur la joue. Jérémie paraît descendant l'escalier.

JÉRÉMIE. Ben, il manquait plus que ça! C'est le comble.

Michel se met à rire.

MICHEL. Cher père! Je vous quitte comme je vous ai retrouvé, sur une image de colère!

JÉRÉMIE. Surveille tes mœurs, mon garçon! Et toi, petite dévergondée, va-t'en dans ta chambre!

MARTINE. Rassurez-vous! Du moment que vous êtes là, je n'ai plus envie d'y être!

JÉRÉMIE. Regarde-la qui me défie encore!

MARTINE, *émue.* Bon voyage Michel!

MICHEL, *faisant un pas vers elle.* N'oubliez pas de m'écrire!...

Martine lui sourit tristement en signe d'acquiescement et disparaît côté cuisine.

JÉRÉMIE. Si ça a du bon sens! *(Méfiant.)* J'espère qu'il s'est rien passé entre vous deux, au moins?...

MICHEL. Je vous en prie!

JÉRÉMIE. C'est bon, c'est bon, mais il est temps que tu t'en ailles. Des histoires comme votre petit dîner d'hier soir, par exemple... Ouais, ouais, René m'a tout raconté au déjeuner!

MICHEL. J'en prends toute la responsabilité et je vous défends bien d'ennuyer Martine ou sa mère à cause de moi!

JÉRÉMIE. La faire s'asseoir dans la salle à manger pour tout un repas! La faire servir par les autres domestiques!... Veux-tu me dire ce que t'as pensé?

MICHEL, *consultant sa montre.* C'est l'heure! Je m'excuse, il faut que je parte.

JÉRÉMIE. Il me semblait que Philippe devait aller te reconduire à Dorval?

MICHEL. Il passe un examen ce matin, je n'ai pas voulu qu'il se dérange.

Il veut s'éloigner, Jérémie le retient.

JÉRÉMIE, *bourru.* Attends... J'ai quelque chose pour toi...

Il fouille dans sa poche de veston et en sort un chèque qu'il lui tend. Michel, intrigué, le prend.

MICHEL. Un chèque?... *(S'exclamant.)* Mille dollars!...

Il se met à rire.

216

JÉRÉMIE, *étonné.* Qu'est-ce que tu as?

Michel a de nouveau un petit rire.

JÉRÉMIE. Ben quoi?

MICHEL. Dire qu'il y a deux mois, ça m'aurait rendu un tel service! Il ne m'en fallait même pas tant pour retourner en France et vous m'auriez évité d'avoir à gagner tant bien que mal mon billet de retour!

JÉRÉMIE, *agacé de se sentir un peu honteux.* C'est pour tes dépenses de voyage, justement.

Michel lui rend le chèque.

MICHEL. J'ai tout ce qu'il me faut maintenant. Merci.

JÉRÉMIE. Es-tu fou, toi? Garde-le pour autre chose! Puisque je te le donne, idiot!

MICHEL, *riant.* Ce n'est pas assez... Allez jusqu'à soixante et quinze mille si vous voulez que j'accepte! De vous à moi, votre petit mille dollars vous ne trouvez pas que c'est un peu comme un sou jeté dans l'assiette d'un affamé?

Jérémie reprend le chèque après avoir un moment regardé Michel en silence.

JÉRÉMIE. Si t'avais déjà eu faim, mon garçon, comme j'ai pu avoir faim dans ma jeunesse quand j'ai laissé Sainte-Anne-de-Remington pour venir gagner ma vie à Montréal, tu quiquerais pas, même sur une cent!

MICHEL. Vous... Vous avez... Vous étiez pauvre à ce point-là?

JÉRÉMIE. Tu sauras jamais comment! Ça m'a tellement marqué que même des fois, encore, ça m'arrive de rêver que je crève de faim et que j'ai pas de quoi me payer un repas! *(Sarcastique.)* Mais tu vois, j'en suis pas mort puisqu'à 65 ans, je suis là pour voir un de mes fils lever le nez sur un beau mille piastres! Qui est-ce qui m'aurait dit ça dans le temps?

MICHEL. Je m'excuse... Il est évident que dans ces conditions l'argent ne peut avoir la même valeur pour vous que pour moi.

JÉRÉMIE. Ça te fait pas changer d'idée?

MICHEL. Non... Restons-en là.

Jérémie lui serre la main et lui tape sur l'épaule.

JÉRÉMIE. Orgueilleux! Espèce d'idiot d'orgueilleux!... Mais tu me ressembles plus que je pensais!

Maurice paraît.

JÉRÉMIE. Maurice... Tu vas conduire mon fils à Dorval.

MICHEL. Mais non! Pourquoi vous priver de Maurice? Il y a un autobus spécial chargé de...

JÉRÉMIE, *l'interrompant.* Voyons donc! Tu peux bien accepter au moins ça de moi! Va, Maurice, amène l'auto devant la porte. *(À Michel.)* Fais-t'en pas pour moi, je prendrai l'auto de ta mère qui sert à rien depuis des mois. *(À Maurice, riant.)* Elle est pas rouillée toujours?

MAURICE. En parfaite condition, monsieur.

JÉRÉMIE. En passant par la cuisine, dis à Annette que je veux lui parler.

Maurice, qui s'en allait, se retourne vers lui.

MAURICE, *surpris.* Annette?... Elle est pas ici, monsieur!

MICHEL. Ah! elle n'est pas revenue?...

JÉRÉMIE. Comment, pas ici?... Comment, pas revenue?... Qu'est-ce que vous me chantez là?...

MAURICE. J'étais pas ici quand elle est partie, mais Maria m'a dit qu'elle avait laissé la maison hier matin...

JÉRÉMIE. Laissé la maison? Qu'est-ce que tu racontes? Va me chercher Martine!... Elle doit bien le savoir, elle, où est sa mère!

MICHEL. Dans ce cas, Maurice, ne vous occupez pas de moi. Ça risque d'être trop long.

JÉRÉMIE. Ben, non, ben non! Laisse faire Maurice, va le reconduire. Je m'occuperai de ça moi-même.

MAURICE. Bien, monsieur.

Il sort.

JÉRÉMIE. Veux-tu me dire?... Tu le savais qu'elle était partie?

MICHEL. Oui... Mais j'ai cru comprendre que c'était seulement pour quelques jours. N'a-t-elle pas le droit à un congé de temps à autre comme tout le monde?

JÉRÉMIE. Évidemment, évidemment, mais... *(Se fâchant.)* J'aime pas que les gens de ma maison s'en aillent sans me prévenir.

Michel prend sa valise.

JÉRÉMIE, *préoccupé.* Laisse donc ça là. Maurice te la portera.

MICHEL. J'ai l'habitude de me débrouiller tout seul. Adieu...

JÉRÉMIE. Bonjour, mon garçon, bonjour... Bien des bonnes choses pour toi.

Mais le cœur n'y est plus. Il ouvre la porte. Michel a un demi-sourire un peu nostalgique, regarde autour de lui, hausse les épaules et sort. Jérémie referme la porte et s'y appuie.

JÉRÉMIE, *sur ruban.* Annette partie!... Annette partie... *(En direct, réagissant.)* Ah! non! Faut qu'a revienne! *(Il s'éloigne côté cuisine en appelant de toute sa voix.)* Martine!... Martine!...

218

Albert, toujours au lit, se fait examiner par le médecin.

MÉDECIN. Ça va mieux... *(À Albert.)* Mieux que l'autre nuit en tout cas, pas vrai?

MARTINE. Je pourrai le soigner moi-même, n'est-ce pas?

ALBERT. Je veux pas aller à l'hôpital.

MÉDECIN. Ça ne sera pas nécessaire, puisque votre nièce est là. Oui, vous pouvez le soigner vous-même. Le plus fort de la crise est passé maintenant. Mais soyez prudente quand même. Voyez à ce qu'il prenne ses médicaments aux heures prescrites, et surtout, comme je le disais à votre mère, évitez-lui toute émotion violente, toute cause de soucis, de tracas... *(À Albert.)* Et vous là, faites un petit effort pour cesser de vous tourmenter.

ALBERT. Oh! Ça va aller maintenant.

MÉDECIN. Il vous faut beaucoup de calme, de paix, de tranquillité...

JÉRÉMIE, *criant.* Martine!...Martine!...

Ils se regardent tous les trois.

ALBERT. Mais c'est?...

JÉRÉMIE, *plus près que tantôt et d'une voix tonnante.* Martine!...

ALBERT, *se soulevant.* Monsieur Martin!

Il retrouve son anxiété. Le médecin examine ses réactions pendant la scène qui suit.

MARTINE. Excusez-moi, docteur.

Elle va se diriger vers la porte lorsque celle-ci s'ouvre toute grande poussée par Jérémie.

JÉRÉMIE, *furieux.* Tu peux pas répondre quand je t'appelle? Ça fait dix fois que je crie après toi!

MARTINE. Mais!...

JÉRÉMIE. Je veux savoir où est ta mère! Qu'est-ce que cette histoire-là que personne peut me dire où elle est allée?

MÉDECIN, *avec un geste.* S'il vous plaît, monsieur, pas si fort...

ALBERT, *s'agitant.* Monsieur Martin...

JÉRÉMIE. Le sais-tu, toi, Albert?...

Martine s'interpose entre le lit et Jérémie.

MARTINE. Non, il le sait pas.

JÉRÉMIE. Laisse-le parler! Est-ce qu'il va y avoir moyen de savoir la vérité à la fin? Ôte-toi de là! Parle, Albert!

Albert se recroqueville dans ses couvertures.

JÉRÉMIE. Parle donc! Parle donc!

MÉDECIN, *brusquement.* Je regrette, monsieur, mais je vais vous demander de sortir. Monsieur Julien est mon patient et il lui faut le plus grand calme.

JÉRÉMIE. Ah!, Je pensais que vous étiez un de ses amis...

MARTINE. Même alors vous auriez pu être poli!

ALBERT, *horrifié.* Martine! Sais-tu à qui tu parles?

JÉRÉMIE, *éclatant.* Si elle le sait pas, elle va le savoir. Viens avec moi, toi, puisqu'on peut pas parler ici!...

Il lui prend la main. Martine se dégage brusquement.

MARTINE. Monsieur Martin, je vous l'ai dit une fois pour toutes, je ne suis pas à votre service, et j'ai pas d'ordre à recevoir de vous. Si vous voulez que je m'en aille comme maman, dites-le! Sinon laissez-moi bien tranquille!

ALBERT. Mon Dieu! mon Dieu!...

MÉDECIN, *poussant Jérémie vers la porte.* Voulez-vous sortir, s'il vous plaît!

JÉRÉMIE, *éclatant.* Voulez-vous me sacrer patience, vous? Je suis ici chez moi, et y a pas un coin de ma maison d'où on me fera sortir sans que je le veuille! Il manquerait plus que ça!

MÉDECIN. Dans ce cas, j'appelle la police immédiatement! *(À Martine.)* Où est le téléphone?

JÉRÉMIE. La police?

MÉDECIN. Oui, la police! Pour vous faire sortir de cette pièce! Et j'aime autant vous dire que je ferai publier l'incident dans tous les journaux de la ville. Si riche que vous soyez, vous apprendrez à vos dépens qu'on n'empêche pas un médecin d'exercer sa profession!

ALBERT, *désespéré.* Ah! non, docteur, non!... Pas de ça! Pas de ça!...

JÉRÉMIE. Tu sais ben que c'est des farces, imbécile!

MÉDECIN. Vous allez voir!

Il veut sortir. Jérémie le retient, ton bourru et bon enfant.

JÉRÉMIE. Calmez-vous donc, là vous! Calmez-vous donc! Est-ce que je savais moi, qu'Albert était malade au point qu'on pouvait pas parler devant lui?

MÉDECIN. Parler, oui! Crier, non!

JÉRÉMIE. Mais j'ai jamais fait d'autre chose toute ma vie, et Albert est avec moi depuis vingt ans. *(À Albert.)* Pauvre vieux, je pensais que tu étais habitué à ma grosse voix.

Albert est trop bouleversé pour répondre.

220

JÉRÉMIE. Bon, bon, repose-toi, je vas te laisser. Soignez-le bien docteur... Vous m'enverrez le compte. *(Sur un geste évasif du médecin.)* Oui, oui, je tiens à payer pour tout. *(Presque aimable.)* Viens, Martine, viens. Aie pas peur, je te mangerai pas. Viens!...

MARTINE. Non!

JÉRÉMIE. Docteur, je vous prends à témoin que je lui parle poliment.

MÉDECIN, *à Martine.* Je vous en prie, pensez à votre oncle.

MARTINE. Je n'ai rien à lui dire.

JÉRÉMIE, *très pater familias.* Écoute-moi, ma fille, je te parle dans l'intérêt de ta mère. Où est-elle ? C'est tout ce que je veux savoir.

MARTINE. Je vous ai dit que je le savais pas. C'est inutile d'insister, je vous répondrai pas!

Jérémie doit faire un grand effort pour ne pas éclater. Un coup d'œil sur le médecin le ramène à de meilleurs sentiments. Il se tourne vers Albert.

JÉRÉMIE, *avec le même paternalisme.* Est-ce que c'est vrai, Albert, qu'elle le sait pas?

Albert incline la tête en signe d'acquiescement complètement bouleversé.

JÉRÉMIE. Et toi non plus, tu le sais pas?

Albert secoue la tête négativement et détourne la tête pour éviter le regard dominateur et perçant de Jérémie. Celui-ci se tourne vers Martine qui, elle, soutient son regard.

JÉRÉMIE, *après une pause. Même jeu.* Bon. Je vous crois pas ni l'un ni l'autre, mais ça fait rien. Je la trouverai bien tout seul. *(Avec défi.)* D'ailleurs, y a tout à parier que je sais mieux que vous autres où elle est allée!

Martine le regarde avec étonnement.

JÉRÉMIE, *lui riant au nez.* Hein! Ça te surprend?...

Il lui tourne le dos et s'incline devant le médecin avec l'aisance d'un grand seigneur ironique.

JÉRÉMIE. Vous voyez, docteur, que je peux être doux comme un agneau quand je veux. Vous oublierez pas de le dire, si jamais vous parlez de moi dans les journaux.

Il s'éloigne, ouvre la porte et se tourne avec éclat.

JÉRÉMIE, *d'une voix de tonnerre.* Bouh!

Il éclate de rire et ferme la porte de toute sa force. Tout le monde sursaute. Albert, hagard, se laisse tomber sur son oreiller, à bout de souffle.

ALBERT, *encore tremblant.* Il est effrayant! Effrayant!

MÉDECIN, *à Albert.* Vous ne pouvez pas rester ici. *(À Martine.)* J'espère que vous le constatez aussi bien que moi... *(Il se tourne vers Albert.)* Et que vous serez raisonnable...

Mouvement de sympathie de Martine vers son oncle, visage découragé d'Albert qui se fait encore plus petit dans son lit.

La boutique de chapeaux d'Annette. Les tablettes ont été enlevées, laissant des traces sur les murs. Les chapeaux ont disparu, la pièce est encombrée de caisses. Deux déménageurs entrent et se dirigent vers une caisse. Cécile paraît, venant de l'arrière-boutique.

CÉCILE. Pas celle-là! Je lui ai pas encore mis son étiquette. Sortez seulement celles de ce côté-là.

Les deux hommes s'éloignent vers la gauche tandis que s'ouvre la porte d'entrée. Ils continuent leur travail. Cécile s'exclame:

CÉCILE. Monsieur Martin!...

Jérémie s'avance en souriant, manteau, chapeau, gants.

JÉRÉMIE. Hé! oui, monsieur Martin!... Si on dirait pas que je suis un fantôme.

CÉCILE. Quasiment! Ça fait bien un bon sept huit mois qu'on vous a vu!

Jérémie regarde autour de lui sans écouter.

CÉCILE. Depuis qu'Annette est allée vivre chez vous, ma foi!

JÉRÉMIE. Ça marche le déménagement?...

CÉCILE. Comme vous voyez! Mais, ils vont attendre après moi, si je me dépêche pas. Excusez-moi...

Elle reprend son travail.

JÉRÉMIE. Où est-ce qu'ils s'en vont avec ces caisses-là? Qu'est-ce que vous en faites de vos chapeaux?

CÉCILE, *surprise.* Comment, *nos* chapeaux, mais...

Elle recule devant Jérémie qui s'approche d'elle pour examiner un bijou qu'elle porte.

CÉCILE. Qu'est-ce que?...

JÉRÉMIE, *le doigt sur la broche.* C'est pas à Annette, ça?

CÉCILE, *bafouillant.* Heu... oui... Heu... Je viens de la trouver dans un tiroir...

Jérémie a déjà la main tendue. Cécile se dépêche d'ôter le bijou.

CÉCILE. Heu... Sa belle broche que vous lui aviez donnée! Je voulais pas qu'elle se perde, vous comprenez, alors...

Jérémie referme sa main sur le bijou.

JÉRÉMIE. Elle est pas ici, Annette?

CÉCILE, *se dépêchant de reprendre son travail. Maussade.* Bien non! Elle a déjà sorti toutes ses affaires.

Jérémie l'air indifférent examine la broche.

JÉRÉMIE. J'ai vu ça. Elle a tout laissé sur son lit, en haut... Quand est-ce qu'elle est venue?

CÉCILE. Hier...

JÉRÉMIE. C'est toi qui lui as dit que le magasin était vendu?

CÉCILE. Oui!... Entre nous, c'était pas à moi à lui apprendre!

JÉRÉMIE. Qu'est-ce qu'elle a dit?

CÉCILE. Qu'est-ce que vous vouliez qu'elle dise! Ça lui a fait un coup!

JÉRÉMIE, *sortant de sa feinte indifférence.* Mais enfin, elle a bien dû dire quelque chose? Est-ce qu'elle s'est fâchée? Est-ce qu'elle a eu de la peine?

CÉCILE. Elle a presque pas parlé! C'est comme si elle avait reçu un coup sur la tête! À sa place, moi...

Jérémie la toise du haut de sa grandeur.

CÉCILE. Évidemment, vous aviez peut-être des raisons d'agir contre elle.

JÉRÉMIE, *surpris.* Est-ce qu'elle a dit ça?

CÉCILE. Non, non, c'est moi qui...

JÉRÉMIE, *irrité.* Mêle-toi donc de ce qui te regarde!

Il s'éloigne et s'assoit sur une chaise.

JÉRÉMIE. Je vais l'attendre. Elle doit pas être partie pour bien longtemps.

CÉCILE. Mais... Je pense pas qu'elle revienne!

JÉRÉMIE, *se levant.* Comment...?

CÉCILE. Je vous ai dit qu'elle avait tout sorti ce qui lui appartenait.

JÉRÉMIE, *interdit.* Mais elle doit bien voir au déménagement, j'imagine? Tous ses chapeaux...

CÉCILE. Ses chapeaux, ses chapeaux! Ça lui appartient pas «ses» chapeaux! Vous devez bien le savoir. Il y avait rien ici qui lui appartenait; pourquoi est-ce qu'elle se serait occupée du déménagement?

JÉRÉMIE, *se mordant les lèvres.* C'est bien trop vrai...

CÉCILE, *avec un mauvais regard.* C'était à vous les chapeaux! Tout le stock a été vendu avec le magasin, c'est à croire que vous le saviez pas. Elle retire pas une cent de cette histoire-là, Annette!

Jérémie pour la première fois réalise la dureté du traitement qu'il a infligé à Annette.

JÉRÉMIE, *secouant la tête pour ne plus y penser.* Elle a pas à s'inquiéter. Elle aura tout ce qu'il lui faut avec moi.

CÉCILE, *sceptique.* Ouais!...

JÉRÉMIE. Y a pas de ouais... Et Annette le sait aussi bien que moi! C'est à croire que je la laisserais dans la misère. Si elle t'a dit ça...

CÉCILE. Elle a pas parlé de vous. Elle a rien que dit que ça changerait toute sa vie.

JÉRÉMIE. Qu'est-ce qu'elle voulait dire par là?

CÉCILE. Vous lui demanderez! Si vous pensez qu'on la fait parler comme on veut, votre Annette!

JÉRÉMIE. Est-ce qu'elle a dit qu'elle reviendrait pas, ou bien est-ce qu'elle a rien dit...

CÉCILE. Elle m'a laissé comme si on devait plus se revoir en tout cas...

Jérémie regarde la broche d'Annette, puis regarde Cécile. Celle-ci se sent aussitôt coupable et se dépêche de reprendre son travail.

JÉRÉMIE. Donc, ça sert à rien de l'attendre ici.

Il a l'air soudainement accablé, vieilli. Cécile continue à s'affairer autour des caisses en l'épiant par en dessous. L'inquiétude de monsieur Martin n'est pas pour lui déplaire.

JÉRÉMIE. Heu... Tu sais pas où elle est allée en partant d'ici?...

CÉCILE. Tout droit à l'appartement, elle avait les bras pleins!

JÉRÉMIE, *impatient.* Oui, oui, mais après?... Parce qu'il est bien évident qu'elle y a pas couché à l'appartement puisque toutes ses affaires sont restées sur le lit.

CÉCILE. Après?... Après, je le sais pas, moi!... Je pensais qu'elle était retournée chez vous?

Jérémie ne répond pas.

CÉCILE, *haussant les épaules et revenant à ses caisses.* Qu'est-ce que vous voulez, quand on tient à une femme, on agit en Monsieur avec elle! À votre âge surtout! Aïe!... Y est plus que temps de faire des concessions.

Jérémie insulté se sent verdir de rage et s'approche de Cécile, menaçant. Mais Cécile, qui lui tourne le dos, continue sans le voir.

CÉCILE. Elle est bien plus jeune que vous, Annette, si ça vous fait rien! Et belle femme en plus! Ça fait que...!

Elle pousse un cri en voyant monsieur Martin si près d'elle, le bras levé, prêt à frapper. Les déménageurs, qui entrent, accourent aussitôt. Jérémie baisse son bras.

CÉCILE. Qu'est-ce qui vous prend donc vous? *(Aux deux hommes.)* L'avez-vous vu?... Ma foi, il est en train de devenir fou!

Jérémie au comble de la rage repousse les deux hommes et sort du magasin.

La Royal Bank sur la Place d'Armes. Beaujeu, qui sort de la banque, se trouve face à face avec Mounier adossé à une colonne dans un rayon de lumière. Beaujeu retrouve aussitôt son sentiment de culpabilité et se trouble. L'infirme esquisse un demi-sourire. Beaujeu s'éloigne après un moment d'hésitation avec un bref salut. L'infirme renvoie la tête en arrière et ferme les yeux. Il est triste, mais moins désespéré. Beaujeu revient sur ses pas et s'approche de lui, l'air contraint, hésitant. Mounier ouvre les yeux après un moment et sourit, nullement étonné de le voir là.

BEAUJEU, *mal à l'aise.* Excusez-moi... Je voulais... *(Spontanément.)* Puis-je faire quelque chose pour vous? Puis-je vous être utile?

MOUNIER, *après un moment. Sans récrimination.* Pouvez-vous me rendre mes jambes? *(Il tend sa main droite.)* Pouvez-vous redonner un peu de souplesse à cette main qui n'est plus bonne qu'à des travaux sans intérêt?

BEAUJEU, *mal à l'aise.* Vous savez bien que non!

MOUNIER. Alors vous ne pouvez rien pour moi. *(Ironique.)* Qu'est-ce qui vous fait croire d'ailleurs que vous êtes prêt à aider les autres?

BEAUJEU, *interdit.* Mais je... Il me semblait... Dans une certaine mesure...

MOUNIER, *avec un demi-sourire.* N'est-ce pas beaucoup de vanité de votre part? Seuls les êtres très évolués peuvent vraiment aider les autres. En êtes-vous là?

BEAUJEU. Non, en effet. Excusez-moi.

Il lui tourne brusquement le dos et s'éloigne. L'infirme le suit des yeux et s'étonne: Pourquoi est-ce que je le retrouve si souvent sur ma route? Est-ce vous, madame Martin, qui provoquez ces rencontres? Qu'attendez-vous de moi, ma plus que mère?

La maison de Jérémie Martin. Beaujeu se dirige vers la porte d'entrée. La porte s'ouvre avant qu'il ne l'ait atteinte. René paraît.

BEAUJEU, *inquiet.* Que se passe-t-il donc, René? Pour qui cette ambulance dans la cour?...

RENÉ. C'est Albert qu'on transporte à l'hôpital, Monsieur.

BEAUJEU. Ah!...

Il entre dans le hall. On voit des infirmiers descendant l'escalier portant Albert sur un brancard.

RENÉ. Je m'excuse d'employer l'entrée principale. Les infirmiers n'arrivaient pas à faire passer le brancard dans l'escalier de service.

Beaujeu va aussitôt prendre la main d'Albert.

BEAUJEU. Ça ne va donc pas, mon pauvre Albert?

ALBERT, *indique la porte. Gêné.* Vous avez vu?... Par la grande porte!

BEAUJEU. Mais c'est très bien, voyons. *(À l'infirmier.)* Allez, il ne faut pas le fatiguer.

Martine paraît. Vêtement de sortie. Beaujeu va au-devant d'elle tandis que les infirmiers s'éloignent suivis de René.

BEAUJEU. Il est plus mal?...

MARTINE, *bouleversée.* C'est-à-dire que... Il allait mieux, mais... Le médecin a exigé qu'il entre à l'hôpital à cause de... de votre père...

Elle se met à pleurer. Il met son bras autour de ses épaules.

BEAUJEU. Martine! Martine!...

MARTINE. Excusez-moi...

BEAUJEU. Vous parliez de mon père?

MARTINE. Il est venu faire une colère épouvantable dans la chambre de mon oncle! Et vous voyez... *(Geste vers l'ambulance.)*

BEAUJEU. Mais pourquoi?...

MARTINE. Il voulait savoir où était maman...

BEAUJEU. Vous ne lui avez rien dit?

MARTINE. Non! Qu'est-ce que ça peut lui faire, voulez-vous me le dire? Ça le regarde pas après tout, la vie personnelle de maman!

BEAUJEU, *avec un regard vers l'ambulance.* Je crois qu'on vous attend. Vous allez reconduire Albert?...

MARTINE. Oui, oui, il y tient beaucoup!

Ils marchent vers l'ambulance. Une automobile entre dans la cour.

BEAUJEU. J'étais venu vous voir, mais je me reprendrai.

MARTINE. C'est donc si important?...

BEAUJEU. Oui. Il y a une chose en particulier que je veux tirer au clair. *(S'exclamant.)* Céline?...

CÉLINE, *le doigt pointé vers l'ambulance.* C'est papa?

BEAUJEU. Non, c'est Albert...

CÉLINE. Encore une fausse joie!

Martine se met à rire. Céline la regarde, amusée.

CÉLINE. Vous aussi, ça vous aurait fait plaisir?

MARTINE. Excusez-moi... Il faut que je parte.

BEAUJEU. Je vais dire bonjour à votre oncle.

CÉLINE. Tu reviens, Beaujeu?

BEAUJEU. Tout de suite.

René revient vers la maison.

CÉLINE. René, voulez-vous prendre mes valises dans l'automobile.

RENÉ, *surpris.* Les valises de madame?...

CÉLINE, *regardant autour d'elle.* Oui! J'ai décidé de venir passer quelque temps dans ce palais de l'ennui. Vous monterez tout cela dans la chambre de ma mère. C'est là que je m'installerai.

RENÉ. Mais cette chambre est fermée, madame.

CÉLINE, *ennuyée.* Allons donc! Qu'est-ce que c'est cette manie de fermer les pièces? On se croirait chez Barbe Bleue, ici! Eh! bien, vous l'ouvrirez, René. J'en prends la responsabilité.

RENÉ. Que madame m'excuse, c'est monsieur qui en a la clé.

CÉLINE, *agacée.* Oh! celui-là!... Eh! bien, laissez tout dans le hall pour l'instant. Je me choisirai une chambre plus tard.

RENÉ. Bien, madame.

L'ambulance sort de la propriété. Beaujeu revient.

RENÉ. Excusez-moi. Je vais chercher les valises de madame...

BEAUJEU, *à Céline. Étonné.* Qu'est-ce qu'il dit?... Ah! bon, vous vous êtes décidés à accepter l'invitation de papa, Gabriel et toi?

CÉLINE. Pas Gabriel et moi. Moi toute seule...

BEAUJEU. C'est une blague ou une bêtise?

CÉLINE. Oui, oui, parfaitement, moi toute seule. En un mot, «je déserte le domicile conjugal».

Cette expression la fait rire.

BEAUJEU. C'est vrai?... C'est sérieux?...

CÉLINE. Tout ce qu'il y a de plus sérieux! Quoi! Ne fais pas cette tête-là. Je ne suis pas la première femme à qui ça arrive! Viens entrons...

Ils se dirigent vers la porte demeurée ouverte et entrent.

BEAUJEU. Les autres femmes ne sont pas Céline, les autres maris ne sont pas Gabriel... Qu'est-ce qu'il en dit, Gabriel?...

CÉLINE, *arrangeant ses cheveux devant le miroir. Avec un petit rire.* C'est ce qu'il en dira ce soir quand il trouvera la maison vide qui sera intéressant!

BEAUJEU. Il n'en sait rien encore?...

CÉLINE, *contente.* Non... Mais il trouvera un joli petit billet sur ma table de toilette, comme on voit dans les films de quinzième ordre. *(Nouvel éclat de rire.)* Oh! il était drôle mon billet! Il va être furieux! Je lui disais...

BEAUJEU, *doucement.* Viens Céline... Viens, laisse-moi te ramener chez toi...

CÉLINE, *tapant du pied.* Ah! non, tu ne vas pas jouer les grands frères! Viens plutôt boire un verre avec moi. Ça me remontera, je me sens au-dessous de tout ce matin. *(Nouveau regard au miroir.)* Pouah! Regarde-moi la tête!... Dégoûtant!... Tu viens?... *(S'arrêtant.)* Papa n'est pas ici, au moins?...

BEAUJEU. Un bourreau de travail, penses-tu?

CÉLINE. Tant mieux, je le verrai bien assez vite!

Elle va s'éloigner vers la bibliothèque.

BEAUJEU. Et tu viens te remettre sous sa férule? Et sans Gabriel pour te défendre, encore!

CÉLINE. Bah! Ses colères me changeront du mutisme de Gabriel.

BEAUJEU. Gabriel se tait parce que tu le forces à se taire, tu le sais très bien.

CÉLINE. Tu m'ennuies. Je ne suis pas venue ici pour parler de Gabriel. *(Impatiente.)* Tu viens?...

BEAUJEU. À quoi bon, puisque tu refuses d'aborder la seule question qui t'intéresse vraiment?

CÉLINE. À ta guise. Au revoir...

Mais Beaujeu ne bouge pas et la regarde avec perplexité comme s'il cherchait quelque chose à lui dire.

CÉLINE, *irritée par ce regard.* Qu'est-ce que tu as à me regarder? Je n'aime pas qu'on me regarde comme ça! J'ai déjà assez des regards de chien battu de Gabriel, sans que... *(Elle s'approche de lui. Fébrile.)* À propos, si tu le rencontres aujourd'hui, je te défends bien d'aller lui raconter que tu m'as vue ici! Je tiens à lui faire la surprise. Tu me le promets, hein, Beaujeu?

Elle s'impatiente de son silence et insiste.

CÉLINE. Tu ne lui diras rien? Tu vas te taire! Si tu lui parles, tout sera gâché! Il faut que cela lui fasse l'effet d'un choc! Et qu'il en souffre! Qu'il en souffre!

BEAUJEU. Tu l'aimes donc tant que ça?

CÉLINE, *décontenancée.* Moi?... *(De plus en plus fébrile.)* Moi!... Tu n'es pas un peu fou? Tu n'es pas un peu fou!...

Elle éclate en sanglots dans les bras de Beaujeu.

CÉLINE. Oh! Beaujeu!... Oui, je l'aime! Je l'aime! Je l'aime! Je n'en peux plus de tant l'aimer!

Dix heures du soir. Gabriel sort de chez lui à Westmount, tenant une lettre dans sa main. Il a l'air furieux et se dirige vers son automobile. Il démarre à toute allure tenant toujours la lettre froissée dans sa main. On le voit entrer dans la propriété de Jérémie Martin. Il s'arrête devant la porte, sort de la voiture, fait quelques pas vers la maison, s'arrête, regarde la lettre, puis de nouveau la maison, avec cette fois un découragement sans borne. Il froisse la lettre en boule, la lance avec violence sur la maison, remonte dans sa voiture et disparaît dans la nuit.

Le silence de
Sainte-Anne-de-Remington

Le hall. Jérémie Martin descend l'escalier. Il arrive aux dernières marches lorsque Céline paraît en déshabillé vaporeux, très élégante, les cheveux ébouriffés, descendant l'escalier à toute allure.

CÉLINE. Papa! Attendez-moi!

JÉRÉMIE. C'est bête, j'avais oublié que tu étais ici.

CÉLINE, *riant*. C'est gentil!

Elle sait qu'elle doit faire un grand effort de bonne volonté pour que son père l'accepte.

JÉRÉMIE. Écoute, c'est seulement depuis hier! Donne-moi le temps de m'habituer!

CÉLINE, *lui prenant le bras*. Moi qui ai fait l'immense effort de me lever pour venir déjeuner avec vous!

JÉRÉMIE. Pas dans cette tenue-là, j'espère?...

CÉLINE, *interdite*. Mais?... Je suis parfaitement décente!

JÉRÉMIE. C'est pas un costume pour une salle à manger.

CÉLINE. En voilà des préjugés!

Elle s'éloigne vers la salle à manger.

JÉRÉMIE. Céline!

CÉLINE, *s'arrêtant, soucieuse*. C'est drôle que Gabriel n'ait pas encore appelé, vous ne trouvez pas? J'étais sûre qu'il téléphonerait hier soir, ou qu'il viendrait!...

JÉRÉMIE. Vas-tu m'écouter, Céline? Je te défends de te montrer comme ça devant les domestiques! As-tu envie qu'ils cessent de te respecter à tout jamais?

CÉLINE. Il faudra bien qu'ils s'y habituent, je ne m'habille jamais avant midi!

JÉRÉMIE. Alors, fais monter ton déjeuner dans ta chambre.

CÉLINE. Papa! Vous êtes ennuyeux! Puisque je vous dis qu'à la maison...

JÉRÉMIE. Tu feras ce que tu voudras chez toi, mais ici c'est moi qui mène. Regarde-toi donc! As-tu jamais vu ta mère descendre déjeuner en petite tenue?

CÉLINE. Oh! elle était d'une autre époque.

JÉRÉMIE. Miséricorde, va-t-il falloir que je me fâche? Ces déshabillés-là, c'est bon pour une chambre à coucher. Garde ça pour ton mari en admettant que ça l'intéresse encore.

CÉLINE. En admettant que?... En admettant!... Cela vous paraît donc si difficile à croire?

JÉRÉMIE. Bon! bon! bon! Parlons-en plus. Monte te changer, et si tu veux qu'on s'entende, contrarie-moi pas le matin, quand je suis à jeun, ça me met de mauvaise humeur pour la journée!

Il s'éloigne. Céline près des larmes demeure un moment immobile.

CÉLINE. En admettant que... que ça l'intéresse encore!

Elle se tourne vers la salle à manger où son père disparaît et lui fait une grimace, exactement comme elle devait le faire quand elle était enfant. Puis elle s'assoit sur une marche, croisant ses bras autour de ses jambes, l'air profondément malheureux.

CÉLINE, *à mi-voix.* Il est méchant...

La salle à manger où René tire la chaise de Jérémie pour qu'il s'assoit.

RENÉ. Bonjour monsieur. Monsieur a bien dormi?

JÉRÉMIE. As-tu mes œufs?

RENÉ. Je viens de les apporter, monsieur.

Il prend un plat sur le buffet, enlève le couvercle et le tend à Jérémie qui se sert. Après quoi il lui verse une tasse de café, tandis que Jérémie prend machinalement son journal qu'il déplie. René va s'en aller lorsque Jérémie le rappelle.

JÉRÉMIE. Sais-tu si Martine est dans la cuisine?

RENÉ. Oui, monsieur. Elle déjeune en ce moment.

JÉRÉMIE. Dis-lui que je veux lui parler.

RENÉ. Tout de suite, monsieur?

JÉRÉMIE. Oui, oui, tout de... Attends! Laisse donc faire. Qu'elle finisse de manger, mais qu'elle vienne aussitôt après.

RENÉ. Bien, monsieur.

Il s'éloigne. Jérémie le rappelle.

JÉRÉMIE. Ou plutôt, non. Dis-lui de venir finir son déjeuner avec moi.

RENÉ. Ici, monsieur?

JÉRÉMIE, *bourru.* Où veux-tu que ce soit?

RENÉ. Bien, monsieur.

Il s'éloigne.

JÉRÉMIE. Et donne-lui pas ça comme un ordre, là, toi! Dis-lui que je *l'invite* à manger avec moi, que ça me ferait plaisir... *(Avec un clin d'œil.)* Compris?...

RENÉ. Avec le caractère qu'elle a, c'est peut-être préférable, en effet!

JÉRÉMIE. Vas-y! Qu'est-ce que t'attends?

RENÉ, *sèchement.* Bien monsieur.

Martine paraît quelques minutes plus tard.

MARTINE, *sans refermer la porte.* Est-ce vrai que vous m'avez fait demander?

JÉRÉMIE, *jovial.* Oui, oui, c'est vrai. Je m'ennuyais, j'avais le goût de parler à quelqu'un. Viens t'asseoir un peu... Envoie, envoie, approche! Tu aimes ça venir dans la salle à manger, profites-en pour une fois que je te le permets.

Martine s'avance et tire une chaise assez loin de Jérémie.

MARTINE. Si c'est pour me questionner au sujet de maman...

JÉRÉMIE. Plus près! Plus près! On va pas se parler à des milles! Tiens, prends la place de ma fille, je pense pas qu'elle descende tout de suite... Qu'est-ce que tu veux? Des œufs?... Des céréales?...

MARTINE. J'étais rendue au café...

JÉRÉMIE. Je vais sonner René. Assis-toi...

Martine obéit à contrecœur, René paraît.

JÉRÉMIE. Une tasse de café pour Martine...

René sert le café et lui apporte la tasse.

RENÉ. Crème, mademoiselle?

MARTINE. Très peu...

René verse la crème.

MARTINE. Assez.

RENÉ. Sucre?...

Martine incline la tête. René la sert. Elle l'interrompt d'un geste à la deuxième cuillerée.

JÉRÉMIE. Je te dis que tu fais bien ça! Hein, René? Une vraie dame!

RENÉ, *froidement.* Oui, monsieur. Monsieur désire-t-il autre chose?

Jérémie agacé l'écarte d'un geste sans daigner répondre. René sort.

JÉRÉMIE. Espèce de fancy! Il m'agace.

MARTINE. Est-ce qu'il y a quelqu'un au monde qui vous agace pas?

JÉRÉMIE, *riant.* Y en a pas beaucoup! Puis, est-ce que tu t'ennuies de ta mère?

MARTINE. C'est normal non?

JÉRÉMIE. Tu veux toujours pas me dire où elle est?
MARTINE. Je vous ai dit que je le savais pas.
JÉRÉMIE. C'est elle qui t'a demandé de ne pas me le dire?
MARTINE. Entre nous, monsieur Martin, qu'est-ce que ça peut vous faire?
JÉRÉMIE. Dis donc toi, veux-tu être polie? Pour une fois que je t'invite à ma table!
MARTINE, *se levant.* Je peux m'en aller...
JÉRÉMIE, *l'attrapant par le bras.* Veux-tu t'asseoir, haïssable! *(Se forçant à rire.)* Ma parole, t'as un caractère encore pire que le mien!
MARTINE, *s'assoyant.* J'ai pas la patience de ma mère, moi.
   Son langage au fur et à mesure ressemblera de plus en plus à celui de Jérémie.
JÉRÉMIE. C'est un avertissement?
MARTINE. Prenez-le comme vous voudrez!
JÉRÉMIE. Écoute, si tu veux pas me dire où elle est, tu peux toujours me dire quand c'est qu'elle va revenir. Après tout, je suis son patron, je dois bien avoir le droit de savoir au moins ça!
MARTINE, *hérissée.* Je vous le répète, si c'est pour me parler de maman que vous m'avez fait demander...
JÉRÉMIE. C't'affaire! Pour quoi veux-tu que ce soit! Certainement pas pour...
   Il s'interrompt en voyant entrer René qui s'approche de la table portant un téléphone. Martine se rassoit.
JÉRÉMIE. Qu'est-ce qu'il y a?... Déguerpis avec ton téléphone. J'y suis pas! Qu'on m'appelle au bureau, au bureau! Pas ici.
RENÉ, *cérémonieux et ironique.* Que monsieur m'excuse, c'est mademoiselle Martine qui est demandée au téléphone.
   Il a placé l'appareil entre Martine et Jérémie, mais Martine se lève vivement.
MARTINE. Je vais répondre dans la cuisine.
JÉRÉMIE, *furieux.* Veux-tu bien rester là, toi! Branche ça, René! *(À Martine.)* Réponds...
   Martine hésite, regardant l'appareil.
JÉRÉMIE. Dépêche, dépêche!
   René s'éloigne. Martine hésite, regarde monsieur Martin, se rassoit et décroche avec un air de défi, sans quitter Jérémie des yeux.
MARTINE. Allô?... Ah! c'est vous...
JÉRÉMIE, *vivement.* C'est elle, hein? C'est ta mère?
MARTINE. Non! *(Au téléphone.)* Pardon?... Non, non, ce n'est pas à vous que je parlais...
JÉRÉMIE. Tu mens! Je suis sûr que c'est elle!

233

MARTINE, *au téléphone.* Un instant!... *(À Jérémie. Irritée.)* Voulez-vous me laisser parler! Laissez!... Oh!...
Jérémie qui s'est levé lui arrache le récepteur.
JÉRÉMIE. Allô?... Allô?... Beaujeu!... *(Au téléphone.)* Veux-tu bien me dire en quel honneur tu appelles Martine, toi?
MARTINE. Oh! vous!...
JÉRÉMIE. Qu'est-ce que c'est que ces cachettes-là, Beaujeu, explique-toi!
MARTINE. Rendez-moi le téléphone!

Beaujeu dans son bureau et non moins irrité que Martine, s'exclame.
BEAUJEU. Mais je ne vous dois aucune explication! J'ai passé l'âge de me faire espionner par mon père, il me semble! C'est à Martine que je veux parler!... Ah bon, Martine!... Je suis désolé! Dieu sait que je ne voulais pas vous causer d'ennuis. Je vous appelais justement pour vous dire que nous ferions mieux de nous rencontrer ailleurs que chez mon père, si nous voulons parler en paix. Pourriez-vous venir à mon bureau? Cet après-midi...

Martine, dans la salle à manger, et Jérémie qui écoute ses réponses.
MARTINE. Oui, oui, j'y serai... Oui, je sais où. Pardon?...
Elle se met à rire de ce qu'il lui dit en jetant un coup d'œil malicieux du côté de Jérémie qui fronce les sourcils, cherchant à comprendre.
MARTINE. Oui, oui, ça va! Pour l'instant en tout cas! À plus tard.
Elle raccroche.
JÉRÉMIE. Qu'est-ce qu'il te voulait?
MARTINE. Ça, monsieur Martin, ça vous regarde pas plus que le départ de maman.
JÉRÉMIE. Ma petite effrontée! Je vas t'apprendre à me répondre poliment! As-tu oublié ce que je t'ai dit un jour que je te ferais enfermer dans une maison de correction, si j'étais pas satisfait de ta conduite? L'as-tu oublié?
MARTINE, *avec un rire insolent.* Essayez donc! Essayez donc! Vous allez vous apercevoir que vous avez aucun droit sur moi! J'ai consulté un avocat.
JÉRÉMIE. Tu as... Un avocat!

MARTINE. Oui, monsieur! Votre fils! Votre propre fils! Et il m'a affirmé qu'il y a seulement le père ou le tuteur qui ont des droits sur les enfants!

JÉRÉMIE. C'est donc ça que tu manigances avec Beaujeu? Hé ben!... Eh! ben, on peut dire que tu sais te défendre, toi!

MARTINE. Le seul droit que vous ayez, puisque vous êtes chez vous, c'est le droit de me mettre à la porte! Celui-là vous l'avez, mais c'est le seul!

JÉRÉMIE. Tu serais bien avancée, si je le faisais, pauvre petite folle. Où irais-tu? Pas une cent en poche dans une ville comme Montréal!

MARTINE. Peuh! J'aurais qu'à retourner à Sainte-Anne-de-Remington, chez ma grand-mère!

JÉRÉMIE. Que je suis bête! *(Il se lève. Triomphant.)* Sainte-Anne-de-Remington!...

> *Martine furieuse contre elle-même, porte la main à sa bouche comme si elle voulait rentrer ses paroles.*

JÉRÉMIE. Sainte-Anne-de-Remington! Maudit Jérémie, faut-y que tu sois fou de pas y avoir pensé!

MARTINE. Qu'est-ce que vous voulez dire?

JÉRÉMIE, *éclatant de rire.* Fais-moi donc pas parler, tu le sais aussi bien que moi, rien qu'à te voir l'air! C'est là qu'elle est, ta mère! Chez sa propre mère! Pas ailleurs!

MARTINE, *se levant. Furieuse.* Croyez-le si vous le voulez! *(Perdant la tête.)* Et puis, et puis... *(Tapant du pied, enfantine.)* Et puis, encore une fois, ça vous regarde pas où elle est!

JÉRÉMIE, *riant de tout son cœur.* Ah! tu peux dire toutes les grossiè-retés que tu voudras, ma fille, ça m'est égal maintenant! Je sais ce que je voulais savoir! Le reste, que le diable l'emporte!

> *Martine débordant de rage, impuissante, repousse violemment la chaise contre la table et sort de la pièce. Jérémie, éclatant de joie, se frappe les mains.*

JÉRÉMIE. Je le savais ben que je la retrouverais! Je le savais ben! Elle m'échappera pas de même!

> *La cuisine des Julien à Sainte-Anne-de-Remington. Assise dans la chaise berçante, coudes appuyés sur les bras de la chaise, le corps penché un peu en avant dans l'attitude de quelqu'un qui cherche à écouter quelque chose, Annette, immobile, se tait. Marie-Rose Julien entre venant du bas côté avec une pile de linge dans les bras. Elle est toute menue avec un regard fin, des*

235

yeux qui sourient et la dignité des gens tout simples qui ont atteint une
certaine sagesse. Dès l'entrée, elle s'arrête pour regarder Annette.

MARIE-ROSE, *après un moment.* Qu'est-ce que t'écoutes?...
T'entends quelque chose?...

ANNETTE. Le silence... Le silence de Sainte-Anne-de-Remington...
J'avais oublié ce que c'était...

Marie-Rose s'avance vers la table où elle dépose le linge sans cesser de
regarder sa fille.

ANNETTE. On dirait toujours que... qu'on va apprendre quelque
chose d'un silence pareil...

Elle se laisse tomber avec lassitude sur le dossier de sa chaise.

ANNETTE. Mais on est pas plus avancé après qu'avant!

Marie-Rose hoche la tête avec un demi-sourire et se met à humecter son linge,
avec une bouteille au bouchon percé.

MARIE-ROSE. Quand on tient un store ben soigneusement bais-
sé, y est certain que la lumière peut pas entrer.

Annette se tourne vers elle, le regard interrogateur mais Marie-Rose est toute
penchée sur son travail.

ANNETTE, *après une pause. Se levant.* Laissez-moi faire ça...

MARIE-ROSE, *doucement.* Veux-tu bien aller te secouer! Penses-tu
que je suis plus capable de faire mon ouvrage?

ANNETTE. Laissez donc! Vous étiez fatiguée ce matin, en ren-
trant de la messe...

MARIE-ROSE. C'est à cause de la pluie qui arrêtait pas de tomber.
T'aurais dû me voir enfoncer dans la boue d'ici à la grand-route.
(Riant.) J'avais l'air fin! Marche, marche t'asseoir... C'est toi qui es
en repos, ici, c'est pas moi!

ANNETTE. Si ça a du bon sens aussi de faire quatre milles aller-
retour tous les matins à votre âge! Le bon Dieu vous en demande
pas tant!

MARIE-ROSE, *petit rire.* Qu'est-ce que tu sais de ce qu'il me demande? Et puis qu'est-ce qui te dit que j'y vas pas pour faire lever
mon store?

ANNETTE. Je sais pas comment vous avez encore le courage de
prier avec la vie misérable que vous avez eue! Qu'est-ce que vous
lui dites au bon Dieu? «Merci de toutes les bontés que vous avez
eues pour moi» je suppose?

Elle a un petit rire. Marie-Rose suspend son travail.

MARIE-ROSE. Tu trouves que j'ai eu une vie misérable?

ANNETTE. On pourrait difficilement trouver mieux! Un mari
ivrogne qui s'est accroché à vous toute sa vie comme un noyé

après une planche, huit enfants que vous avez élevés toute seule, en faisant des ménages à gauche et à droite... Pensez-vous que j'ai oublié ça, même si vous vous êtes jamais plainte?

MARIE-ROSE. Pourquoi c'est que tu penses que je me plaignais pas?

ANNETTE. Parce que vous êtes trop fière, je suppose?... Toujours bien pas parce que vous aimiez ça!

MARIE-ROSE. Oui!...

ANNETTE. Voyons donc, maman!

MARIE-ROSE. Oui, ma fille, d'une façon, oui, j'aimais ça.

ANNETTE, *protestant.* Maman!...

MARIE-ROSE. Autant que toi...

ANNETTE, *de plus en plus surprise.* Que moi?...

MARIE-ROSE. Je sais pas si c'est parce que tu m'imites sans le savoir, mais en tout cas, tu t'arranges toujours, toi aussi, pour avoir des fardeaux à porter.

ANNETTE. Je m'arrange!... Je m'arrange pas, c'est la vie qui me les impose!

MARIE-ROSE. Moi aussi, je croyais ça... Je le crois pus!

ANNETTE, *véhémente.* Mais nos vies se ressemblent en rien. Je vois pas pourquoi, je vois pas comment vous pouvez les comparer!

MARIE-ROSE. C'est les résultats que je compare...

> *Annette bouleversée et pleine de protestation se lève et se met à marcher.*

ANNETTE. Je comprends pas! Qu'est-ce que vous voulez dire?... Je comprends pas!

MARIE-ROSE. Moi aussi ça m'a pris ben du temps à comprendre. C'est rien que depuis que vous avez tout' laissé la maison, depuis... (*Souriant.*) Depuis que je suis toute seule avec le silence de Sainte-Anne-de-Remington... que j'ai fini par démêler tout ça... Et que j'ai fini par comprendre, par *savoir* que si j'avais été toute ma vie une espèce de victime, c'était parce que je l'avais voulu... Oui, oui, voulu, même sans me le dire... Même sans le savoir! Parce que c'était comme ça que je me voyais... parce que c'était... c'était le seul genre de vie qui me convenait...

ANNETTE. Qui vous convenait!

MARIE-ROSE. Et toi aussi, ma pauvre fille, tout ce qui t'arrive c'est le genre de vie que t'as choisi, même si tu t'en rends pas compte!

ANNETTE. Que j'ai choisi! Mais c'est pas vrai! C'est pas vrai, maman! C'est les circonstances qui l'ont voulu. Si j'avais pas rencontré un homme comme Jérémie Martin... Mon Dieu, maman, vous le savez ce qui est arrivé, et que j'y étais pour rien! Pour rien! Je cesserai jamais de le dire!

MARIE-ROSE. Oui, je le sais... De toute façon, à seize ans, on est pas complètement responsable. Mais par la suite, Annette?...

ANNETTE. Mais par la suite y a eu Martine...

MARIE-ROSE. Martine, c'est moi qui l'ai élevée! T'étais pas obligée d'aller retrouver Jérémie Martin à Montréal.

ANNETTE, *protestant de plus en plus.* Mais je voulais qu'elle ait un nom! J'espérais toujours qu'un temps viendrait où il la reconnaîtrait... Et puis... Et puis je... je l'aimais... Vous le savez! Il a beau être dur, impitoyable... Pour moi c'était... c'était la fin du monde, Jérémie Martin!

MARIE-ROSE. La fin du monde !

ANNETTE, *s'emportant.* Et puis comment pourriez-vous me blâmer de l'avoir enduré tel qu'il est, vous qui avez toujours soutenu papa que toute la paroisse considérait comme le dernier des hommes!... Vous avez déjà dit vous-même: «Il doit jamais y avoir plus qu'un homme dans la vie d'une femme. Tant pis pour elle, si elle se trompe dans son premier choix!»

MARIE-ROSE, *avec une compassion sans borne.* Étais-tu obligée de penser comme moi? De copier mes agissements? C'est ça que j'essaie de te faire comprendre. Une fille est pas obligée de choisir sa mère comme modèle...

ANNETTE. Peut-être bien, oui... peut-être bien que j'ai cherché à être comme vous... Mais je vous admirais!...

MARIE-ROSE. Pis maintenant, c'est toi que t'admires!

ANNETTE. Je... Vous... *(Balbutiant.)* Pourquoi c'est que vous dites ça?

MARIE-ROSE, *malicieusement.* Parce que moi aussi je m'admirais... Comme maintenant tu t'admires...

ANNETTE. Oui, mettons que je m'admire. Est-ce que j'en ai pas le droit, même si j'ai fait des erreurs? J'ai peut-être gâché ma vie, mais au moins j'ai pas reculé moi non plus devant mes responsabilités! J'ai gagné ma vie, j'ai travaillé, j'ai fait instruire Martine, sans jamais rien demander à personne, même pas à Jérémie Martin!... Surtout pas à lui.

MARIE-ROSE, *moqueuse.* Il était trop pauvre?...

ANNETTE. Justement parce qu'il était riche, je voulais rien lui demander. Je voulais qu'il sache que je restais pas dans sa vie pour son argent. Même encore aujourd'hui, malgré le coup qu'il vient de me faire, j'aimerais mieux crever que de lui demander une cent, à lui qui tient à son argent plus qu'à son âme. Oui, j'aimerais mieux crever!...

Marie-Rose a commencé à rire doucement dès le premier «J'aimerais mieux crever».

MARIE-ROSE. J'aimerais mieux crever... Dire que j'ai dit ça toute ma vie moi aussi! Moi aussi j'aurais aimé mieux crever que d'avouer que j'étais à bout de forces, que j'en pouvais plus de la misère, que j'en pouvais plus de tout supporter toute seule. Pauvre folle! Et le plus beau, c'est que je croyais avoir du mérite! Un tannant de mérite!

ANNETTE, *véhémente.* Vous en aviez du mérite! Et j'en ai aussi! Il manquerait plus que ça! Tout supporter, puis...

MARIE-ROSE. Pas plus que moi, Annette! Aucun mérite! Ça aussi, j'ai fini par le comprendre. Pourquoi est-ce que t'aurais des mérites à faire une chose qui contient sa récompense en elle-même?

ANNETTE, *de plus en plus bouleversée.* Quelle récompense? Où est-elle ma récompense? Mon magasin qui vient d'être vendu peut-être?

MARIE-ROSE. Tu le sais ben, Annette. Ta récompense, c'est dans ton orgueil que tu la trouves. Ta récompense, c'est de pouvoir te dire que toi t'es capable de supporter le poids de la vie, là où les autres succombent en braillant, de te dire que toi tu demandes rien à personne, que toi tu te plains pas, que toi t'es forte! Même plus forte que Jérémie Martin malgré sa puissance!...

Annette, accablée, s'assoit en tremblant sur une chaise, les mains sur les genoux. La vérité commence à lui apparaître, mais elle secoue la tête pour la repousser.

MARIE-ROSE, *retrouvant son sourire malicieux.* Mais peut-être que t'as pas écouté le silence de Sainte-Anne-de-Remington assez longtemps pour comprendre ça...

ANNETTE, *accablée.* Alors, d'après vous... devant Dieu, par exemple, j'ai aucun mérite...

MARIE-ROSE. T'en as certainement, mais ça doit être pour d'autres choses à quoi tu penses même pas. Si t'en as, c'est pas dans l'orgueil que tu mets à souffrir en silence qu'il faut le chercher. Parce que ce que t'as souffert, t'étais pas *obligée* de le souffrir, t'aurais pu l'éviter. Ce que Jérémie Martin vient de te faire, par exemple, de vendre ton établissement sans même t'en dire un mot, c'était pas *nécessaire* que tu subisses ça. T'aurais pu...

ANNETTE. Ah! maman, maman, parlez plus!... Laissez-moi essayer de mettre un peu d'ordre dans ma tête! Je suis perdue là! Je suis perdue...

MARIE-ROSE, *doucement ironique.* Tout ça parce qu'on a levé un petit coin du store!

ANNETTE. Ben, levez-le doucement, maman, parce que je m'aperçois que ça faisait longtemps que j'étais dans la noirceur! Ben longtemps!

Le bureau de Beaujeu. Beaujeu étudie un dossier. Après un moment il secoue la tête avec irritation.

BEAUJEU. Je ne peux pas arriver à me sortir cet homme-là de la tête!

Il repousse les papiers qu'il examinait et réfléchit un moment, les coudes sur son pupitre, la tête entre ses mains. Après quoi, mû par une impulsion, il pousse la manette qui le relie au bureau de sa secrétaire.

SECRÉTAIRE. Oui monsieur?

BEAUJEU. Mademoiselle, apportez-moi donc le dossier de la dernière cause que j'ai plaidée pour l'American Highway Express.

SECRÉTAIRE. Bien monsieur.

Beaujeu repousse la manette, se lève et se dirige vers la fenêtre qui donne sur le fleuve. Mais il ne voit pas le fleuve. Ses pensées l'envahissent. «Il faut que je sache qui il est, d'où il sort... «Qu'est-ce qui vous fait croire que vous êtes prêt à aider les autres?»... Quelle drôle de réponse à faire à quelqu'un qui vous offre son aide...»La secrétaire entre. Beaujeu regagne son pupitre et prend le dossier qu'elle lui tend.

BEAUJEU. Merci...

Il consulte aussitôt le dossier.«Versus Jean-Marie Mounier... Mounier... J'avais oublié son nom! Carré Saint-Louis, graveur... (S'exclamant.) Graveur!...»

Les pensées se remettent à courir, à se bousculer dans sa tête. «C'est dire qu'il ne peut plus exercer son métier!... alors il doit bénéficier d'une pension d'invalide... Sinon, je ne vois pas de quoi il peut vivre! Qu'est-ce que je peux y faire de toute façon? Lui conseiller d'aller en appel? Mais Pelletier prétend qu'il n'en a pas les moyens! Merde! C'est intolérable! Il faut faire quelque chose! Mais quoi, puisqu'il ne veut pas qu'on l'aide!... À moins... À moins que!... Peut-être que si... ?»

SON. *Buzz.*

Beaujeu sursaute et pousse la manette.

BEAUJEU. Oui?...

SECRÉTAIRE. Mademoiselle Martine Julien est ici, pour...

BEAUJEU. C'est bien, faites-la entrer. Attendez!... Voulez-vous appeler mon ami Laramée à l'American Express et lui demander de passer me voir aussitôt que possible... Mettons d'ici une demi-heure... S'il te plaît.

SECRÉTAIRE. J'appelle immédiatement.

BEAUJEU. Merci. *(Il repousse la manette.)* Que je suis bête de ne pas y avoir pensé avant!

La porte s'ouvre et Martine paraît. Beaujeu l'accueille joyeusement.

BEAUJEU. Bonjour, belle Martine!...

MARTINE, *riant.* C'est moi, ça?

BEAUJEU. Hé oui, c'est vous! Assoyez-vous, je vous attendais. Donnez-moi d'abord des nouvelles d'Albert...

MARTINE. Toujours à l'hôpital. Il crie après le retour de maman...

BEAUJEU. Assoyez-vous... Vous avez des nouvelles de votre mère?

MARTINE, *soucieuse.* Non.

BEAUJEU. C'est à son sujet que je tenais à vous voir. Avez-vous eu connaissance d'une somme d'argent qu'elle aurait reçue de ma mère...

MARTINE, *étonnée.* Non...

BEAUJEU. Une somme de cent mille dollars...

MARTINE, *s'exclamant.* Ah! mon Dieu... Non, jamais! *(Elle ne peut s'empêcher de rire.)*

Beaujeu semble perplexe.

BEAUJEU. Serait-il possible qu'elle ne vous en ait jamais dit un mot?

MARTINE, *riant.* Une somme pareille!... Il me semble qu'elle aurait pas pu résister à la tentation d'en parler! Mais j'y pense, vous savez aussi bien que moi qu'elle n'a rien reçu puisque vous étiez à la lecture du testament...

BEAUJEU. Ma mère aurait pu lui signer un chèque sans passer par le notaire...

MARTINE, *soucieuse.* Mais pourquoi lui aurait-elle donné tant d'argent?

BEAUJEU, *avec un geste d'ignorance.* Elle en parle dans son journal en tout cas...

MARTINE, *préoccupée. Avec malaise.* C'est... c'est étrange. Soyez sûr que je le demanderai à maman.

BEAUJEU, *vivement.* Heu... Attendez donc avant de le faire. J'ai pu mal comprendre! Il se peut que cette idée soit venue à l'esprit de ma mère et qu'elle ait changé d'avis par la suite. Laissez-moi d'abord relire les pages qui concernent ce détail.

MARTINE, *admirant.* Ce détail!...

BEAUJEU, *riant.* Excusez-moi, c'est de la déformation professionnelle... Je voudrais vous poser une autre question qui va vous sembler très indiscrète...

MARTINE, *inquiète.* Ah! il y a autre chose?...

BEAUJEU. Qu'est-ce que vous voulez faire dans la vie, Martine? Y avez-vous déjà songé?...

MARTINE, *surprise.* Oui... Oui, j'y ai même beaucoup pensé depuis quelque temps. Mais... Est-ce que... Est-ce que madame Martin parlait de moi dans son cahier?

BEAUJEU. À plusieurs reprises...

Martine s'étonne. Il y a une part de protestation dans son étonnement.

MARTINE. Mais pourquoi?... Je n'étais rien pour elle! C'est à peine si elle me connaissait!

BEAUJEU. Mettons qu'elle s'inquiétait surtout de votre mère... Eh! bien, quels sont vos projets?

Martine, soucieuse, ne répond pas.

BEAUJEU. Vos projets...

MARTINE, *machinalement.* Mes projets?... D'abord passer mon bachot et après, si c'est possible, l'université... pour la médecine... ou les Sciences sociales...

BEAUJEU. Où étudiez-vous en ce moment?

MARTINE, *oubliant toute autre préoccupation et s'animant peu à peu.* Nulle part, mais j'ai maintenant tous les renseignements qu'il me faut. Michel... Votre frère... m'a beaucoup recommandé un professeur qu'il a connu ici pendant son séjour. Je suis allée le voir. Il s'engage à me faire passer d'ici la fin de l'année tout le programme que j'aurais fait en un an dans une institution normale. Malheureusement, des cours privés... Je ne sais pas si maman pourra...

BEAUJEU. Êtes-vous sûre de sa compétence?

MARTINE. J'ai sa carte ici, avec ses qualifications, ses titres...

Le buzz se fait entendre.

BEAUJEU. Excusez-moi... *(Il pousse la manette.)* Oui?...

SECRÉTAIRE. Monsieur Laramée sera ici dans une demi-heure, peut-être avant.

BEAUJEU. C'est parfait. Merci!

Il repousse la manette. Martine se lève.

BEAUJEU. Non, non, ne partez pas tout de suite! D'abord laissez-moi la carte de votre professeur. Je m'informerai à son sujet. *(Souriant.)* Je veux que vous soyez entre bonnes mains, autrement Michel ne me le pardonnera jamais! Il m'a bien recommandé de veiller sur vous. Particulièrement sur vos études!

MARTINE, *interdite.* Ah...? Toute la famille s'intéresse à moi à ce que je vois!

BEAUJEU. Mais Michel, c'est uniquement par amitié, je vous le jure!

MARTINE. Et votre mère?... Et vous?

BEAUJEU. Mais!... L'amitié de Michel n'exclut pas la mienne...

MARTINE. Mettons... Mais votre mère? Qu'est-ce que j'étais pour votre mère?...

BEAUJEU. Martine...

MARTINE. Et maman, qu'est-ce qu'elle fait chez votre père, maman? Et lui votre père, qu'est-ce qu'il a à vouloir tout savoir de ses actes? Où elle est, où elle va, quand elle reviendra...

Beaujeu se tait.

MARTINE. Qui me dira la vérité? J'ai pas cessé d'interroger maman depuis des mois... Elle répond ce qu'elle veut!... Mon oncle, lui, la moindre question le jette dans des transes, mais c'est le même silence!

BEAUJEU. Je vous dirais bien quelque chose, mais ce n'est pas ce que vous attendez.

MARTINE. Admettez-vous au moins que je suis justifiée d'attendre une explication?

BEAUJEU. Je l'admets, oui. Parfaitement justifiée.

MARTINE. Et vous vous étonnez que j'écoute aux portes?

BEAUJEU, *affectueusement.* Je ne m'étonne plus, Martine...

MARTINE. J'écouterai encore! J'écouterai plus que jamais!

Elle se lève prête à s'en aller. Beaujeu vient la rejoindre.

BEAUJEU. Vous avez tort, croyez-moi...

MARTINE. Vous venez de dire...

BEAUJEU, *avec insistance.* Croyez-moi! Les secrets des grandes personnes sont toujours décevants... Surtout pour leurs enfants! Vous avez la chance entre toutes d'avoir une mère admirable. Respectez-la... Vous pouvez être fière d'elle.

MARTINE. Ouuuui?... Je peux?... Vous le croyez, n'est-ce pas? *(Il y a une ardente supplication dans sa voix.)* Vous le croyez vraiment?

243

BEAUJEU. Elle le mérite, Martine. À votre place, je ne me permettrais pas de la juger. Essayez plutôt de l'aimer suffisamment pour accepter qu'elle ne vous dise pas tout. Un jour, quand elle sera prête, elle vous parlera d'elle-même. D'ici là, croyez-moi, respectez son silence...

MARTINE. Vous devez avoir raison. Mais ça va être difficile d'oublier toutes ces questions parce que je les ai reliées malgré moi à l'autre question... La fameuse question!

BEAUJEU. Quelle fameuse question?

MARTINE, *surprise.* Celle de votre mère?... L'avez-vous déjà oubliée?

BEAUJEU. Qui suis-je?... Vous y pensez donc aussi?

MARTINE. Très souvent... Parfois au moment où je m'y attends le moins!

BEAUJEU. Même chose pour moi! C'est curieux... *(Ils se regardent et se mettent à rire.)*

MARTINE. Vous n'avez pas trouvé de réponse?

BEAUJEU. Non... Vous?...

MARTINE. Pas vraiment... Mais ça rejoint les questions que je me pose sur ma propre identité...

BEAUJEU. Vous êtes sur la bonne voie, je crois. Oui, il doit falloir commencer par ça... Continuons à chercher!... je m'excuse de ne pas pouvoir vous garder plus longtemps. Nous nous reprendrons, n'est-ce pas?

MARTINE, *silencieuse.* Oui... J'aimerais bien...

BEAUJEU. Je vous rappellerai. Au revoir.

Ils ont marché jusqu'à la porte. Martine l'ouvre, sourit et s'éloigne. Beaujeu la suit des yeux un moment, et revient vers son bureau, sortant de sa poche un trousseau de clefs dont il se sert pour ouvrir un tiroir. Il en sort le cahier bleu et prenant la plus petite clef de son trousseau, il la fait jouer dans la serrure du cahier.

BEAUJEU. On va bien voir si j'ai mal interprété ce passage...

Comme chaque fois qu'il feuillette ces pages, il croit réentendre la voix de sa mère...

CLOTHILDE. J'ai enfin réussi à obtenir de Jérémie qu'il signe, ce matin, en présence du notaire Beauchemin, un billet par lequel il s'est engagé à remettre à Annette aussitôt après ma mort, la somme de cent mille dollars...

BEAUJEU, *s'exclamant.* Ça ne peut pas être plus clair!

VOIX DE CLOTHILDE, *tendre ironie.* Pauvre Jérémie, il en tremblait de rage! À ma suggestion d'épouser Annette, s'il trouvait trop pénible de lui remettre cette somme, il a répondu par un de ces jurons retentissants qui m'indignaient si fort au cours de nos premières années de vie conjugale. Le notaire a eu toutes les peines du monde à le faire sortir de la chambre. Il voulait à tout prix dresser lui-même les clauses du testament, afin d'être sûr que je lui laissais bien, à lui et à lui seul, tout ce que je possédais...

BEAUJEU. Chère maman... Si près de la mort, comment pouvait-elle trouver encore la force de lui tenir tête?

Il reprend sa lecture.

VOIX DE CLOTHILDE. Enfin tout cela est fait maintenant, et je suis moins inquiète de l'avenir d'Annette et de Martine. Du moins sur le plan matériel...

BEAUJEU, *refermant le cahier.* Encore faudrait-il que votre volonté soit exécutée! Mais elle le sera, j'y verrai. Je me charge d'Annette et de Martine, n'ayez aucune crainte. Je les aiderai... Oui, je les aiderai. Même s'il y a de la vanité de ma part à croire que je peux aider les autres!

Le buzz et manette.

BEAUJEU. Oui?...

SECRÉTAIRE. Monsieur Laramée vient d'arriver.

BEAUJEU. Ah! bon! Qu'il entre! Qu'il entre!

Il pousse la manette et se dirige vers la porte ouverte par Laramée.

BEAUJEU. Bravo! Tu n'as pas mis de temps!

LARAMÉE. C'est l'avantage d'avoir nos bureaux dans le même édifice! Mais je te préviens, je suis un peu pressé...

BEAUJEU. Alors assis-toi et passons au but. Je voudrais te parler de Jean-Marie Mounier, le bonhomme qui a poursuivi ta compagnie après avoir été heurté par un de vos camions...

LARAMÉE. Oui, oui, je vois... C'est le dernier procès que tu as plaidé pour nous.

BEAUJEU. C'est ça, oui. Il est question qu'il aille en appel?

LARAMÉE, *surpris.* Ah! oui? Je n'en ai rien su! On m'avait dit qu'il y avait pensé mais n'en avait pas les moyens.

BEAUJEU. C'est possible, en effet, mais...

LARAMÉE, *l'interrompant.* Hé! bien, si ça se produit, tu nous défendras une fois de plus.

BEAUJEU. C'est que justement... Cette fois-ci, c'est lui que j'aimerais défendre!...

17

L'affrontement

Un corridor du Palais de Justice. Va-et-vient d'avocats, clients, etc. Beaujeu Martin, en toge, serviette sous le bras, s'avance seul. Le front soucieux. Venant vers lui l'avocat Pelletier sans toge. Manteau et chapeau à la main.

BEAUJEU, *distraitement.* Bonjour Pelletier.

PELLETIER, *passant avec un petit geste.* Salut...

Beaujeu mû par une impulsion, se retourne vivement et le retient.

BEAUJEU. Dis donc, Pelletier, ce client que tu défendais contre l'American Highway Express... Cet infirme, tu sais...?

PELLETIER, *après un moment.* Jean-Marie Mounier?...

BEAUJEU. Justement, oui. Il habitait le Carré Saint-Louis, au moment du procès, mais je crois qu'il a changé d'adresse...

Pelletier le regarde avec curiosité se demandant où il veut en venir.

PELLETIER. C'est possible.

BEAUJEU. Sais-tu où il demeure maintenant?

PELLETIER. Aucune idée. Mais pourquoi veux-tu?...

BEAUJEU. C'est un Français, n'est-ce pas?

PELLETIER. Qui voulait devenir Canadien. Oui.

BEAUJEU. Quoi?... Il n'avait pas encore acquis la citoyenneté canadienne?

PELLETIER. Penses-tu! Cet accident lui est arrivé deux jours après son arrivée à Montréal!

BEAUJEU, *saisi.* Dans ce cas, il n'a même pas droit à une pension d'invalide!

PELLETIER, *le regardant.* Il n'a qu'un droit, celui de crever de faim. Mais... (*Ironique.*) Depuis quand t'intéresses-tu au sort de tes victimes?

BEAUJEU, *protestant.* Mes victimes!...

Un avocat en toge arrive vers eux et frappe familièrement l'épaule de Beaujeu avec un petit rire sarcastique.

AVOCAT. Félicitations, Martin! Il paraît que tu vas être nommé juge?

BEAUJEU, *riant.* Farceur! Ai-je la tête d'un homme qui voudrait juger les autres?

AVOCAT. Oh! tu sais avec l'influence de ton père, tu peux toujours avoir la tête que tu veux! *(Clin d'œil complice à Pelletier.)* Pas vrai? *(Nouvelle claque sur l'épaule de Beaujeu qui le regarde avec un étonnement agacé.)* Sacré Martin!

Il s'éloigne en riant.

BEAUJEU, *haussant les épaules.* Quel esprit!

PELLETIER. Il crève de dépit, c'est normal.

BEAUJEU, *le regardant.* Normal?...

PELLETIER, *agacé.* C'est humain, si tu préfères! Bon Dieu, tu as toujours fait des envieux, ça ne doit pas te surprendre!

Beaujeu le regarde sans répondre. Pelletier, mal à l'aise, continue.

PELLETIER. Au collège, à l'université... Tu peux pas ne pas t'en être aperçu...

BEAUJEU, *haussant les épaules.* Bien sûr, la fortune de mon père!...

PELLETIER, *s'emportant peu à peu.* La fortune et le reste! Tu avais tout, argent, rang social, raffinement, intelligence... Et du charme par surcroît! Avoue que c'était difficile à digérer! *(Moqueur.)* D'autant plus que tu n'avais même pas l'air de t'apercevoir que tu avais tout, ce qui fait que si on voulait être juste on pouvait même pas t'en vouloir.

BEAUJEU, *après un moment.* Une chose me manquait pourtant...

PELLETIER. Laquelle, mon Dieu!

BEAUJEU, *le regardant.* Le discernement! J'ai toujours cru que je n'avais que des amis!

PELLETIER. Oh! Tu en avais! J'ai oublié de mentionner ça parmi tes atouts! Des tonnes d'amis!

BEAUJEU, *amusé.* N'insiste pas, je commence à comprendre ce que tu veux me faire comprendre.

PELLETIER. Et quelle impression ça fait d'arriver à l'âge d'homme et de s'apercevoir tout à coup qu'on n'avait rien compris?

Beaujeu se met à rire.

BEAUJEU. Heureusement pour moi, je ne suis pas très doué pour l'amertume. C'est un autre de mes atouts! *(Il s'éloigne.)* Au revoir, Pelletier...

La bibliothèque. Céline entre et aperçoit Martine qui replace un livre sur une tablette.

CÉLINE. Ah! vous êtes là...

MARTINE, *sursautant*. Vous m'avez fait peur!

CÉLINE. C'est bien la première fois que je fais peur à quelqu'un!

MARTINE, *vivement*. Votre frère Michel me permettait de prendre des livres...

CÉLINE. Continuez, continuez!

Elle s'approche d'une fenêtre. Rafale de pluie.

CÉLINE. Les livres d'ailleurs n'ont-ils pas été inventés pour les jours de pluie?

Air scandalisé de Martine.

CÉLINE, *allumant une cigarette*. Savez-vous si j'ai été demandée au téléphone? Mon mari...?

MARTINE. Je ne sais pas... René pourrait vous renseigner.

CÉLINE, *désinvolte*. Bon, bon. Je suis allée me faire coiffer et je me demandais si pendant mon absence... *(Voyant que Martine regarde ses cheveux, elle se met à rire sans insolence.)* Eh! bien, ça en valait-il la peine?

MARTINE, *agacée*. Très joli.

CÉLINE. Oui, mais vous n'y connaissez rien!... *(Riant plus gentiment.)* Il n'y a qu'à voir votre coiffure!

MARTINE, *piquée*. Qu'est-ce qu'ils ont mes cheveux?

CÉLINE. Ils n'ont rien, justement. *(L'étudiant.)* Pourtant, Dieu sait que vous pourriez être belle si vous le vouliez!

Martine désarmée et étonnée ne trouve rien à répondre.

CÉLINE. Une chose certaine, c'est que vous n'avez pas un visage ordinaire. *(Brusquement.)* Seulement, vous savez, être belle ou laide ne change pas grand-chose. Nous sommes toutes destinées en naissant à être malheureuses. L'erreur, c'est d'être une femme...

MARTINE, *étonnée*. Ah?... Les hommes ont-ils plus de chance d'être heureux?...

CÉLINE, *éclatant de rire*. Qu'elle est drôle! Croyez-vous, comme ça, tout ce qu'on vous dit?

Martine agacée retourne à ses livres.

CÉLINE, *retrouvant son air désabusé*. Après tout, les hommes sont peut-être aussi malheureux que nous, pour ce que j'en sais! Mais au moins, leur vie ne se passe pas comme la nôtre sous le signe de l'ennui! *(Elle lève les bras et s'étire.)* Si seulement on mourait d'ennui!

Martine prend un livre et s'éloigne.

CÉLINE, *inquiète de la solitude qui l'attend*. Vous vous en allez?... Pourquoi? Venez vous asseoir...

Elle va la prendre par le bras, l'entraîne sur le sofa à côté d'elle et lui offre une cigarette.

CÉLINE. Fumez, fumez!...

Martine secoue la tête.

MARTINE. Je n'aime pas le goût de la cigarette.

CÉLINE. Personne n'aime ça pour commencer, mais il faut bien fumer quand même pour finir par aimer ça. Allez...

MARTINE. Non, vraiment...

CÉLINE, *agacée.* Essayez, au moins! Les femmes qui ne fument pas ne savent jamais quoi faire de leurs mains. Non?... Vous ne voulez donc pas que je vous apprenne à devenir une femme du monde? Une vraie! *(Avec un rire cruel.)* Ça me vengerait tellement de tout ce qu'on m'a forcée à faire et à ne pas faire tout au long de mon enfance!

MARTINE. Mais moi, qu'est-ce que ça me donnerait?

CÉLINE, *étonnée.* Comment, ce que ça vous donnerait? Mais... tout! De l'allure, du raffinement, du chic, quoi! Et surtout un art qui vous manque totalement: celui de ne pas dire et laisser voir tout ce que vous pensez!

MARTINE, *riant.* Vous ne me paraissez pas tellement meilleure que moi à ce jeu-là!

CÉLINE, *scandalisée par le ton direct de Martine.* Moi? Mais!... *(Elle la toise.)* Je vous trouve étonnante! Croyez bien que quand il me plaît de jouer le jeu, je peux damer le pion même à ma belle-sœur Geneviève. *(Haussant les épaules.)* Seulement, il faut que ça m'amuse, et ça ne m'amuse plus... *(Elle retrouve son expression à la fois enfantine et morose. Avec un soupir.)* Je voudrais bien que ça m'amuse encore! *(Brusquement.)* Aimez-vous la vie?

MARTINE, *étonnée d'abord par le ton brusque de la question.* Mais...

CÉLINE. Vite! vite! Sans réfléchir.

MARTINE. Bien sûr, j'aime la vie! *(Avec force.)* Avant et après réflexion, j'aime la vie! C'est normal, quoi!

CÉLINE, *la regardant avec envie.* Comme elle dit ça! Mon Dieu, comme elle dit ça!

MARTINE, *gênée.* Il y a des jours évidemment où je l'aime moins... Et vous? Vous! Vous ne l'aimez pas!

CÉLINE, *avec désespoir.* Jamais! Jamais! Jamais! Jamais! *(Elle se met à rire.)* La tête qu'elle fait maintenant! *(Elle passe derrière Martine et lui passe la main dans les cheveux. Gentiment.)* Apprenez donc à ne pas me prendre au sérieux. Personne ne l'a jamais fait!

Le téléphone résonne sur la table de travail. Céline se redresse aussitôt et se précipite pour répondre.

CÉLINE. Enfin ! C'est lui ! Cette fois j'en suis sûre ! (*Décrochant.*) Allô ?... (*Son enthousiasme disparaît.*) Monsieur Martin... (*Irritée.*) Mais non, monsieur Martin n'est pas ici ! Dieu merci, d'ailleurs ! (*Elle raccroche avec impatience et soupire. Désabusée.*) Il faudrait ne jamais rien attendre... ne jamais rien espérer... (*Elle aperçoit Martine qui voudrait bien s'en aller et s'exclame. Avec entrain.*) Minute ! Minute ! Si vous ne voulez pas fumer, vous allez au moins boire un verre avec moi.

> *Martine secoue la tête mais Céline ne l'écoute pas.*

CÉLINE. Si, si, si ! Je vous prépare quelque chose de très bon !

> *Elle se dirige vers le cabinet à liqueurs.*
> *Philippe paraît et s'avance joyeusement vers Martine.*

PHILIPPE. Bonjour Martine !...

CÉLINE, *se tournant.* Philippe ?...

> *Philippe étonné laisse aussitôt Martine pour aller embrasser Céline, croyant cacher son ennui par un excès d'enthousiasme.*

PHILIPPE, *embrassant Céline.* Céline !... Quelle surprise ! Je m'attendais si peu à te trouver ici ! (*D'un ton aussi faux que possible.*) Je suis vraiment content de te voir. Si, si, très content !

CÉLINE, *mordante. Lui tapotant la joue.* Cher Philippe ! Il en met toujours un peu trop pour qu'on le croie.

> *Martine rit.*

PHILIPPE, *mortifié.* Mais !...

CÉLINE, *doucement ironique.* Consolez-le, Martine. Je vous le laisse ! (*Elle fait un mouvement de sortie mais revient vers le cabinet à liqueurs.*) J'emporte mon verre, par exemple !

PHILIPPE, *étonné.* Où ça ?...

CÉLINE, *souriant à Martine.* À plus tard... (*Elle lui touche discrètement le bras.*) J'aime bien parler avec vous...

> *Martine s'étonne mais n'a pas le temps de répondre. Céline s'est déjà éloignée. Philippe se rapproche de Martine.*

PHILIPPE, *agacé. Bas.* Qu'est-ce qu'elle fait ici, voulez-vous me dire ?

> *On entend une exclamation de Céline qui revient sur ses pas.*

CÉLINE, *paraissant.* Ces valises sont-elles à toi, Philippe ? Dans le hall ?...

PHILIPPE. Oui, je viens demander l'hospitalité à ton père pour quelques mois.

> *Il s'est tourné vers Martine pour lui annoncer la nouvelle.*

CÉLINE, *éclatant de rire.* Toi aussi ! Décidément cette maison va devenir le refugium peccatorum de la famille !

PHILIPPE. Comment ça ?

CÉLINE. Je suis également en visite.

PHILIPPE. Non?... Quelle bonne nouvelle!...

Céline le regarde et cherche à écouter quelque chose.

PHILIPPE, *cherchant.* Qu'est-ce qu'il y a?

CÉLINE, *riant.* J'écoutais pour voir si ça résonnait juste.

PHILIPPE, *mal à l'aise.* Et le verdict?

CÉLINE. Faux!

Elle sort en riant.

PHILIPPE, *furieux.* Elle m'agace! Elle m'agace!

MARTINE. Alors, taisez-vous! C'est idiot toutes ces manières que vous lui faites!

PHILIPPE. Mais c'est ainsi qu'on m'a élevé! Et Céline elle-même d'ailleurs!... Et puis zut de zut! Fallait-il lui dire que c'était vraiment pas la peine de quitter la tristesse d'une maison vide pour tomber sur une espèce de névrosée comme elle!

Martine ne répond pas. Philippe retrouve sa tristesse.

PHILIPPE. Tout est gâché! J'aime autant m'en aller maintenant. Moi qui étais si heureux de venir vivre sous le même toit que vous...

MARTINE, *désarmée.* Mais je suis contente aussi! J'ai besoin de vous, Philippe!

PHILIPPE. De moi? Ça m'étonnerait!

MARTINE, *vivement.* Oui, oui, pour mes études! Je commence lundi!

PHILIPPE, *surpris.* Ah?... Ça s'est arrangé? Alors votre mère est revenue?

MARTINE. C'est votre cousin Beaujeu qui a tout réglé! Il a même payé le professeur trois mois d'avance!

PHILIPPE, *étonné.* Beaujeu?

MARTINE. Oh! maman le remboursera, évidemment! Restez Philippe! Vous pourriez tellement m'aider!

PHILIPPE, *reprenant courage.* Vous croyez?... *(Il la prend par le cou, timidement, gauchement.)* Alors vous... vous ne me méprisez pas trop, même si je ne vaux pas grand-chose?

MARTINE, *chaleureusement.* Oh! Pourquoi dites-vous ça?

PHILIPPE. J'ai été si ridicule tantôt...

MARTINE, *riant.* Bah! ça arrive à tout le monde! Et après?... Et après, Philippe?...

Il rit avec elle et la regarde avec émerveillement.

251

PHILIPPE. Vous êtes une fille extraordinaire Martine! Le saviez-vous? Extraordinaire!

La Rolls Royce de Jérémie Martin roule sur un chemin de campagne boueux battu par la pluie, à la tombée du jour. Des rafales de vent dépouillent les arbres de leurs dernières feuilles et donnent aux branches un aspect lugubre, fantomatique.

Jérémie se souvient que dans son enfance, les gars du village n'appelaient jamais le rang des Quatorze autrement que le rang du bout du monde. Ils avaient bien raison! soupire-t-il. Mais il tressaille soudain, n'en croyant pas ses yeux et frappe vivement dans la vitre qui le sépare de son chauffeur.

JÉRÉMIE. Arrête! Arrête, Maurice, et recule jusqu'à la maison qu'on vient de dépasser...

C'est une maison délabrée, veuve de toute peinture, manifestement abandonnée depuis longtemps, dont les volets à demi arrachés claquent dans le vent.

Jérémie, le souffle coupé, la regarde avec stupeur et un étonnement qui n'en finit plus de le bouleverser.

JÉRÉMIE. Le croirais-tu? Le croirais-tu, Maurice... C'est là que je suis né!

Maurice surpris se tourne vers la maison en s'exclamant.

MAURICE. Misère de misère!

JÉRÉMIE, *lentement.* Misère de misère... oui, tu l'as dit. *(Avec une stupéfaction qui ne s'épuise pas.)* C'est pas croyable!... C'est pas croyable que je sois sorti de ça...

MAURICE, *impressionné.* Mais dans votre jeunesse c'était peut-être plus beau... mieux entretenu...

Jérémie secoue négativement la tête, regarde encore, puis se laisse tomber sur le dossier de la banquette.

JÉRÉMIE. Continue, Maurice.

MAURICE. Est-ce loin encore?

JÉRÉMIE, *revenant à la réalité.* Non, non, la maison voisine! La prochaine, à droite...

L'auto démarre et continue jusque chez les Julien.

JÉRÉMIE. C'est ici...

Maurice va descendre de la voiture, mais Jérémie le retient par l'épaule.

JÉRÉMIE. Écoute... J'ai ben envie de te demander quelque chose...

MAURICE. Qu'est-ce que c'est?

JÉRÉMIE. J'ai pas la clé de la maison que je t'ai montrée tantôt...
(Petit rire ironique.) Ma cabane familiale... Mais... Tu vas me trouver
fou, j'aimerais revoir ça en dedans... Voir comment c'était...
MAURICE. Vous voulez que je trouve un moyen d'entrer?
JÉRÉMIE, *riant.* Ouais!... Une folie!... Ferais-tu ça pendant que je
serai ici?... Si tu réussis à entrer, tâche de trouver du bois pour
allumer un feu dans le poêle. Essaie de réchauffer ça, un peu.
J'irais faire un tour avant de rentrer en ville...
MAURICE, *souriant.* Je demande pas mieux. Ça m'occupera.
Il descend et va ouvrir la portière.
JÉRÉMIE. Viens me rejoindre ici quand ça sera fait. Attends-moi
dans l'auto, je te guetterai par la fenêtre.
MAURICE. Bien, monsieur.
*Il lui tend un parapluie ouvert et veut lui prendre le bras pour marcher
jusqu'à la porte mais Jérémie le repousse en riant.*
JÉRÉMIE. J'ai encore des bonnes pattes!
MAURICE. Attention, c'est glissant!
*Maurice le laisse et va remonter dans la voiture lorsque son regard se pose
sur la boîte à lettres portant l'inscription: J.P. Julien. Maurice intéressé jette
un coup d'œil sur la maison.*
MAURICE, *bas.* Julien... La grand-mère de Martine...

*Bien que moins délabrée, la maison des Julien ressemble en tout point à celle
des Martin. Toit en pente, fenêtres à carreaux, etc. Modèle classique, qui
éveille parfois la nostalgie avec son air de dire: je me souviens.*
Dans la cuisine, Annette se prépare à fuir.
ANNETTE. Je veux pas lui parler! Je veux pas le voir!
MARIE-ROSE. Il croira jamais que t'es pas ici! Ça serait le temps,
Annette, de lui dire toi-même que tu veux plus le voir.
ANNETTE. Plus tard! Tout de suite, je pourrais pas. Je finirais par
céder.
MARIE-ROSE. Reste en haut dans ce cas-là. Montre-toi pas! J'en
viendrai ben à bout.
*Annette monte rapidement l'escalier et disparaît. Marie-Rose regarde autour
d'elle cherchant quelque chose qui pourrait révéler la présence de sa fille. On
frappe. Satisfaite de son examen, Marie-Rose va ouvrir la porte toute grande
et s'exclame sur le ton malicieux qui lui est particulier.*
MARIE-ROSE. Ah ben! Ah ben!... Si c'est pas Jérémie Martin!...
L'ancien p'tit Jérémie à Cléphas!

JÉRÉMIE, *amusé.* Ben, oui, c'est lui en personne, Marie-Rose Pépin!

MARIE-ROSE, *saisie.* Marie-Rose Pépin... C'est la première fois que je me fais donner mon nom de fille depuis mon mariage! *(Brusquement.)* Envoie, embarque! Tu laisses entrer la pluie!

Il entre. Elle ferme la porte. Ils se regardent, cachant leur émotion et leur gêne, sous un ton abrupt, plus dur que leur cœur. Jérémie examine les lieux.

JÉRÉMIE. Ça a pas changé ici dedans! C'est comme au village... Je sais pas comment vous faites vous autres! Y a beau y avoir des guerres, des révolutions, des crises, on dirait que ça vous atteint pas!

MARIE-ROSE. Ça vous agace, hein, les gens de la ville, de voir qu'on reste tel qu'on a été créé? Enlève ton manteau. Tu vas ben t'asseoir un moment?

Jérémie ne répond pas et enlève son manteau.

MARIE-ROSE. Ça fait combien de temps depuis que t'es venu?

JÉRÉMIE, *bourru.* Au début de la dernière guerre, tu le sais ben... J'étais venu fermer la maison après la mort de...

Jérémie dépose son manteau sur une chaise.

MARIE-ROSE, *rêveuse.* Ta mère, ben oui! C'est c't'année-là que t'as pris Annette pis Albert à ton service...

Jérémie ne répond pas et sort sa pipe.

MARIE-ROSE, *après une pause.* Au fait, y va t'y mieux Albert?

JÉRÉMIE, *bourru.* Y est pas mal, y est pas mal. Je l'ai vu, ce matin, le médecin était dans sa chambre... On le soigne bien, inquiète-toi pas.

MARIE-ROSE. Pis, qu'est-ce qui te ramène aujourd'hui?

JÉRÉMIE, *haussant les épaules et s'assoyant.* Fais-moi donc pas parler, Marie-Rose Pépin.

Ce nom fait tiquer Marie-Rose qui pourtant reste calme.

MARIE-ROSE. Tu te trompes de porte, Jérémie.

JÉRÉMIE. C'est à croire!

MARIE-ROSE. Comme tu voudras.

JÉRÉMIE, *allumant sa pipe.* Où c'est qu'elle est?

MARIE-ROSE. Si elle était ici, tu la verrais.

JÉRÉMIE. Elle est montée quand elle a vu l'auto s'arrêter devant la porte, je suppose?

MARIE-ROSE, *doucement ironique.* Penses-tu que si elle était dans la maison, elle résisterait à l'envie de venir se jeter dans tes bras, pauvre Jérémie?

JÉRÉMIE. Cesse tes farces plates. On a passé l'âge tous les deux.

254

MARIE-ROSE. Après le beau coup que tu viens de lui faire?... T'as été tellement bon pour elle!

JÉRÉMIE. Laisse-moi régler nos comptes ensemble. Ce qui se passe entre ta fille pis moi, ça te regarde pas.

MARIE-ROSE. Si ça me regarde pas, pourquoi c'est que tu viens la chercher dans ma maison?

JÉRÉMIE, *se levant. Péremptoire.* Où est-elle?

MARIE-ROSE. Et même si ça me regarde pas, je suis toujours ben sa mère! C'est toujours ben moi qui l'a mise au monde! *(Durement.)* C'était pas pour toi que je l'avais mise au monde, Jérémie Martin!

Jérémie s'approche de l'escalier.

JÉRÉMIE, *appelant.* Annette!...

MARIE-ROSE, *riant.* Tu peux toujours crier.

JÉRÉMIE, *de toute sa voix.* Annette! Descends ici tout de suite!

Petit rire paisible de Marie-Rose.

JÉRÉMIE, *criant.* Je le sais que t'es là, Annette! Force-moi pas à aller te chercher!

MARIE-ROSE, *riant.* J'aimerais ben ça que tu y ailles! Là, je rirais! Vas-y donc! Vas-y donc!

Jérémie qui s'élançait pour monter, s'arrête interloqué, sur la deuxième marche.

MARIE-ROSE. Je me demande ben laquelle de tes deux pattes tu te casserais en premier!

JÉRÉMIE. Qu'est-ce que tu racontes?

MARIE-ROSE, *haussant les épaules.* Tu me fais pitié, bougre de fou! Y est condamné c't'escalier-là, pis avec ton poids, j'ai ben peur que...

Jérémie redescend prudemment.

JÉRÉMIE. Est-ce que c'est vrai ou ben si c'est des histoires? Marie-Rose Pépin, si tu me...

MARIE-ROSE, *l'interrompant.* Laisse-moi donc tranquille avec tes Marie-Rose Pépin! Je m'appelle Marie-Rose Julien, tu le sais pas encore? Quand une femme a enduré un homme toute sa vie, misère de Dieu, je pense qu'elle a mérité de porter son nom! Surtout quand il a pas eu peur de lui donner devant Dieu et devant les hommes!

Revenant s'asseoir et haussant les épaules, Jérémie ne la regarde même pas.

JÉRÉMIE. Si c'est pour moi que tu dis ça... Tu perds ton temps, Marie-Rose. *(Brusquement.)* Où est-elle Annette, si elle est pas ici?

Geste d'ignorance de Marie-Rose.

MARIE-ROSE. Pour ce qu'on en sait, elle est peut-être ben entrée en religion pour expier ses péchés, pis les tiens!

JÉRÉMIE, *avec un petit rire gouailleur.* Ben, elle a pas fini de prier!

MARIE-ROSE, *le regardant comme si elle n'en revenait pas.* Non, mais c'est tu possible! Faire encore des farces de même quand on a déjà quasiment un pied dans la tombe! *(Riant. Désarmée.)* C'est pas croyable!

> *Jérémie se relève irrité.*

JÉRÉMIE. Lâche-moi donc, toi! Est-ce que j'ai l'air d'un moribond?

MARIE-ROSE. T'approches toujours ben de ta fin, plus qu'Annette, pauvre fafouin! Le bon Dieu finira ben par te rejoindre que ce soit c't'année, dans cinq ans, ou dans dix ans...

JÉRÉMIE, *éclatant.* Marie-Rose Pép... Julien!... Je suis pas venu ici pour entendre tes sermons! Je suis venu pour chercher Annette, pis je vas la ramener que tu le veuilles ou non! *(Il crie à pleine voix.)* Annette!... Annette, c'est assez ça! Je le sais que t'es ici! Montre-toi! Quitte à fouiller la maison dans tous les sens, je vas te trouver!

> *Il entre dans la pièce voisine et en ressort quelques instants plus tard toujours parlant et criant.*

JÉRÉMIE. Annette!... Je le sais qu'elle est ici! La preuve que tu l'as vue, c'est que tu m'as demandé des nouvelles d'Albert quand je suis arrivé!

> *Marie-Rose fait une drôle de mimique dépitée, irritée contre elle-même. Il s'avance vers elle, menaçant.*

JÉRÉMIE. Tu vois!... Comment est-ce que tu saurais qu'il est malade, si Annette était pas venue? Et ce que je lui ai fait à Annette, qui est-ce qui aurait pu te le raconter, elle mise à part?

MARIE-ROSE. Elle sait écrire, pis moi je sais lire.

JÉRÉMIE. Tais-toi donc! *(Hurlant.)* Annette! Annette, si tu te montres pas tout de suite, je casse tout dans la maison! Pis s'il faut que j'assomme ta mère par-dessus le marché, pour te faire sortir de ta cachette, je m'en priverai pas!

> *Il prend brusquement le bras de Marie-Rose.*

MARIE-ROSE, *insultée.* Jérémie, si t'as le malheur!... Veux-tu bien...

JÉRÉMIE. Crie! Crie un peu! Envoie, envoie, crie!

> *Annette paraît, descendant l'escalier. Jérémie éclate de rire.*

JÉRÉMIE, *triomphant.* Je le savais ben! Je le savais ben!

> *Il laisse Marie-Rose et va au-devant d'Annette qu'il prend dans ses bras.*

JÉRÉMIE, *fou de joie.* La v'là! La v'là! La v'là!

Il l'attire devant lui et la tient par les épaules.

JÉRÉMIE. La v'là ta fille, Marie-Rose! Essaie donc de me l'enlever! Essayez donc, tout le monde! Essayez donc! Je voudrais ben le voir celui qui essaierait de nous séparer! Pis je voudrais ben en voir un maudit qui viendra me dire qu'elle est pas à moi, même si c'est pas ton bon Dieu qui me l'a donnée!

Il colle sa tête contre la tête d'Annette tandis que Marie-Rose les regarde tristement car elle redoute qu'Annette ne soit reprise.

JÉRÉMIE. Dis-y donc, Annette, qu'on est pas séparable! Dis-y donc qu'il y a eu trop de choses entre nous pour qu'on puisse nous séparer!

Annette qui sent leurs liens aussi fortement que lui n'a pas encore cherché à protester, mais cette fois pourtant, elle secoue la tête, essayant de se détacher de son étreinte.

JÉRÉMIE, *inquiet. La retenant.* Annette!

ANNETTE. C'était vrai encore la semaine dernière... Maintenant, ça l'est plus!

Il ne la retient pas. Elle se dégage.

JÉRÉMIE, *accablé.* Annette!...

ANNETTE, *durement.* Y a plus d'Annette pour vous! Je croyais que je comptais dans votre cœur, je croyais que je représentais quelque chose à vos yeux, mais aujourd'hui, je sais que je me trompais.

JÉRÉMIE. T'as pas compris, Annette, t'as pas compris pourquoi j'ai fait ça!... Je t'accorde oui, je t'accorde que c'était bête! C'était bête... mais c'était parce que... *(S'emportant.)* Maudit, je vas-tu être capable de le dire! Tu peux donc pas deviner, toi qui comprends toujours tout? *(Il s'écrase sur une chaise.)* J'avais peur, Annette! J'avais peur de te perdre!...

ANNETTE. De me perdre?... *(Vivement. À Marie-Rose qui s'éloigne.)* Non, maman, restez!... Vous avez été témoin de ma honte au moins regardez-moi triompher! Il dit qu'il avait peur de me perdre! *(À Jérémie. Violemment.)* Explique-toi!...

JÉRÉMIE, *à Marie-Rose. Avec véhémence.* Elle parlait plus rien que de s'en aller depuis quelque temps! J'allais-t-y lui laisser ce magasin-là qui la rendait indépendante? Il fallait bien que je la réduise à la pauvreté pour qu'elle reste avec moi! J'avais-tu un autre choix? J'en avais-tu un?

ANNETTE, *riant de joie.* Il avait peur de me perdre!... Je pensais qu'il avait fait passer ses affaires avant moi... par indifférence... par mépris même!... C'était pas ça! C'était... c'était...

MARIE-ROSE. Une marque d'amour peut-être?

257

ANNETTE, *triomphante.* Oui, une marque d'amour!

Elle va se mettre à côté de Jérémie toujours assis et entoure ses épaules de son bras comme pour le protéger. Jérémie tout étonné d'une victoire si rapide, commence à relever la tête.

MARIE-ROSE. Ça se prouve l'amour, Annette. Tu penses pas, Jérémie?

Jérémie inquiet se tourne vers Annette.

ANNETTE. J'ai pas besoin de preuves.

MARIE-ROSE. Es-tu toute seule au monde? Y a Martine... *(Elle regarde Jérémie et désigne Annette.)* Si tu l'aimes, marie-la. T'es libre asteur...

JÉRÉMIE, *se levant, toujours la même révolte à cette seule idée.* Jamais!

Il le dit d'une façon si catégorique, si définitive et si spontanée qu'Annette blessée s'écarte de lui.

MARIE-ROSE. Le v'là son amour!

JÉRÉMIE, *furieux.* Jamais! Jamais, au grand jamais! *(À Annette.)* Si c'est pour ça que tu m'as attiré ici, t'en seras quitte pour tes frais!

Annette au comble de l'humiliation, dédaigne de répondre.

MARIE-ROSE, *ironique.* Elle t'a attiré, ici?... Elle...?

JÉRÉMIE. Oui, elle! *(À Annette.)* Tu le savais bien que je ferais tout pour te retrouver! Vous avez dû manigancer ça ensemble, toutes les deux, pour m'avoir! Mais vous m'aurez pas! *(Fou de rage il s'approche d'Annette.)* Le mariage, comptez-y pas! Jamais! je te l'ai dit, je me remarierai jamais! C'est à croire que je remplacerais ma femme par... par!...

Il s'arrête, conscient d'être allé trop loin. Marie-Rose s'est levée et est allée ouvrir la porte toute grande. Rafales de vent et de pluie.

MARIE-ROSE. Reste pas là, Jérémie, tu vas te salir.

JÉRÉMIE, *éclatant.* Es-tu folle, toi!

Marie-Rose va se rasseoir dans la chaise berçante, laissant la porte ouverte. Jérémie a un mouvement pour aller fermer mais s'élance plutôt vers Annette qui s'est engagée dans l'escalier. Le vent soulève les rideaux et la nappe.

JÉRÉMIE. Attends! Va-t'en pas! Faut que je te parle! *(Suppliant et coléreux.)* Tu l'as connue, toi, Annette? tu le sais ben que c'était pas une femme comme les autres! Toi-même, t'as pas pu t'empêcher de tout lâcher pour venir la soigner, malgré que tu croyais la détester de toutes tes forces! C'était une femme... C'était une femme... *(Il cherche ses mots et s'exaspère de ne pas pouvoir exprimer sa pensée.)* Comment c'est qu'il faudrait dire... Misère, Marie-Rose, ferme ta porte, on gèle! *(Il va la fermer lui-même et voyant que Marie-Rose continue à se bercer sans même l'écouter. Il revient vers Annette qui s'est immobilisée sur une marche.*) C'était une femme... Je le sais pas! Aide-moi donc! T'es plus fine que moi, tu dois ben le comprendre qu'une femme de même, je peux pas lui faire l'injure de la... *(Suppliant.)* Comprends-tu? Comprends-tu?... Comprends donc, Annette!

    Annette, le regard fixe, incline la tête, incapable de parler.

JÉRÉMIE, *avec espoir.* Oui?... Tu le comprends, hein? Tu le sais que c'est pas par mépris pour toi? Le sais-tu? Miséricorde, comment est-ce que je pourrais te mépriser, moi qui suis rien qu'un vieux mécréant! Tu vaux cent fois mieux que moi, mais demande-moi pas ça! N'importe quoi, mais pas ça! Ça, je peux pas te le donner! J'aimerais mieux t'offrir tout mon argent, s'il fallait! Pis tu sais que j'y tiens!... Mais pas mon nom, qu'elle a porté! *(Suppliant.)* Comprends-tu Annette? Est-ce que je te le fais comprendre? Je trouve pas les mots pour m'expliquer, je suis pas capable de parler de ces affaires-là, mais essaie de comprendre, misère de misère! C'est tellement important que tu comprennes!

ANNETTE, *secouant la tête avec une tristesse sans borne.* Non... Non, vous avez raison, c'est pas possible. Et pas seulement à cause de ce que vous dites. Pour d'autres raisons aussi, que vous connaissez pas...

    Marie-Rose éclate de rire dans sa chaise berçante. Comme une enfant qui s'amuse, en se berçant de plus belle.

JÉRÉMIE, *se ressaisissant, tourné vers Annette, plein d'espoir.* Est-ce que j'ai gagné?...

    Annette avec lassitude s'assoit sur une marche.

ANNETTE, *à sa mère.* C'est vrai qu'il peut pas... Vous l'avez pas connue, vous, madame Martin... Il a raison... Rien que l'idée de la remplacer est déjà... ridicule! Et si en plus c'est par moi!...

    Marie-Rose s'est immobilisée dans sa chaise.

MARIE-ROSE, *durement.* Emmène-la, Jérémie! Il faut bien qu'il y ait des bourreaux puisqu'il y a des gens qui sont faits pour être des victimes. Tu l'as, ta victime...

    Jérémie hausse les épaules.

JÉRÉMIE, *prenant la main d'Annette.* Viens...

ANNETTE, *se ressaisissant.* Non!...

    Elle se lève.

ANNETTE, *durement.* Que je puisse pas être votre femme, je l'accepte, mais je veux plus faire partie de votre vie.

JÉRÉMIE, *stupéfait.* Quoi?...

ANNETTE. Je vous demande rien, allez-vous-en! *(S'emportant.)* Faut-il que je continue à traîner dans l'ombre de vos jours parce que votre femme était une espèce de sainte? Vous croyez pas qu'il

259

serait temps que je pense à ma vie? À ma propre vie en ce bas monde et dans l'autre?

Jérémie fait un geste pour la calmer.

JÉRÉMIE. Attends, attends, attends! Dis plus rien. Moi aussi j'y ai pensé et je voudrais en discuter avec toi, mais pas ici... Je m'en vais... Je m'en vais, mais pas loin... Dans la maison d'à côté. Je vais t'attendre...

MARIE-ROSE, *surprise.* La maison d'à côté? Quelle maison d'à côté?

JÉRÉMIE. Y en a pas trente-six. La mienne! Ma maison paternelle!

MARIE-ROSE. Deviens-tu fou, Jérémie Martin, une maison qui a pas été chauffée depuis plus de vingt ans! As-tu envie de prendre ton coup de mort? Ça doit être humide comme un caveau là-dedans!

Jérémie reprenant son manteau.

JÉRÉMIE. Maurice a dû allumer le poêle. D'ailleurs, j'y resterai pas longtemps. Annette va venir me rejoindre...

ANNETTE. Non, je vous l'ai dit, c'est fini.

JÉRÉMIE. Je coucherai là, s'il faut, mais je t'attendrai. Je veux te parler.

Il remet son manteau.

MARIE-ROSE. Retourne-t'en donc à Montréal, bougre de vieil entêté!

ANNETTE. J'irai pas, c'est inutile, j'irai pas.

JÉRÉMIE. Tu vas venir. Il faut qu'on se parle. Et sans témoin!

MARIE-ROSE. T'as peur de moi, Jérémie?

JÉRÉMIE, *la main sur la poignée de la porte.* Je t'attendrai, Annette. Je partirai pas avant que tu sois venue. Quand on aura parlé, tu décideras toi-même si tu veux revenir à Montréal avec moi ou bien si t'aimes mieux rester ici. *(Ouvrant la porte.)* Bonsoir Marie-Rose... *(Moqueur.)* Marie-Rose Pépin!...

Il ferme la porte. Marie-Rose regarde sa fille qui se trouble.

ANNETTE, *balbutiant.* Il s'entête à croire que... que j'irai...

Marie-Rose la regarde avec une compassion profonde en hochant la tête avec un sourire triste, car elle sait bien qu'Annette ira rejoindre Jérémie.

18

Le Puits

Jérémie Martin franchit à pied la distance entre la maison des Julien et celle de sa famille. Un grand vent de novembre s'élève et la pluie tombe, de plus en plus abondante. La nuit est venue.
Dans la cuisine des Martin, éclairée par une seule bougie. Maurice s'affaire autour du poêle, y mettant une nouvelle bûche. La porte d'entrée s'ouvre et Jérémie paraît, tout ruisselant d'eau.

MAURICE. Vous êtes revenu à pied? À la pluie battante! Je me préparais à aller vous chercher.

JÉRÉMIE, *maussade et fatigué.* T'aurais bien dû. Je suis trempé! Et j'ai les pieds pleins de boue! Maudit chemin de campagne! T'as trouvé du bois?

MAURICE. Tout ce qu'il fallait. *(Il aide Jérémie à enlever son manteau.)* J'ai eu du mal à partir le poêle, mais écoutez-le ronfler!... C'est dommage qu'il y ait pas d'eau, j'aurais pu vous faire du thé pour vous réchauffer. *(Riant.)* Que je suis bête! Il y a pas de thé non plus!

Jérémie s'approche d'une armoire où s'empile un maigre service de vaisselle. Il sort une tasse ébréchée.

JÉRÉMIE. Y'a de la vaisselle, en tout cas! Si on peut appeler ça de la vaisselle... Eh! ben va en chercher du thé! Et de l'eau!

MAURICE, *surpris.* Mais?...

JÉRÉMIE. Va au village. Ramène de quoi souper.

Il sort de l'argent de sa poche et le tend à Maurice.

MAURICE. Vous voulez?...

JÉRÉMIE, *frissonnant.* As-tu vu si y avait des couvertures? Y devrait y en avoir... *(Il se rapproche du poêle pour se réchauffer.)*

MAURICE. Y en a sur les lits. Vous voulez toujours pas...

JÉRÉMIE. Oui, je veux coucher ici. Es-tu capable de nous organiser une espèce de campement?

MAURICE. Oh! ça, y a toujours moyen, mais... *(Riant.)* Vous qui vivez dans le plus grand confort!...

JÉRÉMIE. Faut croire que je l'ai pas toujours eu puisque... puisqu'il «paraît» que je suis né ici...

MAURICE. Ah! si vous craignez pas de prendre votre coup de mort!...

JÉRÉMIE, *haussant les épaules.* Celui qui a pas peur de la vie, a pas peur de la mort.

MAURICE. Je fais mieux de rapporter d'autres chandelles, c'est la seule que j'ai trouvée ici...

JÉRÉMIE. Voyons donc, y a l'électricité! Je l'ai fait poser moi-même...

MAURICE. Faut croire que le courant a dû être coupé quand tout le monde est parti parce que...

JÉRÉMIE. T'as pas trouvé de lampe?

MAURICE. Non... Peut-être au grenier?...

JÉRÉMIE. Rapportes-en une du village. Tu sais comment te rendre au village? C'est...

MAURICE, *riant.* Inquiétez-vous pas.

> *Il sort refermant difficilement la porte. Jérémie tâte les murs et regarde autour de lui avec une stupéfaction qui ne s'épuise pas. La maison tout entière craque dans le vent.*

JÉRÉMIE. C'était t'y vraiment si pauvre que ça?... *(La gorge serrée par l'émotion.)* C'est pas possible! Que j'ai donc bien fait de m'en aller! Que j'ai donc bien fait!

> *Il s'approche de la table et prend la chandelle pour visiter les chambres. Il s'arrête sur le seuil de la première... Un lit double à barreaux de fer, surmonté d'un crucifix.*
>
> *À gauche, le portrait de Cléophas Martin, à droite celui de sa femme Antonia, tous deux figés dans un cadre ovale derrière une vitre bombée. Des rafales de vent soulèvent les lambeaux de rideau. Jérémie s'approche au pied du lit, impressionné par les pensées qui l'assaillent.*

JÉRÉMIE. Là-dedans que je suis venu au monde... Comme tous les autres!... Tous les ans, un de plus... Tous les ans! Encore un, pis encore un, pis encore... *(Avec rancœur.)* Jusqu'à ce qu'il soit étendu là pour la dernière fois! Étendu pour plus se relever...

VOIX DE CLÉOPHAS. Qui c'est qui m'a étendu là, Jérémie?

JÉRÉMIE, *levant les yeux vers le portrait de son père.* C'est pas moi! *(Se ressaisissant aussitôt.)* Ah! non je vas pas me mettre à rabâcher mon passé comme une vieille femme! Il manquerait plus que ça! *(Avec un soupir.)* Oui, que j'ai donc ben fait de sacrer mon camp d'ici!

> *Il soupire encore et s'assoit sur le bord du lit avec lassitude.*

CLÉOPHAS. Pourquoi c'est que t'es parti donc, mon Jérémie? T'en souviens-tu?

> *Jérémie secoue la tête pour chasser toute fantasmagorie, se lève et retourne dans la cuisine.*

JÉRÉMIE, *à mi-voix.* La bêtise c'est de rentrer dans la maison!

Ailleurs chez les Julien. Annette, près de la fenêtre, regarde dehors. Marie-Rose met le couvert pour le repas du soir.

ANNETTE. L'auto revient!... *(Presque triomphante.)* Ça me le disait bien aussi qu'il était pas parti!

MARIE-ROSE. Par un temps pareil, il aurait mieux fait de rentrer en ville!

ANNETTE. Il a dû envoyer Maurice faire des commissions au village.

MARIE-ROSE, *la regardant.* Ça te fait tellement plaisir?

Annette se trouble et s'écarte aussitôt de la fenêtre.

ANNETTE. Ça m'étonnait seulement qu'il ait changé d'idée. Têtu comme il est...

MARIE-ROSE, *petit rire.* Oh! pour l'entêtement, t'as rien à lui envier!

ANNETTE. Vous dites encore ça parce que je m'obstine à rien lui demander? Mais vous-même...

Marie-Rose avec une lassitude subite s'assoit devant la table.

MARIE-ROSE. Annette, je t'ai dit que t'étais pas obligée de me copier!

ANNETTE. Mais... Mais d'une façon, ça me gênerait d'avoir plus que vous avez eu!

MARIE-ROSE, *secouant la tête.* Qu'est-ce qu'il peut bien y avoir de si épeurant dans le bonheur, veux-tu me dire, pour qu'on s'obstine toujours à le repousser?

ANNETTE, *brusquement.* Je forcerai pas à m'épouser un homme qui rougirait de me présenter à sa famille, à ses amis, à ses connaissances.

MARIE-ROSE, *doucement.* Même pour Martine?

ANNETTE. Martine! Elle serait la première à me le reprocher! Elle est encore plus orgueilleuse que moi. Et en plus, elle le déteste! C'est plus possible, maintenant, de toute façon!

MARIE-ROSE, *protestant.* Les vivants devraient pourtant passer avant les morts!

ANNETTE, *d'une voix étouffée.* Il y a autre chose que vous savez pas... Qu'il sait pas non plus... Quelque chose qui est arrivé et qui fait que je pourrai jamais être sa femme. Même s'il me le demandait à genoux. *(Vivement.)* Et je vous en supplie, pas de question!

MARIE-ROSE, *doucement.* Inquiète-toi pas Annette... T'as droit à tes secrets. Viens manger, ma belle fille...

La cuisine des Martin où Maurice et Jérémie achèvent de souper à la lueur d'une lampe à l'huile.

JÉRÉMIE, *s'essuyant la bouche avec son mouchoir.* Ça finit par faire un repas! C'était à peine mangeable, mais qu'importe.

MAURICE. Avec quoi laver la vaisselle maintenant? Pas d'eau!...

JÉRÉMIE, *allumant sa pipe.* Bah! laisse tout ça là. Remets plutôt une bûche. Si on est pour passer la nuit ici, faut pas laisser baisser le poêle.

Maurice se lève et met une bûche dans le poêle tout en parlant, pendant que Jérémie allume sa pipe.

MAURICE. Surtout avec un vent pareil! Vous allez trouver ça drôle, monsieur Martin mais d'une façon, ça... ça m'encourage de penser que vous êtes né ici!...

JÉRÉMIE. Moi, ça me déprime.

MAURICE. Mais pourquoi? Pensez donc où vous êtes rendu aujourd'hui! C'est ça qui me frappe! Je me dis que peut-être un jour, moi aussi, je... Même si j'allais pas si loin que vous...

Il s'arrête, riant de son audace.

JÉRÉMIE, *le regardant, pensif.* T'as des ambitions? Tu veux faire de l'argent?

MAURICE. C'est-à-dire... Je voulais surtout m'instruire! Je suis même entré à Polytechnique il y a cinq ans, mais mon père est mort au milieu de ma deuxième année et tous mes projets sont tombés à l'eau.

JÉRÉMIE. Veux-tu dire que t'as pas eu assez de cœur pour gagner tes propres études comme bien des étudiants?

MAURICE, *piqué.* C'est ce que je faisais avant la mort de papa! Mais il a laissé toute une famille et c'est moi l'aîné, alors l'argent que je gagne, j'en vois pas la couleur.

JÉRÉMIE, *désemparé.* Ah!...

MAURICE, *amer.* Quand je pense qu'avant longtemps, toute l'éducation sera gratuite. Même l'université paraît-il!... Mais pour moi, il sera trop tard!

JÉRÉMIE, *amical.* Bah! Console-toi, on est tellement nombreux à être ignorants!

MAURICE. Ce qui me console plutôt c'est de penser que vous êtes parti d'aussi bas que moi et que ça vous a pas empêché d'atteindre le sommet!

JÉRÉMIE, *amusé.* Pis tu te plains? Quand t'as la chance d'habiter un pays où l'instruction est même pas nécessaire pour réussir?... Espèce d'ingrat!

MAURICE. C'est ce que je me dis depuis ce soir! Par quoi avez-vous commencé, vous, monsieur Martin? Et d'abord qu'est-ce qui vous a poussé à quitter votre village?

JÉRÉMIE. Pourquoi est-ce que je suis parti?...

MAURICE. Étiez-vous bien jeune à ce moment-là?

JÉRÉMIE. J'avais... J'avais quatorze ans. C'était au début du siècle...

MAURICE. Ah! la belle époque!... Je comprends! L'argent se faisait facilement dans ce temps-là!

JÉRÉMIE, *se fâchant.* La belle époque!... Parlons-en de la belle époque! La pire époque d'exploitation des p'tits par les gros qu'il y a jamais eue dans le monde!

MAURICE. Monsieur Martin! Les gens disent toujours...

JÉRÉMIE. Laisse-les dire! Moi, je le sais! La belle époque, elle était belle rien que pour ceux qui tenaient le haut du pavé! Fallait entendre le père de ma femme! L'honorable Juge Beaujeu! À l'entendre, tout le monde était riche, les gens pensaient rien qu'à s'amuser, à recevoir, à rire... Vieux farceur! Ce qu'il savait pas, c'est qu'on exploitait les basses classes à plein rendement pour lui donner cette illusion-là!

MAURICE. Quand même!...

JÉRÉMIE. Tais-toi donc! Qu'est-ce que t'en sais? Moi, j'étais là! Des salaires de famine, des journées de douze à quinze heures des fois, dans des conditions quasiment inhumaines! Ah! parle-moi z'en pas de leur belle époque, ça me donne mal au ventre. J'en ai t'y assez arraché, ça se dit pas! Parle-moi pus de ça!

MAURICE. Excusez-moi...

JÉRÉMIE, *se levant; nerveux.* T'es là qui soulèves ça, à pleine pelle! J'ai juré que je l'oublierais mon passé! J'y étais même arrivé. J'étais sûr d'y être arrivé! Parle-moi pus jamais de ça.

MAURICE, *impressionné.* Je vous assure que je voulais pas...

JÉRÉMIE. Parles-en pus, je te dis! Je pense que je vas aller me coucher, ça vaudra mieux.

MAURICE. J'ai arrangé votre lit. Y a pas de draps mais y a deux couvertures de laine assez chaudes... Et avec celle de l'automobile...

JÉRÉMIE, *l'interrompant.* J'en aurai assez. Bonsoir. Si quelqu'un venait pour moi, tu viendras m'avertir. *(Il prend la lampe.)* T'auras rien pour t'éclairer...?

MAURICE. Oui, oui, j'avais prévu ça. J'ai acheté des chandelles.

JÉRÉMIE. Donne-moi z'en une plutôt, pis garde la lampe. T'en auras besoin pour veiller au poêle. Laisse-le pas s'éteindre.

MAURICE. Dormez sur vos deux oreilles.

La chambre des parents de Jérémie Martin. La fenêtre ruisselle sous la pluie qui continue à tomber. Jérémie tâte le lit et les couvertures.

JÉRÉMIE, *entre ses dents.* La belle époque!... Quand je les entends! Faut avoir mangé de la vache enragée dans ce temps-là pour savoir ce que c'était leur «belle époque»!

CLÉOPHAS, *doucement ironique.* Pourquoi c'est que tu y allais à Montréal donc Jérémie, si c'était si dur que ça? T'avais qu'à rester à Sainte-Anne!

JÉRÉMIE, *se retournant brusquement vers le portrait de son père.* Si y a quelqu'un qui le sait pourquoi j'y suis allé, c'est ben vous le père! Maudit! Fallait ben que je les fasse vivre eux autres! Qui c'est qui l'aurait fait autrement?

CLÉOPHAS, *moqueur.* Mais moi!... C'était moi le père! C'était pas toi!

JÉRÉMIE, *plein de haine.* Vous étiez mort, maudit! Vous étiez mort!

CLÉOPHAS, *avec un petit rire doux et moqueur.* Ah! j'étais mort?...

JÉRÉMIE. Que je suis donc bête de penser à ça!

CLÉOPHAS. Comment ça se fait, Jérémie? Comment ça se fait que j'étais mort?...

Jérémie marchant de long en large frotte son front pour penser à autre chose.

JÉRÉMIE, *bas.* Je veux plus y penser! Je veux pas...

CLÉOPHAS. J'étais pas ben vieux pourtant quand t'avais quatorze ans! Quel âge?... Trente-six ans que j'avais?...

Jérémie accablé et toujours secouant la tête se laisse tomber sur le bord du lit, envahi par des souvenirs qu'il n'arrive plus à repousser.

CLÉOPHAS, *enchaînant.* Trente-sept au plus?... Je suis ben mort jeune! T'en rappelles-tu de mon dernier jour, Jérémie?

JÉRÉMIE, *protestant, à mi-voix.* Lâchez-moi donc! Vous le savez ben que je l'ai pas oublié!...

Cuisine des Martin en dix-neuf cent sept. Jérémie à 14 ans, maigre, presque malingre. Il fait répéter une leçon à Louis. Autour d'eux on voit une douzaine d'enfants dont les uns font des devoirs à la même table que Jérémie, d'autres qui répètent leur leçon à haute voix, d'autres qui se chamaillent en jouant assis par terre. Un bébé crie à tue-tête. Antonia, la mère, brasse la soupe qui cuit sur le poêle. Une enfant de trois ans vient s'accrocher à sa jupe en pleurant.

JÉRÉMIE, *impatient.* La grâce sanctifiante... Dis-le donc!

LOUIS, *cherchant.* La grâce sanctifiante, la grâce sanctifiante... *(Sur un geste impatient de son frère.)* Je le sais Jérémie, je le sais.

JÉRÉMIE, *se tournant vers sa mère.* Mosus, maman, a va-tu se taire? Hé! qu'a est braillarde celle-là!

Antonia tourne vers lui le visage de la femme débordée par la misère, manifestement enceinte pour la quatorzième fois et qui ne songe pas plus à s'en étonner qu'à s'en plaindre.

ANTONIA, *voix terne et sans vie.* Elle braille pas plus que les autres.

La porte d'entrée s'ouvre et le père paraît. Jérémie se lève aussitôt. Louis en profite pour regarder la réponse dans son catéchisme.

JÉRÉMIE, *avec inquiétude.* Ah! vous v'là son père?...

Cléophas ne répond pas et va accrocher son bonnet de laine sur la patère où pendent les vêtements de sortie de la famille. Il est bâti comme un colosse. Jérémie fait un pas vers lui.

JÉRÉMIE. Pis?... Leur avez-vous dit que j'irais pas?...

Antonia regarde son mari et connaît la réponse. L'enfant s'accroche toujours à elle. Elle la prend dans ses bras.

ANTONIA, *avec un soupir.* Adeline! Encore mouillée! Je viens de...

Une plainte lui échappe et elle manque de tomber. Son mari, inquiet, s'approche vivement.

CLÉOPHAS. Qu'est-ce qu'il y a? Qu'est-ce qu'il y a?...

Il lui enlève l'enfant qu'il tient à bout de bras et qui continue à pleurer tandis qu'Antonia met la main sur son ventre pour retenir la douleur.

CLÉOPHAS, *se fâchant.* Le docteur t'avait défendu aussi de forcer! Si ça a du bon sens, dans ton état! Je t'ai dit de te faire aider par tes filles! *(Rageur.)* Albina!...

Albina, une fille de treize ans qui fait manger un enfant de deux ans assis sur ses genoux, ne prend même pas la peine de répondre.

CLÉOPHAS, *excédé.* Marie-Louise d'abord!

Marie-Louise qui tient un bébé de huit mois et marche de long en large pour le calmer. Elle hausse les épaules en guise de protestation tandis que le bébé continue à hurler. Cléophas, dépité, dépose l'enfant par terre.

CLÉOPHAS. Cout' donc, qu'a reste mouillée d'abord!
La petite se précipite de nouveau dans les jupes de sa mère en pleurant.
ANTONIA, *lui caressant les cheveux.* Ben oui, ben oui, je vas m'occuper de toi.
CLÉOPHAS, *excédé.* Sacré maudit! C'est pas la place d'un homme icitte!
Il reprend son bonnet de laine et se dirige vers la porte.
JÉRÉMIE, *le suivant.* Vous m'avez pas répondu, son père!
ANTONIA, *qui a de nouveau l'enfant de trois ans dans ses bras.* Si tu pouvais au moins réparer le puits, Cléophas! On a pas d'eau depuis à matin!
CLÉOPHAS, *se coiffant de sa tuque.* J'y vas! J'y vas, sacrée affaire! Je vas te le réparer, ton maudit puits.
Il sort en faisant claquer la porte. Jérémie angoissé se tourne vers sa mère.
JÉRÉMIE. Sa mère!... Y a rien dit!...
ANTONIA. T'as pas compris, pauvre Jérémie?
LOUIS. Jérémie va-t'en pas! Je vas te la dire la grâce sanctifiante!
Jérémie prend sa vareuse et son bonnet de laine et sort le visage empreint d'une dure résolution.

Cléophas est penché au-dessus d'un vieux puits en ruine, dont il fait tourner la manivelle. Jérémie s'avance, les poings serrés. Cléophas le voit venir et se met à rire, les poings sur les hanches, l'air gouailleur.
CLÉOPHAS. Regardez-moi-le donc! Un vrai p'tit coq!
JÉRÉMIE. J'irai pas! J'aime autant vous le dire, j'irai pas!
CLÉOPHAS. Penses-tu que je vas te garder icitte à traîner tout l'hiver, p'tit morveux?
JÉRÉMIE. La mère a dit que je pouvais rester!
CLÉOPHAS. Depuis quand c'que c'est les femmes qui décident? *(Durement.)* Tu pars lundi, mon gars! Ton contrat est signé. J'ai même reçu une partie de ton salaire. Et dépensé par-dessus le marché! *(Il rit.)*
JÉRÉMIE, *indigné.* Vous m'aviez juré le printemps dernier que vous me renverriez pus jamais dans les chantiers. Vous me l'aviez juré! Torrieu! J'étais quasiment à moitié mort quand ils m'ont ramené! L'avez-vous oublié?
CLÉOPHAS. T'as eu tout l'été pour te reposer. T'es aussi bon qu'un neuf à c't'heure! Avez-vous jamais vu une guenille pareille! On dirait que t'as peur?

268

JÉRÉMIE, *trépignant de rage et de honte.* Oui, j'ai peur! C'est trop dur c'te vie-là! Ils me font tout faire ce qu'il y a de pire, parce que je suis le plus jeune! C'est à qui c'est qui me maganerait le plus!
CLÉOPHAS. C'est de même qu'on devient un homme, mon gars! C'est ça qui m'a dressé moi! Pis toi t'en as besoin deux fois plus qu'un autre! Regarde-toi donc! Si ça a du bon sens d'être chétif de même! À ton âge j'étais quasiment aussi gros et grand qu'à c't'heure!

Il crache par terre avec mépris et grimpe sur la margelle du puits pour examiner les poulies.

JÉRÉMIE, *avec rancœur.* Pour c'qu'a vous sert votre force!
CLÉOPHAS. Qu'est-ce que tu veux dire, p'tit morveux?
JÉRÉMIE. Rien! Rien!
CLÉOPHAS. Les temps sont durs pis t'es le seul de la famille qui peut m'aider! Faut que tu fasses ta part, maudit sans-cœur! Penses-tu que je suis pas tanné, moi, de tous vous faire vivre?
JÉRÉMIE. Une si grosse famille aussi, si ça a du bon sens!

Sujet vulnérable pour Cléophas qui se tourne brusquement vers Jérémie en s'accrochant d'un bras au rouleau sur lequel s'enroule la corde.

CLÉOPHAS. P'tit écœurant! Vas-tu me reprocher de vous avoir mis au monde?
JÉRÉMIE. Non, non, mais...
CLÉOPHAS, *au comble de la colère.* Prends-la donc ma place, si tu penses que t'es capable de faire mieux que moi! Tu verras ce que c'est d'avoir à nourrir treize enfants par les temps qui courent! Envoie, vas-y! Je te la donne, ma place! Fais-la vivre la famille, si t'es si bon que ça! Fais-la vivre!

La colère lui fait perdre pied. Il reste un moment suspendu au-dessus du vide, poussant un cri. Jérémie au lieu de chercher à l'aider recule.

JÉRÉMIE, *hagard.* Son père!...
CLÉOPHAS, *hurlant.* Jérémie! Aide-moi donc, tabernac!

Il essaie de remonter, mais il s'accroche malencontreusement à la corde qui se déroule sous son poids, l'entraînant au fond du puits. Jérémie qui est resté cloué sur place, accourt enfin et se penche au-dessus du puits.

JÉRÉMIE, *d'une voix étranglée.* Son père!...

Il s'éloigne du puits en reculant, complètement affolé, fait quelques pas vers la maison, revient au puits en courant, et se penche encore pour regarder...

JÉRÉMIE, *appelant.* Son père!...

Il se met à courir vers la maison en appelant de toute sa voix.

JÉRÉMIE. Sa mère! Sa mère! Sa mère!

Jérémie étendu sur le lit tient sa tête à deux mains comme s'il avait la sensation qu'elle allait éclater.

JÉRÉMIE, *gémissant.* C'est pas de ma faute! C'est pas de ma faute!

CLÉOPHAS, *ironique et doux.* T'étais à côté de moi, Jérémie. T'aurais pu me retenir! Mais non, t'as reculé!

JÉRÉMIE, *protestant.* Ça s'est fait ben trop vite! Lâchez-moi, maudit! Vous trouvez pas que votre mort m'a coûté assez de sacrifices? Rappelez-vous donc dans quel état de misère vous nous avez laissés! Rappelez-vous-en donc!...

Antonia assise près de la table sur une chaise droite, les mains sur ses genoux, le dos courbé, regarde devant elle d'un air plus morne que jamais. Elle est toute vêtue de noir et Jérémie lui-même a ses vêtements les plus propres et un brassard noir sur sa manche. Les plus jeunes enfants sont absents. Ceux qui restent se taisent pour l'instant.

ANTONIA. Qu'est-ce qu'on va devenir pauvres nous autres! Qu'est-ce qu'on va devenir!

Jérémie se détourne pour ne pas montrer son angoisse.

ALBINA, *angoissée aussi.* Tout le monde va nous aider sa mère! Ils ont tous dit qu'ils nous aideraient!

ANTONIA. Quand Cléophas était là, sur les planches oui!... Mais asteur qui sont retournés chez eux...

LOUIS, *criant.* Donne-moi ça! Donne-moi-les!

L'autre se débat en criant.

LOUIS, *furieux.* Sa mère! Y veut pas me passer les poignées de cercueil! C'est à mon tour, bon!

Antonia tourne vers eux un regard navré. Louis se précipite sur son frère. Ils commencent à se battre sur le plancher.

ALBINA, *se levant pour les séparer.* Aïe, aïe, là, vous autres! Vos beaux habits! Si ça a du bon sens!

MARIE-LOUISE, *protestant, scandalisée.* Son père qui vient d'être enterré à matin!

ANTONIA, *le regard vide.* Va ben falloir que tu y ailles au chantier, mon pauvre Jérémie!

JÉRÉMIE, *se levant. Malheureux.* Sa mère...

Le bébé se met à pleurer. Antonia se tourne vers Albina.

ALBINA. J'y vas! *(Aux enfants.)* Vous avez réveillé le petit! Cessez donc de vous chamailler!

270

Marie-Louise avec un soupir va prendre le bébé qui pleure dans son berceau tandis que les autres se calment.

JÉRÉMIE, *suppliant.* Je veux pas y aller au chantier, sa mère! Forcez-moi pas!

ANTONIA, *découragée. Se tournant vers lui.* Mais ton père a signé, Jérémie!

JÉRÉMIE. C'est sa signature, c'est pas la mienne! Même qu'il s'est déjà fait payer mes services, pis qu'il a déjà tout dépensé! Je vous l'ai dit, ça nous donnerait pas une cent que j'y aille!

ANTONIA, *accablée.* Tu veux pas travailler?

JÉRÉMIE. Oui, oui, je veux travailler, mais y a pas rien que les chantiers! Y a ben plus d'argent à faire dans les villes!

ANTONIA, *rêveuse.* Les villes...

JÉRÉMIE. À Montréal, y viennent encore d'ouvrir des nouvelles facteries! Votre cousin Raoul me l'a dit hier...

ANTONIA. Tu veux toujours ben pas aller vivre à Montréal tout seul à ton âge!

JÉRÉMIE. Pourquoi pas?

ANTONIA. Une ville de pardition!

JÉRÉMIE. Je suis sûr que je me débrouillerais ben mieux que dans les bois! *(Avec ressentiment.)* Parce que dans les villes, c'est pas rien que la force des bras qui faut, c'est de l'intelligence!

ANTONIA. Tu connais personne.

JÉRÉMIE. Je me tirerai ben d'affaires, je suis pas fou! À l'école, j'étais toujours le premier!

ALBINA. C'est vrai, sa mère, qu'y est ben plus fort de la tête que du corps!

ANTONIA, Oh! j'le sais. Je suis ben fier de lui, mais... *(Se mettant à pleurer.)* J'ai peur pour toi, mon Jérémie.

JÉRÉMIE, *pressant.* Je serai pas le premier à venir de la campagne! Votre cousin, Raoul...

LOUIS, *s'approchant.* Sa mère, on peut-tu aller jouer dehors?

ALBINA. Pas habillés de même certain! Montez vous changer. Je vas y voir, sa mère, dérangez-vous pas.

Elle s'éloigne et monte l'escalier suivie de trois garçons gloussant et se bousculant.

JÉRÉMIE, *tout à son idée.* Raoul, y en a fait de l'argent à Montréal! Y en a fait gros!

Un vague espoir naît dans le regard morne d'Antonia.

ANTONIA. C'est ben trop vrai!... Pis lui il passait pas pour si fin que ça!

JÉRÉMIE. Vous voyez ben!... Laissez-moi y aller, sa mère! Je suis sûr que je pourrai vous aider ben mieux qu'en restant ici!

ANTONIA, *s'affolant.* Tu veux y aller pour tout de bon? Pas rien que pour l'hiver? Mais la ferme?...

JÉRÉMIE. Vous savez ben que je serais pas capable de faire marcher la ferme tout seul! Le mieux, c'est de vendre le roulant, les bêtes, pis de louer la terre comme y en a qui font!

ANTONIA, *s'exclamant.* Vendre!

JÉRÉMIE, *l'interrompant.* Ben oui, ça vous fera de l'argent en attendant que j'en gagne!

> *Marie-Louise s'approche pour montrer à sa mère le bébé endormi.*

MARIE-LOUISE, *avec fierté.* Ça a pas été long, hein, sa mère? Cher p'tit pitou! Y es-tu beau pas un peu!

> *Antonia se penche sur l'enfant avec un sourire qui s'attendrit et prend le bébé dans ses bras tandis qu'elle se remet à pleurer.*

ANTONIA. Pauvre p'tit orphelin...

JÉRÉMIE, *regardant le bébé avec une sorte de satisfaction.* En tout cas, c'est le dernier de la famille, c'est toujours ben ça!

> *Ce reproche indirect à son père scandalise Albina qui est revenue les rejoindre. Elle se tourne vers sa mère avec une exclamation de protestation. Jérémie se mord les lèvres guettant aussi la réaction de sa mère.*

ANTONIA, *baissant les yeux.* L'avant-dernier... (*Elle lève les yeux et regarde devant elle.*) C'est le quatorzième qui sera le dernier. Le vrai dernier.

> *La façon dont elle le dit prouve bien que la mort de son mari lui aura au moins apporté cette compensation. Albina et Jérémie échangent un regard mais leurs yeux se détournent aussi vite. Tout le monde est évidemment du même avis. Jérémie fait un pas vers Antonia.*

JÉRÉMIE, *pressant.* Qu'est-ce que vous décidez, sa mère? Trouvez-vous au moins que ça a du bon sens ce que je vous dis?

ANTONIA, *retrouvant son regard morne.* Fais comme tu voudras, Jérémie. Décide par toi-même, puisque c'est toi qui vas nous faire vivre asteur.

JÉRÉMIE. Vous faire vivre!... Moi tout seul?

ANTONIA, *même ton.* C'est toi le père à c't'heure, qu'est-ce que tu veux...

JÉRÉMIE, *soudain effrayé.* Le père!...

ANTONIA. T'es l'aîné, faut ben que tu le remplaces, mon Jérémie!

Jérémie, accablé, ferme les yeux et se rappelle les paroles de son père.

CLÉOPHAS. Prends-la donc ma place, Jérémie! Tu verras ce que c'est d'avoir à nourrir treize enfants par les temps qui courent!

JÉRÉMIE, *plein de défi.* Je réussirai pas plus mal que lui en tout cas! J'ai pas peur! Vous verrez! Vous verrez!

ANTONIA, *levant les yeux vers lui, étonnée.* Je te crois, fâche-toi pas.

Elle hausse les épaules et ne s'occupe plus que du bébé. Jérémie tremble d'émotion.

JÉRÉMIE. Je réussirai peut-être même mieux que lui! *(Baissant la voix.)* Y vont ben voir que la force du corps, c'est pas tout!

Cinquante ans plus tard, Jérémie, couché dans le lit de son père, s'agite en proie à ses hantises. Dehors le vent souffle de plus belle.

JÉRÉMIE. J'ai tenu parole, vous direz pas le contraire! Osez donc le dire que j'ai pas réussi mieux que vous!

CLÉOPHAS. Tu gagnes, Jérémie! T'as gagné sur toute la ligne! Tu m'as même tellement remplacé que te v'là à soir couché dans mon propre lit! *(Petit rire.)* Seulement ta mère y est pus! T'es tout seul tit-gars! T'es tout seul!

Jérémie se redresse brusquement et s'assoit sur le bord du lit tandis que le rire de son père s'évanouit.

JÉRÉMIE, *secouant la tête. Agité.* Ach! Lâchez-moi! Je suis-tu à la veille de devenir fou, moi là?

Il se lève, passe la main dans ses cheveux et ramasse son veston.

CLÉOPHAS. Pis de toute façon, si t'as réussi, y a pas de quoi te vanter puisque c'est grâce à moi.

Jérémie se redresse brusquement.

JÉRÉMIE. Grâce à vous?... Vous êtes pas fier, le père!

CLÉOPHAS, *voix. Moqueur.* Grâce à moi certain, puisque c'est rien que pour te prouver que t'étais plus fin que moi que t'as tant travaillé!

JÉRÉMIE, *agité.* Travailler veut pas dire réussir! Si j'avais pas été plus... oui, oui, plus fin que vous, je serais pas rendu où je suis rendu!

CLÉOPHAS, *voix. Narquois.* Tu le sais ben que ce n'est pas une question de finesse! Depuis des années, tu commences à t'en douter que t'es mené par un défi plus fort que ta volonté! Veux, veux pas, tu te sens forcé de prouver au monde entier que t'étais plus fin que moi!

JÉRÉMIE. Mangez donc de la marde, le père!

273

CLÉOPHAS. Avoue-le donc que c'est rien que ça qui t'a fait monter si haut dans la vie, et remercie-moi donc au lieu de gigoter pour me démentir!

JÉRÉMIE. Lâchez-moi donc! J'ai réussi parce que j'ai travaillé tandis que vous, vous étiez rien qu'un paresseux! J'ai réussi parce que j'étais intelligent, tandis que vous étiez rien qu'un fort-à-bras!

CLÉOPHAS, *éclat de rire.* Tu vois ben que t'avais quelque chose à prouver! Mais ce qu'il y a de plus beau, c'est qu'au fond de tes entrailles, y a des fois que ça te gêne presque d'avoir eu raison contre moi! Contre moi, ton père!

JÉRÉMIE, *se bouchant les oreilles.* Assez! Lâchez-moi! Lâchez-moi!

Il secoue la tête une fois de plus pour se délivrer de ses fantasmes. Incapable d'en supporter davantage, il ramasse son veston et se dirige vers la porte.

Dans la cuisine. Maurice dort les pieds allongés sur une chaise, son manteau sur les épaules. Jérémie vient le secouer tout en enfilant son veston.

JÉRÉMIE. Réveille-toi, Maurice, on s'en va!

MAURICE, *sursautant.* Quoi? Quoi?

JÉRÉMIE. Lève! On rentre à Montréal!

MAURICE. Ah! bon... *(Il met son manteau.)* Vous avez eu froid, monsieur Martin?

JÉRÉMIE, *maussade.* J'aime pas ça les vieilles maisons. Y est venu personne?

MAURICE, *allant décrocher le manteau de Jérémie.* Personne... Tiens la pluie a cessé! Mais pas le vent! Entendez-vous ça?

JÉRÉMIE. Quelle heure est-il?

MAURICE, *consultant sa montre.* Minuit! *(Riant.)* L'heure des fantômes!

JÉRÉMIE. Les fantômes! *(Il se frappe la poitrine avec colère.)* C'est là-dedans qu'on les traîne les fantômes! C'est pour ça qu'on peut pas s'en débarrasser!

Maurice, gêné, s'éloigne vers la fenêtre.

MAURICE. Pas une lumière nulle part!

Jérémie vient le rejoindre.

JÉRÉMIE, *avec amertume.* On dirait que la terre entière nous a oubliés! *(Réagissant.)* Viens-t'en! Viens-t'en!

Maurice le suit mais s'arrête auprès du poêle.

MAURICE. Vaudrait mieux essayer d'éteindre le feu...

JÉRÉMIE. Laisse faire! Viens!

MAURICE. Mais...

JÉRÉMIE. Passe devant. Va faire marcher le moteur pour réchauffer l'auto.

MAURICE. Je vous assure que c'est imprudent de laisser un poêle allumé dans une aussi vieille maison. Il suffirait d'une étincelle, et avec un vent pareil...

Jérémie qui a ouvert la porte le pousse dehors.

MAURICE, *se retournant.* Si la maison brûle!...

JÉRÉMIE. Qu'a brûle! Maudit! Qu'a brûle!

Il referme brusquement la porte et aspire l'air de la nuit avec satisfaction tandis que Maurice s'éloigne en haussant les épaules. Jérémie se retourne pour regarder la maison une dernière fois.

JÉRÉMIE, *à mi-voix. Durement.* Oui, qu'a brûle! Pis tous mes souvenirs avec!

Annette en manteau et foulard sur la tête s'apprête à sortir. Elle ouvre la porte et s'arrête en voyant au loin les phares de l'auto qui tourne pour s'engager sur la route. Elle reste là immobile, le visage balayé par le vent, suivant des yeux l'auto qui s'éloigne.

275

19

Connais-toi toi-même

Martine installée devant la grande table de la cuisine répète une leçon tout en buvant un verre de lait et en mangeant des biscuits. L'horloge marque une heure et demie. C'est la nuit.

Le hall où pénètrent Jérémie et Maurice. Maurice va ouvrir la porte du vestiaire et aide monsieur Martin à enlever son manteau.

MAURICE. Content d'être arrivé, monsieur Martin? J'espère que vous avez pas pris froid à Sainte-Anne-de-Remington... Vous avez pas dit un mot tout le long du trajet, alors je pensais que peut-être...

JÉRÉMIE. Je réfléchissais... Je pensais à toi...

MAURICE. À moi?...

JÉRÉMIE, *désignant son manteau.* Va accrocher ça...

Maurice s'éloigne. Jérémie le suit dans le vestiaire et s'assoit sur la chaise devant la table de téléphone. Maurice, de plus en plus étonné, le regarde.

JÉRÉMIE. Ferme la porte, pis assis-toi là... (*Lentement, presque machinalement.*) Oui, je pensais à toi... Aux difficultés qui t'avaient empêché de continuer tes études. Du fait que t'étais obligé de faire vivre ta famille, comme moi dans le temps...

MAURICE. Je suis toujours dans la même obligation!

JÉRÉMIE. Ça me rappelait ma jeunesse misérable, et je me suis dit... je me suis dit: pourquoi est-ce que je l'aiderais pas, s'il en vaut la peine?

Il se tourne vers Maurice et le regarde pour la première fois, comme s'il voulait juger l'effet de ses paroles.

MAURICE, *touché.* Vous... Vous avez pensé...

JÉRÉMIE. J'ai été pauvre moi aussi, Maurice. On a beau faire, ça s'oublie pas.

MAURICE. Vous seriez prêt à m'aider?

JÉRÉMIE. Oui!... Oui, si tu es prêt à tout pour sortir de ta condition.

MAURICE. Prêt à tout?... (*Riant.*) Ça peut mener loin?

JÉRÉMIE. C'est simple, je vais te mettre à l'épreuve, comme ça je verrai ce que tu vaux et ce que je peux faire pour toi. (*Ton apparemment insouciant.)* Pour commencer, tu vas... tu vas... disons «te procurer» un billet que je tiens à ravoir à tout prix... Un billet signé de ma main, par lequel je m'engage à donner cent mille piastres à quelqu'un...

Maurice serre les dents et le regarde sans broncher.

MAURICE. Que vous me demandiez ça, monsieur Martin!

JÉRÉMIE, *paisible.* J'oubliais de te dire une chose! La personne à qui je suis supposé remettre les cent mille dollars sait même pas que je me suis engagé à lui verser une pareille somme... Alors partant du principe que ce qu'on sait pas nous fait pas mal...

MAURICE. Et quel prix mettez-vous!... À ce... À cet... Enfin qu'est-ce que ça me donnera?

JÉRÉMIE. Je sais pas... Combien de temps faut-il pour devenir ingénieur? C'est ça que tu veux être?

MAURICE, *serrant les poings et se levant.* C'était ça, oui!

JÉRÉMIE. Eh ben, disons que je te paierai tes études... En entier... je te laisserai même ton salaire jusqu'à la fin de ton cours pour que tu puisses aider ta famille...

MAURICE, *révolté.* Monsieur Martin!...

JÉRÉMIE, *l'interrompant par un bâillement.* Ah! je suis fatigué! Ça m'a crevé notre petite randonnée à Sainte-Anne-de-Remington. *(Il se lève.)* Je vais me coucher. *(Regardant sa montre.)* Deux heures moins quart, si ça a du bon sens!

MAURICE. Mais attendez! J'ai pas dit que j'acceptais!

JÉRÉMIE. Et moi, je t'ai pas dit que je voulais une réponse ce soir! À quoi bon?... Tu m'en ferais peut-être une autre demain matin.

MAURICE, *brusquement.* Je veux au moins que vous sachiez que je suis pas dupe! C'est un vol que vous attendez de moi.

Jérémie referme la porte qu'il avait ouverte, mais sans lâcher la poignée et se tourne vers Maurice.

JÉRÉMIE, *durement.* Qu'est-ce que tu croyais donc? Qu'on accumule des millions en récitant son chapelet?

Maurice interdit ne répond pas.

JÉRÉMIE, *plus doucement.* Allez, allez, va te coucher. On en reparlera demain.

Ils sortent.

JÉRÉMIE, *amical.* Bonsoir ti-gars...

Maurice furieux s'éloigne côté cuisine. Jérémie s'engage sur la première marche de l'escalier, se ravise et se dirige vers le petit salon, en sortant son trousseau de clé. Il ouvre la porte et s'arrête un instant pour regarder autour de lui, en proie à l'émotion qui le saisit toujours quand il entre dans cette pièce: murs blancs, petite cheminée de marbre blanc, deux ou trois très belles peintures (Cézanne, Renoir, etc. etc.). Disposées sur les meubles, des photos encadrées de madame Martin dont une en robe de mariée. Sur une table, deux coffrets à bijoux ouverts, des lettres reliées par un élastique, d'autres par un ruban. Déposée négligemment sur un Récamier, une couverture de fourrure blanche, en hermine, que Jérémie repousse pour s'asseoir en face du portrait de sa femme déposé par terre appuyé sur un petit fauteuil.

JÉRÉMIE, *avec un soupir. Après un temps de contemplation.* Je te dégoûte, hein? *(Il hausse les épaules.)* Qu'est-ce que ça fait? Qu'est-ce que je peux faire d'autre, de toute façon, que de continuer à être ce que je suis? *(Il la regarde encore puis après un moment il se flanque brusquement une gifle en pleine figure, puis une autre, puis une autre en répétant avec rage.)* Maudite nature! Maudite nature!

Martine serre le pot de lait dans le frigidaire. Maurice entre sans qu'elle ne le voit et s'arrête pour la regarder, l'air profondément malheureux. Martine l'aperçoit en revenant vers la table et sursaute.

MARTINE. Maurice! Ouf! tu m'as fait peur...

Maurice continue à la regarder en silence avec un sombre désespoir. Martine fait un pas vers lui.

MARTINE. Qu'est-ce qu'il y a? Qu'est-ce qui va pas?

Il ne répond pas mais ne cesse de la regarder. Martine se détourne, gênée par ce regard et se met à ranger les objets dont elle s'est servi.

MARTINE. René disait que tu avais téléphoné pour annoncer que monsieur Martin reviendrait seulement demain matin.

Maurice s'approche de la table et prend un des livres en dépit du geste de Martine pour l'en empêcher. Il jette le livre sur la table de toute sa force.

MAURICE. Physique et chimie!... *(Rageur.)* Ah! Si au moins j'étais capable d'en rire! C'est tellement drôle! Tellement drôle!

MARTINE. Si tu crois que tes railleries m'empêcheront d'étudier, tu te trompes! Rien m'en empêchera!

MAURICE, *avec rage.* Mais c'est de ça que je me plains justement! De ça, oui! Oui, de cette écœurante injustice du sort qui veut que les uns aient la chance de s'instruire, et que d'autres l'aient pas! Pourquoi est-ce que je suis condamné à la médiocrité alors que d'autres parviennent à en sortir? Pourquoi? Pourquoi? Peux-tu me le dire?

Martine bouleversée s'approche de lui, entourant de ses bras les épaules de Maurice.

278

MARTINE. Peut-être parce que tu t'es résigné toi-même à pas t'en sortir! Il fallait au contraire lutter jusqu'à ce que la vie te fournisse le moyen d'obtenir ce que tu veux!

MAURICE, *avec un rire amer.* Le moyen! On me l'a offert ce soir même! Une occasion unique au monde!

MARTINE. Et tu l'as laissé passer? Es-tu fou?

MAURICE. Oh! Tente-moi pas toi aussi! Je suis déjà suffisamment tenté. Quand je pense que toi, tu es libre d'organiser ta vie, alors que moi!... *(Violent.)* Et pourtant tu viens d'un milieu aussi pauvre que le mien! J'arrive de Sainte-Anne-de-Remington, je l'ai vue la maison où tu es née...

MARTINE. Ah! C'est là que vous êtes allés?

MAURICE. Et la sienne aussi je l'ai vue! C'est cent fois pire que chez nous!

MARTINE, *revenant vers lui, triomphante.* Tu vois bien qu'on peut en sortir! Il suffit de le vouloir de toutes ses forces! Et d'être prêt à sauter à pieds joints sur la première occasion que la vie nous fournit!

MAURICE. À n'importe quelles conditions autrement dit?

MARTINE, *durement.* Oui! Si pénibles soient-elles! *(Elle le prend par le cou.)* Je t'aiderai si je le peux, je t'aiderai!

MAURICE. Irais-tu jusqu'à m'aider à voler?

MARTINE, *saisie.* À voler?

MAURICE. C'est de ça qu'il s'agit, pauvre folle! Pourquoi veux-tu qu'on m'offre gratuitement cinq ou six années d'université sinon parce qu'on attend de moi quelque chose que personne d'autre s'abaissera à accepter!

MARTINE. Je sais plus quoi te dire!...

MAURICE, *désespéré.* Et moi je sais plus quoi faire! Je le sais plus! Et c'est même ça qui me révolte! Je devrais le savoir... Ma première réaction a été de refuser mais maintenant que je te parle... *(Furieux.)* Maudit, je me croyais pourtant honnête!

 Martine ne répond pas. Elle le regarde.

MAURICE. Je veux devenir ingénieur, comprends-tu? C'est ça que j'ai toujours voulu! Je croyais que j'y avais renoncé, mais depuis que je te vois avec tes livres, ça recommence à me hanter!

MARTINE, *brusquement.* Alors, accepte!

MAURICE. C'est un vol, Martine!

MARTINE. Si tu es capable de le commettre sans remords, fais-le!

MAURICE. Tu le ferais toi?

MARTINE, *se détournant. Bas.* Je le sais pas... Quand je veux une chose, je la veux avec une telle violence que... oui... Il me semble que je serais capable de tout pour l'obtenir!

MAURICE, *l'attirant dans ses bras.* Viens ici!... Es-tu sûre que tu pourrais me regarder sans mépris si... si j'acceptais?

Martine met spontanément ses bras autour du cou de Maurice.

MARTINE. Maurice! Comment est-ce que je pourrais te mépriser? On est pareils tous les deux! Pareils! Les mêmes choses nous font souffrir...

Maurice la sert dans ses bras avec véhémence.

MAURICE. Alors, pourquoi me provoques-tu toujours? Est-ce que j'ai pas assez de mon lot sans supporter tes railleries? Je veux plus que tu me traites de brute sans éducation!

MARTINE. Tu comptes trop pour moi, Maurice, il faut bien que je me défende!

MAURICE. Martine! *(Il l'embrasse avec fougue. Soupirant et frottant sa tête contre celle de Martine. Amoureusement.)* Pour une femme comme toi, oui... Oui! ça vaudrait la peine de voler.

Martine qui l'embrassait dans le cou se redresse inquiète et se dégage pour le regarder sans toutefois sortir de ses bras.

MARTINE. Pas de rêve, Maurice, pas de rêve!...

MAURICE, *aussitôt rembruni.* Pourquoi dis-tu ça?

MARTINE. Je suis pas pour toi, Maurice! Je t'épouserai jamais, il vaut mieux que tu le saches tout de suite.

MAURICE, *désespéré.* Je le savais!

Il l'embrasse de nouveau sauvagement. Elle ne cherche pas à lui échapper.

MARTINE. Quoi que tu fasses, il faut pas que ce soit pour moi. C'est assez de voler pour réparer une injustice du sort, il est pas nécessaire qu'en plus ce soit pour moi! Il faut surtout pas que ce soit pour moi!

MAURICE. Dis donc tout de suite que tu as peur que ça t'engage trop!

MARTINE. Je le dis! De ton côté, bouche-toi pas les yeux! Un vol, c'est un vol. Si tu dois le commettre, cherche pas à te justifier en te faisant croire que tu le fais par amour!

Maurice horrifié la repousse en secouant la tête.

MAURICE. Martine!... Martine, c'est vrai!... Ce que tu dis est vrai!... Qui sait même si un jour je te tiendrais pas entièrement responsable de ce vol soi-disant commis pour toi...

MARTINE. Oui! C'est pas impossible!

MAURICE. Qu'est-ce que je vais encore découvrir sur moi, ce soir ! *(Il s'arrête avec colère.)* J'ai honte ! J'ai honte devant toi !

MARTINE. Mais je vaux pas mieux que toi, Maurice ! Tu m'as dit toi-même que j'étais rien qu'une égoïste. Et c'est vrai, je le reconnais. Et je suis lâche en plus ! Tu m'as assez vue trembler devant monsieur Martin pour le savoir ! Il y a tant de choses laides en moi que j'en ai peur !

MAURICE. Mais ce qui m'inquiète, c'est justement de pas savoir de quoi je suis encore capable !...

MARTINE, *lui ouvrant ses bras.* D'amour, Maurice, d'amour...

MAURICE. Je le croyais ! Oui, je le croyais, mais j'en suis même plus certain ! Ce que tu éveilles en moi, c'est peut-être rien de plus que de la sensualité ? Non, réponds pas ! Je veux pas le savoir !

MARTINE. Mais Maurice, qu'est-ce qu'il y a de plus important que de se connaître ? Écoute... j'ai lu une petite phrase dernièrement... En trois mots ! J'arrête pas d'y penser...

MAURICE. Qu'est-ce que c'est ?

MARTINE. « Qui suis-je ? » Rien que ça, pas plus que ça...

MAURICE, *encore bouleversé.* Qui suis-je ?... Qui suis-je ?... Ça fait presque peur !...

Martine rit et l'embrasse. Long baiser.

Dans le salon blanc, Jérémie, une fois de plus ce soir, se laisse envahir par ses souvenirs.

JÉRÉMIE, *examinant une bague.* Le premier cadeau que je lui ai fait après notre mariage... *(Il examine un collier de perles d'un seul rang.)* Pour la naissance de Beaujeu... De Beaujeu qu'elle a aimé plus que tous les autres ! Et moi, qu'est-ce que j'ai été pour elle ? *(Amer.)* Même pas un coffre-fort, puisqu'elle tenait pas à l'argent. Tout ce que je sais, c'est qu'on appartenait pas à la même planète tous les deux, et c'était pas seulement une question de classe... Mais ce que toi, t'as pas compris, Clothilde Beaujeu, c'est que si t'avais fait un pas vers moi, j'aurais peut-être été capable de grimper jusqu'à ta planète ! Il fallait pas m'accepter tel que je me montrais ! Il fallait me grimper de force jusqu'à toi ! Mais pour ça, évidemment, pour ça il aurait fallu que tu m'aimes. *(De plus en plus amer.)* Mais tu m'as pas aimé... Annette m'a aimé, mais pas toi ! C'est Annette qui m'a donné l'amour que j'attendais de toi, l'amour que j'ai tant attendu de toi. *(Il soupire douloureusement et se couvre de la couverture de sa femme.)*

Et pourtant j'épouserai pas Annette... Non, Clothilde, j'épouserai pas Annette... Je ferai tout, même le pire, pour la garder, mais je l'épouserai jamais! Je la veux sans condition... Sans condition!

Il est neuf heures moins quart. Maria s'affaire autour du poêle. Maurice assis dans la chaise d'Albert lit un journal en regardant de temps à autre du côté de Martine qui achève son déjeuner. Carmelle paraît venant de l'escalier de service avec un plateau qu'elle dépose sur la table.

CARMELLE. René est toujours dans la salle à manger?

MARIA, *s'approchant*. Il sert monsieur Philippe. Ça alors! C'est le deuxième matin que madame Mercier ne mange pas ses œufs!

CARMELLE, *les yeux au ciel*. Elle avait l'air pressée de sortir... *(S'exclamant.)* Oh! Maurice... Elle m'avait demandé de te dire... Il faut que tu sortes son auto!

MAURICE. Tout de suite?

CARMELLE. Oui, oui, elle veut l'avoir devant la porte.

Maurice se lève sans hâte et va décrocher son veston de chauffeur.

Martine se lève à son tour au moment où René paraît, venant de la salle à manger d'où il rapporte un plateau. Ironiquement, vers Martine avec un petit salut respectueux.

RENÉ. Monsieur Philippe m'a chargé de dire à mademoiselle qu'il est allé sortir sa voiture et que si mademoiselle veut bien le rejoindre devant la porte, il se fera un plaisir de...

MARTINE, *l'interrompant*. C'est bon, c'est bon.

Maurice qui allait sortir au moment où René a commencé sa phrase s'est arrêté, la main sur la poignée de la porte, pour regarder Martine. Celle-ci ne peut s'empêcher de jeter un coup d'œil de son côté bien qu'elle parlera sans s'adresser à personne en particulier.

MARTINE. Mon professeur habite tout près de l'université, alors...

Tout le monde la regarde avec un air narquois.

MARTINE, *désemparée. Se tournant vers Maurice*. Alors...

Maurice lui tourne le dos et ferme la porte avec fracas. Les autres se mettent à rire tandis que Martine, furieuse d'avoir cru nécessaire de se justifier, s'éloigne vivement.

MARIA. Neuf heures et monsieur Martin n'a pas encore sonné! C'est tout de même bizarre! Lui qui descend toujours à huit heures!

RENÉ, *perplexe*. Il est peut-être malade?

CARMELLE. Ben non! Il a pas couché ici!

RENÉ. T'es pas un peu folle? Maurice a dit tantôt qu'il l'avait ramené en pleine nuit...

CARMELLE. Je suis passée devant sa chambre. Sa porte était ouverte et son lit était même pas défait!

Le salon blanc. Jérémie qui vient de se réveiller s'assoit sur le bord du divan.

JÉRÉMIE. Vieux fou!...

Il regarde une fois de plus, silencieusement, le grand portrait de sa femme, puis après un moment il secoue la tête avec un mélange de défi et d'amertume.

JÉRÉMIE, *sur ruban.* Non Clothilde, j'épouserai pas Annette... Et compte pas non plus qu'elle aura tes cent mille piastres! *(Durement.)* Pas de mariage et pas d'argent pour Annette! Les choses vont continuer comme de ton vivant. Toi sur ta planète, moi les pieds bien à terre, et Annette dans mes bras! Annette dans mes bras, sans condition! C'est à croire que je risquerais de corrompre le seul être qui m'aime pour moi-même! C'est à croire!

Il se met à rire et sort de la pièce dont on le voit fermer la porte à clé tandis que Céline descend l'escalier très élégante, toute de noir vêtue, portant chapeau, sac à main, gants et un voile noir replié sur son bras.

JÉRÉMIE, *avec un effort d'amabilité.* Tu es bien matinale aujourd'hui, toi?

CÉLINE. C'est la clé du petit salon? Oh! papa, laissez-la-moi, voulez-vous?

JÉRÉMIE. Mais non, mais non, je te l'ai dit, tout est à l'envers là-dedans.

CÉLINE. Ce serait facile d'y mettre de l'ordre! Pourquoi fermer cette pièce qui est la plus gaie, la plus ensoleillée de la maison?

JÉRÉMIE, *sec.* J'ai dit non, c'est non!

CÉLINE, *gentiment.* Je vous en prie! Cela rendrait mon séjour ici tellement plus agréable!

JÉRÉMIE. Vas-tu me ficher la paix? Retourne chez toi si t'es pas contente!

CÉLINE, *désemparée, au bord des larmes.* Pourquoi... Pourquoi me traitez-vous toujours si mal?

JÉRÉMIE. Mon Dieu, prends-le donc pas comme ça! Je suis une vieille brute, tu le sais pas encore?

CÉLINE, *secouant la tête.* J'avais cru... J'avais espéré que ma présence ici vous apporterait quelque chose, mais...

283

JÉRÉMIE. Je te ferai remarquer que je t'avais invité avec Gabriel. Pas toute seule...

CÉLINE, *petit rire amer.* Gabriel! Il se moque bien de moi, Gabriel. Et vous le savez! C'est fini avec Gabriel!

JÉRÉMIE. Voyons, voyons!... Une scène de ménage n'entraîne pas nécessairement une séparation! *(Lui prenant la main.)* Écoute, il faut que je passe voir Gabriel aujourd'hui...

CÉLINE. À la Bourse?

JÉRÉMIE, *consultant sa montre.* J'aurai pas le temps, ce matin, je suis trop en retard... Cet après-midi! Je lui parlerai à Gabriel, moi.

CÉLINE, *violemment.* Je vous le défends bien!

JÉRÉMIE. Pourquoi pas? Tu verras que si je lui dis de venir...

CÉLINE. Bien sûr, si vous lui dites, il viendra! C'est justement pour ça que vous ne devez pas vous en mêler! S'il veut me revoir, que cela vienne de lui, pas de vous! Je vous dois déjà trop! Laissez-moi vivre ici, jusqu'à ce que les choses s'arrangent, c'est tout ce que je vous demande. *(Avec une sombre résolution.)* Si elles ne s'arrangent pas...

JÉRÉMIE, *inquiet.* Qu'est-ce que tu feras?

CÉLINE, *durement.* Vous le verrez en temps et lieu. *(Elle lui tourne le dos, mais revient aussitôt vers lui.)* Oh! by the way... Saviez-vous que vous aviez un invité de plus? Philippe...

JÉRÉMIE. Philippe?

CÉLINE. Arrivé hier avec armes et bagages pour vous demander l'hospitalité. Comme moi! *(Avec un air d'extase moqueur.)* C'est tellement sympathique ici!

JÉRÉMIE. Je vais finir par le croire! *(Allègrement.)* Eh! bien, c'est parfait! Que Philippe reste aussi longtemps qu'il lui plaira. Et toi aussi Céline, toi aussi!...

La Bourse de Montréal où Céline pénètre. On la retrouve sur la galerie d'observation, debout, appuyée à la rampe. Elle a mis sur sa tête le voile noir qu'elle portait sur son bras et à travers lequel, de près, on peut voir son visage. Il est évident qu'elle cherche quelqu'un. Vue de la salle et de toute son agitation. Retour à Céline après un temps.

CÉLINE, *découragée.* Je n'arrive pas encore à le voir!

Revenir sur la salle en incluant Céline.

CÉLINE. Quel drôle de monde que celui des hommes!

Le hall et le vestiaire. Jérémie rejoint Maurice qui l'attend dans le hall.

JÉRÉMIE, *apercevant Maurice.* Bon, tu es là! Dépêchons-nous! Il y a longtemps que j'ai pas été aussi en retard.

Tout en parlant, il entre dans le vestiaire, suivi de Maurice qui ferme la porte et sort le manteau de Jérémie.

MAURICE, *lui tenant son manteau. Ironique.* Vous avez pas l'air pressé de connaître ma réponse.

JÉRÉMIE, *l'air moqueur.* Si t'es prêt à la donner, vas-y!

MAURICE, *durement.* C'est non, monsieur Martin.

Jérémie qui tourne le dos à Maurice a l'air déçu et ne répond pas tout de suite.

JÉRÉMIE, *lentement.* Tu as bien réfléchi? Tu es sûr que c'est ta dernière réponse?

MAURICE, *violent.* Oui! J'irai pas jusqu'à voler pour forcer la vie à me donner ce que je veux.

Jérémie s'est déjà ressaisi. Sans rancune, il se tourne vers Maurice et le bourre de coups de poings affectueux.

JÉRÉMIE. T'es un bon gars, Maurice! Je suis content d'en avoir la preuve.

Maurice le regarde avec incrédulité se demandant s'il rêve.

JÉRÉMIE. Je t'ai dit que je t'aiderais, si t'en valais la peine, je vas t'aider. Garanti! Je sais pas encore comment, mais je vas trouver. Tu les feras tes études, ti-gars! Tu les feras!

MAURICE, *bouleversé.* Monsieur Martin... Êtes-vous sérieux?

Jérémie se met à rire, cordial, rayonnant de chaleur.

JÉRÉMIE. Ben sûr! Hein, tu t'attendais pas à ça? Avoue donc que tu m'as pris pour un beau chenapan hier soir, avec mes propositions malhonnêtes!

MAURICE, *malheureux.* Vous auriez pas dû monsieur Martin! Même si c'était pour récompenser mon honnêteté, vous auriez pas dû! Parce que mon honnêteté... J'ose plus y croire à mon honnêteté depuis que la tentation m'a fait passer si près de l'envoyer promener!

Il semble si profondément atteint que Jérémie renonce à son jeu dès les premiers mots. Son regard se charge peu à peu d'une lourde humanité qui en dit long aussi bien sur ses luttes que sur ses propres défaillances. Après un moment de silence, il pose sa main sur le bras de Maurice dans un geste presque fraternel.

JÉRÉMIE. C'est ça, Maurice, devenir un homme...

MAURICE. Si c'est ça!...

285

JÉRÉMIE. Savoir qu'on vaut pas grand-chose... *(Il fait quelques pas vers la porte et se retourne avant de l'ouvrir.)* Et l'accepter!
    Il ouvre la porte et sort.

20

Duel père fille

Il est près de minuit. Annette qui a pu constater par une fenêtre que la cuisine n'est pas éclairée, entre sur la pointe des pieds, referme doucement la porte, et s'arrête pour écouter. Aucun son. Retenant son souffle, elle se dirige vers l'escalier de service devant lequel elle hésite de nouveau; rassurée par le silence, elle s'y engage enfin résolument.

Dans le hall, Philippe et Martine sortent de la bibliothèque, leurs livres sous le bras. Philippe tient Martine par le cou comme deux étudiants très camarades. Tout en parlant, ils marchent vers l'escalier, s'arrêtent à la première marche comme des gens qui ont déjà des habitudes.

PHILIPPE, *joyeusement.* Ah! Martine, vous ne savez pas à quel point c'est stimulant d'étudier avec vous!

MARTINE. Je sais en tout cas, quelle aide vous m'apportez.

PHILIPPE, *spontanément.* Tutoyons-nous, veux-tu?... C'est ridicule à notre âge de se dire vous!

MARTINE. Si tu veux!

PHILIPPE. C'est tellement formidable ce qui m'arrive! Je n'en reviens pas encore! Avoir grandi seul, toujours seul... seul de mon espèce je veux dire... et me trouver du jour au lendemain dans une maison où je peux échanger des idées avec quelqu'un qui me ressemble.

MARTINE. Je te ressemble? *(Cette idée la fait rire.)*

PHILIPPE, *piqué.* D'une certaine façon, oui! *(Martine éclate de rire.)*
Philippe agacé par son rire l'attire sur les marches où elle tombe presque dans ses bras. Elle se dégage riant toujours.

PHILIPPE. Enfin comprends-moi, nous avons les mêmes préoccupations! Du moins pour l'instant!

MARTINE. Ah! que c'est bon de rire! Pour le seul bonheur de rire, comme dit ton cousin Beaujeu! Tu devrais bien m'empêcher de prendre la vie trop au sérieux!

PHILIPPE. J'ai si peu ri moi-même depuis que je suis au monde! Mais avec toi, je sens que je pourrais apprendre!

MARTINE, *rêveuse.* C'était si triste que ça chez vous?

PHILIPPE. Lugubre! *(Avec un petit rire amer.)* Je t'ai dit que maman n'était jamais là!

MARTINE. Où s'en allait-elle? Et pourquoi?...

PHILIPPE, *le regard perdu.* Elle appelle ça s'en aller en voyage... Je ne sais pas... Je ne sais pas ce qu'elle fuyait... moi peut-être?... ou papa?... Ou les deux à la fois? Tout ce que je peux te dire c'est que j'ai passé mon enfance à faire la guerre aux gouvernantes à qui elle me confiait. *(Ironiquement snob.)* Des gouvernantes anglaises bien entendu!...

MARTINE. Pourquoi anglaises?...

PHILIPPE. Mais parce que ça faisait plus chic! *(Il rit.)* Céline aurait compris ça tout de suite!...

MARTINE. Mais ton père, Philippe? Il devait bien rentrer, au moins le soir...

PHILIPPE, *rembruni.* Il rentrait oui, assez souvent vers six heures... mais c'était pour repartir aussitôt après m'avoir embrassé. Il était toujours triste, tellement triste!... Et si gentil avec moi, si doux... Quelquefois... Quelquefois il me prenait dans ses bras et nous pleurions tous les deux...

MARTINE. Il pleurait? Un homme peut pleurer comme une femme?

PHILIPPE, *perdu dans ses souvenirs.* Parfois, aussi, il me demandait pardon d'être incapable de me rendre heureux... D'autres fois, nous restions de longs moments l'un près de l'autre, sans rien nous dire... Je l'adorais... J'aurais voulu qu'il m'emmène partout avec lui... *(Douloureusement comme s'il revivait la scène.)* Mais il disait que c'était impossible... Parfois il partait en voyage, comme maman, et alors j'étais encore plus seul... J'étouffais de solitude! Chose curieuse, chaque fois que je croyais avoir atteint le fond du désespoir, tante Clothilde surgissait comme si quelque chose l'en avait mystérieusement avertie. Et elle m'emmenait vivre ici, jusqu'au retour de mon père...

MARTINE. Ça a l'air d'un roman ton histoire! Tu es sûr que tu l'as pas inventée?

PHILIPPE, *blessé.* Martine!...

MARTINE. Mes malheurs à moi étaient si terre à terre! Excuse-moi, mais j'ai toujours du mal à croire que les enfants riches peuvent être malheureux comme les autres!

PHILIPPE, *avec un sourire amer.* Comme si les pauvres avaient le monopole de la souffrance! Ce serait trop simple! Il y en a pour tout le monde, rassure-toi!

Annette qui vient doucement de l'office, s'arrête surprise à la vue de Martine et Philippe qui ne la voient pas.

MARTINE. C'est affreux de penser que personne échappe au malheur... Ça m'enrage!

PHILIPPE, *perplexe.* Mon oncle prétend que si on s'habituait dès sa jeunesse à l'idée que le bonheur n'existe pas, on serait déjà moins malheureux...

MARTINE. Lui?...

PHILIPPE, *riant.* Oui, lui... Jérémie Martin!

MARTINE. Il peut donc penser à autre chose qu'à faire de l'argent?

PHILIPPE, *amusé.* Il faut croire que ça lui arrive!

Annette sourit et se retire discrètement en voyant Martine se lever.

PHILIPPE, *à regret, se levant aussi.* Tu t'en vas?

MARTINE. Il est minuit!

PHILIPPE, *moqueur.* Tu l'aimes toujours ta grosse montre d'homme? *(Martine sourit.)* Tu penses à Michel?

MARTINE. Je pense souvent à lui...

PHILIPPE. Pourtant... Entre toi et lui?... C'était seulement de l'amitié? *(Pressant.)* N'est-ce pas?... n'est-ce pas?

MARTINE. Pourquoi dis-tu «seulement» de l'amitié? C'est déjà beaucoup.

PHILIPPE. Oui, mais rien d'autre?

Martine sourit et secoue la tête. Philippe content la regarde et se met à rire.

MARTINE. Bonsoir Philippe...

PHILIPPE, *joyeusement.* Bonsoir!... Bonsoir Martine.

Il lui tourne le dos et monte rapidement quelques marches.

PHILIPPE, *s'arrêtant.* Rendez-vous devant la porte à neuf heures?

MARTINE, *vivement.* Oui, oui! Envoie-moi plus de message par René!

PHILIPPE. Tu me l'as déjà dit! Attends... *(Il redescend les marches vivement.)* Je veux te dire bonsoir mieux que ça...

Il l'embrasse sur les deux joues. Martine se laisse faire. Philippe la tient par les épaules et la regarde.

PHILIPPE. Un jour viendra où je ne pourrai plus me passer de toi...

MARTINE. Qu'est-ce que tu feras ce jour-là? Tu te pendras?

PHILIPPE, *riant.* J'en serais bien capable! *(Sérieux.)* Mais je crois quand même que je commencerais par te demander de m'épouser...

> *Martine se met à rire doucement sans répondre.*

PHILIPPE, *avec reproche.* Tu ris! Mais tu ne protestes pas, c'est déjà quelque chose.

MARTINE, *doucement.* Re-bonsoir Philippe.

PHILIPPE, *joyeusement.* Bonsoir Martine.

> *Il la regarde s'éloigner et dans un état d'allégresse très juvénile, monte les marches quatre par quatre en sifflant une chanson des Beatles.*
>
> *Jérémie Martin, l'air tourmenté, sort de sa chambre en pyjama, pantoufles et robe de chambre somptueuse. Philippe cesse de siffler en le voyant.*

PHILIPPE, *confus.* Oh! mon oncle, je vous ai réveillé?

JÉRÉMIE. Je dormais pas... Est-ce que tout le monde est monté?

PHILIPPE. Oui. Vous avez besoin de quelque chose?

JÉRÉMIE. Rien... Seulement me dégourdir un peu! Bonsoir, mon vieux. *(Il s'éloigne.)*

PHILIPPE. Vous n'êtes pas malade, j'espère?

JÉRÉMIE. Malade?... Non... non, je suis pas malade.

PHILIPPE. Ah bon!... Il me semblait... Vous aviez l'air si... je ne sais pas...

JÉRÉMIE. Oh! ça marche pas en ce moment. J'ai des ennuis... Mais occupe-toi pas de ça. Va dormir.

PHILIPPE, *désolé.* Je regrette mon oncle... Moi qui suis si content d'être ici!...

JÉRÉMIE, *presque étonné.* Ah! oui?... Il m'a toujours semblé que j'étais le seul à aimer cette maison...

PHILIPPE, *riant.* Nous sommes deux maintenant!

> *Jérémie hoche la tête avec un sourire ému et lui donne une tape amicale sur l'épaule.*

JÉRÉMIE. Considère-la comme la tienne, mon garçon, comme la tienne.

PHILIPPE. Merci...

> *Il rit de nouveau et s'éloigne en se dandinant les deux mains dans ses poches. Jérémie le regarde un moment mi-étonné, mi-amusé et s'engage dans l'escalier.*

> *Martine fait de la lumière, entre dans la cuisine et aperçoit sa mère qui l'attendait dans l'obscurité.*

MARTINE. C'est vous! Ah! Je suis contente! Je suis contente de vous voir! Quelle belle surprise!

Annette prend le visage de sa fille entre ses mains.

ANNETTE. Tu t'es donc un peu ennuyée de moi?

MARTINE, *avec reproche, l'embrassant.* Maman!

ANNETTE. Et Albert? Comment est-il?

MARTINE. Je suis allée le voir hier. Il doit quitter l'hôpital dans quelques jours. Il va être si heureux lui aussi de vous retrouver.

Annette désigne une valise près de la table.

MARTINE, *désolée.* Vous repartez?

ANNETTE. Je suis simplement venue chercher un peu de linge.

MARTINE, *déçue.* Où allez-vous encore?...

ANNETTE, *la prenant par le cou.* Pas loin rassure-toi!

MARTINE. À votre appartement?

ANNETTE. Non! Ça serait trop facile de m'y retrouver!

MARTINE, *brusquement.* De qui vous cachez-vous?

ANNETTE, *se levant.* Demande-moi rien, veux-tu? Si je suis venue la nuit, comme une voleuse, c'est que je voulais pas avoir d'explication à donner à personne.

MARTINE, *blessée.* Même pas à moi?

ANNETTE. Surtout pas à toi...

MARTINE, *brusquement.* Alors il fallait pas chercher à me voir!

ANNETTE. J'aurais pu le faire, mais j'ai pas eu le courage de repartir sans t'embrasser. *(Presque humblement.)* Fais-moi confiance Martine. Laisse-moi essayer d'organiser ta vie et la mienne sans que j'aie de comptes à te rendre.

MARTINE. Oui, oui! Faites comme vous voudrez! Je m'étais juré de plus vous ennuyer! Beaujeu avait raison; ça me regarde pas!

ANNETTE, *surprise.* Beaujeu Martin?...

MARTINE. Il m'a dit un jour que je devais vous aimer suffisamment pour accepter que vous ne me disiez pas tout!

ANNETTE. Mais à quel sujet?... Martine, qu'est-ce que tu as bien pu lui dire pour que...

MARTINE, *vivement.* Oh! pendant que j'y pense... Il m'a demandé ce jour-là si vous aviez reçu une somme de cent mille dollars que sa mère vous aurait laissée...

ANNETTE, *au comble de l'étonnement.* À moi?... Cent mille dollars! *(Elle rit.)* Comment a-t-il bien pu te demander ça!

MARTINE. Peut-être feriez-vous bien de lui en parler?

ANNETTE. Certainement pas! As-tu envie qu'il se moque de moi?

MARTINE. Mais maman...

ANNETTE, *bas*. Chut! Quelqu'un vient...

Elle ramasse vivement son manteau et se sauve vers l'escalier de service. Martine lui tend sa valise.

MARTINE. *bas, la suivant.* Je n'ai rien entendu.

ANNETTE. Je te dis. Va voir qui c'est...

Elle disparaît. Martine marche vers la porte qui donne sur l'office. Monsieur Martin entre avant qu'elle ne l'ait atteinte...

MARTINE, *surprise.* Oh!...

JÉRÉMIE. Ah! bon, c'est toi...*(Il regarde autour de lui.)* Tu es seule? J'ai pourtant entendu parler.

MARTINE. Je... J'étudiais... J'ai dû répéter une leçon à voix haute sans m'en rendre compte.

JÉRÉMIE, *sceptique. Continuant à examiner les lieux.* Toi?... Il me semblait que tu avais fini tes études le printemps dernier?

MARTINE. Je n'irais pas loin avec ce que je sais!

JÉRÉMIE. Et tu veux aller loin?

MARTINE. Le plus loin possible!

JÉRÉMIE, *perplexe.* C'est drôle...

MARTINE. Oh! vous pouvez toujours rire, ça m'est bien égal!

JÉRÉMIE, *surpris.* Qu'est-ce qui te prend donc toi? Je me moquais pas, je m'étonnais seulement de voir que de nos jours tous les jeunes sont mordus pour s'instruire, alors que dans mon temps on croyait que le seul moyen de devenir quelqu'un c'était de s'enrichir...

MARTINE. Rassurez-vous il y aura toujours des esprits grossiers pour penser ça!

Jérémie qui vient de se servir un verre d'eau va se fâcher lorsqu'une idée lui vient en regardant son verre. Martine croit triompher et sourit d'aise. Il se tourne vers elle, buvant une gorgée d'eau avec une feinte indifférence.

JÉRÉMIE. Puis?... As-tu eu des nouvelles de ta mère?

MARTINE, *durement.* Non!...

JÉRÉMIE. Je suppose d'ailleurs que si tu en avais eues, tu me le dirais pas.

MARTINE, *diaboliquement souriante.* Non!...

JÉRÉMIE, *aimablement.* Non?...

MARTINE, *même jeu.* Non!...

JÉRÉMIE. Eh! bien garde tes secrets, petite effrontée!

Il lui lance toute l'eau de son verre en plein visage et éclate de rire en s'éloignant, majestueux et triomphant. Mais Martine se précipite sur le verre, le remplit et en lance à son tour le contenu à la tête de monsieur Martin qui en a le souffle coupé d'indignation.

MARTINE, *se sauvant vers l'escalier de service.* Œil pour œil, dent pour dent!

Jérémie se retourne et l'aperçoit au moment où elle disparaît avec un éclat de rire plein de défi. Il court aussitôt après elle, mais s'arrête au milieu de la pièce, en pensant aux domestiques. La peur du ridicule le retient.

JÉRÉMIE, *avec rage.* Oh! Elle va me payer ça! Elle va me payer ça!

Il sort marchant à grands pas. Annette revient après un moment, tirant Martine par le bras.

ANNETTE, *bouleversée. Colère froide. Sans élever la voix.* Tu devrais avoir honte! Tu devrais avoir honte!

MARTINE, *même jeu.* C'est lui qui a commencé!

ANNETTE. Tais-toi! Tu l'as provoqué dès qu'il est entré! *(Indignée.)* Lui lancer un verre d'eau à la tête. Un homme de son âge!

MARTINE. Au diable son âge! Son âge n'est pas une raison suffisante pour que je le respecte!

ANNETTE, *lui prenant le poignet avec force.* Tu dois le respecter! Quand ce serait seulement parce que moi je le respecte. Et en plus tu es son...

Martine dégage brusquement son poignet et proteste aussitôt avec violence.

MARTINE. Je ne suis rien pour lui! Je ne sais pas ce que vous faites dans sa vie, mais moi je ne suis rien pour lui! Rien, m'entendez-vous? Rien!

Elle lui tourne brusquement le dos. Étonnée par cet éclat, Annette se demande si Martine a deviné quelque chose.

ANNETTE, *avec effort après un moment.* Tu es son invitée, tu vis sous son toit, tu manges son pain... *(S'emportant.)* Si tu le respectes pas, au moins respecte-toi suffisamment toi-même pour rien accepter d'un homme que tu méprises! Sors d'ici! Va-t'en! Personnellement, j'aimerais mieux vivre dans les bois que de vivre aux frais de quelqu'un que je déteste!

MARTINE, *dépitée.* Vous avez plus de fierté que moi! Je me sens toujours mesquine à côté de vous! Si au moins...

Elle s'interrompt en s'apercevant qu'Annette endosse son manteau.

MARTINE, *désolée.* Oh! non, partez pas si vite!

ANNETTE. J'ai aucune envie d'assister à une autre scène!

MARTINE. Oh! Maman!...

L'image même du remords! Annette désarmée se met à rire.

ANNETTE. Oh! Maman, je le ferai plus! *(La prenant dans ses bras.)* Ça veut tenir tête aux grandes personnes et c'est encore un bébé! MARTINE. Devant vous on dirait toujours que je redeviens une p'tite fille! ANNETTE, *sourire mélancolique.* Tu apprendras Martine... À tes dépens, mais tu apprendras!

Martine se dégage pour la regarder avec envie comme si rien ne lui paraissait plus appréciable que cette connaissance de la vie.

MARTINE. Je voudrais que vous me disiez tout ce que vous savez, tout ce que vous avez compris de la vie, des êtres humains!... Tout!

Annette, émue, prend la tête de Martine entre ses mains comme si elle sentait sa fille menacée.

ANNETTE. Quelle avidité, Martine! Pourquoi vouloir toujours aller si vite? Je n'ai pas eu de jeunesse, j'aurais tant voulu que, toi, tu profites de la tienne. MARTINE. Comment fait-on maman? Comment fait-on pour profiter de sa jeunesse? *(Presque honteuse de cet aveu.)* J'ai peur de ne pas savoir comment être jeune...

Ces mots illustrent tellement l'enfance désolée de Martine qu'Annette en est bouleversée. Sur le point d'éclater en sanglots, elle serre Martine contre son cœur.

ANNETTE, *douloureusement.* Oh! Tais-toi, tais-toi, tais-toi! Oh! mon Dieu, tais-toi! Tais-toi!

Martine étonnée du retentissement de ses paroles cherche à se dégager mais Annette la garde serrée contre elle afin de lui cacher son visage ravagé.

MARTINE. Maman!... Qu'est-ce qu'il y a? ANNETTE. C'est... c'est ce que tu as dit! MARTINE, *l'embrassant.* Mais j'y attachais pas tant d'importance! Maman, voyons! ANNETTE, *vivement.* Je sais, je sais! Ça fait rien d'ailleurs... Tu peux encore être heureuse Martine! Tu le seras je te le jure! Laisse-moi un peu de temps pour organiser ma vie et tu verras! Tu verras! C'est moi qui t'apprendrai à être jeune! *(Riant.)* Je t'apprendrai le bonheur, tu verras! MARTINE, *heureuse de la voir si optimiste.* J'ai confiance, maman! ANNETTE, *avec élan.* C'est tout ce que je te demande! Donne-moi ma valise maintenant, il faut que je parte. *(Toute vibrante.)* D'ici peu de temps, je crois bien que tout s'arrangera. Tu viendras vivre avec moi...

Martine la prend par la taille et la reconduit à la porte.

ANNETTE. Je veux louer un autre appartement où tu auras ta chambre bien à toi... Tu continueras tes études, tu recevras des amis, tu iras au théâtre, au cinéma, au concert, tu verras tout sera changé! *(Elle rit.)*

MARTINE, *l'embrassant.* Vous riez!... C'est merveilleux! Vous êtes comme une jeune fille quand vous riez!

ANNETTE, *joyeusement.* Tu vois, on apprendra ensemble à être jeune!

Elle ouvre la porte de sortie mais Martine la referme vivement.

ANNETTE. Pas si fort! Qu'est-ce que tu fais?

MARTINE. Attendez, je vous appelle un taxi...

ANNETTE. Non, non, ça risque d'attirer l'attention.

MARTINE. Je vous adore, maman!

ANNETTE, *souriant.* Tu essayeras d'être polie avec... avec lui? Au moins tant que tu vivras dans sa maison? *(Elle sort. Martine la suit sur le palier.)*

MARTINE. Je vous le promets!

Elle rentre et ferme la porte sur laquelle elle s'appuie avec un soupir détendu et un sourire heureux. Mais son visage se referme aussitôt à la vue de Jérémie qui s'avance vers elle rapidement.

JÉRÉMIE. Qui est-ce qui vient de sortir? Hein? Qui est-ce qui vient de sortir?

Elle a beau résister, il parvient facilement à la repousser et ouvre la porte.

JÉRÉMIE. C'est elle, j'en suis sûre! *(Il appelle.)* Annette!... *(Il sort sur le palier.)* Annette, Annette!...

MARTINE. Vous voyez bien qu'il y a personne!

Jérémie revient vers elle menaçant, fermant la porte avec colère. Martine effrayée recule.

JÉRÉMIE. C'était elle?... *(La suivant au comble de la colère.)* C'était Annette? Et elle était ici quand je suis venu tantôt, j'en suis sûr maintenant! *(Il lui tord le poignet.)* Vas-tu répondre!

MARTINE. Vous me faites mal!

JÉRÉMIE. Réponds! *(Gémissement de Martine.)* Réponds!

MARTINE. Oui! oui, elle était ici!

Jérémie la prend par les épaules et la secoue avec colère.

JÉRÉMIE. Et tu me l'as caché! Tu m'as menti effrontément!

MARTINE, *de plus en plus effrayée.* Elle voulait pas vous voir!

JÉRÉMIE, *avec rage.* Mais *moi,* je voulais! *Moi,* je voulais la voir!

MARTINE. Lâchez-moi!

JÉRÉMIE. Où est-elle maintenant? Où est-elle allée?

MARTINE, *complètement affolée.* Je le sais pas! Je vous jure que je le sais pas.

JÉRÉMIE. Tu mens! Tu mens encore comme tu mens toujours! *(Il se lève le bras au-dessus de sa tête.)* Parle, sinon je t'écrase comme une punaise!

MARTINE, *éperdue.* Mais je le sais pas, je vous jure! Si je le savais, je le dirais.

JÉRÉMIE, *étonné.* Tu le dirais?

MARTINE, *sanglotant.* Oui, oui, je le dirais!

JÉRÉMIE. Même si tu lui avais promis de pas m'en parler?

MARTINE. Lâchez-moi! Allez-vous me lâcher? Vous me faites mal!

JÉRÉMIE. Réponds!

MARTINE. Oui! Oui! Même si je lui avais promis...

JÉRÉMIE, *la repoussant brusquement.* Pouah! Tu vaux pas de la crotte! Je te dis que t'es loin de ta mère! Elle se laisserait couper en petits morceaux elle, plutôt que de trahir un secret!

> *Martine qui est tombée par terre sur le coin d'une chaise, sanglote de toute son âme.*

MARTINE. Je le sais... je le sais...

JÉRÉMIE. T'es bonne pour défier les gens de loin, mais quand tu te sens menacée, tu t'écroules comme un tas de boue! Imagine-toi pas d'ailleurs que tu vas t'en tirer de même! Tu vas les payer tes mensonges, ma fille! Dans une maison de correction, c'est là que tu vas les payer!

MARTINE, *se redressant aussitôt.* Essayez donc!... Votre fils me l'a dit! Vous avez aucun droit sur moi!

JÉRÉMIE, *s'approchant d'elle. Railleur.* Ah! Non?... Tu m'as pourtant dit toi-même qu'un père avait des droits sur sa...

MARTINE, *se bouchant les oreilles.* Taisez-vous! Je veux pas vous entendre!

JÉRÉMIE. Ah! bon, t'as compris?

MARTINE. C'est pas vrai. Ça peut pas être vrai! Je vous déteste!

JÉRÉMIE. Tu demanderas à ta mère. Il est temps qu'elle te renseigne.

MARTINE, *s'emportant.* Je vous défends de parler d'elle!

> *Elle se précipite sur lui et lui donne des coups de poings dans la poitrine.*

MARTINE. Oh! Vous me dégoûtez! Vous m'écœurez!

JÉRÉMIE, *insulté.* Veux-tu!... Veux-tu bien... Va-t-il falloir que je te mate une fois de plus?

Il lève la main pour la frapper, croyant qu'elle va demander grâce comme la première fois, mais elle continue à le défier.

MARTINE. Frappez-moi tant que vous voudrez ça m'empêchera pas de vous mépriser de toutes mes forces, de tout mon être, de toute mon âme!... *Jérémie surpris laisse retomber sa main. La colère de Martine commence à ébranler son assurance.*

MARTINE, *poursuivant.* Parce que si ce que vous dites est vrai... *Jérémie s'assoit sur une chaise, le visage soudain empreint de lassitude.*

JÉRÉMIE. Tu le sais bien que c'est vrai!

MARTINE. Alors il faut que vous ayez abusé d'elle! Il faut qu'elle ait été incapable de se défendre! Il faut que vous l'ayez violée!

JÉRÉMIE, *gravement.* J'ai pas dit le contraire.

MARTINE, *au comble de la rage.* Oh! Vous... *Elle s'approche de lui et lui crache au visage. Jérémie se lève d'un bond et fait un pas vers elle, mais il s'arrête aussitôt avec un effort méritoire, étant donné sa nature, pour maîtriser sa colère.*

JÉRÉMIE, *durement.* C'est bon! Mettons que j'aie mérité ça. J'avoue même que j'ai mérité pire, mais c'est pas à toi de me juger. Qu'est-ce que tu connais des hommes, qu'est-ce que tu connais des femmes pour te permettre de porter un jugement? Les torts que j'ai eus envers ta mère, elle seule a le droit de les compter.

MARTINE. C'est pas vrai! Je suis née de ce viol! J'existe moi aussi! J'existe depuis 18 ans! Et vous le saviez! Si un père a des droits sur sa fille, il a aussi des devoirs! Qu'est-ce que vous avez fait pour moi? Je sais maintenant à qui je dois d'avoir eu une enfance aussi triste! C'est à vous! À vous! À vous!

JÉRÉMIE. C'est vrai que t'es justifiée de m'en vouloir. Mais je me reprendrai dans l'avenir. Et si largement que tu auras plus à te plaindre de moi.

MARTINE. Vous m'achèterez pas avec de l'argent! Je suis pas à vendre!

JÉRÉMIE. On verra. Pour le moment c'est à ta mère que je pense. Il faut que je la retrouve! Il faut que je lui parle... *(Hésitant.)* Tu sais vraiment pas où elle est allée?...

MARTINE, *sarcastique.* Demandez-moi donc de vous aider à la retrouver pendant que vous y êtes!

Jérémie la regarde, comprend qu'elle ne répondra pas et lui tourne le dos. Frustrée de le voir partir avant qu'elle n'ait pu lui dire tout ce qu'elle a sur le cœur, Martine fait un pas vers lui pour lui crier sa rage.

MARTINE. Elle est perdue pour vous! Vous entendez? Perdue! Vous me trouverez toujours entre vous deux maintenant! C'est moi qui vous séparerai d'elle! C'est moi! *(Saisi par ses paroles, Jérémie s'est arrêté.)*

JÉRÉMIE. Martine!...

MARTINE. Je vous forcerai malgré vous à constater que j'existe! Vous serez obligé à l'avenir de compter avec moi!...

JÉRÉMIE, *angoissé.* Écoute-moi...

MARTINE. Trop tard! C'est avant qu'il fallait prendre une voix douce! C'est avant qu'il fallait venir vers moi! Quand j'étais petite! Mais vous m'avez même pas donné un nom! Il a fallu que je porte celui de ma mère.

JÉRÉMIE, *avec un pas vers elle.* Ça au moins, je peux le réparer!

MARTINE, *rage et mépris.* J'en veux pas de votre nom! Le nom de l'homme que je méprise le plus au monde? Jamais! Et maman non plus, je peux vous le jurer! Oh! vous allez payer cher, Jérémie Martin; comme vous allez payer! On verra bien, entre vous et moi, qui maman choisira!

> *Elle s'élance vers la porte de sortie et disparaît tandis qu'il fait un nouveau pas vers elle.*

JÉRÉMIE, *appelant.* Où vas-tu? Martine!...

> *En proie à une inquiétude qui le paralyse, Jérémie se retient à une chaise pour ne pas tomber.*

JÉRÉMIE, *bas.* Elle est bien capable... Elle est bien capable d'arriver à nous séparer... Elle est bien capable!

21

L'accablement

Beaujeu reconduit à la porte de son bureau un homme d'affaires à cheveux blancs, très gentleman anglais, qui n'en finit plus d'évoquer ses souvenirs.

THOMSON, *très léger accent anglais.* Je vous revois encore à Senneville, l'été, en culottes courtes, quand nous étions voisins...

BEAUJEU. Quelle magnifique propriété vous aviez! Ne regrettez-vous pas de l'avoir vendue?

THOMSON, *mi-ironique, mi-nostalgique.* Hélas! L'ère des grands seigneurs est passée, Beaujeu. Nos domestiques sont devenus des ouvriers! Ils sont mieux payés!... Et nos maisons sont vides.

BEAUJEU. C'est quand même plus démocratique, avouez-le...

THOMSON, *à regret.* Sans doute... C'est le progrès! Aujourd'hui, il n'y a plus que vos communautés religieuses qui ont encore la main-d'œuvre suffisante pour entretenir ces grands «estates». Toutes nos propriétés finiront entre leurs mains, vous verrez!

BEAUJEU, *amusé.* Mon Dieu, c'est une façon comme une autre de vous reprendre ce qu'autrefois vous nous aviez pris.

THOMSON. Attention! Nous sommes perdants tous les deux, Beaujeu! Nous perdons nos propriétés, mais vous, vous perdez nos taxes!

BEAUJEU, *éclatant de rire.* En effet!

Thomson enchanté de sa répartie, lui tend la main.

THOMSON. Good bye, Beaujeu... Je regrette vivement que vous ayez rejeté ma proposition! Ne voulez-vous pas y réfléchir encore?

BEAUJEU. Je veux bien, mais je ne crois pas que ça change grand-chose.

THOMSON. Quand même! Un homme intelligent a toujours le droit de changer d'idée!... Prenez donc une quinzaine de jours pour y réfléchir.

BEAUJEU, *protestant.* Monsieur Thomson...

THOMSON. Wait, Beaujeu! Vous autres Canadiens-Français, vous allez toujours si diablement vite!

BEAUJEU. À nos yeux, c'est vous qui allez trop lentement!

THOMSON, *soupirant.* Yes! Yes!... Je crois d'ailleurs que je suis trop vieux pour comprendre tous les changements qui

299

surviennent dans le Québec. *(Moqueur.)* Dans « l'État » du Québec !
Still... I love that province more than any other one !

BEAUJEU, *amusé.* Malgré qu'elle soit une province différente des autres ?

THOMSON. À cause de cela Beaujeu ! Ce n'est pas moi qui changerai Montréal pour Toronto comme plusieurs de mes amis songent à le faire ! No ! No !

BEAUJEU, *amusé.* Moi non plus, monsieur Thomson ! Moi non plus !

THOMSON, *riant de bon cœur.* Good bye ! Beaujeu ! Et faites mes amitiés à votre père. Il est toujours aussi vigoureux ?

BEAUJEU. Plus que jamais !

THOMSON, *admiratif.* What a man ! *(S'en allant.)* A real tycoon ! One of the last !

> *Beaujeu ouvre la porte et l'homme d'affaires passe devant Laurent qui s'avance vers Beaujeu.*

BEAUJEU, *surpris.* Laurent ?... Je ne savais pas que tu étais là !

LAURENT. Si je te dérange !...

BEAUJEU. Non, non. Je dois passer à la Cour un peu plus tard, mais pour l'instant... Viens !...

LAURENT, *désignant Thomson qui s'éloigne.* Ma foi, c'est le président de la Golden Oil ?

BEAUJEU, *fermant la porte.* Oui, c'est bien lui. Thomson...

LAURENT. Dis donc, il a drôlement vieilli !

BEAUJEU, *amusé.* Te souviens-tu quand nous lui volions son bateau à voile à Senneville ?

LAURENT, *riant.* Avec l'aide de sa fille dont j'étais fou, mais qui était folle de toi !... Qu'est-ce qu'il faisait ici ?

BEAUJEU, *amusé.* Il venait m'offrir vingt-cinq mille dollars par année pour que je m'engage à ne plus jamais plaider contre sa compagnie.

LAURENT, *éberlué.* Es-tu fou ?

BEAUJEU. Tu dois bien savoir que ça se fait Laurent ! Je ne suis pas le premier avocat auquel...

LAURENT, *avec envie.* Diable ! Tu pourrais te gagner un beau revenu à rien faire avec cinq ou six clients de ce genre.

BEAUJEU, *riant.* N'est-ce pas ?

LAURENT. Ils ont peur de toi, il n'y a pas à dire !

BEAUJEU. C'est que j'ai déjà gagné plusieurs causes contre eux, dont une le mois dernier, qui va leur coûter dans les cent mille !

LAURENT, *avec envie.* Vous gagnez votre vie facilement vous autres, les avocats.

BEAUJEU. Si ça peut te faire plaisir, j'ai refusé.

LAURENT, *sceptique.* Oh? Yeah! Une proposition pareille? Et tu veux que je te crois?

BEAUJEU, *amusé.* Ça te regarde!

LAURENT. Je ne te crois pas! Pourquoi aurais-tu refusé?

BEAUJEU. Moi aussi, je me le demande...

LAURENT, *se levant, agacé.* Tu te paies ma tête, ou quoi?

BEAUJEU. Je te dis, je ne comprends pas moi-même. J'ai seulement su tout de suite qu'il fallait que je refuse. *(Pensif.)* C'est d'autant plus curieux que l'an dernier j'ai accepté sans hésiter une proposition du même genre. Moins profitable par-dessus le marché!

LAURENT. Mon vieux, fais-toi examiner!

BEAUJEU. Je devrais peut-être! ...

LAURENT. Je te dis que t'en as de la chance dans la vie, toi!

BEAUJEU, *ennuyé.* Bon, bon, je l'admets, mais passons à autre chose.

LAURENT. Tout ce que tu touches tourne à ton avantage!

BEAUJEU, *mal à l'aise.* Tu n'es pas le premier à me le reprocher. Mais toi-même, après tout...

LAURENT, *amer.* Oh! moi... Parlons-en!

BEAUJEU. Il n'est pas donné à n'importe qui d'être appelé à succéder à Jérémie Martin!

LAURENT, *avec hargne.* Lui succéder! Quand?... Il est bien capable de vivre jusqu'à cent ans!

BEAUJEU. Pourquoi restes-tu avec lui, si tu le détestes?

LAURENT, *vivement.* Justement, je pense à le quitter! C'est même pour ça que je suis ici. Pour avoir ton avis. Tu connais John Brisbane?...

BEAUJEU. Assez bien, oui. Pourquoi ça?

LAURENT. Il lance une compagnie de matériaux de construction et il cherche un directeur qui a de l'expérience.

BEAUJEU. Est-ce qu'il t'a demandé de...?

LAURENT, *l'interrompant.* Non, car il n'imagine évidemment pas que je laisserais tomber papa. Mais je pourrais lui offrir mes services...

BEAUJEU, *vivement.* Pourquoi pas? Pourquoi pas, Laurent? Bon Dieu, c'est ta chance ou jamais de te libérer!

LAURENT, *malheureux.* Oui, mais si je m'en vais, Trudeau prendra de plus en plus d'importance auprès de papa! Déjà il est au courant de toutes ses entreprises alors que moi, je suis tenu à l'écart.

BEAUJEU. Oublie donc Trudeau! Trudeau n'a pas d'importance puisque c'est toi qui es malheureux et que tu...

LAURENT, *interrompant, agité et nerveux.* Malheureux, le mot est faible! Sa présence m'étouffe tout simplement! Je n'en peux plus!

BEAUJEU. Tu vois bien que c'est le temps d'en finir!

LAURENT, *inquiet.* Tu crois?... C'est pas un peu fou de laisser une compagnie qui va un jour m'appartenir pour aller enrichir un concurrent?

BEAUJEU. Sais-tu ce que je pense tout à coup? C'est que papa ne te laissera pas partir!

LAURENT, *avec espoir.* Qu'est-ce qui te fait croire ça?

BEAUJEU. Son besoin de contrôler tous ceux qui l'entourent!

LAURENT, *inquiet.* Oui, mais s'il me laisse partir et qu'après Brisbane ne veut pas de moi?... «J'aurai l'air fin», comme dit ma secrétaire.

BEAUJEU. C'est un risque à prendre!

LAURENT. Penses-y! J'ai tellement plus d'avantages à rester avec papa! Avec lui, ce n'est pas seulement les matériaux de construction, c'est l'amiante, c'est le nickel, l'acier, la direction de ci, la présidence de ça... Si je patiente, à sa mort, ce sera moi le grand patron! Moi! Pas Trudeau! Moi! Dehors, Trudeau!

BEAUJEU, *qui commence à se lasser.* Mais tu prétends toujours qu'il sera centenaire!

LAURENT. Il a quand même fait deux syncopes cet hiver...

BEAUJEU, *étonné.* Qu'est-ce que tu racontes?

LAURENT, *rire nerveux.* Oui, oui, deux syncopes! Il faiblit quand même, tu vois.

BEAUJEU. Comment se fait-il que je n'en aie rien su?

LAURENT. Personne n'en a rien su, sauf le notaire Beauchemin qui a assisté à l'une des syncopes...

BEAUJEU. Le notaire Beauchemin? Je cherche justement à l'atteindre depuis quelques jours.

LAURENT, *soupçonneux.* Fais-tu affaires avec lui toi aussi? Ou bien s'agit-il d'un autre legs personnel que maman t'aurait fait?

BEAUJEU, *agacé.* Laurent! Sois donc pas toujours si jaloux...

LAURENT. Bon, bon!...

BEAUJEU. Deux syncopes!... Dis donc c'est grave!

LAURENT, *amer.* Penses-tu? Il n'a même pas l'air d'en avoir été ébranlé!

BEAUJEU, *perplexe.* Pauvre vieux lion...

LAURENT, *avec mépris.* Peuh!

BEAUJEU. C'est curieux, j'ai rêvé à lui la nuit dernière... Il était triste... Triste... Si triste que j'en avais le cœur serré...

À la minute même, dans son bureau, Jérémie Martin essaie en vain de concentrer sa pensée sur un document qu'il doit signer. Triste, aussi triste que Beaujeu l'a vu en rêve, il se sent envahi par une lassitude insurmontable...

JÉRÉMIE, *soupirant.* Mais qu'est-ce que j'ai aujourd'hui! J'arrive à rien! Je fais rien que penser à Annette... Clothilde et Annette... Pourquoi les deux, je me demande? Comment ça se fait que j'arrive jamais à les séparer depuis la mort de Clothilde? *(Avec un soupir.)* Où est-elle Annette, Clothilde? Tu peux pas m'aider à la retrouver? Ça me tracasse... Ça me tracasse...

Laurent, qui s'est mis à marcher de long en large, proteste avec rancœur.

LAURENT. Triste, Jérémie Martin! Allons donc! Il ne sait même pas ce que c'est que de souffrir!

BEAUJEU. Il n'en parle jamais! C'est pour ça que ce rêve m'a tant impressionné...

LAURENT. Pour souffrir, il faut avoir du cœur et il n'en a jamais eu! Jamais! Jamais!

BEAUJEU. C'est fou ce que tu le détestes!

LAURENT, *bas.* Je le déteste pas, je le hais! Il en est arrivé là.

BEAUJEU. Dans ce cas, ça devrait faciliter ta décision. Oui ou non, offres-tu tes services à Brisbane? Excuse-moi de te presser, mais il faut que je sois au Palais de Justice d'ici une demi-heure.

LAURENT. Tu me conseilles vraiment de donner ma démission à... à papa.

BEAUJEU. Ça me paraît le seul moyen de l'amener à réagir en ta faveur. Et n'est-ce pas ce que tu veux?

LAURENT, *violemment.* Je veux qu'il se rende compte que j'existe, c'est ça que je veux! Que j'existe, comprends-tu?

303

BEAUJEU. Si tu l'appelais?... Par téléphone, ce serait peut-être plus facile? Tout de suite, tiens... Sans hésiter!

Beaujeu décroche le récepteur.

LAURENT. Attends!... J'y pense! Si c'était toi qui lui parlais? Si tu voulais t'en occuper?... *(Suppliant.)* Lui parler de Brisbane à ma place... Je t'en prie, Beaujeu! Oui! Oui! Ah! Tu me rendrais tellement service!

BEAUJEU. Je vais voir...

LAURENT, *le regardant avec envie pendant que Beaujeu décroche.* Comme il te laisse calme! *(Avec un soupir.)* Je voudrais bien avoir ton caractère!

Jérémie Martin pousse brusquement la manette qui le relie au bureau de sa secrétaire.

JÉRÉMIE, *irrité.* Je vous ai dit de pas me déranger!

SECRÉTAIRE. Je m'excuse, j'ai fait une exception parce que c'est votre fils Beaujeu qui vous appelle.

JÉRÉMIE. Je suis occupé! Plus tard, plus tard.

SECRÉTAIRE. Il demande un rendez-vous, si vous ne pouvez pas lui parler maintenant.

JÉRÉMIE, *désarmé.* Ah?... Demandez-lui de passer après cinq heures... Pas avant.

SECRÉTAIRE. Bien, monsieur.

JÉRÉMIE, *rêveur.* Beaujeu le bien-aimé! *(Il soupire et se ressaisit.)* Au travail, maudit vieux râleux de rêvasseur!

LAURENT, *déçu.* Il n'a pas voulu te parler?

BEAUJEU. Non, mais il m'attend après cinq heures, c'est parfait! Tout le monde sera parti, j'aurai tout le temps de lui exposer ton problème...

LAURENT, *sarcastique.* L'entrevue est terminée?

BEAUJEU. Mon vieux, je m'excuse...

LAURENT. Oui, oui, tu me l'as dit! Un autre de tes procès sensationnels, je suppose?

BEAUJEU, *agacé.* N'exagère donc pas toujours. Viens...

Après cinq heures. Beaujeu regarde son père qui lui tend un verre et lui dit, un sourire amusé au coin des lèvres.

BEAUJEU. Voulez-vous répéter ce que vous venez de dire? Je me demande si j'ai bien entendu...

JÉRÉMIE. Je te rappelais simplement le temps où tu étais jeune avocat et où ça t'arrivait de venir me voir comme ça à la fin de la journée pour parler de tes affaires...

BEAUJEU. Alors, j'avais bien entendu! *(Il se met à rire.)* Votre candeur m'enchante!

JÉRÉMIE, *piqué.* De la candeur à mon âge, c'est de la bêtise, mon garçon! Si tu te moques de moi?...

BEAUJEU, *amusé.* Mais non, voyons! Je constate seulement que vous êtes bien capable, en effet, de ne pas vous être encore aperçu que toute votre vie n'a été qu'un long monologue.

JÉRÉMIE, *se fâchant.* Qu'est-ce que tu racontes donc toi? Il y a rien de plus faux!

BEAUJEU. Oh! vous savez, nous en sommes tous plus ou moins là!

JÉRÉMIE, *furieux.* Mais c'est pas vrai pour moi! Le grand art en affaires, c'est justement de savoir écouter les autres... Et puisque j'ai réussi...

BEAUJEU. Je ne pensais pas aux affaires.

JÉRÉMIE, *continuant.* D'ailleurs tu peux pas plus mal tomber parce qu'il y a très très peu de gens en qui j'ai assez confiance pour parler. Les gens qui m'entourent... Ton frère Laurent, par exemple!... Il y a pas de conversation possible avec lui, il m'interrompt tout le temps! Il sait pas écouter, il pense rien qu'à ses problèmes...

Beaujeu s'est mis à rire irrésistiblement sur ces derniers mots.

JÉRÉMIE, *se fâchant.* Mais qu'est-ce que t'as donc, toi, aujourd'hui? Es-tu en train de rire de moi?

BEAUJEU, *riant toujours. Vivement.* Excusez-moi! Mais vraiment on dirait que vous faites exprès pour me donner raison!

JÉRÉMIE, *surpris.* Quoi? Comment ça?...

BEAUJEU. La preuve c'est que tout ce que vous reprochez à Laurent se résume au fait qu'il ne sait pas écouter. Vous voyez bien à quel point il vous est indispensable d'être celui qui parle et qu'on écoute!

JÉRÉMIE, *furieux.* Mais, où veux-tu en venir à la fin? À me faire comprendre que je suis rien qu'un vieil égoïste?

BEAUJEU, *doucement ironique.* C'est curieux que ça puisse insulter un lion de se faire rappeler qu'il est un lion!...

JÉRÉMIE, *décontenancé.* En fait, t'as peut-être raison!... Ça devrait m'être égal. *(Il rit, soulagé.)* Après tout, tant pis pour les autres!

BEAUJEU, *riant.* Là, au moins, vous êtes honnête! Au sujet de Laurent, j'ai une bonne nouvelle à vous annoncer.

JÉRÉMIE. Quelle bonne nouvelle? Il va divorcer?

BEAUJEU, *ton détaché.* Mieux que ça. Oui, je crois que ça va vous faire plaisir... Vous allez enfin être débarrassé de lui.

JÉRÉMIE. Qu'est-ce que tu racontes?

BEAUJEU. Figurez-vous que Brisbane lui offre ce que vous lui avez toujours refusé. La direction d'une compagnie de matériaux de construction!

JÉRÉMIE, *hérissé.* Brisbane?... Oui, j'ai entendu dire qu'il se lançait là-dedans! Et ton frère veut?... Est-ce qu'il est fou, cet animal-là? Il voudrait me laisser, moi, pour John Brisbane que je peux acheter une bonne dizaine de fois? *(S'emportant.)* Moi, son père, par-dessus le marché? Ça parle au diable! Bon Dieu est-ce qu'il est même plus capable de penser à ses propres intérêts? Tu vois, je te le dis depuis des années qu'il est pas intelligent!

BEAUJEU. J'ai bien pensé que vous seriez plutôt heureux d'être délivré de sa présence...

JÉRÉMIE. Alors, il y pense vraiment?

BEAUJEU. Ça vous étonne?

JÉRÉMIE, *furieux.* Voyons donc, réfléchis deux minutes! Mon propre fils qui veut me faire de la compétition avec Brisbane! Un Anglais par-dessus le marché! Ça parle au diable! Et il se plaint que je refuse de l'initier à mes autres affaires! Comprends-tu ça? Eh! bien, tant pis pour lui! Je lui en dirai encore moins à l'avenir!

BEAUJEU. C'est peut-être mieux comme ça puisque vous n'avez pas confiance en lui de toute façon.

JÉRÉMIE, *avec rancœur.* Eh! toi, aussi, si t'avais donc voulu!... Si t'avais donc voulu travailler avec moi!...

BEAUJEU. Oh! moi, je ne pouvais être qu'avocat... Il y a des gens pour qui le choix d'une carrière ne se discute même pas.

JÉRÉMIE, *rageur.* Mettons, mettons!... Ça pouvait se comprendre après tout. Du côté de ta mère, y avait rien que ça des juges, des avocats... Mais Michel, lui?... Des biologistes il y en a jamais eu dans la famille, ni d'un côté ni de l'autre!... Alors veux-tu me dire...?

BEAUJEU. Vous êtes drôle!...

JÉRÉMIE. Drôle?...

BEAUJEU. Pourquoi aller chercher si loin quand vous avez déjà un fils qui se passionne pour les affaires?

JÉRÉMIE. Il est pas intelligent Laurent, j'arrête pas de te le dire.

BEAUJEU. Entre nous, quelle chance lui avez-vous donnée de prouver sa compétence? Vous le menez comme un petit gars!

JÉRÉMIE. Miséricorde, faut bien que je le surveille. Il pense rien qu'à me remplacer. Toutes les idées qu'il me suggère, c'est toujours dans le but de diminuer mon autorité, de m'enlever des pouvoirs! Il m'aura pas! (*Avec rancœur.*) Il peut toujours essayer, il m'aura pas!

BEAUJEU. À vrai dire il y a un autre sujet dont j'aimerais vous parler mais j'ai peur qu'il ne vous plaise pas davantage.

JÉRÉMIE, *bourru.* Cout' donc, toi, as-tu juré de me faire enrager aujourd'hui? De toute façon, je vois mal qu'est-ce qui pourrait me mettre plus en colère que ce que tu viens de me dire!

BEAUJEU, *affectueusement.* Servez-moi d'abord un autre verre, voulez-vous? Il est drôlement bon votre whisky!

JÉRÉMIE, *soupire. Content.* Eh! ben, j'ai au moins ça de bon! De quoi c'est que tu voulais me parler?

BEAUJEU, *amicalement.* Nous avons le temps... ça me fait plaisir d'être ici...

JÉRÉMIE, *content.* Ah! oui?... Moi aussi j'aime ça que tu sois là... Même quand t'es bête comme tes pieds! *(Ils rient tous les deux.)*

BEAUJEU. Dites-moi?... Est-il vrai que vous ayez eu deux syncopes cet automne?

JÉRÉMIE, *étonné.* Deux syncopes? Es-tu fou, toi? Jamais de la vie! *(Se souvenant.)* Ah! oui... Ah! bon, je vois! *(Il rit.)* C'est le notaire Beauchemin qui t'a raconté ça?

BEAUJEU. Non, mais vous me rassurez en tout cas. Je me demandais...

JÉRÉMIE, *riant.* J'ai joué un tour au notaire à l'automne, une fois qu'il était venu me voir à la maison... Pour me débarrasser de lui! Je croyais que c'était de ça que tu parlais... Qui est-ce qui t'a dit?...

BEAUJEU, *prudent.* Je ne me souviens plus... c'est peut-être le notaire après tout...

JÉRÉMIE. En tout cas, rassure-toi parce que je me sens fort comme un bœuf, pis en plus, j'ai pas envie de mourir pas une miette! À ta santé...

BEAUJEU. Aussi bien en effet, puisque la vôtre est si bonne!

JÉRÉMIE. Me demandais-tu ça par crainte de me donner une nouvelle syncope en m'annonçant ce que t'as à me dire?

BEAUJEU, *désarmé.* Peut-être...

JÉRÉMIE, *s'assoyant.* Alors t'inquiète pas. Je suis solide comme le roc. Vas-y! Shoot!

BEAUJEU, *prenant son courage à deux mains.* Je voulais simplement... simplement vous demander si vous aviez... Si vous aviez...

JÉRÉMIE. Ça a ben l'air difficile?

BEAUJEU. Je n'aime pas me mêler des affaires des autres. Surtout pas des vôtres, vous devez le savoir...

JÉRÉMIE, *intrigué.* Oui, oui, je connais ta discrétion. Vas-y, parle, je te mangerai pas!

BEAUJEU, *doucement.* Eh! bien, je voulais vous demander si vous aviez... si vous aviez acquitté le billet de cent mille dollars que vous avez signé au nom d'Annette Julien?

JÉRÉMIE, *se lève au comble de la stupéfaction.* Comment peux-tu savoir que?... Beaujeu, qui est-ce qui?... *(Frappant le pupitre avec rage.)* Le vieux maudit! Ah! par exemple! *(Il se met à marcher en continuant à rager.)* Bien sûr, ça peut pas être un autre que lui puisque... Ah! le vieux râleux, il va me payer ça! Ah! le vieux singe! C'est ça qu'il fait de la conscience professionnelle? Le vieux maudit! Ben dis quelque chose Beaujeu! Reste pas là à me regarder! Parle!...

BEAUJEU, *gentiment.* Oui, mais êtes-vous prêt à m'écouter?

JÉRÉMIE. Puisque je te le demande!... Parle!

BEAUJEU. Rétablissons d'abord la vérité. Le notaire Beauchemin n'a absolument rien voulu me dire au sujet de cette affaire.

JÉRÉMIE, *s'exclamant.* Ah! bon, tu admets lui en avoir parlé! Tu vois bien? Mais je te crois pas! Il faut bien que ce soit lui puisque... *(Ému.)* Puisque...

BEAUJEU. Puisque quoi?

JÉRÉMIE. Puisque, miséricorde! y avait rien que lui, ta mère pis moi qui étions au courant! Tu me feras toujours bien pas croire que c'est ta mère qui t'en a parlé!

BEAUJEU. Oui...

JÉRÉMIE, *bouleversé.* Quoi oui? C'est certainement pas ta mère...

BEAUJEU, *doucement.* Oui, c'est par elle que je l'ai su. Par maman...

JÉRÉMIE, *troublé.* Par ta mère!... Beaujeu, qu'est-ce que tu dis?... Ta mère t'a parlé de...? D'Annette? À toi?... Je comprends pas! C'est pas possible! C'est pas des choses qu'une mère raconte à son fils!

BEAUJEU. Je ne suis plus un enfant...

JÉRÉMIE, *profondément troublé.* Ça me paraît pas possible que... Qu'elle t'ait parlé d'Annette!... Pourquoi?... À propos de quoi? Non, je peux pas... je peux pas comprendre!

BEAUJEU. Le sort d'Annette lui tenait à cœur. Elle s'est beaucoup inquiétée d'elle avant de mourir... Vous en avez eu la preuve puisque... *(Gêné.)* puisqu'elle a insisté pour lui laisser cette somme...

JÉRÉMIE, *profondément ému.* Ces deux femmes-là... ces deux femmes qui auraient dû se détester... On dirait que finalement, elles se sont liées contre moi...

BEAUJEU. Pas contre vous...

JÉRÉMIE. J'aurais pas dû... J'aurais jamais dû accepter que... qu'Annette reste à la maison...

BEAUJEU. Puisque maman le demandait, vous pouviez difficilement refuser.

JÉRÉMIE, *protestant.* Elle m'a rien demandé du tout! C'est elle-même qui est allée chercher Annette pendant le voyage que j'ai fait en Angleterre. Quand je suis revenu, Annette était déjà installée à la maison. Je ne savais absolument pas, à ce moment-là, que ta mère savait tout au sujet d'Annette...

BEAUJEU, *le regardant.* Et de Martine...

JÉRÉMIE, *haussement d'épaules.* Oui, oui, par le fait même... Mais c'est pas ça qui compte...

BEAUJEU. Pour maman Martine comptait...

JÉRÉMIE, *impatient.* Oui, oui, mais c'est pas ça qui m'importe là... Ce que j'essaie de comprendre, c'est...? c'est...?

BEAUJEU. Les relations de maman et d'Annette?...

JÉRÉMIE. Oui!... Je comprends pas ce qui s'est produit! Je sais pas comment ça s'est fait mais elles sont devenues... des amies! Tu le sais, à la fin, ta mère voulait plus personne d'autre qu'Annette dans sa chambre...

BEAUJEU. Et elle a voulu connaître Martine...

JÉRÉMIE. Qu'est-ce qui s'est passé, peux-tu bien me le dire? Jamais il m'était venu à l'idée qu'une chose semblable aurait pu se produire! Jamais...

BEAUJEU. Elles ont appris à se connaître sans doute... et à s'estimer... De là, à l'amitié...

JÉRÉMIE. Quand même!... Qu'est-ce qu'elles avaient en commun? Rien!...

BEAUJEU. Rien d'apparent, vous voulez dire...

JÉRÉMIE, *encore troublé.* Peut-être que je comprends pas les femmes! Peut-être même que je les ai jamais comprises! Ce que tu viens de me dire par exemple... Que ta mère t'a parlé d'Annette!... Tu peux pas savoir ce que ça me fait! Ça me dépasse!... Complètement!

BEAUJEU. Puis-je... Puis-je vous demander pourquoi vous n'avez pas remis à Annette cette somme que maman vous a laissée expressément pour elle?...

JÉRÉMIE, *malheureux.* Tais-toi... Tais-toi donc...

BEAUJEU. Car Annette n'a pas reçu cet argent n'est-ce pas?

JÉRÉMIE, *même jeu.* Tais-toi donc, je te dis! Tu sais pas de quoi tu parles... J'ai assez manipulé d'argent dans ma vie pour savoir que l'argent salit tout! Je veux pas de question d'argent entre Annette et moi.

BEAUJEU. Il y a des êtres que l'argent ne corrompt pas. Maman était de cette espèce, vous le savez? Pourquoi pas Annette aussi bien?

JÉRÉMIE, *protestant.* Parce que ta mère a jamais connu la pauvreté. Annette, oui!... Comme moi! Pire que la pauvreté! La misère!...

BEAUJEU. Est-ce une raison pour douter de son intégrité?

JÉRÉMIE. Tu peux pas savoir, Beaujeu, tais-toi donc! La misère faut l'avoir connue, faut l'avoir vécue, pour savoir à quel point ça marque! Annette... Non, non, je veux pas d'histoire d'argent entre elle et moi! Essaie pas de comprendre. T'as jamais rencontré autre chose que des femmes de ton milieu... Des femmes protégées, gâtées... Laisse-moi m'occuper d'Annette, c'est à moi de décider ce qu'il faut faire pour elle!

BEAUJEU. Maman vous a fourni elle-même une autre solution en vous suggérant... Si vous préfériez ça au fait de lui donner les cent mille dollars...

JÉRÉMIE, *protestant.* Beaujeu!...

BEAUJEU, *continuant.* D'épouser Annette...

JÉRÉMIE, *s'emportant.* Jamais! Jamais, comprends-tu? Je me remarierai jamais. *(Sans élever la voix mais avec une force extraordinaire.)* Mêle-toi pas de ça, Beaujeu, mêle-toi pas de ça, ça pourrait mal tourner pour toi!

BEAUJEU, *spontanément, très chaleureux.* Mon Dieu, croyez-vous donc que ce soit par plaisir que je m'en mêle? Croyez-vous donc que ça m'amuse de vous tourmenter?

JÉRÉMIE, *bas. Avec effort. Maîtrisant mal son émotion.* Va-t'en Beaujeu...
Il vaut mieux que tu t'en ailles...
BEAUJEU, *inquiet.* Papa?...
JÉRÉMIE, *bas.* Va... va-t'en...
BEAUJEU, *inquiet.* Vous êtes tout pâle... Vous ne vous sentez pas
mal au moins?
JÉRÉMIE. Va-t'en, Beaujeu... (*Suppliant.*) Je te le demande...
BEAUJEU, *s'éloignant.* Si vous saviez comme je regrette de...
JÉRÉMIE. Va-t'en, je te dis... C'est assez pour aujourd'hui.
BEAUJEU, *revenant vers lui.* Si je pouvais vous aider?... Je vous
assure, si vous me laissiez...
JÉRÉMIE, *suffocant.* Va-t'en! Va-t'en!
BEAUJEU, *s'éloignant.* Je suis désolé, papa... Désolé... Profondé-
ment désolé...

  La porte s'ouvre et se referme doucement sur Beaujeu.

JÉRÉMIE, *répétant.* Désolé... Moi aussi... Moi aussi, je suis... désolé...
(*Il éclate brusquement en sanglots.*) Désolé! Désolé!...

22

Is The Poor Man Getting
Old After All?

*Dans la salle à manger. Deux couverts dressés pour le petit déjeuner.
Philippe assis à sa place parle avec René qui le sert.*

PHILIPPE. C'est quand même étonnant!

RENÉ. Étonnant en effet.

PHILIPPE, *sombre.* Le deuxième jour...

RENÉ. Monsieur Philippe en a-t-il parlé à monsieur Martin?

PHILIPPE. Non... Mais je crois que je vais le faire.

RENÉ. Peut-être voudra-t-il prévenir la police...

PHILIPPE, *s'exclamant.* La police?

RENÉ. Pour les recherches.

CÉLINE. Bonjour!

René et Philippe étonnés se tournent vers elle.

PHILIPPE, *se levant.* Céline...?

*Céline s'avance. Tailleur, sac à main, voilette, gants, etc. Elle semble en
grande forme. Étonnement de René et Philippe.*

CÉLINE, *à Philippe. Riant.* Hein! quelle surprise, crois-tu? Vous
pouvez mettre mon couvert, René. Je déjeune en bas ce matin.

RENÉ. Bien, madame...

Il met le couvert de Céline et s'éloigne.

CÉLINE. Qu'est-ce que tu as donc, toi? Tu as l'air bien agité ce
matin?

PHILIPPE, *se ressaisissant.* Ah! oui?... Heu... *(Vivement.)* Je voulais te
demander si tu savais où est Martine?

CÉLINE. Et comment le saurais-je, je te prie? Quoi, papa n'a pas
encore déjeuné? Hum! On fait le paresseux? *(Regardant sa montre.)*
Neuf heures! *(Riant.)* Is the poor man getting old, after all?

PHILIPPE. C'est sérieux, Céline. Quand as-tu vu Martine pour la
dernière fois? *(Préoccupé.)*

CÉLINE. Mais c'est une obsession!

PHILIPPE, *vivement.* Ah! voici mon oncle. *(Il se lève et fait un pas vers
lui.)* Mon oncle...

JÉRÉMIE. Bonjour, bonjour. Je ne sais pas ce qui m'a pris de me
réveiller si tard! Je suis furieux.

CÉLINE. Et honteux, j'espère !

JÉRÉMIE. Qu'est-ce que tu fais debout à cette heure-ci, toi ? Tu es bien matinale depuis quelque temps ?

CÉLINE. N'est-ce pas ? Je n'ai jamais mené une vie aussi exemplaire que depuis que j'habite chez vous.

PHILIPPE. Mon oncle...

CÉLINE. Mon oncle, vous ne cacheriez pas Martine dans votre poche par hasard ?

PHILIPPE. Oh ! ça va, Céline.

JÉRÉMIE. Qu'est-ce qui se passe ?

René entre avec un plateau contenant œufs, toasts et café. Il dépose le tout sur le buffet.

JÉRÉMIE, *surpris.* Déjà mes œufs. Tu fais du zèle ce matin !

RENÉ, *désemparé.* Pardon, ce sont les œufs de madame Mercier.

JÉRÉMIE, *agacé.* Ah... Hé ben...

CÉLINE, *d'un ton royal.* Permettez-moi de vous les offrir, mon père.

JÉRÉMIE, *à René.* Amène. Amène.

Céline sort ses cigarettes et son briquet, tandis que Philippe s'agite de plus en plus.

PHILIPPE. Mon oncle... Savez-vous où est Martine ?

JÉRÉMIE. Pourquoi veux-tu que je le sache ? (*À Céline.*) Je t'ai déjà dit de pas fumer à jeun, toi. C'est très mauvais pour les nerfs... et t'en as pas à perdre de ce côté-là.

CÉLINE, *suave.* Vraiment, docteur ?

Elle allume sa cigarette.

JÉRÉMIE. Enfin, t'es majeure, c'est ton affaire.

Il se met à manger. Philippe agacé décide d'en finir. René sort.

PHILIPPE. Mon oncle, au risque de vous ennuyer, il faut que j'insiste. Il y a deux jours que Martine a quitté la maison et personne n'a l'air de savoir où elle est allée. Tout ce que je vous demande, c'est de me dire si, au moins, elle vous a annoncé son départ.

JÉRÉMIE. C'est à croire ! Quand c'est qu'elle m'a jamais raconté ce qu'elle faisait ?

PHILIPPE, *désemparé.* Je ne sais pas... mais je me disais... Après tout, elle habite chez vous ! Et vous êtes peut-être la dernière personne à l'avoir vue, alors...

JÉRÉMIE. Moi ?

PHILIPPE. Avant-hier soir, vous souvenez-vous quand je suis monté ? Je vous ai croisé dans le passage ? Vous êtes descendu... Je venais de quitter Martine... Vous l'avez peut-être vue en bas, ce soir-là?

JÉRÉMIE, *mal à l'aise, se remettant à manger.* C'est possible, j'ai oublié...

PHILIPPE. Essayez de vous souvenir... Parce que c'est cette nuit-là qu'elle a disparu...

JÉRÉMIE. Disparu, disparu!... Elle est partie tout simplement. C'est son affaire. En quoi est-ce que ça me regarde?

PHILIPPE. Ça ne vous inquiète pas?

CÉLINE, *à Philippe gentiment.* Tu ne le connais pas encore?

René qui est entré avec un nouveau plateau sert Céline sans avoir l'air d'écouter mais sans perdre un mot.

PHILIPPE. Avouez au moins que cette dispari... enfin ce départ, si vous préférez, a quelque chose d'anormal. Je la quitte à minuit en lui donnant rendez-vous pour l'emmener à son cours et le lendemain matin, pas de Martine! Et René me dit qu'elle n'a pas couché ici cette nuit-là. N'est-ce pas René?

RENÉ. Parfaitement, monsieur.

JÉRÉMIE. Qu'est-ce que t'en sais?

RENÉ. Oh, moi, rien, monsieur. Mais Carmelle qui la réveille tous les matins ne l'a pas trouvée dans sa chambre. Et son lit n'était même pas défait.

PHILIPPE. Même chose ce matin. N'est-ce pas René?

RENÉ. En effet, monsieur.

PHILIPPE. Avouez que c'est quand même bizarre. Songez que personne ne l'a revue depuis ce soir-là.

CÉLINE. Mais elle a dû aller à son cours hier? C'est là qu'il faudrait t'informer.

PHILIPPE. J'y ai pensé, voyons! Son professeur m'a dit qu'elle ne s'est pas présentée de la journée. C'est pour le moins étrange. Elle qui adore ses études.

CÉLINE. En effet.

JÉRÉMIE. Qu'est-ce que tu veux que j'y fasse! *(Irrité.)* Je suis pas responsable de Martine, moi! Je... Enfin d'une façon, oui, si on veut, puisqu'elle habite sous mon toit. Mais...

PHILIPPE. Dites-moi seulement si vous trouvez sa disparition normale, c'est tout ce que je veux savoir.

JÉRÉMIE. Qu'est-ce que tu veux dire?

PHILIPPE. Mais... savoir si c'est dans les habitudes de Martine de s'en aller comme cela, sans prévenir personne...

JÉRÉMIE. Mais ça non plus j'en sais rien. C'était pas à moi de la surveiller. Elle avait sa mère ici...

RENÉ. Si monsieur me permet...

JÉRÉMIE. Envoie. Envoie.

RENÉ. Je veux dire que... Non, ce n'était pas dans les habitudes de Martine. *(Soulignant.)* Pardon, de mademoiselle Martine. Depuis son entrée dans la maison, quelques jours avant la mort de madame Martin, elle n'avait jamais quitté les lieux que pour de brèves sorties...

PHILIPPE. Vous voyez bien que j'ai raison de m'alarmer. Mon oncle, je me demande s'il ne serait pas temps de prévenir la police?

JÉRÉMIE. Es-tu fou, toi?

CÉLINE. Il a raison papa. Il faut faire des recherches.

JÉRÉMIE, *à René qui écoute avec attention.* As-tu encore quelque chose à faire ici, toi?

RENÉ, *retrouvant aussitôt son air imperturbable.* Non, monsieur. Je restais au cas où l'on aurait quelques questions à me poser.

JÉRÉMIE. Alors déguerpis, on t'appellera si on a besoin de toi.

> *René sort.*

PHILIPPE. Vous ne pensez pas mon oncle que...

JÉRÉMIE. Je te dis qu'elle te tient à cœur cette fille-là!

PHILIPPE, *rougissant, confus, évitant le regard de Céline posé sur lui.* Mais... je... Je la connais assez bien... Michel me l'avait présentée... Je... Nous... Oui, nous étudions ensemble tous les soirs depuis que je suis ici...

JÉRÉMIE. Tiens, je savais pas ça.

> *Céline secoue la tête avec mépris en regardant Philippe.*

CÉLINE. Lâche!

PHILIPPE, *rougissant plus fort.* Lâche?

CÉLINE. Ça aurait été si bien si tu avais eu le courage de répondre: «Je l'aime, mon oncle.» Je l'aime, tout simplement.

PHILIPPE, *avec une grande confusion.* Mais tu es affreusement indiscrète.

JÉRÉMIE. Ben oui, tais-toi donc.

CÉLINE. Ah! ça vous vous entendez entre hommes pour ce genre de lâcheté.

JÉRÉMIE, *sur ses gardes.* Ce qui veut dire?

CÉLINE. Oh! rien... Mais que ce serait donc beau qu'un homme soit capable de reconnaître tranquillement à la face du monde et sans fausse pudeur qu'il est amoureux.

PHILIPPE, *profondément troublé.* Mais Céline... je ne suis pas encore sûr de l'aimer!...

CÉLINE. Pouah! Ça crève les yeux que tu l'aimes, mais tu es comme les autres. On dirait que l'amour est une chose déshonorante pour les hommes dans ce pays! Dieu sait pourtant qu'une déclaration de ce genre toucherait plus une femme que les plus belles promesses du monde!

JÉRÉMIE, *perplexe.* Ah?... Tu crois?...

PHILIPPE, *baissant la tête.* Encore faudrait-il qu'elle m'aime!...

CÉLINE. Mais non! Ce serait tellement mieux de le dire sans même savoir si elle t'aime!

JÉRÉMIE, *mangeant.* À ta place, je m'occuperais pas de Martine! Elle a pas l'air d'avoir beaucoup de cœur si tu veux mon avis!

CÉLINE, *rire insolent.* Si elle en avait, de toute façon, ce n'est pas à vous qu'elle le montrerait!

JÉRÉMIE, *riant.* Non! Bien sûr!

CÉLINE. Un seul de vos regards suffirait à couper n'importe quel élan d'affection qu'on pourrait avoir envers vous.

Elle rit de nouveau de son petit rire fêlé. Il la regarde comme s'il réfléchissait.

JÉRÉMIE. Peut-être... *(Presque tristement.)* Oui, peut-être...

CÉLINE, *décontenancée.* Si vous vous mettez à donner raison aux autres maintenant!...

PHILIPPE. Je voudrais bien que nous revenions à Martine! Ne faudrait-il pas au moins prévenir sa mère?

JÉRÉMIE, *rassurant.* Calme-toi. Je pense depuis un moment que c'est peut-être justement sa mère que Martine est allée retrouver.

PHILIPPE. Mais c'est impossible! Sa mère est à Sainte-Anne-de-Remington! Martine ne serait certainement pas partie à Sainte-Anne en pleine nuit? Par quel moyen?

JÉRÉMIE. Donne-moi la journée pour m'informer et il se peut que ce soir je puisse te renseigner. Ça te va?...

PHILIPPE. Vous croyez vraiment?... Mais comment ferez-vous?...

JÉRÉMIE. Fais-moi confiance! Veux-tu?...

Il met amicalement sa main sur celle de Philippe d'un air plein de compréhension.

JÉRÉMIE, *affectueusement.* Compte sur moi, ti-gars. Je vais m'en occuper.

316

CÉLINE. Qu'ouis-je et qu'entends-je?... Mes félicitations, Philippe! Papa n'a jamais parler sur ce ton à aucun de nous.

Jérémie hausse les épaules. Céline se lève et rassemble ses accessoires de sortie.

CÉLINE. Il est vrai que nous étions ses enfants! Quant à Martine mon pauvre Philippe, tu perds ton temps, j'en ai peur...

PHILIPPE, *se levant. Profondément inquiet.* Je perds mon temps?...

JÉRÉMIE. Laisse-le donc tranquille! Tu es comme une mouche, toujours à l'agacer!

PHILIPPE. Mais non, qu'elle parle! Si tu sais quelque chose sur Martine, il faut me le dire!

CÉLINE. Je ne sais rien du tout sauf que c'est une fille directe, entière, incapable de compromissions, assoiffée de certitudes... Ce qui fait qu'elle n'ira jamais vers un garçon comme toi...

PHILIPPE, *balbutiant.* Pourquoi pas?

CÉLINE. Parce que tu es un indécis, parce que tu doutes de toi du matin au soir, parce que tu n'as rien de positif à lui apporter...

JÉRÉMIE, *prêt à se fâcher.* Voyons donc!

PHILIPPE. Elle a raison mon oncle... C'est ce qu'il y a de pire!

CÉLINE, *à son père.* Est-ce ma faute si le malheur l'attire?

JÉRÉMIE. Le malheur l'attire! Qui est-ce qui a jamais entendu parler de ça!

CÉLINE. Pas vous, bien sûr, mais lui! *(Doucement, fraternellement.)* N'est-ce pas Philippe que c'est un élément qui t'est familier, naturel?

JÉRÉMIE. Si ça a du bon sens!

CÉLINE, *à Philippe.* Écoute-le protester! Martine ne protesterait pas avec moins d'énergie! Les gens comme elle, comme lui, vont vers ce qui est fort, vers ce qui est appelé à réussir. Ils sentent ça d'instinct! Toi, tu appartiens à l'espèce qui s'inquiète, l'espèce qui manque le train... qui rate sa vie... Comme moi! L'espèce née pour souffrir...

PHILIPPE, *suppliant.* Tais-toi! Oh! Tais-toi...

JÉRÉMIE. Mais envoie-la paître, bon Dieu! C'est rien qu'une femme après tout!

CÉLINE. Vous n'avez pas compris qu'il appartient lui aussi à l'espèce sans défense? *(À son père avec rancœur.)* Rassurez-vous, vous êtes d'une autre race! Et Martine aussi! Oui, elle vous ressemble bien plus que moi qui suis votre fille. Elle et vous... *(Elle s'arrête et reprend machinalement.)* Elle et vous... *(Elle éclate de rire.)* Oh! non, ce serait trop drôle!

317

Jérémie furieux, craignant qu'elle n'ait deviné quelque chose parvient mal à se contenir.

JÉRÉMIE. Ma foi, Laurent a raison! Il faudra finir par t'interner!

CÉLINE, *riant toujours.* C'est comme s'il m'était venu tout à coup une de ces intuitions fulgurantes!... L'idée que Martine... *(S'arrêtant décontenancée.)* Tiens, j'y pense!... C'est curieux justement qu'elle s'appelle Martine!... Drôle de coïncidence, entre nous!

JÉRÉMIE, *coup de poing sur la table.* Vas-tu te taire à la fin?

PHILIPPE. Tu vas trop loin, Céline!

CÉLINE, *cessant de rire.* Je vais toujours trop loin pour le confort des autres, tu ne t'en étais pas encore aperçu?

JÉRÉMIE. Elle est folle!

CÉLINE. J'ai deviné juste, n'est-ce pas?

JÉRÉMIE, *hors de lui.* Sors d'ici! J'en ai assez de tes sornettes!

CÉLINE, *avec un petit rire désinvolte.* Moi aussi, justement, ça tombe bien! *(Petit salut ironique.)* Majesté, j'ai bien l'honneur... *(Petit salut attendri à Philippe.)* Au revoir petit frère mouton.

Elle sort d'un pas allègre. Jérémie au comble de la colère jette sa serviette sur la table et se lève avec rage.

JÉRÉMIE, *éclatant.* Quelle hystérique! Occupe-toi pas d'elle, elle est complètement folle!

L'agitation de la Bourse. Puis Céline sur la galerie d'observation le visage recouvert de son voile.

CÉLINE. Si je suis folle, je voudrais bien savoir ce qu'ils sont, eux!
La salle des enchères en pleine animation.

CÉLINE. Quelle agitation, mon Dieu! Mais qu'est-ce qu'ils ont tous à tant s'agiter? On dirait des enfants! Des enfants qui jouent à se prendre pour des grandes personnes... Et ils y croient à leur jeu! Comment peuvent-ils y croire, alors que tout ça me paraît tellement irréel, tellement inutile... J'ai beau venir ici tous les jours, je continue à ne rien comprendre. Si au moins je pouvais voir Gabriel! Au moins une fois! Je m'ennuie tellement de toi, Gabriel. Tellement, tellement, tellement...

L'automobile de Jérémie Martin conduite par Maurice. La voiture s'arrête devant l'entrée. Maurice sort et ouvre la portière. Jérémie descend.

JÉRÉMIE. Une autre journée de faite!

MAURICE. Vous avez l'air fatigué, monsieur Martin?

318

JÉRÉMIE, *se redressant automatiquement.* Ben non, ben non!

Maurice referme la portière. Jérémie, qui se dirigeait vers les marches, revient vers lui.

JÉRÉMIE. Dis donc, toi, t'aurais pas eu des nouvelles de Martine par hasard?

MAURICE, *aussitôt sur ses gardes.* Non, aucune nouvelle.

JÉRÉMIE, *le regardant attentivement.* Tu sais pas du tout où elle est?

MAURICE. J'allais vous demander la même chose.

JÉRÉMIE. Ouais?...

MAURICE. Vous avez pas l'air de me croire?

JÉRÉMIE. Oh! ça... Tu l'as déjà protégée contre moi! Aussi je m'attendais pas à ce que tu me dises grand-chose! Comme ça tu sais même pas si elle est morte ou vivante?

MAURICE. Non.

JÉRÉMIE. Sa pauvre mère peut bien s'inquiéter!

MAURICE, *vivement.* Vous savez où elle est, sa mère?

JÉRÉMIE, *lui saisissant le bras.* Non, mais toi, par exemple, mon petit menteur, tu sais où est Martine! Viens donc pas! Si tu avais pas vu Martine depuis deux jours, tu croirais que sa mère est encore à Sainte-Anne-de-Remington puisque c'est là que tu l'as vue la dernière fois!

MAURICE. J'ai pas vu Madame Julien à Sainte-Anne-de-Remington...

JÉRÉMIE, *s'emportant.* Fais donc pas l'imbécile! Comme si t'avais pas compris que c'est elle que je suis allé voir! Toi, mon petit gars t'as parlé à Martine dernièrement!

MAURICE, *qui s'est ressaisi.* Restons-en là, monsieur Martin. J'ai rien à dire.

JÉRÉMIE. Attends attends!... Pas si vite! Prends le temps de réfléchir. Tu le sais, je fais toujours ça. Dans une heure, tu viendras me dire ce que tu sais.

MAURICE. Pas plus dans une heure que maintenant!

JÉRÉMIE. Souviens-toi seulement de la promesse que je t'ai faite de te payer ton université jusqu'à la fin de tes cours...

MAURICE. Monsieur Martin, faites-moi pas de chantage sur un sujet pareil, parce que je serais peut-être pas capable de me contrôler!

JÉRÉMIE. Alors résiste-moi pas quand je veux savoir quelque chose! Je te donne une heure pour réfléchir, pas une minute de plus! Pis tu fais mieux de réfléchir dans le bon sens parce qu'autrement tu le paieras cher, c'est moi qui te le dis!

Dans la bibliothèque, Philippe, tout au fond, près des fenêtres qui donnent sur la terrasse, regarde la ville d'un air absent. Jérémie paraît son journal à la main. Philippe qui n'attendait que cela, vient le rejoindre aussitôt.

PHILIPPE. Mon oncle!... Enfin!... Avez-vous des nouvelles?

JÉRÉMIE. Pas encore...

PHILIPPE, *déçu.* Vous aviez dit ce matin...

JÉRÉMIE, *s'assoyant.* Hé oui!... J'ai cherché à en avoir toute la journée, mais j'ai pas réussi! Qu'est-ce que tu veux, je suis pas le bon Dieu!

PHILIPPE. Vous avez une telle assurance que par moment il m'arrive presque de croire que vous l'êtes!

JÉRÉMIE, *dépité.* Moi aussi! Mais tu vois... Quand même, peut-être que d'ici une heure ou deux, je pourrai t'en dire plus long sur ta Martine. Après tout, la journée est pas finie!

PHILIPPE. Et si vous n'y parvenez pas ce soir?... Préviendrez-vous la police?

JÉRÉMIE, *dépliant son journal.* On verra. On verra! *(Moqueur.)* Je vais finir par croire que Céline était pas si détraquée que ça ce matin quand elle disait que tu en étais fou de cette fille-là!

PHILIPPE. Je... J'ai... Je n'ai pas dit le contraire!

Il s'éloigne vers la fenêtre à grandes enjambées, avec ce rire nerveux des timides. Jérémie réfléchit un moment et se penche vers lui par-dessus le bras de son fauteuil.

JÉRÉMIE. L'aimerais-tu assez pour l'épouser?...

PHILIPPE. Mais!... Mon oncle!... Je ne sais pas... Oh! j'y ai pensé, mais elle... je ne sais même pas si elle m'aime!

JÉRÉMIE, *revenant à son journal.* Bah! J'y pense, t'aurais jamais le courage de toute façon!

PHILIPPE. Le courage?... Où serait le courage?...

JÉRÉMIE. Épouser une fille de sa condition? Toi, un Beaujeu? T'es bien trop snob pour ça!

PHILIPPE, *perplexe.* Avant de connaître Martine, oui, j'étais peut-être un peu snob... Mais maintenant...? Non! Ça ne m'arrêterait pas si elle m'aimait! Non, je vous le jure. *(Avec ravissement.)* Pas si elle m'aimait!...

JÉRÉMIE. Eh! bien, c'est un bon point en ta faveur, ti-gars! Un bon point! Surtout pour un Beaujeu!

Philippe se met à rire.

JÉRÉMIE, *riant.* Aïe, je vois d'ici la réaction de tes oncles! De tes tantes! Tous des fendants entre nous!

PHILIPPE. Oh! il est certain que la famille pousserait des cris! *(Riant.)* Voyez-vous ça?... *(Ton archi-mondain.)* «Mais enfin, qui est-elle? D'où sort-elle? Comment s'appelle sa mère? Que fait son père?...»

Il s'arrête, se rappelant les suppositions de Céline, et met la main sur sa bouche en regardant son oncle avec confusion. Mais Jérémie à qui l'idée de ce mariage ne déplairait pas éclate aussitôt de rire.

JÉRÉMIE. Ben oui, hein, je me le demande! Qu'est-ce qu'il fait son père? Qu'est-ce que tu répondras quand on te le demandera?

PHILIPPE, *émerveillé.* Ma parole, vous voyez déjà ce mariage comme une chose faite!

JÉRÉMIE. C'est le seul moyen d'obtenir ce qu'on veut, dans la vie, grand fafouin! Mais, qu'est-ce que tu répondras au sujet de son père, hein?

PHILIPPE, *se mettant à rire.* Ce que vous voudrez, mon oncle!

René paraît dans l'entrée et fait quelques pas dans la pièce.

RENÉ, *hésitant.* Monsieur... Il y a madame Julien qui voudrait...

JÉRÉMIE, *se levant d'un bond.* Annette!...

PHILIPPE, *vivement.* La mère de Martine...

JÉRÉMIE. Au téléphone?

RENÉ. Non, monsieur, dans la cuisine.

JÉRÉMIE, *fou de joie.* Ici? Dans la maison!

Il a un élan pour se précipiter vers la porte mais s'arrête après quelques pas.

JÉRÉMIE. Va la chercher! Va vite!

René s'incline avec un demi-sourire et sort.

JÉRÉMIE. Dépêche-toi!... *(Cachant mal sa joie.)* Annette!... Ça c'est une surprise! *(Il prend son neveu par les épaules à deux mains.)* Tu vois! Tu vois, tu vas en avoir des nouvelles de ta Martine!

PHILIPPE. Je vais au-devant d'elle!

JÉRÉMIE, *le retenant.* Veux-tu bien!... Est-ce que j'y vais moi?... Un peu de tenue! D'ailleurs c'est moi qui lui parlerai. Laisse-moi avec elle...

PHILIPPE. Mais je suis pressé de...

JÉRÉMIE. Va! Va...

PHILIPPE. Un mot seulement!... Au sujet de Martine!

JÉRÉMIE. Je m'en charge. Monte dans ta chambre. Tu descendras quand je t'appellerai.

Philippe s'éloigne et sort à contrecœur. Jérémie ne cache plus sa joie.

JÉRÉMIE, *à mi-voix comme s'il n'arrivait pas à y croire.* Annette! Annette!...

Annette paraît dans l'entrée. Jérémie marche aussitôt au-devant d'elle les bras ouverts.

JÉRÉMIE. Enfin ! Enfin, je peux pas le croire !

Annette garde toute sa réserve et le repousse avec un regard inquiet vers le hall. Jérémie va aussitôt fermer les lourdes portes à deux battants et pousse le verrou.

JÉRÉMIE. Là ! Personne peut nous voir, personne peut nous entendre ! *(Il la prend dans ses bras avec transport.)* Annette ! Quand je pense que t'es revenue ! Que t'es revenue de toi-même ! Tu peux pas savoir comment tu me fais plaisir !

Il la repousse pour mieux la voir, mais garde ses mains sur ses épaules craignant qu'elle ne lui échappe.

JÉRÉMIE, *avec exubérance.* C'est toi ! C'est bien toi ! Sais-tu que j'étais à la veille de croire que je te reverrais plus jamais ? J'ai même engagé un détective privé pour te retrouver plus vite ! Il t'a suivie à partir de l'hôpital ? T'en es-tu aperçu ?

Il rit comme s'il lui avait joué un bon tour. Annette ne peut s'empêcher de sourire, attendrie malgré tout par cet accueil enthousiaste, et secoue la tête négativement.

JÉRÉMIE, *enchaînant.* Non ?... Il t'a perdue dans la foule autour de cinq heures. Je l'aurais étripé ! Et aujourd'hui il est retourné faire le poireau devant l'hôpital espérant que tu retournerais voir ton frère... Mais non ! Pas d'Annette !...

ANNETTE, *durement.* Où est Martine ?

JÉRÉMIE. Martine ?...

ANNETTE. Martine, oui. Ma fille Martine ! Votre fille Martine !

JÉRÉMIE. Je sais bien, je sais bien... En fait, je comptais sur toi pour nous le dire où elle est !

ANNETTE, *balbutiant.* Vous le savez pas ?

JÉRÉMIE. Je croyais... Je me disais qu'elle devait être avec toi !... Comment as-tu pu apprendre qu'elle était disparue si...

ANNETTE. En téléphonant ici même pour lui parler, il y a à peine une demi-heure.

JÉRÉMIE. Pour lui donner ta nouvelle adresse ? Veux-tu me dire où tu te caches ! Martine elle-même cherche peut-être à te rejoindre. Pourquoi est-ce que t'es pas allée à l'appartement aussi !

ANNETTE. Vous le savez pourquoi !

JÉRÉMIE. Oh ! J'ai bien pensé que c'était moi que tu fuyais. *(S'emportant.)* Mais pourquoi ?

ANNETTE, *durement.* Je suis pas ici pour parler de vous ni de moi. Je veux retrouver Martine, c'est tout ce que je veux! Rien de plus, comprenez-vous? Rien de plus!

Voyant qu'il ne l'amènera pas à parler d'autres choses, Jérémie, après un moment de rapide réflexion, change aussitôt d'attitude.

JÉRÉMIE, *conciliant.* T'as raison. D'abord retrouver Martine. As-tu pensé qu'elle pouvait être chez ta mère?

ANNETTE. Je viens d'appeler à Sainte-Anne... J'attends une réponse. Mais c'est long avant qu'on soit allé chercher maman et qu'elle ait le temps de se rendre chez le deuxième voisin!...

JÉRÉMIE. Où est-ce qu'elle doit te rappeler?

ANNETTE. Ici... J'ai prévenu Maria.

Il a l'air satisfait.

ANNETTE, *s'en apercevant.* Je partirai aussitôt après. Faites-vous pas d'illusions!

JÉRÉMIE, *avec autorité.* On va d'abord se parler. Ça fait assez longtemps que j'attends une explication!

ANNETTE. Quelle explication? Je vous ai dit tout ce que j'avais à vous dire, à Sainte-Anne-de-Remington devant maman. C'est fini! Et ce qui est fini est fini.

JÉRÉMIE. Mais tu m'as pas dit pourquoi! Je t'avais dit que je t'attendais à côté pour qu'on en discute. J'ai attendu jusqu'à minuit! T'es pas venue!

ANNETTE. Il y avait plus rien à dire.

JÉRÉMIE. De ta part peut-être, mais moi, moi j'existe!

ANNETTE, *demi-rire désabusé.* Oh! Oui!... *(De nouveau préoccupée.)* Seulement en ce moment, ça m'est égal que vous existiez.

JÉRÉMIE. Ça t'est égal?

ANNETTE. Oui, oui, oui! J'ai le cœur plein de Martine. À qui voulez-vous que je pense sinon à elle? Dites-moi ce qui lui est arrivé, dites-moi où elle est allée si vous voulez que je vous écoute! Ou encore, tenez, dites-moi pourquoi elle est partie!

JÉRÉMIE, *s'éloignant d'elle.* Comment veux-tu que je le sache!

ANNETTE. Vous ne savez peut-être pas non plus que j'étais ici le soir où vous lui avez lancé un verre d'eau en plein visage?

JÉRÉMIE. Oui, ça je le sais. *(Satisfait.)* J'ai même forcé Martine à l'admettre malgré la promesse qu'elle t'avait faite!

ANNETTE, *s'approchant de lui, menaçante.* Par quels moyens? Hein, par quels moyens?

JÉRÉMIE. Bon, je l'admets! J'ai été brutal avec elle. Mais comment s'en empêcher avec une fille qui te tient tête, qui te défie, qui se moque de toi à ta face. Elle m'a poussé à bout, et tu me connais quand je suis en colère!...

ANNETTE. Et alors? Et alors?... Vous l'avez quand même pas battue!

JÉRÉMIE. Non, mais pas loin!

Annette se détourne de lui avec indignation.

JÉRÉMIE. C'est ma fille après tout! Je lui ai dit d'ailleurs! Et qu'il fallait qu'elle me respecte!

ANNETTE. Vous lui avez dit quoi? *(Avec violence.)* Vous lui avez dit quoi?...

JÉRÉMIE. Que j'étais son père. Il était temps qu'elle le sache!

ANNETTE, *angoissée.* Mon Dieu... C'est pour ça qu'elle est partie, j'en suis sûre!

JÉRÉMIE. Tu crois?...

ANNETTE. C'était pas à vous, Jérémie Martin, c'était pas à vous de lui apprendre ça!

JÉRÉMIE, *s'éloignant mal à l'aise.* Peut-être... Oui, peut-être, mais... Miséricorde, elle me défiait tellement que j'ai pas pu résister à l'envie de lui dire que j'avais des droits sur elle.

ANNETTE, *violemment.* Aucun! Vous m'entendez, aucun! Je vous reconnais pas un seul droit! Ça serait trop injuste! D'ailleurs, êtes-vous son père? Pouvez-vous prouver que vous l'êtes? Vous l'avez jamais reconnue officiellement. Il y a pas un papier au monde qui prouve que Martine est votre enfant. Elle est pas à vous, elle est à moi! Vous avez pas un mot à dire en ce qui la concerne. Pas un mot!

JÉRÉMIE, *suffoqué.* Annette?... C'est pas toi qui me parles sur ce ton-là!

ANNETTE. Oui, c'est moi! Moi, Annette Julien!

JÉRÉMIE. Mais... *(Complètement désemparé.)* Mais t'as l'air de me faire des reproches! Pourtant tu m'as jamais demandé de reconnaître Martine officiellement... Pas une seule fois, il en a été question entre nous... Je pensais que tu... Que tu comprenais qu'étant donné ma situation... Pour éviter le scandale...

ANNETTE. Oui, j'ai tout compris ça! Oui, j'ai tout accepté ça, mais j'en ai quand même supporté les conséquences! Et Martine surtout!... Les problèmes qui vous ont été épargnés, c'est Martine

et moi qui les avons subis. Moi encore, c'était justice, mais elle?...
Elle?...
JÉRÉMIE, *bouleversé*. Alors pendant tout ce temps-là... Tu m'en voulais? Même quand tu disais que tu m'aimais, tu m'en voulais?... Tu me souriais, mais ton cœur débordait de rancune! Tu te plaignais pas, mais tu pensais rien qu'à ce que j'aurais dû faire et que je faisais pas... Tu me détestais, tu...
ANNETTE, *protestant ardemment*. C'est pas vrai... C'est pas vrai! J'avais pas de rancune!... Il m'est arrivé, oui, je l'admets, dans des moments de fatigue, il m'est arrivé de penser qu'à cause de vous je portais un fardeau trop pesant, mais je songeais même pas à m'en décharger. Chaque fois que dans mon cœur, je vous adressais des reproches, c'était à Martine que je pensais, pas à moi...
JÉRÉMIE. Peux-tu me le jurer?
ANNETTE, *se jetant dans ses bras en pleurant*. Ah! Seigneur, oui! Oui! sur mon âme, je le jure! Sur ma pauvre âme qui vaut plus grand-chose!

Jérémie la serre dans ses bras trop ému pour parler.

ANNETTE. Me demander ça à moi! À moi qui vous ai aimé pendant vingt ans sans jamais pouvoir oublier un seul moment que je n'avais pas le droit de vous aimer. *(Elle se dégage pour le regarder avec une profonde gravité.)* Si j'ai souffert dans ma vie, Jérémie Martin, c'est de ça, avant tout! De vous aimer sans en avoir le droit!
JÉRÉMIE, *l'attirant de nouveau dans ses bras*. Tais-toi! Tais-toi! Et cesse de parler de ton amour au passé. C'est pas possible que tu m'aimes plus.
ANNETTE. Non, c'est pas possible, mais ce qui est possible c'est que je vive comme si vous vous étiez mort.
JÉRÉMIE. Tais-toi, je te dis! Ça non plus c'est pas possible! Tu le sais donc pas que j'ai besoin de toi? Qu'est-ce que je deviendrais sans toi?
ANNETTE, *se dégageant*. Martine a encore plus besoin de moi que vous.
JÉRÉMIE. Martine, je m'en charge! Elle aura tout à y gagner, tu verras. *(Avec défi.)* Je la reconnaîtrai publiquement, elle portera mon nom, elle habitera ici, comme ma fille!
ANNETTE. Le scandale sera aussi grand qu'il l'aurait été au moment de sa naissance.
JÉRÉMIE. Peut-être! Mais aujourd'hui, je m'en moque! Je suis assez fort pour imposer ma volonté à n'importe qui!

ANNETTE. C'est à Martine que je pense. Le scandale retombera sur elle et je suis pas certaine qu'elle le supporterait aussi bien que vous.

JÉRÉMIE. Alors, je l'adopterai légalement sans dire qu'elle est ma fille. Et j'en ferai mon héritière, au même titre que mes autres enfants! Qu'est-ce que tu dis de ça? *(Découragé de voir Annette secouer la tête en signe de négation.)* Bon Dieu, qu'est-ce que je peux faire de plus?

ANNETTE. Personne vous demande rien.

JÉRÉMIE. Mais c'est justement ça que je te reproche! Maudit! On serait plus avancé aujourd'hui si tu m'avais demandé de faire quelque chose pour elle quand elle est née!

ANNETTE, *doucement.* Il me semblait que c'était à vous de le proposer.

JÉRÉMIE. Quand même t'aurais pu... T'aurais dû!...

ANNETTE. Vous m'avez dit un jour que vous m'aimiez justement parce que je vous demandais jamais rien.

JÉRÉMIE. C'est vrai... Mais faut-il que ça se tourne contre moi? Aide-moi Annette, aide-moi à tout arranger. Tu vois bien que je suis plein de bonne volonté.

ANNETTE. Il est trop tard, pour la bonne volonté.

JÉRÉMIE. Annette!...

ANNETTE. C'est étrange que maman ait pas encore appelé... *(À Jérémie.)* Excusez-moi... je vais essayer de nouveau.

JÉRÉMIE, *la retenant.* Sers-toi de mon téléphone.

ANNETTE. Non, vous avez un numéro particulier ça peut créer de la confusion.

Elle s'éloigne.

JÉRÉMIE. Annette!...

ANNETTE, *s'éloignant plus vite.* Oui, oui, je reviens tout de suite!

JÉRÉMIE, *après un moment. Murmurant.* Je l'ai perdue... J'ai bien peur de l'avoir perdue... Non!... Non, ça se peut pas! Si je l'accepte pas, ça pourra pas se faire! *(Mais le découragement s'empare de lui et il se laisse choir dans son fauteuil.)* La vie sans elle?... Sans elle, la seule personne qui m'ait jamais aimé! La seule!...

23

L'attente

Philippe hésite avant d'entrer dans la bibliothèque, mais s'y décide en constatant que son oncle est seul.

PHILIPPE. Je peux entrer?... *(Inquiet.)* Hé bien?... Quelles nouvelles?... Était-elle avec sa mère?... Martine, mon oncle?... Martine?...

JÉRÉMIE, *d'un ton morne.* Non... Annette non plus sait pas où elle est.

PHILIPPE. Alors il faut absolument prévenir la police! Et tout de suite!

JÉRÉMIE. Ah! non, laisse-moi bien tranquille. C'est déjà assez compliqué comme ça!

PHILIPPE. Mais il faut retrouver Martine!

Laurent paraît dans la porte. Il est évident, dès son entrée, qu'il a rassemblé toutes ses forces pour cette entrevue avec son père.

LAURENT. Bonsoir!

JÉRÉMIE, *interdit.* Laurent?...

LAURENT. Tiens, Philippe!... Comment ça va?

Ils échangent une poignée de mains.

JÉRÉMIE. Qu'est-ce que tu viens faire ici, toi?

LAURENT, *à Philippe, avec un rire nerveux.* Écoute-le! Peut-on imaginer un accueil plus charmant de la part d'un père?

JÉRÉMIE. On se voit toute la journée au bureau, il me semble que ça suffit.

LAURENT. Eh! bien non, justement. On ne se voit jamais au bureau! C'est ça le problème! Alors comme je passais tout près d'ici, je me suis dit: «Tiens, si j'allais dîner avec papa, ce soir?»

JÉRÉMIE. Quoi!...

LAURENT. J'ai même appelé Simone pour qu'elle vienne me rejoindre.

JÉRÉMIE. Simone en plus!

LAURENT, *rire nerveux.* Vous ne m'invitez jamais, alors j'ai décidé de vous prendre d'assaut!

JÉRÉMIE. Eh! bien, je regrette, mais t'en seras quitte pour essayer ça un autre jour. Ce soir, ça prend pas.

LAURENT. Pardon, pardon! J'y suis, j'y reste! *(Riant.)* Vous n'allez quand même pas me mettre à la porte!

JÉRÉMIE. Oui, je vais te mettre à la porte! Ça me fait bien de la peine, mais je peux pas te recevoir ce soir.

PHILIPPE. C'est vrai, Laurent, je t'assure.

JÉRÉMIE. J'ai des choses à régler. Des choses importantes.

PHILIPPE. Urgentes même!

JÉRÉMIE. On se reprendra une autre fois. *(Il le prend par le bras pour l'entraîner vers la porte.)* Tu reviendras, tu reviendras...

> *Laurent se dégage brusquement, retrouvant toute son amertume.*

LAURENT. C'est trop fort! Même chez vous, vous refusez de me parler? *(Avec un geste vers Philippe.)* Tu vois, Philippe!...

JÉRÉMIE, *s'emportant.* Écoute donc, toi, t'avais rien qu'à téléphoner avant de venir pour savoir si ça faisait mon affaire! C'est pas un restaurant ici!

LAURENT. C'est la maison de mon père, et je croyais qu'un fils avait le droit de se présenter à la maison de son père à n'importe quelle heure du jour ou de la nuit.

> *Annette paraît dans l'entrée.*

JÉRÉMIE, *sans la voir.* C'est à croire! Je dois bien avoir droit à ma vie personnelle, moi aussi!

> *Philippe qui est allé au-devant d'Annette se tourne vers son oncle.*

PHILIPPE, *vivement.* Madame Julien, mon oncle!...

ANNETTE. Excusez-moi... Je reviendrai.

JÉRÉMIE, *allant vivement vers elle et lui prenant la main.* Jamais de la vie, voyons! Entre! C'est seulement Laurent, tu le connais...

PHILIPPE, *suppliant.* Avez-vous eu des nouvelles de Martine?

> *Annette s'étonne et secoue négativement la tête tandis que Laurent cherche à comprendre.*

JÉRÉMIE, *à Laurent. Plus aimable.* Écoute, tu vas m'excuser mais... *(Presque jovial.)* On se reprendra une autre fois, hein?

LAURENT, *retenant mal sa rage.* Non! Si vous ne m'écoutez pas aujourd'hui, il n'y aura jamais plus d'entretien possible entre nous!

JÉRÉMIE, *interdit.* Quoi?

> *Il tient toujours la main d'Annette.*

ANNETTE, *essayant de se dégager.* Je reviendrai, monsieur Martin. *(Mais il la retient. Laurent menaçant s'approche de lui, au comble de la rage.)*

LAURENT. J'ai à vous parler! Et tout de suite! Et vous allez m'entendre.

JÉRÉMIE, *insulté.* Veux-tu me dire pour qui tu te prends tout à coup, toi?

LAURENT, *désespéré.* Je veux vous parler!

JÉRÉMIE, *catégorique.* Demain!

LAURENT. Tout de suite! J'en ai assez de passer toujours après tout le monde, après vos affaires, après vos employés, vos secrétaires, après votre vie personnelle! Si vous ne m'écoutez pas, je vous préviens que je sors d'ici et pour toujours!

René paraît et frappe à la porte, l'air embarrassé.

RENÉ. Je m'excuse...

ANNETTE, *vivement.* C'est pour moi, René?

RENÉ. Oui... Votre appel à Sainte-Anne-de-Remington...

ANNETTE, *à Jérémie.* Excusez-moi... *(Elle s'est vivement dégagée et sort avec René.)*

JÉRÉMIE, *inquiet la suivant.* Tu reviendras tout de suite après?... *Mais Annette, déjà sortie, ne répond pas. Jérémie, désemparé par sa brusque sortie, n'ose pas la suivre. Laurent vient le rejoindre.*

LAURENT. C'est à cause d'elle que vous me remettez à demain? Il faut en plus que je passe après les domestiques?

JÉRÉMIE. C'est bon, c'est bon, vas-y! Je te donne cinq minutes. Cinq minutes pas plus!

LAURENT. Quelle générosité! Ah! quel imbécile j'ai été de perdre tant de temps avec vous! *(À Philippe qui va sortir.)* Reste Philippe, reste, je t'en prie. *(Colère froide.)* Qu'il y ait au moins une personne au monde pour m'entendre donner ma démission à mon père!

PHILIPPE. Laurent, voyons!...

JÉRÉMIE. Ta démission?

LAURENT, *avec une rage froide.* Oui, ma démission! Je vous laisse, je m'en vais, je vous quitte, j'ai fini de travailler dans votre ombre! Fini de me faire bafouer, commander, humilier! Au point d'exaspération où j'en suis, j'aimerais mieux crever de faim que de rester avec vous!

Éclat de rire et applaudissements de Simone.

SIMONE. Enfin! Bravo, Laurent! Bravo!

Tout le monde s'est tourné vers elle.

JÉRÉMIE. Ah! c'est vous qui avez tout organisé ça?

Simone va se placer à côté de son mari.

SIMONE, *véhémente.* Jamais de la vie! Je n'aurais jamais osé le pousser à vous tenir tête! Au contraire, je l'encourageais à patienter, mais que je suis fière de lui aujourd'hui!

LAURENT, *ému.* Tu m'approuves Simone? Pour une fois, tu m'approuves!

Il prend les mains de sa femme et la regarde avec étonnement.

SIMONE, *avec force.* Oui, Laurent, je t'approuve! Et même je t'admire. Vas-y. Parle! Dis-lui! Dis-lui tout ce que tu as sur le cœur!

Laurent se tourne vers son père prêt pour l'attaque. Mais Jérémie qui a compris toute la situation reprend son sang-froid.

JÉRÉMIE. Vas-y! Vas-y! Vide-toi le cœur!

LAURENT, *avec haine.* Ce serait trop long! Mais c'est déjà quelque chose de dire que j'ai fini de vous endurer! Que jamais plus je ne travaillerai pour vous!

JÉRÉMIE. T'es indépendant, hein, maintenant qu'on te fait des propositions ailleurs?... T'étais trop hypocrite pour m'en parler, par exemple! Il a fallu que ce soit ton frère qui me renseigne! Oui, oui, John Brisbane, je suis au courant!

Simone et Laurent se regardent et se mettent à rire.

JÉRÉMIE. John Brisbane, quand j'y pense! Un ambitieux de la pire espèce qui finira en prison, tu verras! Puis tu veux travailler avec lui? C'est ça que tu veux?

LAURENT. Ma foi, là encore Beaujeu voyait plus clair que moi! Ça vous déplairait!

JÉRÉMIE, *furieux.* Brisbane, voyons donc! Un homme que personne respecte! C'est à lui que tu veux aller donner le résultat d'une expérience de 15 ans à mes côtés! Et ça te surprend que ça me déplaise?

LAURENT. Eh! bien tant mieux si ça vous déplaît! Vous m'en voyez ravi!

SIMONE. Et moi aussi!

JÉRÉMIE. Vous, taisez-vous! Et toi, réfléchis donc que c'est pas rien que moi que tu trahis! C'est toi-même, pauvre imbécile. T'es un de mes héritiers, voyons donc! Vas-tu commencer à te faire de la compétition? Si ça a du bon sens!

Philippe qui est près de la porte s'exclame.

PHILIPPE. Madame Julien revient mon oncle!

JÉRÉMIE, *vivement.* Ah! oui?... *(À Laurent impérieux.)* Écoute, on va s'en tenir là pour ce soir. On reprendra notre conversation demain. Attends, attends encore avant de prendre ta décision! *(À Simone.)* Et vous, mêlez-vous de vos affaires!

Il se dirige vers la porte.

SIMONE, *cinglante.* C'est exactement ce que je fais, monsieur Martin!

Annette paraît. Jérémie lui prend de nouveau la main et l'entraîne dans la bibliothèque.

JÉRÉMIE, *l'entraînant.* Viens, viens!...

ANNETTE. Je croyais... *(Elle s'arrête en voyant Laurent.)*

LAURENT, *sarcastique.* Que j'étais parti, sans doute?

JÉRÉMIE. Il s'en va là. Il s'en va!

LAURENT, *à son père.* Oui, je m'en vais! Rassurez-vous, vous ne me reverrez plus jamais, ni au bureau, ni ici!

SIMONE. Adieu monsieur Martin!

LAURENT. Oui, adieu!

Il prend le bras de Simone et l'entraîne.

PHILIPPE, *malheureux.* Mon oncle, vous n'allez pas le laisser partir comme ça!

Jérémie excédé hausse les épaules.

ANNETTE, *horrifiée.* C'est votre fils, monsieur Martin! Rappelez-le!

JÉRÉMIE, *au comble de l'irritation.* Miséricorde! Il voit bien que j'ai la tête ailleurs, ce soir!

ANNETTE. Je vous en supplie! Rappelez-le!

JÉRÉMIE, *d'une voix de tonnerre.* Laurent!

Laurent et Simone sursautent et se retournent sans se séparer. Jérémie fait un pas vers eux. Annette se retire à l'écart.

JÉRÉMIE, *rageur.* Veux-tu bien te conduire comme un homme! Je suis pas capable de parler d'affaires en ce moment, tu peux pas le comprendre? Qu'est-ce que c'est que tu veux? La direction de nos matériaux de construction? C'est ça?

LAURENT. Comme si vous ne le saviez pas!

JÉRÉMIE. Eh! bien, c'est entendu, tu l'auras! Tu dirigeras la compagnie toi-même! T'en feras ce que t'en voudras! J'aime encore mieux ça que te voir entrer au service de Brisbane! *(Avec mépris.)* Brisbane!

Laurent étonné revient vers son père entraînant Simone qui résiste manifestement.

LAURENT. Êtes-vous sérieux?

JÉRÉMIE, *excédé.* Est-ce que j'ai l'air de quelqu'un qui a envie de rire? Tu l'auras je te le répète, et maintenant, fiche-moi la paix!

LAURENT, *à Simone.* Je l'aurai, tu l'as entendu!

SIMONE. Tu ne vas pas accepter!

LAURENT, *à son père, méfiant.* Je vous ferai remarquer que vous me dites ça devant témoins.

Il désigne Philippe et Annette.

SIMONE, *alarmée.* Laurent, Laurent, tu vas encore te laisser prendre! Refuse!

LAURENT. Es-tu folle! (*À son père.*) Devant témoins! Vous l'avez dit devant témoins!

JÉRÉMIE, *à bout de patience.* Oui, oui, oui! Finissons-en, bon Dieu! On réglera tout ça demain au bureau. Allez, allez dîner dans un de mes clubs, ou à n'importe quel hôtel et mettez ça sur mon compte. Au champagne si ça vous tente, je paierai, mais pour l'amour du ciel, laissez-moi tranquille, tonnerre de tonnerre!

> *Céline entre sur les derniers mots.*

CÉLINE, *moqueuse.* Tiens! Une réunion de famille!

JÉRÉMIE, *avec rage.* Ah non! Est-ce que je vais finir par avoir la paix ce soir? (*Entraînant Annette.*) Viens!... Sortons d'ici!

> *Jérémie entraîne Annette d'un pas ferme, bousculant Céline au passage. Laurent fait un geste des deux mains comme s'il voulait que son père sorte au plus vite.*

LAURENT. Allez, allez toujours!

PHILIPPE, *suivant Jérémie.* Mon oncle...

LAURENT. Du moment que vous n'oubliez pas votre promesse.

CÉLINE, *interdite.* Veux-tu me dire ce qui se passe?

LAURENT, *éclatant de rire.* Il se passe... Il se passe que j'ai fini par l'avoir, Céline! Moi, moi!... Moi, j'ai fini par l'avoir! Hein, Simone?

SIMONE. Oui, mais à quel prix! Et de quelle façon!

CÉLINE, *avec indifférence.* Avoir quoi?...

LAURENT, *désignant Philippe qui s'approche, triste et désemparé.* Demande au chevalier à la triste figure! Hein, Philippe, je l'ai eu, le vieux lion! Je l'ai eu!

SIMONE. C'est lui qui t'aura, en définitive, tu verras!

LAURENT, *agacé.* Dis donc pas de bêtises!

SIMONE. Tu n'auras jamais la paix, tant que tu seras sous ses ordres. (*Irritée.*) Pauvre fou!

> *Elle sort tandis que Laurent s'incline cérémonieusement devant Céline.*

LAURENT, *grand salut devant Céline.* Madame, mes hommages! Ne manquez pas de saluer votre mari de ma part. (*Il se relève.*) À propos... Est-ce vrai que tu ne vis plus avec Gabriel depuis... depuis je ne sais pas combien de temps?...

CÉLINE, *très Marie-Chantal.* Si on vous le demande, mon ami, répondez que ça ne vous regarde nullement.

LAURENT. Bon! Mais je te préviens que les gens commencent à parler.

CÉLINE. L'opinion du monde est le cadet de mes soucis!

LAURENT, *sortant.* À ta guise!... Attends-moi, Simone! J'arrive!

    Céline qui s'est dirigée vers le cabinet à liqueurs, sort une bouteille.

CÉLINE, *machinalement à Philippe.* Je te sers un verre?

PHILIPPE, *sombre.* Non, merci...

CÉLINE, *désemparée.* Ah?... Alors, moi non plus... *(Elle regarde la bouteille tristement.)* N'est-ce pas horrible, je n'ai même plus envie de boire...

PHILIPPE, *faisant un pas vers elle, découragé.* Martine n'était pas avec sa mère!... Céline, qu'est-ce qui a bien pu lui arriver?

    Céline désabusée le regarde en secouant la tête.

CÉLINE. Comme disait je ne sais plus qui: «Frankly, my dear, I don't give a dam!»

PHILIPPE. Céline!... *(Fraternel.)* Décidément, ça ne va pas!

CÉLINE, *fébrilement.* Non, ça ne va pas!... Ça va même de moins en moins! Alors quand tu me dis que tu n'as pas retrouvé ton Eurydice, tu comprends... Je refuse de m'attendrir! Parce que s'attendrir c'est encore avoir du cœur, et avoir du cœur c'est encore souffrir.

    Philippe la prend par le cou. Elle se dégage.

CÉLINE, *avec colère, près des larmes.* On n'en sort pas!

PHILIPPE, *gentiment moqueur.* Je croyais que tu acceptais d'être de l'espèce «née pour souffrir» comme tu disais...

CÉLINE. Je n'accepte plus! J'en ai assez justement! Il y a des jours où je voudrais être comme papa. Avoir une de ces bonnes grosses natures, sainement égoïste, sans considération pour les autres, sans réserve et sans pudeur! Quel confort, tu te rends compte!

PHILIPPE, *hésitant.* Il a plus de cœur que tu ne le crois...

    Céline hausse les épaules avec ennui pour signifier que cela aussi lui est bien égal.

    Le petit salon de madame Martin. Jérémie tourne la clé dans la serrure tandis qu'Annette regarde autour d'elle avec saisissement.

ANNETTE. Son portrait... Ses photos... *(Elle feuillette un album.)* Toutes ses photos!... Ses bijoux!... Vous avez tout gardé!...

JÉRÉMIE, *rembruni.* Au lendemain de sa mort, j'avais décidé de tout brûler... mais tu vois...

ANNETTE, *avec une grande tristesse.* Comme vous l'avez aimée!...

JÉRÉMIE, *simplement.* Oui...

ANNETTE. Plus que moi?...

JÉRÉMIE, *protestant.* Annette!...

ANNETTE. Dites la vérité. Elle vous regarde.

JÉRÉMIE. Pourquoi me demander ça maintenant qu'elle est morte? Je le sais pas... Vous m'étiez toutes les deux indispensables. Autant qu'on a besoin d'air et d'eau...

ANNETTE, *qui ne quitte pas des yeux le portrait de madame Martin.* Oui, oui, bien sûr... Ça fait rien!... Ça fait rien! N'est-ce pas madame Martin, que ça fait rien?

JÉRÉMIE, *mettant ses mains sur les épaules d'Annette.* Annette... Je t'ai pas amenée ici pour...

> *Annette brusquement émue tombe à genoux devant le portrait.*

ANNETTE, *suffoquée.* Oh! mon Dieu!

JÉRÉMIE, *essayant de la relever.* Annette!

ANNETTE, *pleurant et le repoussant.* Laissez-moi... Laissez-moi! C'est comme si tout à coup je me rendais compte à quel point elle était... comment dire... supérieure à moi!

JÉRÉMIE. Oui, oui, mais lève-toi.

> *Il la force à se relever.*

ANNETTE. J'avais toujours pensé... espéré... qu'au moins par le cœur, j'avais autant de valeur qu'elle, mais c'est même pas vrai!...

JÉRÉMIE. Parle donc pas comme ça, qu'est-ce que t'en sais après tout? De toute façon elle est morte, tandis que nous autres on vit. *(Durement.)* Ça serait ben le comble que tu te mettes à avoir des remords à son sujet maintenant qu'elle est partie! Voyons donc! *(Inquiet.)* Est-ce que c'est à cause d'elle que tu t'obstines à dire que c'est fini entre nous deux?

ANNETTE. À cause d'elle, de Martine, à cause de moi, de vous!... Est-ce que je le sais? Une vie, ça se divise pas par compartiment! *(Durement.)* Vous le saviez pas, vous, qu'un jour il faudrait payer pour... pour toutes ces années-là? Moi, je l'ai toujours su!

JÉRÉMIE. Tais-toi! T'as jamais parlé de ça avant!

ANNETTE. Je le savais quand même! Il fallait pas m'amener ici, si vous vouliez que je l'oublie.

JÉRÉMIE. Mais je voulais te parler, être seul avec toi!

ANNETTE. Seul avec moi... ici? *(Durement.)* On est trois ici, vous le savez bien! Comme avant! Avec la différence que maintenant, elle sait tout!

JÉRÉMIE. Annette, ça change rien! Elle savait tout de son vivant!

ANNETTE. Quoi?...

JÉRÉMIE. Oui, oui, tout! Que j'avais jamais cessé de te voir, que Martine était ma fille...

ANNETTE. Vous lui aviez dit?...

JÉRÉMIE. Pas un mot! Jamais! J'ai jamais su non plus comment elle l'a appris. C'est seulement quelques jours avant de mourir qu'elle m'en a parlé...

ANNETTE. Vous voulez dire que quand elle est venue me chercher pour me demander de la soigner, elle savait tout...

JÉRÉMIE. Oui, oui!

ANNETTE. Mais alors pourquoi est-ce qu'elle a voulu que je vienne ici! Pourquoi?

JÉRÉMIE. Parce que... Oh! maintenant que j'ai commencé, aussi bien que tu saches tout! C'est parce qu'elle voulait que je t'épouse après sa mort qu'elle est allée te chercher.

ANNETTE, *de plus en plus bouleversée.* Elle voulait... Elle voulait, elle, que vous... Je comprends pas! Je comprends pas!

JÉRÉMIE, *pressé d'en finir.* C'était pour me forcer à réparer les torts que... ben oui... les torts que... qu'elle trouvait que j'avais envers toi... Envers Martine aussi... *(Vivement, inquiet.)* Mais tu sais ce que j'en pense, hein? C'était son idée à elle!... Pas la mienne!

ANNETTE. Pourquoi vous inquiéter? Avez-vous oublié ce que je vous ai dit un jour? Que même si vous me demandiez à genoux de vous épouser, je refuserais?

JÉRÉMIE, *blessé.* J'aime donc pas que tu dises ça! C'est à cause d'elle encore?

ANNETTE, *se tournant vers le portrait de madame Martin, doucement.* Ça me regarde. Moi seulement... Ou si vous préférez, elle et moi seulement...

JÉRÉMIE. Bon Dieu! Est-ce qu'on va jamais finir de parler d'elle?... On l'a jamais fait avant, ni toi, ni moi! Jamais on prononçait son nom! C'est fou de commencer maintenant qu'elle est morte!

ANNETTE. Vous parlez toujours des morts comme s'ils étaient morts pour vrai, finis, inexistants!... Ils sont vivants, vous savez... D'une autre façon que nous autres, et ailleurs... mais vivants; tandis que vous et moi il nous reste encore à mourir...

JÉRÉMIE. Arrête donc! T'es pire que ta mère! De toute façon, en attendant, il faut bien organiser notre vie. D'abord je veux plus que tu travailles, t'as assez travaillé depuis ta jeunesse, tu vas me faire le plaisir de renoncer à te chercher un emploi.

ANNETTE, *haussant les épaules.* J'ai Martine à faire vivre... *(Bouleversée.)* Martine!... Je l'oubliais presque!... Mon Dieu, mon Dieu, où peut-elle bien être?

JÉRÉMIE. Elle était pas à Sainte-Anne?

ANNETTE. Non! Maman a même pas entendu parler d'elle! C'est-à-dire que...

Elle se dirige vers la porte.

JÉRÉMIE. Où vas-tu?

ANNETTE, *se dirigeant vers la porte.* Il faut que je parle à Maurice... Tout de suite!

JÉRÉMIE, *la suivant, intrigué.* Tiens! Toi aussi, tu crois qu'il pourrait nous renseigner?

ANNETTE. Maman vient de me dire qu'il l'avait appelée pour savoir où me rejoindre...

JÉRÉMIE. Ah! c'est comme ça qu'il a su que tu étais revenue!

ANNETTE. Pourquoi m'aurait-il appelée sinon pour me parler de Martine?

Jérémie a ouvert la porte et ils sont sortis dans le hall. Jérémie referme la porte à clé, met la clé dans sa poche et retient Annette qui allait s'éloigner côté office.

JÉRÉMIE. Non, non, dans la bibliothèque! Je vais le faire venir. Il est pas nécessaire que toute la cuisine soit au courant!

ANNETTE. Vos enfants non plus!

JÉRÉMIE. S'ils sont encore là, je les ferai sortir...

ANNETTE, *protestant.* Non, quand même!

Philippe paraît venant de la bibliothèque. Son visage s'éclaircit à la vue d'Annette.

PHILIPPE, *venant vivement la retrouver.* Madame, je vous en prie... Avez-vous eu des nouvelles de Martine? Je meurs d'inquiétude!

Annette surprise se tourne vers Jérémie.

JÉRÉMIE, *à Philippe.* As-tu peur de lui dire pourquoi tu es si inquiet?

PHILIPPE. Mon oncle...

JÉRÉMIE. Rappelle-toi ce que Céline disait...

Philippe après un moment d'hésitation redresse la tête.

PHILIPPE. J'aime Martine, madame Julien...

Jérémie lui donne une tape amicale sur l'épaule.

ANNETTE, *touchée.* Non, pas de nouvelles encore...

JÉRÉMIE. Mais on en aura peut-être si tu vas chercher Maurice. Si tu le trouves pas à la cuisine, va le chercher en haut du garage où il habite. (*Entraînant Annette vers la bibliothèque.*) Dis-lui que je l'attends.

PHILIPPE, *hésitant.* Pourquoi saurait-il où est Martine ? (*Inquiet.*) Est-ce que ?...

JÉRÉMIE. Va ! Va le chercher ! (*Se tournant vers Philippe qui, perplexe, n'a pas bougé.*) Les autres sont-ils encore là ?

PHILIPPE, *s'éloignant.* Non.

JÉRÉMIE, *à Annette.* Viens...

Quelques minutes plus tard, Maurice et Philippe entrent dans le hall par l'escalier de service.

MAURICE, *froidement.* Inutile de m'interroger, je vous dis que je sais rien.

PHILIPPE, *tout aussi froid.* C'est bien, n'en parlons plus.

MAURICE, *s'arrêtant.* Au fait, si c'est pour me faire parler que monsieur Martin vous a envoyé me chercher, il perd son temps.

PHILIPPE. Oh ! ça, vous vous arrangerez avec lui !

MAURICE. Puisque j'ai rien à lui raconter, je me demande ce que je viens faire ici ! Vous lui direz que je n'en sais pas plus long que tantôt.

PHILIPPE. Ah ! non, faites vos messages vous-même ! (*Sarcastique.*) À moins que vous n'ayez peur de l'affronter ?

Maurice insulté le regarde froidement. Un temps pendant lequel ils se défient.

MAURICE, *haussant les épaules.* Un peu plus, je me laissais prendre comme un petit gars ! Croyez ce que vous voudrez, et dites à monsieur Martin ce qu'il vous plaira. Je m'en moque.

Il lui tourne le dos. Philippe désemparé fait un pas vers lui.

PHILIPPE. Attendez !... Madame Julien est aussi dans la bibliothèque !

Maurice revient vers lui.

MAURICE. Il fallait le dire !

Il marche vers la bibliothèque. Philippe ouvre la porte. Annette vient aussitôt rejoindre Maurice.

ANNETTE. Maurice, enfin !

JÉRÉMIE. Est-ce qu'il a parlé ?

PHILIPPE. Il prétend qu'il ne sait rien.

JÉRÉMIE. Ah ! oui ? C'est ce qu'on va voir !

ANNETTE, *vivement.* Ah ! non, je vous en prie ! Laissez-moi lui parler ! Maurice, vous m'avez appelée hier à Sainte-Anne ?

MAURICE. Oui, pour vous parler de Martine, qui ne sait pas où vous rejoindre depuis deux jours...

ANNETTE. Enfin des nouvelles!

JÉRÉMIE, *à Maurice.* Il me semblait bien que t'en savais plus long que tu le disais!

PHILIPPE, *vivement.* Alors, vous savez où elle est?

MAURICE, *à Annette.* C'est à vous seulement que je veux répondre, madame Julien.

ANNETTE, *vivement.* Mais oui, mais oui! Vous voyez bien que Martine lui a fait promettre de parler à personne sauf à moi!

PHILIPPE. Est-elle en sécurité, c'est tout ce que je veux savoir!

MAURICE. Qu'est-ce que vous croyez donc? Du moment qu'elle se confiait à moi... *(À Annette.)* Vous la verrez quand vous voudrez.

ANNETTE. Ah! oui?... *(Elle l'embrasse spontanément.)*

PHILIPPE, *malheureux.* Vous dites qu'elle s'est «confiée» à vous... Était-elle donc en danger?

MAURICE. Elle vous dira ce qu'elle voudra vous dire.

PHILIPPE, *tourmenté.* Pourquoi n'est-ce pas à moi qu'elle s'est adressée?

MAURICE. Vous lui demanderez!

ANNETTE. Où est-elle Maurice, où est-elle? *(À Philippe.)* Vous ne pensez pas que pour l'instant c'est tout ce qui compte?

MAURICE. Vous voulez que je vous le dise devant eux? Martine a bien insisté pour que personne...

ANNETTE. Ça a plus d'importance maintenant.

JÉRÉMIE, *mi-agacé, mi-admiratif.* On peut dire que tu sais garder un secret, toi!

MAURICE, *hésitant, à Annette.* Elle est chez nous... à Joliette... Dans ma famille.

ANNETTE. Ah!... Maurice, merci!

PHILIPPE, *douloureusement.* Pourquoi ne m'a-t-elle jamais parlé de vous puisque vous êtes si... si intimes!...

MAURICE, *brusquement.* Elle m'a jamais parlé de vous non plus!

JÉRÉMIE. C'est toi qui es allé la reconduire à Joliette?

MAURICE. Oui, le soir même où elle est sortie d'ici.

ANNETTE, *avec reproche à Jérémie.* En pleine nuit!...

JÉRÉMIE, *brusquement à Maurice.* Eh! bien va la chercher pour ta peine. Et ramène-la tout de suite.

ANNETTE. Oui, allons-y, Maurice. Tout de suite!

JÉRÉMIE. Ah! non, pas toi! Tu vas te fatiguer pour rien!

ANNETTE. Pour rien!

MAURICE, *à Annette.* Je veux pas vous donner de conseil, mais j'ai bien l'impression qu'elle reviendra pas si vous venez pas la chercher vous-même!

ANNETTE, *à Jérémie.* Vous voyez bien!

JÉRÉMIE, *se décidant brusquement.* C'est bon. *(À Maurice.)* Prends la voiture de ma femme et amène-la devant la porte. Annette ira te rejoindre.

> *Maurice le regarde froidement et sort.*

ANNETTE, *toute vibrante.* Enfin! Enfin! *(À Jérémie.)* Je vais chercher mon manteau. *(À Philippe. Hésitant.)* Vous avez peut-être un message pour elle?

PHILIPPE, *tristement.* À quoi bon!... J'ai déjà trop rêvé, il est temps que je me réveille.

JÉRÉMIE. Espèce de fou, renonce pas si vite que ça, voyons donc! *(À Annette. Bourru.)* Tu pourras lui dire, en tout cas, que Philippe a été le premier à s'inquiéter de sa disparition! Et même qu'il a pas cessé de me harceler pour qu'on la retrouve!

PHILIPPE, *vivement.* Non! Non! Ne lui dites rien de moi... *(Suppliant.)* Rien du tout! Ramenez-la ici si vous le pouvez, ce sera déjà beaucoup.

> *Il sort vivement. Jérémie s'approche d'Annette et met ses mains sur ses épaules.*

JÉRÉMIE, *inquiet.* Parce que c'est ici que tu vas la ramener, hein? Pas ailleurs?...

ANNETTE, *hésitant.* Je ne sais pas si elle voudra!

JÉRÉMIE, *inquiet.* Mais moi je veux pas que tu recommences à courir d'un côté, et elle de l'autre! Et que je sois là à vous chercher à gauche et à droite à travers la province! Qu'est-ce qui t'empêche de rester ici tant que ta vie sera pas organisée? Où étais-tu d'ailleurs?

> *Annette hésite, perplexe.*

ANNETTE. Bah... Dans un petit hôtel de vingtième ordre où j'amènerais certainement pas Martine.

JÉRÉMIE, *mécontent.* C't'idée aussi! Quand t'as un appartement à toi.

ANNETTE. Un appartement dont vous aviez la clé... *(Réfléchissant.)* C'est pour cette même raison d'ailleurs que j'y retournerai pas. J'aime autant ramener Martine ici.

JÉRÉMIE, *sans joie.* J'ai aussi la clé de la maison.

ANNETTE, *riant.* Oui, mais votre maison est si grande que je pourrais y vivre pendant des mois sans être obligée de vous voir!

JÉRÉMIE, *angoissé.* Tu ris... Tu dis ça et tu ris alors que moi, le cœur me monte dans la gorge à la seule idée de plus te voir!

ANNETTE, *reculant.* Parlez-moi plus ce soir ni de votre peine, ni de la mienne! Il va bien falloir d'ailleurs vous habituer à l'idée que Martine passe avant vous puisqu'à l'avenir...

JÉRÉMIE. Dis plus rien! Dis plus rien!... Va la chercher... Oublions le reste pour l'instant.

ANNETTE. Pas seulement pour l'instant. Il faut pas vous leurrer, même si je reviens ce soir, ce sera pas pour longtemps... Juste ce qu'il faut pour...

JÉRÉMIE, *se bouchant les oreilles et s'éloignant d'elle pour ne pas l'entendre.* J'ai compris! J'ai compris!

> *Annette le regarde, troublée de le voir souffrir à cause d'elle pour la première fois. Elle fait un pas vers lui et reste immobile. Il revient vivement vers elle, la prend dans ses bras, se dégage presque aussitôt et la repousse doucement vers la porte.*

JÉRÉMIE. Va... Va...

> *Annette s'éloigne. Jérémie la regarde traverser le hall et accablé revient s'appuyer sur le manteau de la cheminée. Après un moment, il hoche la tête.*

JÉRÉMIE, *avec un profond soupir.* Elle va au moins passer quelques jours ici... Mais après?... Après?...

> *René paraît.*

RENÉ. Monsieur est servi.

JÉRÉMIE, *sursautant.* Hein?... *(Avec un geste de dégoût.)* J'ai pas faim... Je mangerai pas ce soir. Que les autres se mettent à table sans moi.

> *René s'incline et sort.*

JÉRÉMIE, *avec un haussement d'épaule.* Manger!... J'ai déjà toute ma peine à manger et je suis même pas capable de l'avaler!

> *Il s'approche de la fenêtre, d'où il voit Maurice ouvrir la portière de l'automobile. Annette monte. Maurice va reprendre sa place. L'auto démarre et s'éloigne.*

JÉRÉMIE. J'aime pas ça souffrir, Clothilde, j'aime pas ça! Est-ce qu'il faut absolument que ça m'arrive?... Est-ce qu'il faut absolument, comme elle dit, payer pour toutes ces années-là?

24

Espoir et désespoir

Annette et Maurice dans l'automobile de madame Martin. L'auto roule sur la route de Joliette. Ils sont l'un et l'autre silencieux et sombres. Annette soupire.

MAURICE. Vous êtes fatiguée, madame Julien?

ANNETTE. Non... je pense à Martine. Pourquoi... Pourquoi voulait-elle s'en aller si loin? Avait-elle donc si peur de lui?

MAURICE, *presque brusquement.* C'est pas Martine: c'est moi qui ai pris la décision. Il valait mieux qu'elle parte!

ANNETTE, *bas.* Pour elle?... Ou pour lui?

MAURICE. Pour elle et pour moi!

ANNETTE, *stupéfaite.* Comment pour vous? En quoi étiez-vous mêlé à... Maurice qu'est-ce qui s'est passé exactement ce soir-là?

MAURICE. Martine vous répondra.

ANNETTE, *pressante.* J'aimerais tellement mieux le savoir par vous! Plus le moment de la retrouver approche, plus j'ai presque peur de la revoir! Comment va-t-elle m'accueillir maintenant...? Maintenant que... qu'elle sait!

MAURICE. Ayez confiance, madame Julien! Elle vous aime...

ANNETTE, *secouant la tête.* Cherchez pas à me rassurer! C'est pas ce que je vous demande! Dites-moi ce qui s'est passé ce soir-là. La moindre de ses réactions, même si elle doit me blesser! Je veux savoir à quoi m'en tenir avant de la voir!

MAURICE. Que j'aime donc pas ça!

ANNETTE. Je vous en prie, Maurice! Mon Dieu, vous devez me connaître assez maintenant pour savoir que je peux supporter la vérité, si amère, soit-elle!

MAURICE. Que j'aime donc pas ça, madame Julien, que j'aime donc pas ça!

ANNETTE. J'écoute, Maurice...

MAURICE. Est-ce qu'il faut que je raconte même ce qui... ce qui vous concerne pas?...

ANNETTE. Du moment que Martine est en jeu, ça me concerne!

MAURICE, *à contrecœur.* Eh! bien... Eh! bien, ce soir-là... Ce fameux soir-là!... J'étais... j'étais dans ma chambre... Je feuilletais un livre de mathématique que je m'étais acheté le jour même pour savoir ce qui m'était resté de mes études, lorsque la cloche a sonné. Il était minuit et demi. Surpris, je suis aussitôt allé tirer le cordon qui permet d'ouvrir la porte d'entrée sans descendre l'escalier...

MARTINE. C'est moi, Maurice!...

MAURICE. Martine!

Il fait de la lumière dans l'escalier. Martine monte précipitamment.

MARTINE, *agitée.* Éteins! Éteins! Vite! Il faut pas qu'il me voit!

Maurice éteint au moment où elle arrive près de lui. Ils entrent. Maurice ferme la porte.

MAURICE. Est-ce qu'il y a quelqu'un qui...?

Martine éclate en sanglots et se jette dans ses bras.

MAURICE. Mais qu'est-ce qu'il y a? Martine! Qu'est-ce qui t'arrive?

MARTINE, *sanglotant.* La pire des choses! La pire! Si tu savais ce qu'il vient de me dire!... Si tu savais!...

MAURICE. Mais de qui parles-tu?... De monsieur Martin?...

MARTINE. Oui, de lui! De lui! De lui que je déteste, que je méprise! Il dit... Maurice, il dit qu'il est mon père!

MAURICE. Pauvre Martine... Tu le savais donc pas?

MARTINE, *surprise et horrifiée.* Toi, tu le savais?...

MAURICE. J'avais cru le comprendre depuis quelque temps.

MARTINE, *désespérée.* Moi aussi! Moi aussi je devais le savoir... Oui, je pense maintenant que je l'ai toujours su sans vouloir me l'avouer! Ça devait être pour ça que j'étais toujours en révolte contre lui! Maurice, je le déteste! J'en ai mal tellement je le déteste!

MAURICE. Je peux pas te blâmer, mais regarde dans quel état ça te met! Calme-toi, voyons.

Martine qui ne l'écoute pas se met à marcher de long en large.

MARTINE. Je veux pas retourner dans sa maison! Je veux pas! Je le tuerais si j'y retournais! Je le tuerais! Peux-tu me garder ici, Maurice?

MAURICE. Tu veux?...

MARTINE. Seulement pour ce soir! Je sais pas où aller... J'ai pas la clé de l'appartement de maman... *(Avec haine.)* Et même si je l'avais, j'irais pas, parce que lui va certainement y aller dans l'espoir de la retrouver! *(Avec une joie mauvaise.)* Il est furieux parce qu'il sait pas où elle est! Furieux! Une vraie bête enragée!

MAURICE. Tu prendras la chambre à côté, qui est libre. Celle du jardinier qui reviendra pas avant ce printemps. Je vais te montrer...

Il va ouvrir une porte qui donne sur sa chambre.

MAURICE. Elle est comme la mienne, tu vois? Tu seras très bien ici. Il y a même un crochet qui te permettra de t'enfermer, si tu le désires.

MARTINE, *désignant une étagère avec un tas de petites fioles.* Il a oublié ses remèdes...

MAURICE, *riant.* En fait de remèdes, il y a mieux que ça dans les pharmacies.

Il lui tend un bocal.

MARTINE, *lisant l'étiquette.* Arsenic... *(Sursautant.)* Arsenic!

MAURICE. Il y en a d'autres tout aussi violents : de quoi empoisonner un régiment entier!

MARTINE. Mais pourquoi gardait-il tout ça dans sa chambre?

MAURICE. Pour être seul à en avoir l'usage, évidemment!

MARTINE. Mon Dieu, qu'est-ce qu'il en faisait?

MAURICE. Des insecticides, pour protéger les plantes, les fleurs, les arbres...

MARTINE. Ça me ferait peur de coucher au milieu de tous ces poisons-là!

MAURICE, *étonné.* Ah! oui? Albert, ça lui faisait rien!

MARTINE, *saisie.* Mon oncle? Il a déjà couché ici?

MAURICE. Tous les ans à l'automne quand le jardinier s'en va, il déménage dans cette chambre...

MARTINE, *véhémente.* Pourquoi?

MAURICE. Parce qu'il est moins dérangé ici, évidemment! Cette année, s'il l'a pas fait, c'est que vous étiez dans la grande maison, ta mère et toi.

Il s'éloigne rapidement pour aller éteindre la lumière. Martine saisie pousse un cri. Maurice revient vers elle précipitamment et lui met la main sur la bouche.

MAURICE. Tais-toi!

Martine se débat.

MARTINE. Lâche-moi!

MAURICE, *bas.* Chut! On vient d'ouvrir la porte du garage. Écoute... Je suis sûr qu'il y a quelqu'un en bas! Écoute!

On entend le son étouffé d'un moteur. Maurice et Martine se regardent.

MARTINE, *bas.* Il y a quelqu'un!

Il se dirige vers la fenêtre. Martine le suit.

343

MAURICE. C'est lui! Je reconnais le son de la Rolls Royce. *(La repoussant.)* Attention! Il peut te voir s'il regarde ici au moment de tourner. Viens dans ma chambre...

Il l'entraîne et ferme la porte.

MARTINE, *haineuse.* Hein! Je te le disais bien! Je suis sûre qu'il va à l'appartement! Bien fait pour lui, il la trouvera pas! *(Elle recommence à pleurer.)* Maurice, je veux pas, je veux pas qu'il soit mon père!...

Elle pleure sur l'épaule de Maurice.

MARTINE. C'est affreux d'avoir des parents qu'on peut même pas respecter! *(Elle se reprend vivement, horrifiée.)* Lui, lui, je veux dire! Je parlais pas de maman!... Lui!

Elle recule en le regardant avec inquiétude. Maurice se détourne pour ne pas lui laisser voir qu'il a compris.

MAURICE, *pacifiant.* Tu peux pas le juger ce soir dans l'état où tu es. Moi, qui suis pas en cause, je peux t'assurer que même s'il a eu de grands torts envers toi, c'est pas un homme mauvais sur toute la ligne.

MARTINE. Tais-toi! Je le méprise!

MAURICE. Je t'assure qu'il y a des points sur lesquels tu peux l'admirer.

MARTINE, *avec mépris.* Je veux pas le savoir!

MAURICE. Sais-tu par exemple qu'il m'a promis de m'aider à finir mes études à l'université? Et même plus, il est prêt à...

MARTINE, *l'interrompant, surprise.* Donc, c'était lui qui t'a demandé de voler? *(Avec une violente indignation.)* Et tu veux que je l'admire?

MAURICE. C'était un piège, Martine! Un piège qu'il me tendait pour savoir si je méritais qu'il s'occupe de moi!

MARTINE, *désemparée.* Ah!...

MAURICE. Avoue au moins que c'est bien de sa part de vouloir aider un garçon qui est rien pour lui!

MARTINE, *se bouchant les oreilles.* Tais-toi! Parle-moi plus de lui! *(Elle se jette dans ses bras.)* Aide-moi Maurice! Aide-moi! Sors-le de ma tête par n'importe quel moyen!

MAURICE, *la serrant contre lui.* Martine...

MARTINE, *suppliante.* Console-moi! Embrasse-moi!...

MAURICE, *la repoussant.* Pas de ça, Martine! Pas de ça!

MARTINE. Tu me rejettes toi aussi? Comme lui!

Elle se remet à pleurer.

MAURICE, *malheureux*. Veux-tu bien te taire! Rappelle-toi ce que tu m'as lancé à la tête l'autre jour? Rappelle-toi!... «Rêve pas, Maurice, je suis pas pour toi»... *(Il se frappe le front.)* C'est marqué là. Ça s'effacera jamais!

MARTINE. Ça compte plus maintenant! Ça a plus d'importance...

Elle met ses bras autour de son cou.

MAURICE. Ça en a pour moi! *(Il enlève les bras de Martine, avec colère.)* Je suis pas un jouet, Martine! J'ai pas été créé pour ta consolation, pour ta distraction! Le cœur que j'ai ce soir, je l'aurai encore demain, quand toi t'en voudras plus.

MARTINE, *désemparée. Prête à pleurer.* Pourquoi tu dis ça?

Maurice la prend vivement dans ses bras.

MAURICE. Comprends donc seulement que j'ai peur de toi! De la place épouvantable que tu prends dans ma vie! Joue pas avec moi, Martine, joue pas avec moi! Avec moi il faut que ce soit tout ou rien!

MARTINE. Alors, ce sera tout, Maurice!

MAURICE, *bouleversé.* Martine!

Ils s'embrassent. Puis il la regarde, nouveau baiser dont Maurice se dégage le premier. Il s'éloigne aussitôt d'elle.

MAURICE. Écoute... Et fâche-toi pas!... Tu peux pas rester ici, Martine.

MARTINE, *amoureusement.* Pourquoi?...

MAURICE. C'est pas possible! Tu sais très bien ce qui arriverait si tu restais... *(Brusquement.)* Je suis pas un ange, est-ce qu'il faut te le dire?

MARTINE. Moi non plus je ne suis pas un ange. Et puisque j'accepte que ce soit tout...

MAURICE. Tout, ça veut dire être ma femme, Martine, pas autre chose.

MARTINE. Et si... si moi, je veux pas attendre? *(Avec défi.)* C'est pas nécessaire d'être marié pour faire l'amour, après tout!

MAURICE. Tu serais la première à me le reprocher... Comme tu le reproches à ton père... Mon Dieu, vas-tu m'en vouloir de te respecter?

MARTINE. Veux-tu dire que je te paraîtrais moins respectable... après? *(Violente.)* Aussi bien dire tout de suite que tu ne respectes pas maman!

MAURICE. Martine!

MARTINE, *même jeu*. Trop tard! J'ai compris! C'est donc ça qu'on pense d'une femme comme maman, maintenant je le sais! Mais je te défends de la juger!

MAURICE, *humilié*. C'était pour ça!...

MARTINE. Je te défends de la juger, m'entends-tu? T'as pas le droit! Personne a le droit!

MAURICE. C'est pas moi qui la juge, Martine, c'est toi...

MARTINE. J'ai le droit! C'est ma mère!

MAURICE, *protestant*. Martine!... Toi, qui as pas peur de te voir telle que tu es, regarde ce qui t'arrive! Ça te fait tellement mal de juger ta mère que pour la justifier, pour plus avoir à porter un jugement sur elle, tu cherches à te mettre dans exactement la même situation qu'elle...

MARTINE. Je t'écoute pas!

MAURICE. Sans même penser une minute à quel point, moi, je pourrais souffrir en m'apercevant que c'était la seule raison qui te jetait dans mes bras!

Martine en sanglotant vient se réfugier sur son épaule.

MARTINE. Maurice!...

Maurice demeure un moment immobile, puis la pitié l'emporte sur sa peine et il met ses bras autour de Martine.

MAURICE. T'as pas à la juger Martine, sors-toi ça de la tête!

Martine pleure comme un enfant qui atteint la limite du chagrin.

MARTINE. J'ai tellement de peine Maurice, tellement de peine... *(Elle sanglote.)*

Elle continue à sangloter.

Annette et Maurice dans l'automobile. Le visage d'Annette est profondément altéré. Maurice la regarde et se détourne. Un temps.

MAURICE, *sombre*. Vous vouliez la vérité... Il fallait pas me faire parler madame Julien.

ANNETTE. Comme si je méritais d'être épargnée!

MAURICE. Je peux vous jurer qu'elle vous aime autant qu'avant! Et qu'elle vous respecte comme si... comme...

Il s'arrête se mordant les lèvres, ne sachant plus comment finir sa phrase.

ANNETTE. Mais voyez donc à quoi elle était prête, seulement pour me justifier comme vous l'avez très bien vu! Qu'elle soit tombée sur un autre homme que vous...

MAURICE. Vous croyez qu'elle serait allée aussi loin avec un autre? *(Malheureux.)* Donc vous croyez qu'elle s'est servi de moi tout juste parce que j'étais là... *(Amer.)* Du reste, je l'ai cru moi aussi!...

ANNETTE. Vous le croyez encore, Maurice?

MAURICE, *malheureux.* Je peux vous dire seulement la vérité. J'en sais rien moi-même. Plus tard quand elle s'est calmée... *(Doucement.)* Je lui ai dit... je lui ai dit...

MAURICE, *doucement.* Viens, Martine... Tu peux pas rester ici, tu le comprends, hein?

MARTINE, *tristement.* Bah! Est-ce que ça a encore de l'importance maintenant?

MAURICE. Pas pour toi peut-être, mais pour moi, oui... Parce que moi, c'est encore vrai que je t'aime...

MARTINE, *le regardant avec surprise.* Mais moi aussi je t'aime, Maurice!

MAURICE. Tais-toi donc!

MARTINE. C'est pas pour rien que je te fuis! Toi aussi, tu comptes trop pour moi!

MAURICE, *après un temps, se détournant.* Tu m'aimes peut-être... à ta façon... mais pas au point de penser que tu pourrais un jour être ma femme...?

MARTINE, *troublée.* Je le sais pas! Je suis tout à l'envers, ce soir, tu le vois bien! Je dis rien que des bêtises...

MAURICE, *vivement.* Oublie ça! De toute façon, j'ai pas d'argent, je pourrai jamais te faire vivre comme tu le voudrais, j'ai rien à t'offrir, je suis rien du tout, quoi! Rien!

Martine jette spontanément ses bras autour de son cou.

MARTINE. Mais moi non plus! Penses-y! Je suis moins que rien! Une fille que son père a même pas reconnue! Une bâtarde, quoi!

MAURICE, *vive protestation.* Même si personne voulait t'épouser à cause de ça, Martine, ça serait pas une raison pour que t'acceptes d'être ma femme si tu m'aimes pas!

Martine redressant la tête avec fierté.

MARTINE, *étonnée.* Quoi?... Veux-tu dire qu'un homme pourrait hésiter à m'épouser à cause d'une chose dont je suis même pas responsable?

MAURICE. Martine, Martine, reviens sur terre! Tu sais bien comment sont les gens! Toujours là à crier au scandale, à juger, à condamner! Pourquoi penses-tu que ta mère a été obligée d'inventer toute une histoire au sujet de ta naissance ? On vit sous le règne des curés, du péché, de la peur ! C'est ça qui nous mène au Québec ! Et c'est pour ça, à cause de ça qu'il se passera rien entre nous avant que tu sois vraiment sûre de vouloir être ma femme. Je t'aime trop pour te faire vivre ce que Jérémie Martin a fait vivre à ta mère !

MARTINE. Je serai ta femme, Maurice.

MAURICE. Tais-toi donc !

MARTINE. Parce que je t'aime ! On vivra comme on pourra ! Oui, oui tais-toi ! C'est à mon tour de parler. Tu reprendras tes études d'ingénieur puisque... puisqu'il veut t'aider. *(Férocement.)* Surtout refuse pas ! Qu'il fasse au moins une bonne chose dans sa vie !

MAURICE. Tu crois... tu crois que ce serait possible ?...

MARTINE. C'est possible, si on le veut !

MAURICE. Pour les études, oui, je te crois. Pour le mariage, attends d'être vraiment sûre !

MARTINE. Mais je suis...

Il l'interrompt en l'embrassant.

MAURICE. Et maintenant, viens, partons d'ici...

MARTINE. Pour aller où ? Je connais personne à Montréal et j'ai pas d'argent pour aller à l'hôtel !

MAURICE. Laisse-moi t'emmener dans ma famille à Joliette...

MARTINE. Dans ta famille ?... À cette heure-ci ? Qu'est-ce que ta mère va dire !

MAURICE. Elle va très bien t'accepter, je te le promets ! Elle va comprendre tout de suite que c'est important.

MARTINE. Je vais déranger tout le monde ! Tu es sûr au moins qu'il y a de la place pour moi ?

MAURICE. Au nombre où ils sont déjà dans la maison, tu sais, une de plus ou de moins... D'ailleurs, puisque tu songes à m'épouser... *(Cachant mal son inquiétude.)* Aussi bien que tu saches tout de suite de quel milieu je sors.

MARTINE. Bah ! C'est à peu près le même que le mien ! *(Le prenant par le cou.)* Tu tiens vraiment à ce que je parte ? J'aimerais tellement mieux rester ici, avec toi !...

MAURICE. Viens ! Viens !...

MARTINE. Je t'en prie !...

MAURICE. Viens, je te dis !

MARTINE. Mais je me suis sauvée sans manteau, j'aurai froid! *(Suppliante.)* Restons ici, Maurice! On s'embrassera plus, comme ça y aura pas de problèmes!

MAURICE. Non Martine, non! Cesse de me tenter.

Il cherche autour de lui et lui tend un chandail qu'il prend sur le dossier d'une chaise.

MAURICE. Mets ça... Et viens! Nous prendrons la voiture de madame Martin. *(Avec intention.)* À moins que tu préfères celle de Philippe Beaujeu? Tu en as l'habitude de celle-là. Tous les jours... Deux fois par jour!...

MARTINE, *le devançant vers la porte*. Allons-y...

Maurice la regarde et ne bouge pas. Martine enfile le chandail et se tourne vers lui.

MARTINE. Je suis prête, Maurice.

MAURICE, *un temps*. Lui, il pourrait te faire vivre comme tu le désires!

MARTINE. Oui... Il pourrait!

MAURICE, *brusquement*. Réfléchis, Martine! Penses-y sérieusement avant de me donner une place dans ta vie! Penses-y aussi longtemps que tu voudras!

Il la dépasse, ouvre la porte et descend. Martine, perplexe, regarde autour d'elle avec mélancolie. Pauvreté. Pauvreté. Pauvreté. Puis elle secoue la tête, ferme la lumière et la porte et disparaît dans l'escalier.

La grande route. Maurice et Annette en automobile.

MAURICE. Vous savez tout maintenant, madame Julien. Il y a plus rien à dire... *(Sans regarder Annette.)* Quelle réponse croyez-vous qu'elle me fera après deux jours de réflexion?...

ANNETTE, *réfléchissant*. Je le sais pas, Maurice, je le sais vraiment pas!

MAURICE. Moi, j'ai bien peur de le savoir!

ANNETTE. Tout ce que je peux vous dire, c'est que je serais très heureuse... très heureuse... si elle devenait votre femme...

MAURICE, *répétant*. Ma femme...

Il soupire profondément, l'air sceptique.

Le lendemain, six heures du soir. Philippe et Martine dans l'auto de sport de Philippe viennent d'arriver devant la maison.

PHILIPPE. Et voilà! *(Se tournant vers Martine.)* Tu es là!... Deux jours à m'inquiéter et maintenant tu es là, n'est-ce pas extraordinaire? Ce matin, je suis allé te reconduire à ton cours; ce soir, je te ramène à la maison... Comme avant! Comme s'il ne s'était rien passé!

MARTINE, *pensive.* Comme s'il s'était rien passé...
Philippe la regarde et détourne la tête.

PHILIPPE. Et pourtant il s'est passé quelque chose, n'est-ce pas?
Martine ouvre la portière. Philippe l'imite. Ils se retrouvent devant les marches.

PHILIPPE. Rassure-toi, Martine, je ne forcerai pas tes confidences! Dis-moi seulement qu'il n'y a rien de changé entre nous, et que nous allons reprendre la même vie, nos mêmes habitudes...

MARTINE. Pour quelque temps, oui... *(Se détournant.)* Mais je ne peux pas te dire pour combien de temps.
Elle monte les marches, Philippe la suit vivement.

PHILIPPE, *angoissé.* Tu vas repartir?...

MARTINE. Je le sais pas...

PHILIPPE. Tu vas repartir...

MARTINE. Je le sais pas, je te dis! Insiste pas! Je ne suis pas seule en cause!
Philippe la regarde si douloureusement qu'elle le prend spontanément par le cou.

MARTINE. Philippe, voyons! Après tout pour l'instant je suis là, non?... Si tu sonnais, nous pourrions entrer.

PHILIPPE. Par cette porte?

MARTINE, *avec défi, amusée.* Pourquoi pas?

PHILIPPE. En effet! En effet! C'est toi qui ne voulais jamais...

MARTINE, *riant.* Mettons que j'en aie assez de passer par la porte de service.
Philippe la regarde avec émerveillement.

PHILIPPE. Tu es la fille la plus extraordinaire du monde. Avec toi on ne sait jamais ce qui va se passer, ce que tu vas dire... Tu es...? Tu es...?

MARTINE, *avec emphase.* Sensationnelle!
Elle rit. Philippe aussi.

PHILIPPE. Oui, oui! Sensationnelle!
La porte s'ouvre, tirée par René surpris de voir entrer Martine.

MARTINE, *suave.* Vous semblez surpris, René? Qu'y a-t-il donc?

RENÉ. Mais rien du tout, mademoiselle.
Philippe lui tend son imperméable.

RENÉ, *ironique*. Mademoiselle Martine n'enlève pas son manteau?
Il risquerait moins de se salir ici que dans la cuisine.

MARTINE, *riant*. Bonne idée! Je le laisserai toujours ici à l'avenir.

Philippe l'aide à enlever son manteau et le tend froidement à René.

RENÉ, *ironique*. Dois-je mettre le couvert de mademoiselle
Martine dans la salle à manger?

PHILIPPE, *irrité*. Pas ce soir, non. Le mien non plus d'ailleurs.
Nous dînons en ville.

Martine fait un geste comme si elle voulait effacer ce que Philippe vient de dire.

RENÉ. Mademoiselle allait dire quelque chose?

PHILIPPE. Allez, allez, René.

RENÉ, *imperturbable*. Bien, monsieur.

Il ouvre la porte du hall où pénètrent Philippe et Martine et disparaît côté office.

PHILIPPE, *à Martine*. Qu'est-ce qu'il y a?

MARTINE, *brusquement*. Pourquoi lui avoir dit que nous allions
dîner en ville? Est-ce que ça le regarde?

PHILIPPE. Mais je le trouvais insolent. Je voulais...

MARTINE. Il va aller raconter à tout le monde, en bas, que nous
sortons ensemble!

PHILIPPE. Et après?... Je te croyais bien au-dessus de ces détails!

MARTINE, *furieuse*. Oh! Je t'en prie, il serait temps que tu cesses
de me placer sur un piédestal!

Elle se dirige vers l'escalier. Philippe la suit des yeux sans rien dire. Martine se retourne sur la première marche.

MARTINE, *avec impatience*. J'étais sûre que tu me regardais comme
ça!

Philippe a un geste d'impuissance. Martine revient vers lui vivement.

MARTINE, *pressante*. Il faut pas souffrir à cause de moi, Philippe!
Je le mérite pas! Je vaux rien! Il faut que tu me vois telle que je
suis. Je veux pas que tu te fasses des illusions à mon sujet!

Philippe la prend dans ses bras.

PHILIPPE. Telle que tu es, je...

Martine met sa main sur la bouche de Philippe.

MARTINE. Chut! Dis rien!... Dis rien! Restons-en là, veux-tu?

PHILIPPE. Mais, est-ce qu'un jour je pourrai...

MARTINE, *reculant vers l'escalier*. Attends!... Attends encore...

PHILIPPE, *avec espoir*. Martine...?

MARTINE. Chut!... À tantôt! Dans une heure...

PHILIPPE. Une heure, pas plus!

Martine lui sourit et monte. Il la suit des yeux tandis que Céline sort de la bibliothèque et se dirige vers l'escalier plus sombre que jamais. Philippe se tourne vers elle.

PHILIPPE. Ah! Céline, te voilà!... *(Il la prend par le cou.)* Tu as su que Martine était revenue?

CÉLINE, *avec effort de gaieté.* Bravo! A-t-on tué le veau gras en l'honneur de son retour?

PHILIPPE. Non, nous allons le manger au restaurant, le veau gras. Et après, nous irons au théâtre...

CÉLINE. Que de réjouissances! Et où était-elle pendant que tout le monde s'affolait?

PHILIPPE. Elle ne m'en a rien dit... *(Mal à l'aise.)* Tout ce qui compte après tout, c'est qu'elle soit revenue... N'est-ce pas?

CÉLINE. Félicitations pour ta sagesse.

PHILIPPE. Je suis bien forcé de reconnaître que je m'inquiétais inutilement!

CÉLINE. «Beaucoup de bruit pour rien», comme disait Shakespeare. Et maintenant je suppose, comme disait Candide, que tout va pour le mieux dans le meilleur des mondes?

PHILIPPE, *agacé.* Oh! Zut! Toi et tes citations!

CÉLINE. Dis donc merde, comme tout le monde.

> *Philippe qui lui a tourné le dos, prêt à s'en aller, s'arrête désemparé et se tourne vers elle.*

PHILIPPE, *découragé.* Céline, ça ne va donc pas mieux?...

CÉLINE. Plus mal que jamais... Mais qu'est-ce que ça peut faire?

> *Elle monte. Philippe irrité s'éloigne d'un pas. Mais il n'a jamais su fuir la douleur, pas plus celle des autres que la sienne. Il revient vers sa cousine.*

PHILIPPE. Céline, sais-tu quoi? Tu ne sors pas assez! Oublie pour ce soir tes ruminations malsaines. Je t'emmène au théâtre avec Martine...

> *Céline qui s'est arrêtée, secoue la tête avec un petit rire attendri.*

CÉLINE. Tu es gentil...

PHILIPPE. Nous allons voir une pièce de Brecht: *Mère Courage...*

CÉLINE. Ah! non... Très peu pour moi! Si c'est avec cette vieille folle et son insoutenable courage que tu comptes me rendre le goût de vivre! Non merci! Moi, je réclame le droit à la lâcheté!

PHILIPPE, *insistant.* Viens avec nous!

CÉLINE, *le repoussant gentiment.* Va, va, ne t'occupe pas de moi. La vie ne t'est déjà pas tellement facile.

PHILIPPE. Écoute Céline, tu n'as jamais pensé à... à voir un psychiatre, ou un psychanalyste?...

CÉLINE, *éclatant de rire.* Toi aussi, Brutus!

Elle s'assoit dans les marches de l'escalier.

CÉLINE. Toi aussi!

PHILIPPE. Écoute-moi... Je me demande depuis quelque temps si tes réactions devant la vie... comme les miennes d'ailleurs, comme les miennes!... ne sont pas... disons un peu névrotiques?...

CÉLINE. Et après Philippe?

PHILIPPE. Je parlais à l'un de mes professeurs de certaines angoisses que j'éprouvais et de ce mot cruel et si odieusement juste que tu m'as dit l'autre jour... Tu sais: «Né pour souffrir»... Il prétend que je verrais la vie autrement si...

Céline se lève et fait quelques pas dans le hall.

CÉLINE. Mais moi, je ne veux pas la voir autrement! Plus j'observe les gens normaux, moins j'ai envie d'être normale. Sais-tu pourquoi j'ai laissé Gabriel? Justement parce qu'il insistait pour que je me fasse soigner. Il disait... Il disait que notre bonheur en dépendait. Tu vois le résultat? Je suis partie... Et pourtant Gabriel!...

PHILIPPE. Et s'il avait raison, Céline? Si c'était eux, les gens normaux, qui avaient raison?

CÉLINE. Alors, je préfère avoir tort! La vie est injuste et le monde est pourri! Et si c'est une maladie que d'en être scandalisée, je ne veux pas en guérir!

PHILIPPE. Qui te dit que ton regard n'est pas faussé? La vie est peut-être tout autre chose que ce que tu penses...

CÉLINE, *s'emportant peu à peu.* Mais les faits sont là! Tu dois bien savoir ce que ça veut dire être normal? Ça veut dire accepter sans révolte toutes les saletés, les mensonges, les compromissions de la vie! Et toutes ses monstruosités! Que des enfants souffrent, que des enfants meurent, que les uns naissent idiots, que d'autres crèvent de faim, qu'on humilie les faibles, que des meurtres se commettent tous les jours et que les hommes s'entretuent perpétuellement pour des causes sans grandeur! C'est ça être normal, Philippe! Y tiens-tu? Moi, pas! Le monde est absurde et je ne veux pas cesser de le voir absurde, même si cela doit me rendre plus heureuse.

PHILIPPE, *se bouchant les oreilles.* Tais-toi, Céline, oh! tais-toi. C'est comme si j'entendais l'écho de mes réflexions les plus amères. Depuis quelque temps, je voulais... J'essayais de voir la vie autrement. À cause de... Ne ris pas!... À cause de l'amour! *(Timidement.)* Tu ne crois pas qu'on puisse être sauvé par l'amour?

CÉLINE. Comme tu voudrais le croire!

PHILIPPE. Oui, je veux le croire! Laisse-moi y croire! C'est la première fois depuis mon enfance que j'essaie de croire à quelque chose.

Céline se détourne et ne dit rien.

PHILIPPE. Tu vois, je suis plus lâche que toi... Si Martine m'aimait, je serais prêt... je serais prêt à renier toute la souffrance du monde et à croire au bonheur, oui même si je devais être le seul être heureux sur terre!

Céline se tait. Elle n'a même pas le courage de sourire, pas plus que celui de lui enlever ses illusions. D'un geste affectueux elle décoiffe Philippe et s'engage dans l'escalier.

25

L'éveilleur

Chez Jean Mounier. Une pièce donnant sur la rue dans le Vieux-Montréal. Sur les murs, une ou deux grandes affiches annonçant une exposition de peinture. Un lit, une table et deux ou trois chaises. Une vieille armoire, quelques caisses de livres toutes ouvertes. Il y a des livres sur les tables, sur le lit, un peu partout. Un certain désordre, mais sympathique. Une fenêtre entre des murs épais. Sur la table, une cafetière, un sucrier, etc. La cloche d'entrée résonne. Mounier lève la tête, hésite un instant, semble réfléchir, puis prend ses béquilles et va ouvrir la porte. Il sourit.

MOUNIER. Bonjour. Je vous attendais...

BEAUJEU, *surpris.* Vous m'attendiez?

MOUNIER. Depuis quelque temps déjà, je vous attendais. Entrez...

BEAUJEU. Je ne comprends pas? Je ne vous ai jamais rien dit qui puisse vous faire croire que je pourrais un jour venir chez vous!

Mounier referme la porte.

MOUNIER, *souriant.* Pourtant vous y êtes... Assoyez-vous...

BEAUJEU. Quelle sorte d'homme êtes-vous donc? Qui êtes-vous, j'aimerais bien le savoir?

MOUNIER, *avec un sourire.* Moi aussi!... Qui suis-je?... La question entre toutes! Il paraît qu'en Inde certains sages passent leur vie entière à méditer sur ces simples petits mots.

BEAUJEU, *troublé.* Mais?... Pourquoi...? Pourquoi me dites-vous ça? Cette question ne cesse de me hanter depuis des semaines justement! Comment le savez-vous?... Cette question a donc pour vous aussi un intérêt particulier?

MOUNIER, *souriant.* Vous ne voulez pas vous asseoir? Je ne peux pas rester debout très longtemps.

BEAUJEU, *confus.* Excusez-moi...

Il se dépêche de s'asseoir.

MOUNIER. Plus près de la table. Je vous offre un café. Vous voulez?

Beaujeu regarde autour de lui.

L'infirme s'éloigne vers l'armoire d'où il sort une tasse et une soucoupe.

BEAUJEU. Vous ne me demandez pas comment j'ai réussi à trouver votre adresse?

MOUNIER. Est-il important que je le sache?

BEAUJEU. Non, je suppose!... Bien que ça n'ait pas été facile! Je vous cherche depuis un mois!

Beaujeu prend un livre sur la table.

BEAUJEU, *lisant. Le Bouddhisme Zen*... Ma mère lisait des livres de ce genre.

L'infirme sourit et sert le café.

BEAUJEU. Mon frère prétendait qu'il pouvait y avoir un rapport entre cette sorte de littérature et la... cette fameuse question!... À laquelle, autant le dire tout de suite, je n'ai trouvé aucune réponse satisfaisante.

MOUNIER. Dans cet ordre de spéculation, il arrive qu'on trouve des réponses sans même s'en apercevoir.

L'infirme lui tend la tasse. Beaujeu désigne les livres qui traînent un peu partout.

BEAUJEU. Vous lisez beaucoup?...

MOUNIER. J'aime les livres, même quand je ne lis pas. Leur présence autour de moi me réconforte. Sans doute parce que j'ai passé mon enfance au milieu de livres qui s'empilaient les uns par-dessus les autres. Mon père était bouquiniste sur les quais de la Seine...

Beaujeu boit le café que Mounier lui a servi.

BEAUJEU, *un temps. Il regarde autour de lui.* Comme c'est paisible chez vous... *(Un silence. Hésitant.)* Vous disiez tantôt que dans le domaine de cette sorte de recherche on trouve des réponses sans même s'en rendre compte... Mais comment finit-on par s'en apercevoir?

MOUNIER. En constatant tout à coup qu'on a changé sa façon de vivre, sa manière de penser... Ainsi comment expliquez-vous votre présence ici, chez moi?... Chez moi qui n'appartient pas à votre milieu, chez moi qui ne vous suis rien...

BEAUJEU, *souriant, désarmé.* Je ne me l'explique pas justement... *(Il se lève et se met à marcher de long en large.)* Ça date du procès... Ce procès que je vous ai fait perdre... *(Vivement.)* Que je vous ai fait perdre de la façon la plus légale qui soit, d'ailleurs!

MOUNIER, *amusé.* Je n'en ai jamais douté.

BEAUJEU. Bêtement légale, je l'admets mais légale tout de même! À partir de ce jour... *(Riant.)* Pour mon plus grand ennui, d'ailleurs!... J'ai commencé à me poser des questions...

MOUNIER. Sur quoi?

BEAUJEU. Sur la valeur de la justice humaine d'abord... Ce n'était pas la première fois de ma vie que je la mettais en cause, mais cette fois, ça m'a sauté aux yeux d'une façon irréfutable! Puis le hasard a voulu que je vous rencontre à plusieurs reprises...

MOUNIER, *rêveur.* Le hasard...?

BEAUJEU. Si bien que vous êtes devenu pour moi une sorte de hantise! *(Sourire moqueur.)* Vous m'avez même poussé à votre insu, à sacrifier un revenu de vingt-cinq mille dollars par année! À ne rien faire...

MOUNIER, *éclatant de rire.* Vous m'en voyez ravi.

BEAUJEU, *riant.* Ah! oui?...

MOUNIER. Une telle somme gagnée à ne rien faire ne peut être qu'une entrave à la liberté.

BEAUJEU, *content.* Ça m'a sauté aux yeux moi aussi!... Avouez quand même que vous me dérangez drôlement! J'en suis rendu à ne plus pouvoir plaider une cause sans penser que le résultat pourrait atteindre un autre Jean-Marie Mounier! Vous comprenez, s'il faut qu'un avocat se mette à penser au tort qu'il pourrait causer *aux adversaires* de son client!...

> *Mounier se met à rire.*

BEAUJEU. Il n'y a plus aucun plaisir à pratiquer le droit dans ces conditions-là! Vous trouvez ça drôle? Moi pas!... J'aimais ma profession avant... Maintenant, de moins en moins!

MOUNIER. Pourtant dans l'ordre des recherches dont vous parliez tantôt, c'est peut-être un pas en avant...

BEAUJEU, *protestant.* En quoi? Je refuse des causes, mes associés m'en veulent, mes clients aussi, et moi-même je me sens mal à l'aise vis-à-vis tout le monde! Où est le progrès?

> *Il rapproche sa chaise de celle de l'infirme et s'assoit.*

BEAUJEU. Je suis un homme simple, comprenez-vous, tout ce qu'il y a de plus simple! J'aime vivre en paix, en harmonie avec le monde. Or, je ne suis plus en paix, pourquoi? Est-ce aussi un effet du hasard? Il me semble d'ailleurs que les hasards commencent à s'accumuler drôlement dans ma vie depuis quelque temps!

MOUNIER. Il n'y a pas de hasard, le hasard n'explique rien!... Je croirais, plutôt, à des forces en vous qui n'attendaient que l'occasion de monter à la surface...

BEAUJEU. Je ne sais pas!... Je ne sais rien et je ne suis rien, c'est la seule certitude que j'ai acquise depuis quelque temps. À vrai dire, ma mère est tout aussi responsable que vous. La lecture d'un cahier qu'elle m'a laissé a également contribué à m'ouvrir les yeux sur... non, arrêtons-nous là pour l'instant. Il va falloir que je parte et je ne vous ai pas encore parlé de la question qui m'a poussé à faire des recherches pour vous retrouver.

MOUNIER. Ah! bon, vous aviez un but en venant me voir?

BEAUJEU. Qui vous concerne oui. Voilà! *(Se levant.)* Un jour je vous ai demandé si je pouvais faire quelque chose pour vous et vous m'avez répondu: «Qu'est-ce qui vous fait croire que vous êtes prêt à aider les autres?» Je ne suis pas plus prêt aujourd'hui, alors je vais vous poser la question autrement. La voici: accepteriez-vous de m'aider à vous aider?

   Mounier se met à rire.

MOUNIER. Votre question m'a tout l'air d'un piège d'avocat!

BEAUJEU, *riant.* Justement, c'est l'avocat qui vous parle en ce moment! Écoutez, j'ai repris le dossier de votre procès et je suis convaincu que vous auriez dû gagner cette cause.

MOUNIER. Il est un peu tard maintenant!

BEAUJEU. Non! Vous pouvez encore aller en appel!

MOUNIER. Mon avocat m'en avait parlé, en effet. Mais... Non, je n'ai pas les moyens de me lancer dans...

BEAUJEU, *l'interrompant.* Écoutez-moi...

MOUNIER. Non! J'ai tout juste ce qu'il me faut pour vivre en attendant la fin de mes traitements, après quoi je devrai, faute d'argent, rentrer en France, c'est vous dire que...

BEAUJEU. Laissez-moi continuer voulez-vous? Ce procès ne vous coûtera rien, car c'est moi qui vous défendrai cette fois...

MOUNIER. Quoi?... Ce serait possible?

BEAUJEU. Inusité, mais non impossible. J'en ai parlé avec un des représentants de l'American Express qui est un de mes amis...

MOUNIER, *stupéfait.* Vous avez déjà fait des démarches?

BEAUJEU. Je voulais savoir à quoi m'en tenir avant de vous en parler...

MOUNIER. Qu'est-ce qu'il en pensait?

BEAUJEU. Il était furieux évidemment! Je lui ai expliqué que je me sentais en état de culpabilité envers vous, et que la seule façon pour moi d'en sortir était d'aller en appel et cette fois de vous défendre moi-même.

MOUNIER, *riant.* Il vous a sûrement répondu que vous risquiez de ne plus jamais plaider aucune de leurs causes!

BEAUJEU. Évidemment! Alors, qu'est-ce que vous en dites?

MOUNIER. Je ne sais pas! Vraiment!...

BEAUJEU. M'autorisez-vous à poursuivre mes démarches?

MOUNIER, *soupirant.* C'est tellement ennuyeux les procès!

BEAUJEU. Et si je les amenais à régler les choses à l'amiable?

MOUNIER. Ce serait mille fois préférable!

BEAUJEU. Même si vous obteniez moins?

MOUNIER. Oui, oui! Évitez-moi le procès si vous le pouvez!

BEAUJEU, *se levant.* Comptez sur moi! Je m'excuse de vous quitter si vite, j'ai une journée très chargée. Au revoir et... merci!

MOUNIER. N'est-ce pas plutôt à moi de vous remercier?

BEAUJEU. Non, non, vous me délivrez d'un poids et vous le savez. Je vous donnerai des nouvelles... Quel est votre numéro de téléphone?

MOUNIER. Je n'ai pas de téléphone mais venez quand vous voudrez. Je serai toujours heureux de vous voir.

BEAUJEU. Ne vous dérangez pas! Au revoir, à bientôt!

Il sort.

MOUNIER, *seul, sourit et ferme les yeux.* Ainsi, il est venu et mon intuition ne m'avait pas trompé. Mais puis-je vraiment quelque chose pour lui, ma plus que mère? N'est-ce pas plutôt pour que ce soit lui qui m'aide que vous l'avez mis sur ma route?... Comme il vous ressemble quand il sourit... Dois-je lui dire que je vous ai connue? Et tant aimée? Tant aimée?... Non... non! Je veux garder cela pour moi... En moi!...

Martine dans sa chambre, se coiffe devant le miroir. On frappe à la porte. Martine, inquiète, se fige instantanément.

ANNETTE. C'est moi, Martine, je peux entrer?

Martine soupire de soulagement, court ouvrir la porte et embrasse sa mère.

MARTINE. Ah! Merci, maman!

ANNETTE, *étonnée.* Merci de quoi?

MARTINE. D'avoir frappé!

ANNETTE, *de plus en plus étonnée.* Mais?...

MARTINE. Si vous aviez vécu pendant deux jours dans une maison où personne respecte l'intimité de personne, vous comprendriez! À Joliette, je savais jamais à quel moment quelqu'un allait pénétrer dans la chambre où j'étais! Et sans même s'excuser!

ANNETTE, *riant.* Tu sais, les familles nombreuses, j'ai connu ça toute ma jeunesse!... Mais, laisse-moi plutôt te raconter le résultat de ma journée! Ouf! J'en peux plus!

Elle se laisse tomber, gaiement, sur le lit de tout son long sans même enlever son manteau.

ANNETTE. Tu vois, je suis morte!

Elle simule la mort.

MARTINE. Vous me faites peur!

ANNETTE, *se redressant.* Sois tranquille, je n'ai jamais été aussi vivante! Et je crois bien que je peux t'annoncer une bonne nouvelle.

MARTINE. Vous avez trouvé un appartement!

ANNETTE. Mieux que ça! Un emploi! *(Riant.)* Une job, quoi! Ce qui est bien plus important pour l'instant! Rue Sherbrooke dans un magasin tellement élégant que c'est à peine si j'avais osé y entrer. Sais-tu ce que la patronne m'a dit après m'avoir demandé un échantillon de mes capacités? *(Avec une moue dédaigneuse.)* «Oui, c'est très habilement fait, mais ça n'a aucun chic!»

MARTINE, *indignée.* Oh!

ANNETTE. *éclatant de rire.* Après dix-sept ans d'expérience! Je m'en allais furieuse. Mais elle a couru après moi. «Attendez! Attendez! Je vous engage. Ce qui vous manque, je vous l'apprendrai.»

MARTINE. Vous offre-t-elle un bon salaire, au moins?

ANNETTE. Tu penses à tes études?

Martine incline la tête.

ANNETTE. Pourquoi toujours t'inquiéter de ça puisque je suis là!

MARTINE. Parce que pendant que j'étudie, je gagne pas ma vie! Et c'est vous qui portez tout le poids de...

On frappe à la porte. Martine s'interrompt aussitôt.

MARTINE. Chut!

Maurice dans le corridor frappe de nouveau.

MAURICE. Martine?... Martine, es-tu là? C'est moi, Maurice...

Il semble étonné de ne pas avoir de réponse. Et frappe de nouveau.

Chambre de Martine. Annette se lève pour aller ouvrir mais Martine, un doigt sur la bouche, la retient l'air suppliant. Annette, mécontente, va se rasseoir au pied du lit.

Dans le corridor, Maurice fait un pas pour s'en aller, lorsqu'il entend la voix de Martine

MARTINE. Ouf! Il est parti...

Blessé, il s'arrête, cloué sur place.

ANNETTE, *mécontente.* Qu'est-ce que ça veut dire? Tu te caches de Maurice maintenant?

MARTINE. Oui! Ça me regarde, je pense!

ANNETTE. Après ce qu'il a fait pour toi?...

Maurice douloureusement, s'appuie sur le mur, l'oreille tendue.

Dans sa chambre, Martine se coiffe avec des mouvements brusques.

ANNETTE, *doucement.* Est-ce parce que tu sais pas encore quelle réponse lui donner, Martine?

MARTINE, *l'interrompant, surprise.* Comment savez-vous que?...

ANNETTE. Il a eu l'honnêteté de me raconter ce qui s'était passé entre vous le soir de... de ta fuite...

MARTINE. Tout?... Il vous a tout raconté?

ANNETTE, *doucement.* Martine, rien te force à épouser Maurice si tu l'aimes pas. Rien! Absolument rien!

MARTINE, *désespérée.* Mais je l'aime, maman! Je l'aime!

Maurice derrière la porte écoute et sourit tristement. Martine enchaîne.

MARTINE. Je l'aime, c'est ce qu'il y a de pire! Mais je ne serai jamais sa femme! Jamais! Pas maintenant que j'ai connu sa famille!

Maurice humilié se redresse. Il en a assez entendu et s'éloigne rapidement.

ANNETTE, *scandalisée.* Sa famille! Mais en quoi est-elle plus ordinaire que la tienne, sa famille? Tu me fais rire!

MARTINE, *suppliante.* Maman, voyons! Je ne la méprise pas! C'est la vie de toutes les familles nombreuses et pauvres j'imagine! Un jour Maurice lui-même m'a décrit l'avenir qui m'attendait, et le tableau qu'il m'en a fait, je l'ai reconnu trait pour trait, chez lui, à Joliette! Six ou sept d'enfants entassés dans une maison minuscule, couchant à trois ou quatre par lits, dans le désordre et le tapage...

ANNETTE. Je sais, je sais! C'est comme si tu me racontais ma propre enfance! Tais-toi! La pauvre femme...

MARTINE. Oh! elle faisait tout son possible, maman! À sa place, je deviendrais folle!

ANNETTE. Et pourtant, elle t'a bien accueillie !

MARTINE. Oui, oui, c'est une femme généreuse ! Mais moi, je sais que je suis bien trop lâche pour accepter un sort pareil ! Ce qui fait que Maurice, il va bien falloir que je me l'arrache du cœur !

ANNETTE. C'est pas une excuse pour le fuir, Martine. Il attend ta réponse. Même si elle doit le faire souffrir, il faut pas le faire attendre.

MARTINE. Mais comprenez donc que c'est la peur de céder s'il insiste, qui me retient ! Je l'aime !... Ce n'est pas pour le fuir que j'ai accepté l'invitation de Philippe, ce soir, c'est par crainte de courir vers lui au contraire !

ANNETTE, *avec compassion.* Mais il te verra sortir !

MARTINE, *durement.* Non, parce que je ne sortirai plus jamais par la cuisine. Puisque je suis la fille de Jérémie Martin, je sortirai par la porte d'entrée comme tous ses enfants. Et qu'il ose m'en empêcher !

ANNETTE. Martine...

MARTINE. Vous avez voulu que je revienne ici, et je vous ai obéi. Mais il faut rien me demander de plus. Les jours qui viennent de passer m'ont donné suffisamment de maturité pour que vous cessiez de me traiter comme une enfant !

ANNETTE, *après un temps.* Tu as raison...

MARTINE. Ah ?... Je m'attendais à ce que vous protestiez !

ANNETTE. Pourquoi ? Du moment que tu reconnais la différence entre un adulte et un enfant, je ne demande pas mieux que de te traiter en adulte.

MARTINE. C'est quoi, la différence ?...

ANNETTE. Un adulte peut se tromper tout comme un enfant, mais la différence c'est qu'il accepte les conséquences de ses erreurs.

MARTINE. J'en suis capable maintenant.

ANNETTE, *avec un demi-sourire amusé.* Félicitations. Mais prouve-le en prévenant Maurice au plus vite, au lieu de te cacher de lui.

MARTINE. Je le ferai... Mais pas ce soir !

ANNETTE. Donne-lui surtout pas l'impression que tu le fuis. Parce que ça serait encore agir en petite fille...

Philippe attend avec tous les signes d'impatience. Céline descend l'escalier.

CÉLINE, *air de jeune fille extasiée.* Me voici, Philippe...

PHILIPPE, *riant.* Oui, mais tu n'es pas Martine! Il est bien sept heures et quart n'est-ce pas?

CÉLINE. Comment, la bien-aimée se fait attendre?

PHILIPPE, *irrité.* Tu m'agaces!

Elle se met à rire et vient le prendre par le cou.

CÉLINE. Papa est-il arrivé?

PHILIPPE. Pas encore.

CÉLINE. Alors viens, je vais te dire quelque chose qui va peut-être te faire plaisir.

Elle le prend par la main. Philippe la suit avec méfiance dans la biblio-thèque.

CÉLINE. Philippe, tu m'as convaincue!

PHILIPPE. Convaincue de quoi?

CÉLINE. Que c'était ma façon de voir la vie qui était mauvaise. J'ai décidé de me faire soigner.

PHILIPPE, *impressionné.* Et c'est moi qui t'ai convaincue?

CÉLINE. Oui, mais attends... À cause de cela tu as des responsabi-lités! Premièrement, il faut me trouver un bon psychanalyste, car je ne me confierai pas à n'importe qui, tu penses bien!

PHILIPPE. Tu as parfaitement raison. Je m'informerai.

CÉLINE. Et deuxièmement, il faut me trouver un bon revolver!

PHILIPPE, *sidéré.* Quoi?...

CÉLINE, *riant de son rire fébrile.* Quelle tête tu fais! Laisse-moi te raconter mes projets. Je veux partir d'ici. Je me rends compte qu'en venant habiter chez papa, je n'ai fait que me raccrocher à des tendances infantiles dont il faut que je me débarrasse. Mais comme il n'est pas question que je retourne vivre avec Gabriel, eh! bien je vais prendre un appartement où je vivrai toute seule. *(Gaiement.)* Tu vois ça? Avoue que je suis déjà sur la voie de la guérison psychologique!

PHILIPPE, *hésitant.* Je ne sais pas mais... Il me semble, oui! Bravo, Céline!

CÉLINE. Seulement, n'est-ce pas, il faut se connaître soi-même! Je suis une froussarde et la seule idée de vivre seule, sans moyen de défense, suffirait à me jeter dans un état d'hystérie. C'est pour-quoi j'ai pensé à me procurer une arme. «There is logic in my madness», comme tu vois!

PHILIPPE, *souriant.* En effet!

CÉLINE. Peux-tu t'en occuper? Il faudrait aussi que tu m'apprennes à le manier, ce revolver, car ce n'est pas tout d'en avoir un...

PHILIPPE. Ça c'est facile! Je peux même te donner une leçon tout de suite, si tu veux! *(Il l'entraîne vers le pupitre.)* Ton père en a un ici.

CÉLINE, *s'agitant.* Ah! oui? Montre-le-moi!

Philippe ouvre un des tiroirs du pupitre et sort un revolver.

CÉLINE, *fébrile.* Un revolver... Un revolver!

PHILIPPE. Attention, il est chargé!

CÉLINE, *fascinée par le revolver.* C'est la première fois que j'en vois un ailleurs qu'au cinéma! Laisse-moi le tenir...

Elle le prend.

PHILIPPE. Céline! tu le braques sur moi!

CÉLINE. Excuse-moi!... Comment fonctionne-t-il? Faut-il seulement peser sur la gâchette?...

PHILIPPE. Oui, oui, mais n'essaie pas, grand Dieu! Tout le monde va accourir! Rends-le-moi!

CÉLINE, *lui rend l'arme.* Tu pourrais m'en procurer un semblable?

PHILIPPE, *serrant le revolver dans le tiroir.* Pour ça aussi il faudra que je m'informe. Je crois qu'il faut une autorisation spéciale pour acheter une arme à feu. Quand veux-tu déménager?

MARTINE. Bonsoir...

PHILIPPE, *vivement.* Martine!...

Il va vivement la rejoindre et lui prenant la main il se tourne vers Céline.

PHILIPPE. Voilà l'enfant prodigue.

CÉLINE. Hé! ben! *(Fort accent canadien.)* «A pas l'air trop maganée!»

Philippe et Martine rient.

PHILIPPE, *à Martine.* J'aurais voulu que Céline nous accompagne au théâtre, mais...

CÉLINE. Merci bien! Il n'y a rien de plus agaçant que la compagnie des amoureux!

MARTINE, *étonnée, regardant Philippe.* Des amou...?

PHILIPPE, *horrifié, l'interrompant.* Céline!...

CÉLINE. J'ai encore fait une gaffe? Allez! Allez vous amuser. Bonsoir Martine...

MARTINE, *avec défi.* Bonsoir Céline.

Philippe la regarde avec étonnement. Céline, un moment interloquée par le ton brusque, se ressaisit aussitôt.

CÉLINE. Pourquoi pas en effet?... Tout me porte à croire que vous avez même le droit de me tutoyer si ça vous tente!

PHILIPPE. Céline!

MARTINE, *s'éloignant avec hauteur.* Rassurez-vous, je ne tutoie pas facilement.

Elle sort. Philippe désarmé regarde Céline.

PHILIPPE. Toi!... moins formaliste que toi!...

CÉLINE, *petit rire.* Ça a si peu d'importance, Philippe.

Il sort précipitamment pour aller rejoindre Martine. Céline, restée seule, murmure nonchalamment.

CÉLINE. Si peu d'importance...

Elle se dirige vers le pupitre de son père et ouvre le tiroir pour en sortir délicatement le revolver qu'elle dépose sur le pupitre. Elle le regarde le cœur battant, laissant courir ses pensées.

CÉLINE. Cette drôle de petite chose qui peut donner la mort... *(Elle le flatte doucement.)* La mort... Est-ce que j'aurai le courage?... *(Petit rire désabusé.)* Qu'est-ce qui pourrait encore me retenir maintenant que j'ai renoncé à Gabriel? La peur de ce qui m'arrivera après?... *(Elle ramasse le revolver.)* Bah!... De deux choses l'une... Ou bien Dieu existe, ou bien Il n'existe pas. S'Il n'existe pas, je ne risque rien...N'est-ce pas, Hamlet? *(Douloureusement.)* Et s'Il existe, Il doit bien savoir que je suis à bout de souffle, à bout d'espoir, que je n'en peux plus de souffrir sans même savoir pourquoi je souffre... *(Elle regarde le revolver.)* Qu'est-ce que ça peut bien être la mort?... Impossible que ce soit pire que la vie!

Elle se lève, prend le revolver et le dirige contre sa tempe.

CÉLINE, *petit rire.* Au moins, papa ne pourra plus dire que je n'ai pas de plomb dans la tête. *(Fermant les yeux, résolue.)* Mon Dieu... Mon Dieu, si vous existez, retenez mon bras, retenez ma main, retenez mes doigts, car je n'ai plus la force de lutter! Plus la force de...

JÉRÉMIE, *doucement autoritaire.* Dépose ça, Céline...

Céline, saisie, laisse tomber son bras et se tourne vers son père comme si Dieu lui-même lui apparaissait. Il avance lentement vers elle pour ne pas l'effrayer.

JÉRÉMIE, *doucement.* Dépose ça, je t'ai dit.

Mais Céline est trop saisie pour bouger. Jérémie vient lui-même lui retirer l'arme, qu'il jette sur le pupitre. Céline en proie au sentiment de culpabilité enfantine que son père a toujours suscité en elle, se met à trembler.

CÉLINE, *balbutiant.* Je ne m'en suis pas servi... Je ne m'en suis pas servi!

Encore sous le coup de l'émotion, Jérémie la prend dans ses bras, aussi étonné qu'horrifié et scandalisé.

JÉRÉMIE. Céline! Céline! Qu'est-ce que t'allais faire?... La vie, Céline, voyons, la vie! C'est ce qu'on a de plus précieux! Et toi, tu voulais?... Non, non, c'est pas possible! *(Il la secoue.)* Bon Dieu de bon Dieu, regarde-toi, t'es là, t'es vivante, c'est la seule réalité dont tu puisses être sûre!

Céline éclate en sanglots dans ses bras.

CÉLINE. Il fallait pas m'en empêcher! Ce serait fini maintenant!

JÉRÉMIE, *protestant.* Mais qu'est-ce qui t'arrive, miséricorde! T'as donc pas une seule goutte de mon sang dans les veines? Passe encore que moi, à mon âge, j'aurais des idées semblables, mais toi, toi qui es jeune, toi, qui as encore devant toi la plus grande partie de ton existence!... Je comprends pas!

Céline se détache de lui avec un sursaut de révolte.

CÉLINE. Bien sûr! Bien sûr, vous ne comprenez pas! Vous ne vous êtes jamais mis à la place des autres, comment pourriez-vous comprendre? Je suis malheureuse depuis des années! Des siècles!

JÉRÉMIE, *protestant de toutes ses forces.* Malheureuse?... So what?... So what, Céline? T'imagines-tu que t'es toute seule au monde à souffrir? À lutter? Je te dis que si t'avais été élevée comme moi à la campagne, en pleine nature, tu saurais par expérience que tout ce qui est vivant doit lutter. La plus petite plante aussi bien que le plus grand arbre, les animaux les plus insignifiants aussi bien que les plus forts! C'est cette lutte-là justement qui nous est demandée, c'est par elle, à cause d'elle que le monde existe. Si t'es plongée dans un état aussi morbide, ma pauvre Céline, c'est parce que tu t'es séparée du reste du monde, c'est parce que t'as coupé tes liens avec la vie en refusant de lutter! Il faut que tu sois malade, ma pauvre fille, je te le répète, il faut que tu sois bien malade pour pas comprendre ça!

CÉLINE, *pleurant.* Peut-être... Oui... Si c'est être malade que d'en avoir assez de vivre, je suis bien malade!

Jérémie s'approche d'elle et la prend de nouveau dans ses bras.

JÉRÉMIE. Alors, il fallait le dire. Il fallait crier au secours! On te soignera, on t'aidera, comme on aide une plante. On te le rendra le goût de vivre, Céline! *(Avec un frisson.)* Quand je pense que t'aurais pu... Une chose aussi belle que la vie!...

Une telle force émane de sa personne que Céline en est ébranlée.

CÉLINE, *amèrement, s'éloignant de lui.* Aussi, pourquoi est-ce seulement aujourd'hui que vous me parlez? Il y a eu tant de moments dans ma vie où j'aurais eu besoin de vous! Mais vous me repoussez toujours!

JÉRÉMIE, *avec regret, désarmant de sincérité.* Qu'est-ce que tu veux!... C'est ma grosse nature égoïste qui l'emporte dans le courant des jours. Il fallait pas te laisser impressionner.

CÉLINE, *avec rancœur.* Mais je ne suis pas la seule! Vous impressionnez tout le monde.

JÉRÉMIE, *ouvrant ses bras avec impuissance et perplexité.* Je sais bien... Vous m'avez toujours traité de lion, mais c'est plus fort que moi, on dirait! Il faut que je domine. Ce qui m'étonne toujours c'est que les autres se laissent faire. S'ils protestaient, s'ils se défendaient, je serais bien forcé de céder de temps à autre. Mais vous vous inclinez toujours!

CÉLINE. C'est que nous sommes moins forts... Moi, par exemple, devant vous, j'ai toujours tremblé comme un lièvre...

Elle éclate en sanglots. Jérémie la reprend dans ses bras.

JÉRÉMIE, *ému.* Céline! Céline! Écoute... Écoute-moi!... Y a pas rien que ta façon à toi de souffrir... Y en a d'autres... *(Bas.)* Un lion aussi ça peut... ça peut souffrir...

CÉLINE, *pleurant.* Oh! yeah!...

JÉRÉMIE. Si je te disais qu'en ce moment je suis plus malheureux que je l'ai jamais été de ma vie...? Et pourtant, Dieu sait que je l'ai été souvent, malgré mes allures conquérantes!... Est-ce que ça t'aiderait à lutter de savoir ça?

CÉLINE. Vous?... Vous, malheureux?...

JÉRÉMIE. Ben, oui, moi! *(Amer.)* C'est rien que dans le domaine des affaires que j'ai triomphé... Sur les autres plans... *(Douloureusement.)* Sur les autres plans...

CÉLINE. Quels autres plans?...

JÉRÉMIE. Celui du... *(Il s'interrompt pour penser un moment à sa femme, à Annette, à ses enfants et se frappe le cœur avec amertume.)* Celui-là surtout... Oui, sur ce plan-là, j'ai échoué... Échoué misérablement... Mais je vas quand même continuer à me battre jusqu'au bout! Parce que moi non plus, Céline, moi non plus j'aime pas ça souffrir!

26

Tout ce qui attache ou sépare

Il est environ minuit. Martine et Philippe reviennent du théâtre et s'arrêtent devant la maison. Martine, encore impressionnée, se tait. Philippe la regarde un moment et sourit.

PHILIPPE. Le rideau est tombé, Martine, reviens sur terre !

MARTINE. Ah ! Philippe, j'avais jamais pensé que le théâtre, ça pouvait être aussi bouleversant... Est-ce qu'il y a beaucoup d'auteurs comme Brecht ? Est-ce qu'il y a d'autres pièces aussi extraordinaires que *Mère Courage* ?

PHILIPPE, *riant*. Oui, oui, il y en a d'autres aussi belles mais différentes ! Je suis tellement content que tu aimes le théâtre autant que moi !

MARTINE. J'en étais restée aux séances de couvent ! *(Elle rit.)* Tu te rends compte ? Tout ce que je manquais ! Ah ! Philippe, sors-moi de mon ignorance !

PHILIPPE. Laisse-moi te servir de guide ! Je t'emmènerai voir ce qu'il y a de mieux en ville ! Théâtre, concerts, ballets, expositions de peinture !... Et tout et tout et tout !

MARTINE. Oh ! oui ! oh ! oui ! Philippe ! Tu m'ouvres les portes du monde !

Elle se jette spontanément dans ses bras. Philippe, ébloui, la tient contre lui.

PHILIPPE, *ému*. Mais toi tu fais encore mieux, tu me fais renaître, Martine ! À travers toi, je commence enfin à croire que le bonheur existe ! Le sais-tu ce que je te dois ? Il me semble parfois que j'étais au fond d'un abîme et que tu m'en as tiré...

MARTINE, *avec emphase. Les yeux fermés.* Du fond de l'abîme, j'ai crié vers vous, Seigneur, Seigneur, écoutez ma voix...

PHILIPPE, *rit désarmé.* Tu te moques de moi !

MARTINE. Il faut bien ! On arrête pas de se prendre au sérieux tous les deux !

Elle rit et se dégage pour sortir de la voiture. Philippe la rejoint.

PHILIPPE. Attends que je t'attrape !

L'auto de Jérémie qui est entrée dans la cour vient stationner derrière la petite voiture de sport.

MARTINE, *alarmée.* Oh ! mon Dieu...

PHILIPPE. C'est mon oncle. Qu'est-ce que ça peut faire qu'il nous trouve ensemble?

Martine malheureuse a un mouvement de fuite. Philippe la retient.

PHILIPPE. Mais où vas-tu?

Martine s'arrête et se retourne pour regarder Maurice qui ouvre la portière de la Rolls Royce.

PHILIPPE. Qu'est-ce qu'il y a? *(La défiant.)* Tu ne vas pas recommencer à entrer par la porte de service? Tu m'avais juré que tu ne le ferais plus jamais.

MARTINE, *le tirant vers la porte.* Bon, bon! Mais restons pas ici!

Jérémie qui sort de l'auto s'exclame.

JÉRÉMIE. Pas si vite! Pas si vite, les amoureux!

Martine et Philippe se sont arrêtés.

MARTINE, *protestant.* Les amoureux!

JÉRÉMIE, *riant.* Bon, j'ai encore mis mes grands pieds dans les plats! En tout cas vous êtes pas mal souvent ensemble pour des jeunes qui ne sont pas des amoureux!

Martine, qui ne l'écoute pas, regarde Maurice avec une expression à la fois inquiète et suppliante. Le regard de Maurice est implacable. Philippe enregistre la scène douloureusement, son regard allant de l'un à l'autre.

JÉRÉMIE. Bonsoir Maurice. Et merci de m'avoir donné ta soirée, même si nos recherches ont abouti à rien. J'espère que ta blonde m'en voudra pas trop!

Nouvel échange de regards entre Maurice et Martine. Philippe continue à les observer avec inquiétude tandis que Jérémie monte vers la porte d'entrée. Philippe fébrilement cherche à entraîner Martine.

PHILIPPE. Viens... viens Martine.

MAURICE, *sèchement.* Minute, s'il vous plaît! Votre auto me bloque le passage. Il faudrait la déplacer.

Philippe agacé lui lance ses clés que Maurice attrape au vol.

PHILIPPE. Mettez-la où vous voudrez, et laissez mes clés dans la voiture.

Maurice lui renvoie brusquement les clés que Philippe attrape de justesse.

MAURICE. Arrangez-vous tout seul. Je suis pas à votre service!

Il lui tourne le dos et va reprendre sa place dans la Rolls Royce. Philippe, étonné et malheureux, se tourne vers Martine et son oncle.

JÉRÉMIE, *regardant Maurice.* Eh! ben...

MARTINE, *à Jérémie. Brusquement.* Maurice a parfaitement raison. *(À Philippe.)* Qu'est-ce qui te prend de lui donner des ordres?

Philippe blessé la regarde un moment avant de s'éloigner vers son auto. Jérémie perplexe sort sa clé.

369

JÉRÉMIE. Qu'est-ce qu'il a donc, Maurice ce soir? Lui qui est toujours si poli, si aimable... *(Il ouvre la porte.)*
MARTINE. Qu'est-ce que vous savez de Maurice? Qu'est-ce que vous connaissez des autres de toute façon?
JÉRÉMIE. T'es pas la première à me reprocher ça, mais moi, mon expérience m'a appris que plus on pense aux autres, plus on est gêné dans ses mouvements pour aller de l'avant, pour progresser dans la vie...
MARTINE, *avec rancœur.* Oui, bien sûr! À ce moment-là, tant pis pour ceux qu'on écrase sur son passage! Appelez ça comme vous voulez, moi j'appelle ça une morale de bulldozer!

> *Jérémie la regarde sans répondre. Il sent qu'elle le déteste et que c'est irrémédiable. Une pause avec seulement leur échange de regard. Jérémie se détourne. Martine le suit avec fermeté. Jérémie s'arrête.*

JÉRÉMIE, *hésitant un moment.* Tu entres par en avant maintenant?
MARTINE, *le défiant.* Essayez donc de m'en empêcher! Est-ce que vous m'avez pas dit que j'étais votre fille?

> *Jérémie ne peut s'empêcher de rire.*

JÉRÉMIE. Oh! ça oui! On est pas porc-épic à ce point-là à moins d'avoir du Jérémie Martin dans le sang! *(Moqueur.)* C'est pas drôle, hein, l'hérédité?
MARTINE, *brusquement.* Non, c'est pas drôle! Aussi, je vous défends bien d'en rire!

> *Jérémie lui donne sur l'épaule une tape presque amicale et recule pour la laisser entrer.*

JÉRÉMIE. Passe...

> *Ils entrent dans le hall et se dirigent tous deux vers le vestiaire.*

JÉRÉMIE. Les conditions étant ce qu'elles sont entre nous... partant du fait qu'on peut plus rien y changer, qu'est-ce que t'aimerais que je fasse pour toi à l'avenir?
MARTINE. Rien! Exactement rien.

> *Jérémie s'incline, moqueur.*

JÉRÉMIE. Bon!... Et pour ta mère?
MARTINE. Rien non plus! Disparaissez de sa vie, c'est ce que vous aurez de mieux à faire.

> *Hésitation de Jérémie.*

JÉRÉMIE. Donc, t'es pas d'avis que je devrais l'aider? Même pas sur le plan matériel?
MARTINE. Sur aucun plan. Elle a pas besoin de vous. *(Contente, avec défi.)* Est-ce que vous savez pas qu'elle s'est trouvé un emploi? Et un très bon salaire.

JÉRÉMIE. Tu trouves ça naturel, normal, qu'une femme qui travaille depuis l'âge de quatorze ans continue à s'esquinter du matin au soir pour gagner sa vie et la tienne?

MARTINE, *protestant humiliée.* Mais c'est seulement pour quelques années encore! Un jour, je pourrai... je suis sûre...

JÉRÉMIE. En attendant, t'aimes mieux qu'elle travaille, quitte à se rendre malade plutôt que...?

MARTINE, *prise de panique.* Elle est en bonne santé!

JÉRÉMIE. Plutôt que de la voir accepter mon aide? Moi, il me semblait qu'elle avait bien mérité de se reposer, mais si c'est pas ton avis...

MARTINE. Où voulez-vous en venir avec votre chantage? Et d'abord, pourquoi est-ce à moi que vous parlez de ça?

JÉRÉMIE. Parce que ta mère refuse de m'écouter. Mais il me semble... Mon Dieu, ça serait tellement plus simple qu'elle reste ici avec toi.

MARTINE. Elle travaille ici, je vous le ferai remarquer.

JÉRÉMIE. Parce qu'elle le veut! Parce qu'elle le veut! Je lui ai dit cent fois d'arrêter, de se reposer... Vous pourriez rester ici toutes les deux à rien faire jusqu'à la fin de vos jours! Je suis assez riche pour vous faire vivre. Tu penses pas?

MARTINE. Alors pourquoi avez-vous attendu si tard pour y penser?

JÉRÉMIE, *impatient.* Laisse faire le passé puisque je reconnais mes torts!... *(S'emportant.)* Puisque je reconnais mes torts, maudit, faites pas tout ce que vous pouvez, ta mère pis toi pour m'empêcher de les réparer!

MARTINE. Et qu'est-ce qui vous fait croire que personnellement ça pourrait me plaire de rester ici? Maman, je sais pas, mais moi?... Moi?... Qu'est-ce que vous avez fait depuis que je suis ici pour que je l'aime votre maison? *(Avançant vers lui.)* Hein, qu'est-ce que vous avez fait?

> *Jérémie la regarde longuement. Toujours cette haine implacable qu'il n'arrive pas à vaincre. Martine continue à le défier pâle de rage. Jérémie, après un moment assez long, lui tourne brusquement le dos et se dirige vers l'escalier. Martine le suit.*

MARTINE. Toujours à grogner contre moi, à me défendre d'aller ici ou là... Toujours à me menacer!... Et aujourd'hui vous voudriez que je reste ici? Chez vous? Non! Monsieur Martin, non, je ne resterai pas! Et ma mère non plus! Que vous le vouliez ou non,

vous récolterez le résultat de votre comportement de bulldozer!
Ça vous forcera à réfléchir sur la nécessité de respecter les autres.

Jérémie, qui s'est arrêté sur la deuxième marche, l'a écoutée de toute sa hauteur, la regardant de haut en bas. Il hausse les épaules, presque méprisant, à la dernière phrase.

JÉRÉMIE, *tranquillement.* C'est à ta mère que je pensais, Martine, pas à toi. Traite-moi de sans-cœur si tu veux, mais tu comptes pas pour moi. Pas une miette!

Martine éclate d'un rire plein de rage.

MARTINE. Oh! oui, je compte! Même si vous voulez pas l'admettre! Je compte en beau diable, puisque je tiens votre sort entre mes mains! Puisqu'il dépend de moi de vous séparer de maman.

JÉRÉMIE, *avec un mélange de mépris et de pitié.* T'es jeune, pauvre petite fille, que t'es jeune!

Il monte. Martine furieuse, s'accroche à la rampe.

MARTINE. Vous verrez! Vous verrez! Ça vous apprendra à mettre des enfants au monde sans réfléchir!

Jérémie continue à monter et se penche vers elle, ironique et condescendant.

JÉRÉMIE. Ferme donc la lumière dans la bibliothèque quand tu monteras. René a dû l'oublier.

MARTINE, *au comble de la rage.* Vous verrez bien que je compte! Vous avez pas fini de payer, je vous le jure!

Mais Jérémie est disparu. Philippe qui vient d'entrer se fige sur place, étonné.

PHILIPPE, *cherchant.* C'est à mon oncle que tu?...
MARTINE, *brusquement.* À qui veux-tu que ce soit?
PHILIPPE. Comme tu lui parles!... Personne n'a jamais osé...
MARTINE. Qu'est-ce que t'en sais?
PHILIPPE. Je veux dire... aucun de ses enfants...
MARTINE. Eux, au moins, il les a reconnus!

Mais elle regrette aussitôt ses paroles et lui tourne le dos pour s'engager dans l'escalier.

MARTINE. Bonsoir!...
PHILIPPE. Attends! Ne me laisse pas comme ça!

Martine avec lassitude se laisse choir sur une marche. Philippe vient la rejoindre.

PHILIPPE, *hésitant.* Martine... Martine, qu'est-ce qu'il y a entre Maurice et toi?

Martine, ramenée à un autre plan, sursaute.

MARTINE. Quoi?
PHILIPPE. Entre Maurice et toi?...

MARTINE, *brusque.* Mais rien!

PHILIPPE. Alors pourquoi te détournes-tu? Montre-moi ton visage. Dis-moi la vérité. La façon dont tu as pris sa part contre moi...

MARTINE. Aussi, qu'est-ce qui te prenait de lui donner des ordres? Et devant moi par-dessus le marché! Faisais-tu exprès pour l'humilier? C'était ça ton but?

PHILIPPE. Peut-être... Oui, peut-être... Mais avoue qu'il m'a lui-même carrément envoyé paître! Et pourtant... pourtant tu n'as pas pensé à me défendre...

Martine se lève et s'éloigne de quelques pas, troublée et mal à l'aise. Philippe la suit.

PHILIPPE. D'ailleurs, je ne pense pas seulement à cette scène... Je pense aussi à... au fait que tu sois allée passer presque trois jours chez sa mère...

Martine a un mouvement de tête brusque pour rejeter le souvenir de ces trois jours. Le fuyant de nouveau, elle va se rasseoir sur une marche. Philippe revient vers elle.

PHILIPPE. Je ne t'ai pas posé de questions à ce sujet, j'ai respecté ton silence... Je ne t'ai même pas demandé pourquoi tu étais partie si brusquement...

MARTINE. Ça regarde que moi.

PHILIPPE. Je l'admets... Tu vois, je ne suis pas exigeant. D'ailleurs, les faits ont peu d'importance pour moi. Ce qui compte, c'est ce que tu penses, ce que tu éprouves, ce que tu ressens... pour moi... pour les autres... pour Maurice en particulier... *(Désespéré.)* L'aimes-tu, Martine, l'aimes-tu? C'est tout ce que je veux savoir...

MARTINE. Oh! je déteste qu'on m'interroge comme ça! Pourquoi me questionnes-tu?

PHILIPPE, *sans bouger.* Parce que je t'aime, Martine.

MARTINE, *émue de la simplicité avec laquelle il le dit.* Tu m'aimes...

PHILIPPE, *tristement.* Tu t'en doutais bien un peu, je pense?

MARTINE, *se raidissant.* Oui, oui, mais ça veut dire quoi que tu m'aimes? Qu'est-ce que tu vas me dire après ça? Quel rôle vas-tu me proposer dans ta vie? Celui que maman a joué dans la vie de ton oncle, peut-être?

Philippe s'avance vivement vers elle et la prend dans ses bras.

PHILIPPE. Tais-toi! Tais-toi!

MARTINE, *durement.* C'est à toi de te taire si t'as rien d'autre à m'offrir!

PHILIPPE, *la retenant.* Je voudrais que tu sois ma femme, Martine, ma femme si tu m'aimes assez pour m'épouser! Ma femme! comment as-tu pu penser autre chose?

MARTINE, *bouleversée.* Tu... Tu m'épouserais, sachant qui je suis? Tu le sais, je pense! Une bâtarde!

PHILIPPE. Regarde-moi! Je t'aime, Martine, comprends-le donc! Toute ma vie dépend de toi! Ce n'est pas moi, c'est toi qui me ferais une faveur en m'épousant.

Martine le prend spontanément par le cou.

MARTINE, *avec remords.* Philippe... Philippe, tu vaux cent fois mieux que moi! Je te demande pardon!

PHILIPPE, *la serrant dans ses bras.* Tais-toi, donc! Si tu savais à quel point j'ai besoin de toi! Mais ça, tu es trop forte, trop saine, trop équilibrée pour le comprendre. Et c'est tant mieux! Accepte seulement de m'épouser, et je deviendrai un autre homme.

Martine se dégage. Philippe inquiet ne fait rien pour la retenir.

PHILIPPE. C'est non, n'est-ce pas? Évidemment c'est non. Pourquoi m'aimerais-tu?

MARTINE. Parle donc pas comme ça! Tu sais très bien toute l'affection que j'ai pour toi!

PHILIPPE, *amer.* L'affection! Bien sûr...

MARTINE. Une affection suffisante, en tout cas, pour pas t'épouser! Tu serais fou de t'en plaindre, mon Dieu! Si je t'aimais moins, j'accepterais tout de suite!

PHILIPPE. Je ne comprends pas?...

MARTINE. Parce que tu sais pas tous les problèmes qui se régleraient automatiquement dans ma vie, si je t'épousais. Tout , tout serait simplifié! Je ne serais plus à la charge de maman, elle ne serait plus obligée de travailler, de gagner ma vie, de payer mes études... *(Avec rancœur.)* Tout le monde a l'air de me reprocher de lui faire porter ce poids-là! *(Furieuse contre elle-même.)* Mon Dieu! Pourquoi est-ce que je te parle de ça? Qu'est-ce qu'un fils de famille peut comprendre à des questions aussi sordides!

PHILIPPE. Orgueilleuse! Je peux tout comprendre, puisque je t'aime. Et tant mieux si je peux t'aider! Qui sait d'ailleurs si avec le temps, ton affection ne deviendra pas de l'amour?

MARTINE. Je voudrais tellement pas que tu sois malheureux à cause de moi!

PHILIPPE. Alors, accepte! Accepte!

Martine secoue la tête.

PHILIPPE. Accepte! Nous pourrions avoir une si belle vie ensemble si tu voulais!

MARTINE. Tu me tentes! Tu me tentes! *(Riant.)* C'est malhonnête!

PHILIPPE, *vivement.* Écoute, j'ai une idée sensationnelle! Marionsnous tout de suite, terminons notre année d'étude et au printemps, allons rejoindre Michel à Paris.

MARTINE, *agitée.* À Paris! Oh! Crois-tu qu'il serait surpris!

PHILIPPE. Deux ans, trois ans, cinq ans, nous y resterons tant que tu voudras!

MARTINE, *troublée.* Quelle vie tu me proposes! C'est plus que j'aurais jamais osé espérer!

PHILIPPE. Michel dit qu'il n'y a rien de plus stimulant que d'étudier à Paris.

MARTINE. Mais l'amour, Philippe, l'amour?...

PHILIPPE. Puisque je suis prêt à attendre que tu m'aimes autant que je t'aime...

MARTINE. Et si je ne devais jamais t'aimer plus qu'aujourd'hui? Penses-y... Est-ce que tu ne finirais pas par en souffrir?

PHILIPPE. J'accepte ce risque! Tu m'es indispensable, tu ne le comprends donc pas? *(Ému.)* Martine, est-ce oui? Réponds-moi!

MARTINE. Pas ce soir! Pas tout de suite! Laisse-moi réfléchir encore. Demain, je te donnerai ma réponse.

PHILIPPE. Tu penseras à tout ce que je t'ai dit?

MARTINE. J'y penserai. Je pèserai le pour et le contre. *(Avec un sourire qui se moque d'elle.)* Il faut bien, puisqu'il s'agit d'un mariage de raison.

   Visage blessé de Philippe. Martine met sa main sur son épaule.

MARTINE, *suppliante.* Regarde-moi pas comme ça. Tu voudrais quand même pas que je te mente?

PHILIPPE, *protestant.* Non! Non! Surtout pas!

MARTINE. Pourquoi ça serait pas un mariage bâti sur l'amitié, l'affection... Où chacun de nous trouve son bonheur?

PHILIPPE, *fébrilement.* C'est vrai... Oui, c'est vrai!... C'est comme ça qu'il faut le voir! Je l'accepte, Martine! À une condition...

MARTINE, *surprise.* Quelle condition?

PHILIPPE. À la condition que tu n'aimes personne d'autre.

   Martine, saisie, se détourne.

MARTINE. Quelle idée!

PHILIPPE, *humblement.* La réponse, s'il te plaît.

MARTINE, *brusquement.* Personne!

PHILIPPE. Maurice?

> *La cloche d'entrée résonne. Philippe et Martine sursautent, distraits de leur problème.*

MARTINE. La cloche?

PHILIPPE, *regardant sa montre.* Une heure et demie...

> *Philippe se dirige vers la porte.*

PHILIPPE. Qui est-ce qui peut bien venir si tard?

> *Nouveau coup de sonnette impatient. Martine machinalement suit Philippe. Il ouvre la porte. Gabriel paraît et entre dans le hall. Philippe referme la porte.*

PHILIPPE, *étonné.* Gabriel?... Eh bien, tu en as des heures pour faire tes visites.

GABRIEL, *agité.* Oh! je t'en prie... Il faut absolument que je vois monsieur Martin, tout de suite. Absolument!

PHILIPPE. Mais mon oncle doit...

GABRIEL, *sans l'écouter.* Même s'il dort! Il faut le réveiller.

PHILIPPE. Il y a tout à parier qu'il dort. Il y a plus d'une demi-heure qu'il est monté n'est-ce pas Martine? Tu connais Gabriel? Le mari de Céline...

> *Gabriel fait un bref salut, l'esprit ailleurs. Martine répond à peine.*

GABRIEL, *nerveux.* Vite Philippe, va le chercher. Il faut que je lui parle.

PHILIPPE, *s'éloignant vers l'escalier.* Bon, bon, mais tu en subiras les conséquences.

GABRIEL. Va, va!

> *Jérémie paraît dans les marches et se penche au-dessus de la rampe.*

JÉRÉMIE, *s'exclamant.* Enfin, Gabriel. Je peux pas croire!

> *Il descend vivement, attachant sa robe de chambre.*

JÉRÉMIE. On t'a donc transmis mon message?

GABRIEL. Qu'est-ce qui se passe? Qu'est-ce qui se passe?

JÉRÉMIE, *le prenant par les épaules.* Calme-toi, voyons!

GABRIEL, *impatient.* Mais je veux savoir. Il paraît que vous m'avez cherché toute la soirée! Ce n'est certainement pas pour rien!

JÉRÉMIE. Tu parles! J'ai couru d'un club à l'autre, avec Maurice. Veux-tu me dire où tu te cachais?

GABRIEL, *vivement.* Peu importe!...

JÉRÉMIE. Il s'agit de Céline...

GABRIEL. Évidemment, il s'agit de Céline! Qu'est-ce qu'il lui est arrivé? Elle est malade?

> *Philippe fait un pas vers Gabriel, réconfortant.*

PHILIPPE. Non, non, rassure-toi! Céline ne peut pas être dans de meilleures dispositions.

JÉRÉMIE, *étonné.* Quoi?

PHILIPPE. Oui, oui, mon oncle. Je lui ai parlé à sept heures ce soir, j'en sais quelque chose. Elle est même prête à voir un psychiatre, à se faire soigner, à...

JÉRÉMIE, *impatient.* Elle t'a dit ça? Eh! bien, elle s'est fameusement moqué de toi, mon petit gars, parce que moi, quand je suis arrivé, je l'ai trouvée dans la bibliothèque, un revolver à la main...

GABRIEL. Quoi?

PHILIPPE, *prêt à expliquer.* Mais!...

JÉRÉMIE. Un revolver sur la tempe, prête à tirer... Qu'est-ce qu'il te faut de plus?

GABRIEL. Mais c'est horrible!

PHILIPPE, *affolé.* Non, non!

JÉRÉMIE. J'arrivais une minute plus tard, et c'était fini!

Gabriel atterré se laisse choir sur une chaise.

GABRIEL. Taisez-vous! Taisez-vous!

PHILIPPE, *douloureusement.* C'est ma faute.

Martine va aussitôt rejoindre Philippe et l'entraîne un peu à l'écart pour le consoler.

GABRIEL. Où est-elle? Je veux la voir!

JÉRÉMIE. Dans sa chambre, je suppose. Elle est montée se coucher presque tout de suite après. Annette lui a donné un somnifère pour l'aider à dormir.

GABRIEL. Je la ramène chez moi tout de suite! Qu'elle le veuille ou non! Je n'aurais jamais dû la laisser venir ici! (*À Jérémie avec reproche.*) Tous les jours vous me disiez qu'elle avait l'air plus calme, qu'elle allait bien...

JÉRÉMIE. Je le croyais! Elle buvait presque plus, hein Philippe? Alors je pensais... j'ai cru... reste là, je vais aller la chercher.

GABRIEL, *le retenant.* Non, non, je préfère y aller moi-même.

JÉRÉMIE. Il faut bien lui annoncer que t'es ici! Je te l'amène dans deux minutes.

GABRIEL, *s'emportant.* Mais vous risquez de provoquer une nouvelle crise. Elle ne vous aime pas monsieur Martin, vous le savez bien! Elle ne vous a jamais aimé.

Jérémie, saisi, ne répond pas tout de suite. Gabriel veut monter mais Jérémie le retient.

JÉRÉMIE, *presque suppliant.* Laisse-moi y aller! Depuis ce soir, elle me déteste peut-être moins que tu le penses. On s'est parlé tous les deux. C'est moi qui l'ai convaincu de vivre, après tout! Fais-moi confiance...

GABRIEL, *fébrile.* Alors dépêchez-vous! J'ai besoin de la voir au plus vite pour croire qu'elle est vivante!

Jérémie monte rapidement.

GABRIEL, *désespéré.* Un revolver! Où a-t-elle bien pu trouver un revolver!

PHILIPPE. C'est celui de mon oncle. Il était dans le tiroir de son pupitre. Céline voulait apprendre à le manier... Alors, je... je lui ai montré comment faire...

GABRIEL, *menaçant, s'approche de lui.* Toi?...

PHILIPPE. Moi, oui, moi qui te parle!

GABRIEL, *éclatant.* Mais tu es encore plus fou qu'elle, ma parole! Pourquoi?...

Philippe secoue la tête avec désespoir.

PHILIPPE. C'est ma faute! C'est ma faute!

MARTINE, *prenant Philippe par le bras.* Il dit toujours que tout est sa faute. Vous devriez le remercier au contraire. Il est le seul ici qui a essayé d'aider Céline!

GABRIEL, *suppliant.* Alors, explique-toi!

PHILIPPE. Expliquer quoi? Elle disait... elle disait qu'elle suivrait mes conseils, qu'elle se ferait soigner, qu'elle ferait tout pour redevenir normale! Elle disait... Elle disait que ce n'était pas pour se tuer qu'elle voulait une arme mais pour...

Jérémie redescend l'escalier à toute allure.

JÉRÉMIE. Je comprends plus rien! Elle n'est pas dans sa chambre!

MARTINE. Mon Dieu!

JÉRÉMIE, *alarmé.* Où a-t-elle bien pu aller? Où peut-elle bien être!

GABRIEL, *à Jérémie.* Mais aussi c'était de la folie de l'avoir laissée seule après une scène pareille!

JÉRÉMIE, *désespéré.* Elle dormait, Gabriel, elle dormait quand je suis parti! Et c'était si important que je te retrouve!

GABRIEL. Il fallait rester ici! Essayer de me rejoindre par téléphone!

JÉRÉMIE. C'est ce que j'ai commencé par faire, mais elle s'en est aperçu! «Je ne veux pas que vous appeliez Gabriel! Je ne veux pas qu'il sache ce qui s'est passé!» Alors, j'ai attendu qu'elle dorme avant de...

Un long éclat de rire l'interrompt. Céline en déshabillé dans l'entrée de la bibliothèque, brandissant le revolver, fait un pas vers eux.

CÉLINE, *riant.* Un vrai drame de famille!

GABRIEL, *furieux.* Oh! Toi...

JÉRÉMIE, *abasourdi.* T'étais dans la bibliothèque tout ce temps-là?

CÉLINE, *brandissant le revolver de la façon la plus erratique qui soit.* Attention!... N'approchez pas! Toi non plus, Gabriel!

GABRIEL. Donne-moi cette arme! C'est ridicule, je te jure!

PHILIPPE. Céline, Céline, comme tu t'es moquée de moi!

CÉLINE. Eh! oui, c'est mon tour! Vous riez tous de moi depuis que je suis au monde, mais ce soir, c'est mon tour!

Jérémie fait un pas vers elle, avec fermeté, décidé à la désarmer.

CÉLINE, *durement.* N'approchez pas! Vous surtout! Je vous jure que je tire si vous approchez. Croyez-vous que j'hésiterais parce que vous êtes mon père?

Jérémie fait un nouveau pas vers elle.

CÉLINE, *comme une furie.* Je tire, je vous le dis! Reculez ou je tire!

GABRIEL. Monsieur Martin, c'est inutile!

Jérémie recule, Martine éclate de rire.

MARTINE. Il recule!

CÉLINE, *triomphante.* Tremblement du pater familias! L'autorité ébranlée! Que c'est drôle!

Elle éclate de rire. Jérémie furieux a un nouveau mouvement vers elle, mais Gabriel le retient.

GABRIEL, *moqueur.* Et tu es fière de toi, par-dessus le marché! Veux-tu me dire quel courage il y a à braver les gens, une arme à la main?

CÉLINE, *avec une fébrilité croissante.* Qui te parle de courage? Je n'en ai pas, je n'en ai jamais eu. (*Férocement.*) Ah! non, Gabriel! N'avance pas toi non plus! Tu te trompes étrangement si tu crois que mon amour pour toi te sauvera!

GABRIEL, *avec un rire amer.* Ton amour pour moi! La belle blague! Qui à part toi a jamais cru à ton amour pour moi?

JÉRÉMIE, *s'emportant.* C'est assez, Gabriel! Fais-lui rendre le revolver! Elle est en pleine crise, tu le vois bien.

GABRIEL, *furieux.* Oh! Taisez-vous monsieur Martin! Quand je pense que vous n'avez même pas eu la prudence de mettre ce revolver sous clé après ce qui s'était passé!

JÉRÉMIE, *avec rage.* Mais je croyais que sa crise était finie, moi!

CÉLINE, *éclatant de rire.* Mais non, ce n'était que le commencement! Je suis plus folle que jamais et c'est merveilleux! Quelle liberté ça donne, la folie ! Toutes les libertés et aucune responsabilité ! Voyons, voyons, qui veut passer en premier ? On va faire une belle petite hécatombe, hein ? Vous, Martine, retirez-vous, vous n'êtes pas dans le jeu. D'abord, tu es ma sœur et en plus tu es une femme, et c'est contre le monde des hommes que j'en ai ! Alors, va-t'en, sauve ta vie.

MARTINE. Je veux rester avec Philippe !

CÉLINE. Alors, tant pis pour toi si tu attrapes une balle perdue !

Martine va se mettre devant Philippe qui l'attire dans ses bras.

MARTINE. Je veux pas que vous tiriez sur lui. Il vous a rien fait.

CÉLINE. Tu as raison, je lui dois même des remerciements, puisque c'est lui qui m'a appris à jouer avec ce revolver.

JÉRÉMIE, *furieux.* Comment, c'est toi ?...

CÉLINE. Restez à votre place vous, car je crois bien que c'est par vous que je commencerai ! Ne bougez pas.

GABRIEL, *contrôlant mal sa colère.* Commence donc plutôt par moi, veux-tu, parce que ta petite scène me dégoûte à un point tel que tu ne pourras jamais l'imaginer ! Finissons-en, Bon Dieu ! Tire et cesse d'en parler !

CÉLINE, *furieuse.* Gabriel, ne me pousse pas à bout !

GABRIEL. Vas-y, vas-y, tire donc !

JÉRÉMIE. Provoque-la pas pour l'amour du ciel ! Dans l'état où elle est !

Gabriel éclate de rire sans joie.

GABRIEL. Qu'est-ce que j'ai à craindre, voulez-vous me le dire ? *(À Céline.)* Crois-tu que la mort me fasse peur ?

Il fait un pas vers elle et ouvre les bras.

GABRIEL. Vas-y, tiens, vas-y ! Tue-moi ! Oui, libère-moi de toi ! de ma responsabilité sur toi, de mon amour pour toi ! Libère-moi de ta présence dans ma vie, de ton poids sur mon cœur... Fais-moi cette grâce de me tuer, et je te pardonnerai tout ce que tu m'as fait subir d'humiliations depuis que tu as eu connaissance de ce sacré pari absurde que j'avais fait avant même de te connaître ! *(Il se tourne vers Jérémie.)* Vous le savez, n'est-ce pas, vous le connaissez ce pari ridicule, par lequel je m'étais engagé à épouser la fille de Jérémie Martin, six mois après le jour où je ferais sa connaissance ?

Jérémie qui a essayé de le faire taire par une sorte de complicité masculine, proteste mécontent.

JÉRÉMIE. Ben oui, ben oui! Des folies de jeunesse! Si ça avait été sérieux, tu t'en serais pas vanté.

GABRIEL, *vivement.* N'est-ce pas? C'est ce que je lui répète depuis dix ans, mais elle n'a jamais voulu me croire. Un pari ridicule, sans queue ni tête! Elle a préféré s'y accrocher plutôt que de croire à mon amour! Parce que je l'aimais! Pour mon plus grand malheur, je l'aimais. Il était loin le pari! Oublié, sorti de ma mémoire. *(À Céline.)* Je ne m'en suis souvenu qu'au retour de notre voyage de noces, quand tu me l'as rappelé!

CÉLINE, *menaçante avec un pas vers lui.* Je venais de l'apprendre! Toute ma vie en a été gâchée! Toute ma vie, n'est-ce pas assez pour toi?

GABRIEL. Et la mienne, Céline, la mienne, t'es-tu demandé si elle avait été gâchée? *(Aux autres.)* Dix ans! Dix ans à essayer de lui faire oublier cette folie! Dix ans à me faire répéter tous les jours que je t'avais épousée par intérêt, par ambition! Et aujourd'hui, elle me menace d'un revolver! *(Riant.)* Et elle croit me faire peur par-dessus le marché! Tire donc, Céline, qu'est-ce que tu attends pour me délivrer de toi? *(Il s'avance vers elle.)* Qu'est-ce que tu attends!

> Céline s'approche de lui lentement, le regardant avec curiosité comme si elle cherchait quelque chose sur son visage.

JÉRÉMIE, *alarmé.* Gabriel, méfie-toi!

PHILIPPE, *faisant un pas vers Céline. Suppliant.* Céline, Céline!

MARTINE, *le retenant.* Attention Philippe!

GABRIEL, *qui n'a pas bougé. Demi-sourire.* Viens, mon amour, viens! Donne-moi la mort et ce sera complet. J'aurai vraiment tout reçu de toi!

CÉLINE, *d'une petite voix hors de toute proportion avec le drame qui se joue.* Qu'est-ce que tu as là, sur la joue...

> Gabriel porte machinalement la main à son visage.

CÉLINE, *prête à pleurer.* Du rouge à lèvres?... C'est du rouge à lèvres?

GABRIEL, *éclatant de rire.* Hé oui! Oui c'est du rouge à lèvres, parce que ce soir je t'ai trompée, Céline! Trompée pour la première fois de ma vie! *(Il rit.)*

JÉRÉMIE. Eh! ben ma fille, tu l'as pas volé!

CÉLINE, *balbutiant.* Trompée?

GABRIEL. Oui, trompée! Pour la première fois depuis dix ans, j'ai tenu contre moi une femme qui n'était pas toi, une femme qui pliait dans mes bras, une femme qui se donnait sans réticence, une femme sans amertume, sans rancœur... *(Avec colère.)* Ce n'était pas toi, Céline, mais *elle ne me jugeait pas,* comprends-tu? Je n'étais pas devant elle comme un coupable, mais comme un homme, seulement un homme et à cause de ça, j'ai pu t'oublier pendant quelques heures! T'oublier, tu te rends compte?

Céline se met à pleurer et se jette dans ses bras.

CÉLINE, *protestant.* Mais je t'aime, Gabriel! Je t'aime!

Elle laisse tomber le revolver aux pieds de Philippe placé à côté de Gabriel. Jérémie pousse un soupir de soulagement.

JÉRÉMIE, *à Philippe, promptement.* Vite, ramasse-le et emporte-le dans ta chambre! Qu'il ne traîne plus en bas!

MARTINE. Vous savez bien qu'elle n'aurait pas tiré! C'était un jeu! Je me croyais au théâtre!

Philippe ramasse le revolver.

JÉRÉMIE, *les entraînant.* Venez, venez...

Ils montent l'escalier tous les trois.

CÉLINE, *pleurant toujours.* Je t'aime! Comprends-le donc! Je t'aime. Presque tous les jours depuis que je suis ici, j'allais à la Bourse pour te voir. Seulement pour te regarder! Mais je n'arrivais même pas à t'apercevoir!

GABRIEL. Mais je ne vais jamais à la Bourse!

CÉLINE, *ébranlée.* Quoi?... Tu n'es plus un courtier?

GABRIEL. Oui, oui, mais nous envoyons des employés avec lesquels nous communiquons par téléphone. Et toi, tous les jours?... Mon amour, quel romantisme!...

CÉLINE. Oh! Gabriel ne me laisse pas, je t'en supplie! Il n'y a que toi qui m'aimes assez pour me sauver!

Il la prend dans ses bras comme un enfant qu'on veut consoler.

GABRIEL. Oui, je te sauverai! Viens, nous rentrons à la maison!

CÉLINE. Chez nous?

GABRIEL. Oui, chez nous! Viens, mon amour!

Il l'entraîne vers le vestiaire et l'aide à mettre son manteau. Céline rit fébrilement.

CÉLINE. Chez nous! Chez nous!...

GABRIEL. Viens...

27

La dissolution

Chambre de Martine. Huit heures et demie du matin. Martine achève de s'habiller lorsqu'on frappe à la porte.
MARTINE, *ennuyée.* Qui est là?
ANNETTE. C'est moi, Martine.
Martine rassurée va ouvrir. Annette entre, son manteau sur le bras.
MARTINE. Je croyais que c'était Carmelle qui revenait... Pauvre Carmelle, elle a tant de peine de s'en aller!
ANNETTE. Sa mère est malade!
MARTINE. Je sais... Mais pour elle, quitter René...
ANNETTE. René qui ne l'aime pas. René qui ne la regrettera même pas!
MARTINE, *désillusionnée.* Je la revois encore le soir où je les ai trouvés dans les bras l'un de l'autre. «Je me reconnais plus tellement je l'aime, Martine! Je me reconnais plus...» *(Inquiète.)* L'erreur autrement dit, c'est d'aller jusqu'au moment où on se reconnaît plus? C'est ça?
ANNETTE. C'est un danger... Mais est-ce une erreur?
MARTINE, *avec un petit rire sarcastique.* Pour ce que ça lui a donné l'amour entre nous!
ANNETTE. Juge pas l'amour d'après l'expérience de Carmelle.
MARTINE, *brusquement.* Pourquoi pas? Votre propre expérience vaut-elle mieux?
Annette blessée ne répond pas. Martine qui regrette aussitôt ce qu'elle a dit, s'approche d'elle.
MARTINE. Ah! maman, je ne sais plus quoi penser de l'amour! Je vois que des gens qui en ont souffert, ou qui en souffrent encore!... Céline... son mari, Carmelle... vous!... Vous surtout!... Si je pense à votre situation actuelle!... *(Hésitant.)* Ce... ce Jérémie Martin... Non, je ne veux pas parler de lui! Disons plutôt, cette maison où nous vivons, est-ce que vous regretterez pas de la quitter?
ANNETTE. Non, Martine, non! Enlève-toi ça de la tête.
MARTINE, *toujours sombre.* Mais lui!... Lui, il tient à vous! Il viendra vous voir, n'importe où où vous serez!

ANNETTE. Jamais! Entre lui et toi, c'est toi que j'ai choisie. Mon seul regret, c'est de pas l'avoir fait avant!

Martine se jette dans ses bras.

MARTINE, *spontanément.* Merci!... Merci, maman! C'est ça que j'avais besoin d'entendre.

ANNETTE. J'y apporte tout mon cœur, Martine, me crois-tu?

MARTINE, *lui souriant.* Oui!... Mais, je voudrais savoir... une dernière chose seulement! Si... si... j'étais pas là, si j'existais pas... partiriez-vous quand même?

ANNETTE, *protestant.* Martine...

MARTINE. Oui, oui, c'est indiscret, mais j'ai besoin de le savoir. Partiriez-vous quand même? Seulement ça et je ne vous poserai plus jamais de questions!

Annette la regarde et hésite un moment.

ANNETTE. Oui, je le crois... J'ai compris tant de choses depuis que je suis revenue ici! Oui... Je peux pas te le jurer mais je le crois..

Martine l'a écoutée, intensément.

MARTINE, *âprement.* Vous feriez bien, parce qu'il vous aime pas, lui non plus.

ANNETTE, *étonnée.* Lui non plus? Qu'est-ce que tu veux dire?

MARTINE. Il tient à vous, mais il vous aime pas vraiment, vous le savez! S'il vous aimait, il vous épouserait, maintenant qu'il est libre! Qu'est-ce qui l'empêcherait?

ANNETTE. Tu parles comme maman...

MARTINE, *triomphante.* Ah! vous voyez bien! Grand-mère pense comme moi!

Annette secoue la tête.

ANNETTE. Oui, mais les choses sont jamais aussi claires, aussi définies, aussi simples que ça!

Elle a un petit sourire triste, et prévient d'un geste une protestation de Martine.

ANNETTE. D'ailleurs, même s'il m'épousait, crois-tu que ce serait une solution? Penses-y... Tu te vois, vivant entre nous deux?

MARTINE. Non, je me vois pas. *(Avec mépris.)* Mais je risque rien parce qu'il y a tout à parier que cet imbécile ne vous trouve pas assez bien pour vous donner son nom!

ANNETTE, *avec effort.* Peut-être, mais appelle-le pas comme ça! Je ne peux pas le supporter. Et puis, à quoi bon revenir là-dessus, puisque je m'en vais? Vas-tu devenir aussi méfiante qu'Albert? Quand je suis allée le chercher à l'hôpital hier soir, il était furieux parce que je le conduisais pas tout de suite à notre nouvel appartement! Mais donnez-moi le temps tous les deux! Aujourd'hui, j'emploie toute ma journée à ça. Nous trouver un appartement. Pas autre chose!

MARTINE, *fébrilement.* Oh! oui, maman, trouvez-le au plus vite! Allons-nous-en!

Annette rit de sa fébrilité.

ANNETTE. En attendant, viens déjeuner avec moi. Nous partirons ensemble.

Martine s'agite aussitôt pour ramasser ses affaires. Sac à main, livres d'étude, etc.

MARTINE, *vivement.* Non, non, attendez-moi pas, j'ai pas faim. Je suis déjà en retard d'ailleurs...

ANNETTE. Tu vas pas encore partir à jeun? C'est le troisième jour que...

MARTINE, *l'interrompant, impatiente.* Je vous dis que je suis déjà en retard! Philippe doit m'attendre pour me reconduire à mon cours. Il faut que je me dépêche!

Elle va ouvrir la porte, mais Annette la retient par le poignet.

ANNETTE, *doucement.* Menteuse...

MARTINE. Maman!...

ANNETTE. Je me trompe?

MARTINE. Je suis pressée!

ANNETTE. C'est Maurice que tu fuis, avoue-le donc!

MARTINE. Évidemment, c'est Maurice! Toute ma vie est en jeu! Ça doit bien valoir quelques jours de réflexion, il me semble?

ANNETTE, *avec compassion.* Je pense à lui qui attend... À lui qui doit se désespérer.

MARTINE, *véhémente.* Mais moi aussi, je me désespère! C'est tout ce que je fais, penser à lui! J'arrive pas à me le sortir de la tête, du cœur!... J'arrive même pas à trouver le courage qu'il faudrait pour lui dire que je pars, qu'il doit plus compter sur moi, qu'il faut qu'il m'oublie, comme je veux l'oublier moi-même...

ANNETTE. Tu es sûre...? Tu es sûre que tu regretteras pas de l'avoir repoussé?

MARTINE, *désespérée.* J'en suis même pas sûre, vous le voyez bien! C'est pas pour rien que j'ai hâte de commencer une autre vie. Je veux l'oublier, je veux tout oublier! Lui, cette maison, et tous les derniers mois que j'ai vécus ici! Tout! Penser seulement à l'étude! Est-ce possible, maman? Croyez-vous que ce soit possible?

Annette secoue la tête.

MARTINE. Oh! non, découragez-moi pas d'avance! Est-ce que vous ne tendez pas vous-même de toutes vos forces à l'oubli? ANNETTE, *une fois de plus secoue la tête.* À la paix! À la paix, oui, pas à l'oubli! Je veux rien oublier, rien rejeter de mon passé. Ni le meilleur, ni le pire. C'est ma seule richesse, ce que j'ai vécu, ressenti, souffert, aimé... Et je sais que je pourrai pas m'empêcher de penser à lui qui... *(Elle s'interrompt.)*
MARTINE. Dites-le! Nommez-le! Jérémie Martin!...
ANNETTE. Jérémie Martin, oui... *(Avec une compassion sans borne.)* À lui qui peut pas supporter la solitude... et qui sera tellement seul jusqu'à la fin de ses jours...

> *Martine la regarde avec saisissement comme si elle venait de comprendre pour la première fois.*

MARTINE, *balbutiant.* Maman... Maman, vous l'aimez!... Vous l'aimez encore!
ANNETTE, *désarmée par tant d'incompréhension.* Martine?...
MARTINE, *atterrée.* Je ne pensais pas que vous l'aimiez! Je le déteste tellement que je croyais... Mais vous... vous, vous l'aimez!

> *Annette hausse les épaules, tristement.*

ANNETTE. Je l'aime depuis vingt ans, Martine. Mon cœur s'est pas arrêté de battre!...

> *Martine la regarde avec une stupéfaction pleine de protestation.*

MARTINE. Mais il a rien fait pour vous! Il vous a donné seulement la moins bonne partie de sa vie!
ANNETTE, *doucement.* Qu'est-ce que t'en sais?
MARTINE. L'ombre de sa vie! Pas autre chose! Il a même pas reconnu l'enfant qu'il vous avait fait! Et maintenant qu'il est libre, il pense même pas à vous donner son nom. Et vous l'aimez encore!
ANNETTE, *timidement comme si elle s'excusait.* Oui...
MARTINE, *accablée.* Alors c'est ça l'amour? Je le sentais! Tout donner, et rien exiger en retour!
ANNETTE, *avec un acquiescement profond.* Oui. Surtout, rien exiger.
MARTINE. Alors, j'avais bien raison d'en avoir peur! Parce que si c'est ça, j'en suis incapable! Incapable! Autant le reconnaître tout de suite! C'est trop pour moi!

> *Annette la prend par le cou, tendrement avec un rire léger.*

ANNETTE. Folle! Tu sais pas encore de quoi tu es capable.
MARTINE. Peut-être! Mais je sais au moins de quoi je suis incapable! Une telle abnégation?... Non... Jamais, jamais! Tant pis

pour Maurice. Et tant pis pour moi! Je renonce à l'amour, une fois pour toutes!

Le visage triste de Maurice regardant à travers la fenêtre de la cuisine. Regard sombre, tandis qu'il voit Philippe debout près de sa voiture, attendant Martine. René assis près de la table, fume une cigarette. Les pieds allongés sur une chaise à côté de lui, Albert boit un café, lentement avec plaisir. Autour du poêle, Maria s'affaire.

ALBERT. J'avais oublié comme il était bon votre café, Maria. Vous auriez dû voir l'eau de vaisselle qu'on nous donnait à l'hôpital! Et ils appelaient ça du café!

MARIA. Je vous en servirais bien une autre tasse en l'honneur de votre retour, mais il en reste tout juste assez pour Annette et Martine qui n'ont pas encore déjeuné.

Maurice a un mouvement d'agitation et regarde Martine qui sort, ses livres sous le bras, par la porte d'entrée pour aller rejoindre Philippe, tandis que Maurice se sent de nouveau envahi par des pensées douloureuses.

MAURICE. Comme tous les matins! Ils se disent même pas bonjour, tellement c'est naturel pour eux de partir ensemble...*(Désespéré.)* Et moi, je reste là tous les matins à les regarder s'en aller ensemble! C'est fou d'attendre qu'elle me donne une réponse que je connais par cœur! «Je suis pas pour toi, Maurice»... *(S'emportant.)* Ben oui, imbécile, maudit fou, idiot, tu le vois bien qu'elle est pas pour toi! Reste pas ici! Sauve au moins le peu de fierté qui te reste! Va-t'en!...

ALBERT. Le médecin prétend que c'est bien long à se remettre d'une jaunisse.

Maurice vient les rejoindre, l'air résolu.

MAURICE, *à René.* René, monsieur Martin est-il encore dans la salle à manger?

RENÉ. Non, il en est sorti.

ALBERT. Il doit être dans la bibliothèque.

Maurice se dirige d'un pas ferme vers l'escalier de service, tandis que Maria vient retrouver René.

MARIA. Mais alors qu'est-ce que vous attendez pour desservir, vous?

Annette qui entre, arrive juste à temps pour entendre la réponse de René.

RENÉ, *furieux.* Comment, ce n'est pas assez de cumuler les fonctions de valet de chambre et de maître d'hôtel, il faudrait en plus que je remplace Carmelle?

MARIA, *excédée.* Mais si ce n'est pas vous, qui ça serait-il? Certainement pas moi!

ALBERT, *gêné.* Moi, je suis pas encore assez fort pour... *(Il se lève.)* Je peux bien essayer mais...

ANNETTE. Je te défends bien, Albert. Tu es en convalescence, oublie-le pas.

RENÉ. Hé ben, moi, si ça continue comme ça, je fous le camp!

MARIA, *détachant son tablier.* Ah! oui? Hé! ben, pas plus vite que moi! Le temps d'enlever mon tablier, et goodbye, comme disent les Amerloques!

ALBERT, *découragé.* Annette! Ils s'en vont!

> *Annette retient Maria d'une main et René de l'autre.*

ANNETTE, *calmement.* Une minute! Une minute s'il vous plaît! *(À René.)* Assoyez-vous, René... Et vous, Maria soyez gentille, versez-moi une tasse de café pendant que je me fais une toast.

> *René va s'asseoir à contrecœur et Maria retourne à son poêle en bougonnant.*

MARIA. C'est ça, et après vous vous en irez courir la ville comme tous les jours, et moi je resterai avec la maison sur le dos! Avec même plus Carmelle pour m'aider!

> *Annette va s'asseoir et se met à beurrer son pain.*

ANNETTE. Rassurez-vous Maria, je sortirai plus tant que j'aurai pas d'abord réglé les problèmes de la maison.

ALBERT. Mais l'appartement, Annette, tu devais y aller aujourd'hui!...

ANNETTE, *impatiente.* Est-ce que je peux laisser monsieur Martin avec une maison tout à l'envers? Tu vois bien qu'il faut que je m'en occupe!

ALBERT, *les yeux au ciel.* Quand ça sera pas ça, ça sera autre chose!

RENÉ. La première à remplacer, c'est Carmelle.

> *Maurice qui vient d'entrer va prendre sa casquette et son manteau. Maria apporte une tasse de café à Annette et s'assoit à côté d'elle.*

MARIA. Il faut aussi quelqu'un pour diriger la maison, puisque vous partez! C'est essentiel!

ANNETTE. J'y pensais, ne vous inquiétez pas.

ALBERT. Et un maître d'hôtel pour prendre ma place.

ANNETTE. Et de trois!... Ça va bien!

MAURICE, *froidement.* Demandez donc un chauffeur, pendant que vous y êtes, madame Julien, parce que moi aussi je m'en vais.

ANNETTE, *saisie.* Maurice!

RENÉ. Toi aussi!

MARIA. Ça alors!

MAURICE, *sèchement.* Oui, moi aussi.

ALBERT, *agité.* Il faut le dire à monsieur Martin! Les chauffeurs, c'est lui que ça concerne.

MAURICE. Je viens de lui en parler.

ANNETTE, *atterrée.* Maurice, est-ce vrai?

> *Trois coups de sonnette résonnent. Chacun lève les yeux vers le tableau des domestiques. René se lève.*

RENÉ. C'est pour moi.

ALBERT, *se levant vivement.* C'est monsieur Martin! Laissez-moi y aller, René! Il sait pas encore que je suis revenu, ça me fera plaisir de le revoir.

RENÉ, *se rassoyant.* Chouette! Allez-y!

MARIA. Mais, Albert vous n'êtes pas en tenue de maître d'hôtel.

> *Albert navré regarde son chandail.*

ANNETTE. Bah! Qu'est-ce que ça peut faire? Pour une fois! Vas-y, Albert.

> *Albert s'éloigne, content.*

ANNETTE, *gentiment.* René, pour ce matin au moins, allez desservir, voulez-vous? Pour me rendre service!

RENÉ, *se levant, sans entrain.* Bon, mais service pour service! Promettez-moi de ne pas engager n'importe quel laideron pour remplacer Carmelle! Choisissez-nous un beau brin de fille, un peu dégourdie... Vous voyez le genre?

> *Il dessine une femme dans l'air. Annette, riant, hausse les épaules. Maria se lève.*

MARIA. Coureur! Alors, c'est juré Annette? Vous réorganisez la maison avant de nous quitter?

ANNETTE. Oui, oui, Maria, soyez tranquille.

> *Maria sort, Annette soupire. Maurice qui s'est assis près d'elle, se roule une cigarette.*

ANNETTE, *sans regarder Maurice.* C'est curieux tous ces départs presque en même temps... Vous trouvez pas? *(Le cœur serré.)* On dirait qu'il y a comme un vide qui se fait autour de monsieur Martin... Hier soir, sa fille... ce matin, tout son personnel à la fois! Comme si tout se défaisait autour de lui!...

MAURICE, *pensif.* Vous avez raison, c'est étrange. Ça me fait un peu de peine pour lui...

> *Annette sourit avec reconnaissance.*

ANNETTE, *presque à voix basse.* Je suis contente que vous disiez ça! Les gens le connaissent mal, le jugent mal... presque personne l'aime!

MAURICE. Il a pas un caractère facile, c'est sûr, mais personnellement, j'ai pas eu à me plaindre de lui... à part une ou deux fois...

ANNETTE, *pressante.* Si vous avez de l'estime pour lui, Maurice, pourquoi vous en allez-vous?

MAURICE, *se levant brusquement.* J'aurais pourtant cru que vous seriez la dernière personne au monde à me demander ça! Vous le savez aussi bien que moi pourquoi je pars, madame Julien!

ANNETTE. Martine, bien sûr...

MAURICE, *d'une voix sourde.* Elle me méprise!

ANNETTE, *protestant.* Non, Maurice, non!

MAURICE, *violemment.* Elle me méprise et je ne peux pas supporter son mépris! Je serais parti aujourd'hui même si monsieur Martin avait pas insisté pour que je passe la semaine. *(Il se rassoit auprès d'Annette.)* Je peux plus vivre comme ça, madame Julien! Il faut que je m'en aille! *(Désespéré.)* Et que j'oublie Martine! Il faut que je l'oublie! Que je l'oublie...

Il prend sa tête entre ses mains tandis qu'Annette met son bras autour de son épaule, affectueusement.

Visage triste de Martine arrivant devant la maison où elle prend ses cours. Philippe se tourne vers elle et soupire.

PHILIPPE. C'est le moment que je déteste le plus! Le moment où tu vas me quitter pour toute la journée...

MARTINE. Puisqu'on se retrouve à cinq heures...

PHILIPPE, *hésitant.* As-tu au moins réfléchi un peu à ce que... à ce que je t'ai demandé?

MARTINE. Tu sais bien que oui! J'ai même passé presque toute la nuit à y penser, sans trouver de solution. C'est seulement ce matin, en m'éveillant, que la réponse m'est venue...

PHILIPPE, *craintif.* Ah?...

Martine le regarde et se tait. Philippe n'ose pas la regarder.

PHILIPPE. Et alors?... Non, j'ai peur!... Attends!... *(Il prend une grande respiration puis tristement.)* C'est non, n'est-ce pas? Évidemment, c'est non!...

MARTINE, *se détournant.* À ce moment-là, c'était non...

Philippe se recroqueville à sa place comme s'il se repliait sur lui-même.

PHILIPPE. Je le savais... je le savais... Ça ne fait rien!

MARTINE. Comprends-moi! Je trouvais ça tellement injuste, de t'épouser sans amour! Mais plus tard... plus tard, quelqu'un m'a dit quelque chose qui a tout changé, si bien que...

PHILIPPE. Si bien que?...

MARTINE. Si bien que je ne sais pas plus à quoi m'en tenir qu'avant!

PHILIPPE, *n'osant y croire*. Alors...? Je peux... je peux encore espérer? C'est ça que tu veux dire? Tu pourrais encore dire oui?

MARTINE. Je le sais plus, Philippe! Ce qu'on m'a dit m'a tellement troublée que je sais plus où j'en suis!

PHILIPPE. Tu ne veux pas me dire ce que c'était? À nous deux, nous arriverions peut-être à voir clair? Nous sommes au moins des amis, non? Puisque tu n'as personne à qui te confier, laisse-moi t'aider...

MARTINE, *désespérée*. Elle l'aime, Philippe! Elle l'aime!

PHILIPPE. Elle?...

MARTINE. Maman!... Elle l'aime...

PHILIPPE, *doucement*. Mon oncle?

MARTINE. Oui, ton oncle! *(Petit rire sarcastique et malheureux.)* Mon père!... Elle l'aime! Ça ne m'était jamais venu à l'idée, mais ce matin, ça m'est tout à coup apparu aussi clair que le soleil! Elle l'aime depuis vingt ans! Comprends-tu? Et je suis là entre eux comme une barrière! Un obstacle à son bonheur! Parce qu'elle a beau dire qu'elle le quitterait même si j'existais pas, je peux plus le croire, maintenant que je sais qu'elle l'aime!

PHILIPPE, *pensif*. Pourquoi le quitterait-elle en effet puisqu'il l'aime aussi...

MARTINE. Oh! lui! La qualité de son amour!...

PHILIPPE. C'est quand même de l'amour...

MARTINE. S'il n'y avait que lui!... Je lui avais bien juré d'ailleurs que je le séparerais de maman! Et à tout jamais! Mais maintenant, je le vois bien, elle se sacrifie pour moi, pour que je ne sois pas forcée de vivre sous le même toit que lui!

PHILIPPE. Qui te dit qu'elle n'a pas d'autres raisons de le quitter?

MARTINE, *protestant*. Lesquelles? C'est absurde!... Je peux pas, je peux pas supporter qu'elle souffre à cause de moi! Je veux pas qu'elle soit malheureuse!

PHILIPPE, *avec un demi-sourire, un peu triste*. Alors, il ne te reste qu'une solution. Celle de te sacrifier à sa place en m'épousant. Ainsi, elle sera libérée de ses responsabilités envers toi!

MARTINE. Si bien que finalement, la victime ce sera toi, mon pauvre Philippe. Belle solution!

PHILIPPE. Pourquoi pas? Tant qu'à être épousé sans amour, je préfère que ce soit pour une raison de ce genre. *(Avec un sourire qui se moque de lui-même.)* C'est beau! C'est noble! *(Il la prend par le cou.)* Je t'aime! Laisse-moi t'aider à oublier tout ça! J'y arriverai, tu verras.

MARTINE, *sombre*. Tu crois?...

PHILIPPE. Je t'aime! Que m'importe pourquoi tu m'épouses? Du moment que tu n'aimes pas un autre homme, je peux toujours espérer, qu'un jour, peut-être, tu m'aimeras... n'est-ce pas?... *(Il lui sourit et l'attire dans ses bras. Visage soudain bouleversé de Martine qui ne répond pas.)* N'est-ce pas?...

> Martine met ses bras autour de son cou, désespérément résolue à oublier Maurice.

MARTINE. Oui!... Oui, Philippe, oui! *(Mais elle cache aussitôt son visage sur l'épaule de Philippe.)*

> *La cuisine. Annette et Maurice, toujours assis l'un près de l'autre.*

MAURICE. Croyez-vous que je partirais si Martine m'aimait?

ANNETTE. Elle vous aime, Maurice! Elle vient de me le dire, ce matin encore! Je vous le jure!

MAURICE, *brusquement*. Alors, pourquoi est-ce qu'elle me fuit depuis que je l'ai ramenée de Joliette?

ANNETTE, *brusquement*. Et vous, pourquoi est-ce que vous la laissez vous fuir? Qu'est-ce que vous attendez pour agir? Défendez-vous si vous l'aimez! Défendez-vous mieux que ça!

MAURICE, *protestant*. Mais j'ai essayé de la voir! Je suis monté à sa chambre dès le lendemain de son retour! J'ai frappé à sa porte. Je l'ai appelée! Elle a même pas répondu! *(Violemment.)* Vous le savez très bien, vous étiez avec elle!

ANNETTE. Il fallait revenir à la charge! Trouver un moyen de lui parler de force! Insister! La convaincre! Ça serait facile, puisqu'elle vous aime!

MAURICE, *amer*. Elle m'aime, mais c'est avec Philippe qu'elle passe son temps. Et comment la blâmer d'ailleurs. Philippe Beaujeu! Un beau parti! Un nom, de l'argent...

ANNETTE. C'est ça justement qu'il faut vaincre, mais vous ne combattez pas!

Albert paraît, très agité.

ALBERT. Annette, monsieur Martin veut te voir dans la bibliothèque! Il t'attend.

Annette se lève.

ANNETTE. J'y vais... Souvenez-vous-en Maurice, on obtient rien sans lutte.

MAURICE. Mais pour lutter, il faut des armes! Qu'est-ce que j'ai à lui offrir à votre fille? Rien que la pauvreté!

ALBERT, *inquiet.* Annette...

ANNETTE. Et l'amour, Maurice, l'amour?... C'est pas une arme? C'est pas la plus forte des armes?

MAURICE. L'amour!

Il se lève, prend sa casquette et s'éloigne.

ALBERT, *s'accrochant à Annette qui ne quitte pas Maurice des yeux.* Annette, il faut que je te parle!

MAURICE, *se tournant brusquement.* L'amour et la pauvreté, est-ce que vous croyez que ça va ensemble? Il n'y a pas d'amour qui résiste à la misère! Ça s'est jamais vu!

Il ouvre la porte et sort.

ALBERT, *s'accrochant au bras d'Annette.* Écoute-moi donc...

Annette fait un effort pour revenir à lui.

ANNETTE. Oui, oui, Albert qu'est-ce qu'il y a encore?

ALBERT. Il veut que je reste avec lui... Il veut me garder ici!

ANNETTE, *inquiète, l'attirant contre elle.* Non, non...

ALBERT. Je veux pas rester ici, sans toi! Tu trouveras quelque chose, hein? Tu lui diras?

ANNETTE. Je lui parlerai.

ALBERT. Alors vas-y tout de suite. C'est pour ça qu'il veut te voir, j'en suis sûr!

ANNETTE. Inquiète-toi pas. Va te reposer dans ta chambre.

ALBERT, *agité.* Oui, oui, je vais y aller... je vais y aller...

Annette s'est éloignée côté service. Albert, machinalement par une ancienne habitude, fait de l'ordre autour de lui. Il range les chaises, la vaisselle, etc., mais s'arrête, vite épuisé.

ALBERT, *marmottant sur ruban.* Rester ici sans elle dans la maison... La maison où madame Martin est morte... morte par ma faute... Elle serait capable de m'apparaître! Non, non, non, faut pas que je pense à ça! On l'a fait parce qu'elle souffrait trop. Par charité! Annette l'a dit, par charité... (*Il s'écrase à genoux, appuyé au dossier d'une chaise et appuie sa tête sur ses mains jointes. En direct, voix basse.*)

Par charité! Pardonnez-moi, mon Dieu... Par charité, par pitié! Annette l'a dit!

Jérémie Martin pensif, assis dans son fauteuil. Ses yeux sont fermés. Annette entre et le regarde avec une tendresse émue. Il sent son regard, lève les yeux et lui sourit sans bouger.

JÉRÉMIE, *doucement.* Allô...

ANNETTE, *même jeu.* Allô...

Il se lève et vient l'embrasser sur le front. Annette réticente, a un mouvement de recul.

JÉRÉMIE, *blessé.* On dirait que je te fais peur!...

ANNETTE. Tout ce qui peut m'attendrir en ce moment me fait peur. J'ai besoin de tout mon courage pour les décisions que j'ai à prendre. Croyez-vous donc que ça m'est facile de vous quitter?

JÉRÉMIE, *amèrement.* Non!... pas si j'en juge par l'effort que ça me demande pour les accepter «tes décisions»!

Ils se regardent un moment en silence. Le visage d'Annette se détend, s'adoucit. Elle a malgré elle un mouvement de tendresse que Jérémie perçoit aussitôt, si faiblement esquissé soit-il. Le cœur battant d'espoir il s'avance vers elle vivement.

JÉRÉMIE. Annette...

Mais Annette se ressaisit et recule de nouveau. Les bras de Jérémie retombent sur sa tristesse.

JÉRÉMIE, *avec effort.* Bon, calme-toi... Et durcis-toi pas comme une barre de fer... J'essayerai plus de t'attendrir... Écoute-moi. J'ai appris que tu t'étais trouvé un emploi malgré que je voulais plus te voir travailler... Mais évidemment ce que je dis a plus aucune importance pour toi...

ANNETTE, *doucement.* Faut-il vous le rappeler? J'ai Martine à faire vivre et il faut que je vive moi-même. Si...

JÉRÉMIE. Annette, pour l'amour de Dieu!...

ANNETTE. Écoutez-moi! Essayez de comprendre! Vous voulez m'aider c'est entendu mais je veux pas en arriver là! C'est une des belles choses de notre vie justement, que malgré votre fortune, il ait jamais été question d'argent entre nous. Je voudrais tant que ça continue comme ça!

Jérémie vient la prendre par les épaules avec autorité.

JÉRÉMIE. Mais je mets plus ton désintéressement en cause, je veux seulement...

ANNETTE, *l'interrompant.* Parlons-en plus! Si jamais j'avais besoin de votre aide, je viendrais vous voir, je vous le jure! À cause de Martine, j'hésiterais pas une seconde!

JÉRÉMIE, *amer.* À cause de Martine, bien sûr... S'il y avait que toi, tu préférerais crever de faim! Eh! bien, veux, veux pas, il y a quand même une somme d'argent que tu vas être obligée d'accepter.

ANNETTE. Obligée?...

Jérémie la laisse et marche vers la cheminée.

JÉRÉMIE, *doucement.* Obligée, oui. Parce qu'elle vient pas de moi!

ANNETTE. Si vous cherchez des moyens détournés pour me faire changer d'idée...

JÉRÉMIE. Tu te trompes, Annette, j'y suis pour rien, c'est une somme qui t'est due... Ma femme avant de mourir t'a laissé cent mille dollars que je...

ANNETTE, *l'interrompant. Interdite.* C'était donc vrai?...

JÉRÉMIE, *étonné.* Quoi, tu le savais?

ANNETTE, *bouleversée.* Votre fils Beaujeu a déjà demandé à Martine si j'avais reçu cet argent-là. Ainsi, elle a pensé à moi...

JÉRÉMIE, *brusquement.* Hé! oui, elle s'inquiétait de ton avenir...

ANNETTE. Elle s'inquiétait de mon avenir! Elle qui savait la place que j'avais tenue dans votre vie, elle s'inquiétait de mon avenir!

JÉRÉMIE, *la regardant non moins bouleversé.* Et toi, tu me demandes même pas pourquoi j'ai mis tant de temps à te parler de ça?

ANNETTE. Oh! je le sais!... Par amour!... Par ce même mauvais côté de votre amour qui vous a poussé à vendre mon magasin dans l'espoir que la pauvreté me jetterait dans vos bras!

JÉRÉMIE. Oui, tu te trompes pas! Je m'étais bien juré que tu l'aurais jamais cet argent-là! J'étais prêt à tout faire pour que tu l'aies jamais! Et sans remords par-dessus le marché! Sans remords! Pis condamne-moi si tu veux!

ANNETTE. Vous condamner au nom de quoi? Est-ce que je vous ai pas moi-même fait passer avant ma propre fille depuis dix-huit ans? Moi aussi j'appelais ça de l'amour! *(Durement.)* Nous savions pas ce que c'était l'amour, vous et moi, Jérémie Martin! Elle seule, votre femme...

JÉRÉMIE, *l'interrompant.* Oui, oui, elle était peut-être parfaite! Mais son amour pour moi, si elle en avait, m'apportait aucune joie... tandis que toi...

ANNETTE. Bien sûr! Vous et moi, on était sur le même plan matériel, charnel, humain à cent pour cent, tout ce qu'on appelle l'amour quoi! Et j'en ai pas honte. Et j'ai beau faire, je le regrette pas plus que vous. Mais je veux changer... Vous aussi vous pourriez...

JÉRÉMIE, *l'interrompant.* Tais-toi donc! J'ai passé ma vie à me dire que je valais rien à côté de ma femme. Faut-il que ça continue? Demande-m'en pas trop, Annette! J'ai toujours été une sorte de brute, essaie pas de faire un ange de moi du jour au lendemain!

ANNETTE. Pas un ange, non, mais plus qu'une brute. *(Souriant.)* Un homme!...

JÉRÉMIE. Puis pour être un homme selon toi, il faut que j'accepte le sourire aux lèvres que tu me quittes pour toujours?

ANNETTE. Acceptez au moins sans colère que Martine passe avant vous à l'avenir!

JÉRÉMIE. C'est la solitude que tu me proposes!

ANNETTE. Il vous reste vos fils... votre fille!...

JÉRÉMIE. Ils m'aiment pas! Et tu le sais! C'est tout juste si Céline m'a pas tué hier soir avant de partir! Et les autres ont tous refusé de vivre avec moi! Excepté Beaujeu, à qui j'en ai jamais parlé...

ANNETTE, *avec espoir.* Il viendrait peut-être?

JÉRÉMIE. Ben non! Il accepterait jamais! Je lui en parlerai même pas parce que son refus me ferait de la peine. D'ailleurs, il m'aime peut-être pas plus que les autres!

ANNETTE, *doucement.* Et vous? Les avez-vous aimés?

JÉRÉMIE. Mal, je suppose, mal!... Avec eux autres aussi j'ai manqué mon coup!... Avec tout le monde on dirait! *(Il se ressaisit avec orgueil.)* Tant pis! Oui, tant pis! En tout cas, j'en connais un qui est prêt à rester avec moi. C'est déjà ça! Albert!...

ANNETTE, *mal à l'aise.* Albert...

JÉRÉMIE. Oui, oui, il l'a dit lui-même. *(Riant pour ne pas montrer sa détresse.)* Tâche de pas me l'enlever, là, toi!

ANNETTE, *la gorge serrée.* Écoutez-moi... Il faut pas compter sur Albert...

JÉRÉMIE, *refusant de l'écouter.* Voyons donc! Il m'a dit il y a pas deux minutes qu'il serait content de rester ici! Pis moi aussi, je serais content! Sa présence m'aidera d'une façon... *(Tristement.)* C'est le seul témoin de toutes nos années... Je pourrais lui parler de toi de temps à autre... Et même de ma femme qu'il a connue... Avec lui au moins, j'aurai pas la sensation d'être coupé de mon passé! *(Avec angoisse.)* C'est drôle hein, il y a des moments... la nuit surtout... quand je suis à moitié endormi, à moitié éveillé, où tout se confond dans ma tête... L'amour que j'avais pour elle, l'amour que j'ai pour toi... Et jusqu'à ma pauvre mère qui s'en mêle... Elle, Clothilde, toi... Ça devient pareil. Comme si au fond, j'avais aimé rien qu'une femme dans ma vie... Une seule femme, dont je serais même pas sûr d'avoir été aimé! Et je suis mal!... tellement mal!... *(Il soupire et la regarde.)* Comprends-tu ça? C'est drôle un homme, hein? *(Il s'approche d'elle avec inquiétude.)* Je te fais pas de peine toujours en te disant que je te confonds avec Clothilde ou ma mère dans mes insomnies?

Elle secoue la tête avec un demi-sourire triste.

JÉRÉMIE, *se moquant de lui.* Aïe! pense pas que je fais pas des progrès? Je commence déjà à penser à la peine que je pourrais faire aux autres! *(Il se tourne pour lui montrer ses épaules.)* Est-ce qu'il me pousse des ailes?...

Il essaie de rire. Annette sourit et met ses mains sur les épaules de Jérémie qui lui répond par un sourire plein de tristesse mais où il n'y a plus, pour l'instant du moins, aucune revendication. Ils se regardent longuement, gravement, plus près l'un de l'autre en ce moment qu'au cours de toute leur vie.

28

L'irrationnel

Chambre de Jean-Marie Mounier. Beaujeu et l'infirme sont assis comme la dernière fois près de la table et boivent un café.

BEAUJEU. Plus je médite sur le fameux «Qui suis-je», plus je m'éloigne de tout ce qui avant m'intéressait. J'ai envie de tout changer dans ma vie! De me retirer du monde... *(Avec un sourire qui se moque de lui.)* De vivre en ermite, quoi!

MOUNIER, *moqueur.* La fuite en avant...

BEAUJEU. Ni plus, ni moins... J'en suis à un point où tout ce que je fais me paraît inutile! Le droit qui autrefois m'amusait comme un jeu, m'ennuie.

MOUNIER. Hé, là! Vous venez de me dire que vous aviez eu beaucoup de plaisir à discuter avec l'agence de l'American Express pour les convaincre de régler mon problème à l'amiable...

BEAUJEU, *amusé.* Oui, oui, je l'admets, ça m'amusait beaucoup. Autant pour vous que pour moi, car je suis enfin débarrassé du sentiment de culpabilité que j'éprouvais à votre sujet. Ouf! Quel allégement! Ce qui me fait penser... Ils demandent que vous passiez à leurs bureaux pour signer quelques papiers! Si vous voulez recevoir votre chèque!...

MOUNIER. Ils doivent être furieux?

BEAUJEU. Ils le sont!

MOUNIER. Je ne parle pas l'anglais, est-ce qu'ils le savent?

BEAUJEU. Je serai avec vous. Pas de problèmes! En attendant, ça ne m'empêche pas de rêver au coin le plus reculé de la terre. Si j'écoutais mon impulsion, je partirais même tout de suite!

MOUNIER. Méfiez-vous, Beaujeu! C'est une impulsion de ce genre qui m'a poussé au Canada afin de revoir une amie malade dont je n'avais pas de nouvelles depuis deux mois. Mais tout ce que j'ai trouvé à Montréal au lendemain de mon arrivée, c'est une porte close et une paire de béquilles!

BEAUJEU. Elle était morte?

MOUNIER. Non, mais trop malade pour recevoir qui que ce soit! Il est temps d'ailleurs que je vous parle de cette femme...

BEAUJEU. Vous m'intriguez...

MOUNIER. Figurez-vous qu'il y a quatre ans, un joaillier m'a apporté un médaillon à l'intérieur duquel une dame voulait faire graver trois mots : « Qui suis-je ? »

Il s'arrête un moment pour regarder Beaujeu.

BEAUJEU, *ému.* Voulez-vous dire que cette femme était... ma mère ?...

MOUNIER. Oui, Beaujeu.

BEAUJEU. Je ne peux pas le croire !... Attendez...*(Il détache son col et en dégage le médaillon.)* Êtes-vous absolument certain qu'il s'agit de ce médaillon en particulier ? Et non d'un autre ?

MOUNIER. Oui, oui ! D'ailleurs jugez par vous-même.

Mounier sort de son chandail un médaillon exactement semblable.

BEAUJEU, *s'exclamant.* Mais c'est le même !

MOUNIER. Une copie... Que votre mère a fait faire pour moi...

BEAUJEU, *de plus en plus étonné.* Donc, vous l'avez connue ?

MOUNIER. La fameuse petite phrase m'avait tellement impressionné que j'ai voulu lui remettre moi-même le médaillon. Je n'ai plus jamais été le même après cette rencontre. Mon regard sur la vie a complètement changé ! J'allais la voir très souvent. Elle me prêtait des livres sur lesquels nous discutions interminablement. Elle aussi se moquait de mon côté cartésien. Pour me venger, je la traitais de guru...

BEAUJEU. Je vous envie beaucoup cette relation. Nous étions très près l'un de l'autre, mais sur un tout autre plan. Elle ne parlait jamais de sa vie intérieure.

MOUNIER. C'est le médaillon qui m'a permis cette liberté, et le fait qu'elle répondait si simplement à toutes mes questions. Ce n'est pas pour rien que j'en suis venu à l'appeler « ma plus que mère », c'est parce qu'elle m'a, en quelque sorte, remis au monde en m'apprenant à le voir autrement. Mon seul regret, c'est qu'elle soit morte sans que je puisse la revoir une dernière fois au moins.

BEAUJEU. Ce qui me paraît étrange, c'est que j'ai été amené à plaider contre vous peu de temps après ! Saviez-vous à ce moment-là que j'étais son fils ?

MOUNIER. Je l'ai su quand mon avocat a prononcé votre nom. Votre mère parlait très souvent de vous.

BEAUJEU. Alors pourquoi ne m'en avoir rien dit ?

MOUNIER. J'attendais de savoir si nous étions sur la même longueur d'ondes.

BEAUJEU. Nous le sommes !

MOUNIER, *riant.* Comme des frères!

BEAUJEU. Je ne m'entends pas si bien avec les miens! *(Perplexe.)* C'est quand même curieux toute cette série de coïncidences à laquelle ma mère est mêlée, vous ne trouvez pas? J'aimerais bien comprendre les liens qui unissent tous ces événements!

MOUNIER. Moi aussi... Votre mère, qui ne croyait pas au hasard, disait qu'il y a des lois que nous ne connaissons pas encore mais que nous finirions par les découvrir au fur et à mesure de notre évolution.

BEAUJEU. Autrement dit, il ne faut pas être pressé! Eh bien si jamais vous trouvez une réponse au milieu de vos lectures, prévenez-moi!

MOUNIER. Partageons-nous ses livres, ça ira plus vite!

BEAUJEU. Non, non, vivre prend tout mon temps! Mais je vous invite à fouiller la bibliothèque de ma mère, si ça vous intéresse?

MOUNIER, *spontanément.* J'aimerais bien, oui...

BEAUJEU. Je viendrai vous chercher un après-midi.

MOUNIER, *moqueur.* Avant le grand départ, j'espère?

BEAUJEU. Vous avez peur de me voir revenir avec des béquilles?

MOUNIER, *amusé.* Hé! oui... Les impulsions mènent souvent à des catastrophes de ce genre comme vous le voyez. Il n'y a qu'à regarder vivre les autres, d'ailleurs, pour s'en rendre compte...

Jérémie attire Annette vers le gros fauteuil où il s'assoit toujours.

JÉRÉMIE. Viens, viens t'asseoir, j'ai à te parler!

ANNETTE, *protestant et regardant vers la porte.* Mais il est à peine passé cinq heures! N'importe qui peut entrer!

JÉRÉMIE. Et après? Qu'est-ce que ça peut faire, puisque tu travailles plus pour moi?

Il la force à s'asseoir. Annette reste sur le bord du fauteuil les mains sur ses genoux. Jérémie recule pour la regarder et se met à rire avec tendresse.

JÉRÉMIE. Si tu te voyais! Tu disparais dans ce gros fauteuil-là! *(Il cesse de rire.)* Qui est-ce qui m'aurait dit qu'un jour tu finirais par avoir tant d'importance dans ma vie!

Annette sourit tristement.

ANNETTE. Rassurez-vous, j'en aurai de moins en moins.

JÉRÉMIE. Veux-tu te taire! Est-ce que je m'en plains? Écoute-moi plutôt. J'ai remis tes cent mille dollars à Gabriel pour qu'il...

ANNETTE, *l'interrompant.* Je vous ai dit...

JÉRÉMIE, *bourru*. Que t'en voulais pas, oui, oui, oui! Mais moi, ça me regarde pas. J'aurais préféré que ce soit Beaujeu qui s'occupe de ça, puisqu'il était déjà au courant, mais Beaujeu, y a jamais moyen de le rejoindre à son bureau depuis quelque temps. Alors j'ai appelé Gabriel qui va s'occuper de faire fructifier ton argent. Tout ce qu'il te reste à faire, c'est d'aller le voir demain pour signer certains papiers...

ANNETTE, *très troublée*. J'en voulais pas de cet argent-là!

JÉRÉMIE. Bon Dieu, vas-tu me reprocher d'exécuter la volonté de ma femme? Ça m'a pris assez de temps à l'accepter, rends-moi pas la chose plus difficile. Si t'en veux pas, fais-le placer au nom de Martine... Mais franchement, je te le conseille pas!

ANNETTE, *contente de cette suggestion*. C'est pourtant ce que je vais faire!

JÉRÉMIE. Je te préviens, c'est souvent sans-cœur les enfants! Tu regretteras peut-être dans tes vieux jours de dépendre de ta fille! Pourquoi pas le garder pour toi? Ça te donnerait un revenu suffisant pour passer le reste de ta vie sans travailler!

ANNETTE, *avec répugnance*. Non, non, je veux pas...

JÉRÉMIE, *scandalisé*. T'es drôle, toi! Cent mille piastres, miséricorde, c'est quelque chose! Pour quelqu'un qui a jamais eu une cent de sa vie...

ANNETTE, *l'interrompant vivement*. Oui, oui, vous avez raison, parlons-en plus. Moi de mon côté, j'étais venue vous dire que j'avais trouvé quelqu'un pour remplacer Carmelle et aussi... *(Avec effort.)* aussi un maître d'hôtel pour remplacer Albert. Il me reste...

JÉRÉMIE, *l'interrompant*. Comment Albert! Il reste ici Albert, c'était entendu!

ANNETTE, *apaisante*. C'est vous qui aviez décidé ça. Pas lui... Sa santé...

JÉRÉMIE. Sa santé, sa santé...

ANNETTE, *vivement*. Il a besoin de repos! D'ailleurs vous serez content de son remplaçant! C'est le maître d'hôtel que vous aviez engagé vous-même, le soir où vous avez reçu vos enfants à dîner. Il doit...

PHILIPPE, *entrant. Avec entrain*. Bonjour, mon oncle!... *(Joyeusement.)* Ah! vous êtes là aussi madame Julien...

ANNETTE, *se levant*. J'étais venue...

Mais Philippe s'exclame joyeusement.

PHILIPPE. Restez, restez assise, j'ai une nouvelle tellement sensationnelle à vous annoncer que vous serez forcée de vous asseoir, de toute façon!

JÉRÉMIE, *étonné.* Quelle nouvelle?

PHILIPPE. Nous sommes fiancés, Martine et moi.

Annette qui s'était rassise se relève aussitôt.

ANNETTE. Fiancés!

Jérémie content prend Philippe dans ses bras. Accolade très chaleureuse.

JÉRÉMIE. Martine pis toi? Entends-tu ça Annette, ils sont fiancés! Ça c'est bon! Je pensais jamais que t'aurais l'audace de le faire!

ANNETTE, *le regardant.* L'audace?

JÉRÉMIE, *riant.* Un Beaujeu, penses-y! Si tu connaissais sa famille! À peu près ce qu'il y a de plus snob à Montréal! *(Il frappe l'épaule de Philippe avec satisfaction.)* Ben t'es quelqu'un ti-gars.

Il retient Annette qui passe devant lui dans le but évident de quitter la pièce.

JÉRÉMIE, *inquiet.* Annette, qu'est-ce que t'as? Je disais pas ça pour déprécier ta fille, je te le jure!

PHILIPPE, *vivement.* Il ne manquerait plus que ça! Martine vaut tellement mieux que moi! Si vous saviez comme je me sens ordinaire, à côté d'elle!

JÉRÉMIE. Tais-toi donc, Philippe! Déprécie-toi donc pas comme ça! *(Riant.)* Devant ta future belle-mère par-dessus le marché!

PHILIPPE, *riant.* Et devant mon futur beau-père en plus!

JÉRÉMIE, *éclatant de rire.* C'est ben trop vrai! J'oubliais ça, moi là!

Gros plan d'Annette, glaciale, qui les regarde à tour de rôle.

PHILIPPE, *désolé.* Oh! Pardon madame Julien! Je vous ai blessée?

JÉRÉMIE, *mal à l'aise.* Ben non, voyons, ben non! Réjouis-toi donc avec nous autres au lieu de te fâcher! Martine va être heureuse avec Philippe, je te le garantis, moi! *(À Philippe.)* Quand voulez-vous vous marier?

PHILIPPE, *regardant Annette avec inquiétude.* Le plus tôt possible. Nous sommes d'accord là-dessus, Martine et moi. Vous n'allez pas nous refuser votre consentement, madame Julien? Je vous en supplie!

ANNETTE, *désarmée.* Il faut d'abord que je parle à Martine.

Pressé de se retrouver seul avec Annette, Jérémie pousse Philippe vers la porte.

JÉRÉMIE. Et toi, tu ferais bien d'avertir tes parents. Va donc leur écrire tout de suite, tiens.

Philippe, inquiet de la réaction d'Annette, s'éloigne en reculant et à contre-cœur.

PHILIPPE. Bah!... Est-ce bien la peine? Ils s'intéressent si peu à moi.

ANNETTE. Il y a rien qui presse d'ailleurs.

Philippe, anxieux, fait un pas vers elle, mais Jérémie le repousse de nouveau.

JÉRÉMIE. Va, va... Je me charge de plaider ta cause.

Mais Philippe aimerait convaincre Annette lui-même.

PHILIPPE. Madame Julien...

JÉRÉMIE, *avec un clin d'œil de connivence.* Veux-tu bien t'en aller! C'est normal après tout qu'une mère tienne à réfléchir avant de marier sa fille. On te rappellera, inquiète-toi pas.

Il revient vers Annette mais s'arrête et se retourne vers Philippe.

JÉRÉMIE. J'y pense! Quand tu redescendras, rapporte-moi donc mon revolver! Tu te souviens, tu l'as ramassé quand Céline l'a laissé tomber...

PHILIPPE, *haussant les épaules.* Oui, oui...

JÉRÉMIE. Je serai pas rassuré tant qu'il aura pas retrouvé sa place dans le tiroir. C'est pas un jouet, ce truc-là!

PHILIPPE, *l'esprit ailleurs.* Oui, oui, mon oncle, oui, oui... *(À Annette, avec un pas vers elle.)* Ne soyez pas contre moi, madame Julien. J'aime tant Martine! Je vous jure que je ferai tout au monde pour la rendre heureuse.

Annette touchée lui sourit. Philippe s'éloigne.

JÉRÉMIE. Qu'est-ce qu'il y a donc? T'as pas l'air contente.

ANNETTE. Non, je le suis pas.

JÉRÉMIE. Mais pourquoi? C'est une solution rêvée, à mon avis! Ce mariage-là va tout arranger! Tu seras pas obligée de t'en aller puisque Martine ne dépendra plus de toi. Tu resteras ici avec moi! Sans travailler évidemment! Tous tes problèmes sont réglés d'un seul coup! *(Riant.)* Et inquiète-toi pas de l'avenir de ta fille. C'est un beau parti Philippe, tu sais. Du côté de sa mère, il y a de l'argent en masse!

ANNETTE, *avec lassitude.* Vous avez donc pas compris que même si Martine se mariait, je partirais d'ici?

JÉRÉMIE. Mais pourquoi, pourquoi?

ANNETTE. Je veux plus rien de caché dans ma vie, je vous l'ai déjà dit. Je veux vivre au grand jour, à la face du monde! Et vous me proposez de rester ici dans votre ombre! Non, monsieur Martin! Non! J'en veux plus d'ombre dans ma vie! Même pas votre ombre à vous! Quant au bonheur de Martine, c'est pas à vous d'en décider, c'est à moi!

Elle sort et Jérémie est tellement sidéré qu'il ne pense pas à la retenir.

JÉRÉMIE. Mais qu'est-ce qu'elle a? Je la reconnais plus! Chaque fois que je crois pouvoir la reprendre, on dirait qu'elle fait exprès pour susciter de nouveaux obstacles... comme si elle m'aimait plus! *(Se secouant la tête.)* Non, non, je dois me tromper! Clothilde, aide-moi! Bon Dieu, qu'est-ce qu'il aurait fallu que je lui dise pour qu'elle reste?

Il va s'asseoir dans son fauteuil où il se laisse choir.

JÉRÉMIE, *avec découragement.* Je sais plus comment lui parler! Je sais plus quoi lui dire! Je sais plus ce qu'il faudrait faire...

Il s'arrête, se souvenant des paroles de Clothilde.

VOIX DE CLOTHILDE. Épouse-la, Jérémie. Donne-lui ton nom...

JÉRÉMIE, *secouant la tête.* Non, Clothilde, non! L'épouser!... *(Il continue à secouer la tête, protestant contre cette idée, puis s'arrête perplexe. Dans un murmure.* Annette, veux-tu être ma femme?... Bien sûr à cette condition-là, c'est évident qu'elle resterait! *(Il secoue la tête de nouveau.)* Mais je peux pas! je peux pas!

On frappe à la porte de Maurice. Il s'étonne, le cœur battant. Martine?... Mais non! Pourquoi?... Ils n'ont plus rien à se dire...On frappe de nouveau. Plusieurs fois. Il se décide enfin à ouvrir, et recule pour laisser entrer Martine. Elle fait quelques pas, n'osant le regarder. Maurice ferme la porte et détourne les yeux. Moment de tension et de silence. Maurice se ressaisit le premier.

MAURICE, *s'appuyant sur sa chaise. D'une voix mal assurée.* Qu'est-ce que tu viens faire ici?

MARTINE, *lui tournant le dos.* Il fallait que je te vois... Que je te parle...

MAURICE, *violemment, faisant un pas vers elle.* Eh! bien, je suis là, regarde-moi! Parle-moi! Dis-le ce que t'as à dire. Dis-le et va-t'en!

MARTINE, *désespérée.* Parle-moi pas comme ça! *(Elle vient se jeter dans ses bras.)* Je t'aime, Maurice!

Il la repousse brusquement.

MAURICE. Me prends-tu pour un imbécile? Si je comptais pour toi, m'aurais-tu laissé poireauter tout ce temps-là?

MARTINE. J'essayais de plus t'aimer! Je voulais plus t'aimer. Mais c'est pas possible! Je pense à toi tout le temps, Maurice! tout le temps!

Elle va de nouveau se jeter dans ses bras. Bouleversé, il ne la repousse plus. Regards, suivis d'un long baiser si ardent qu'ils tombent sur le lit de Maurice. Et y restent.

Le corridor des domestiques. Philippe s'avance vers la chambre de Martine.
Il hésite devant la porte entrouverte et frappe doucement.

PHILIPPE. C'est moi, Martine... Puis-je entrer?
Annette vient ouvrir la porte.

PHILIPPE, *étonné.* Madame Julien?... Excusez-moi, je voulais...
parler à Martine...
Annette le regarde avec perplexité d'abord puis semble se résoudre subitement.

ANNETTE. C'est aussi pour ça que je suis venue, mais elle n'est
pas ici. Voulez-vous entrer, nous l'attendrons ensemble...
Philippe entre, Annette referme la porte.

PHILIPPE, *ému, regarde autour de lui.* Sa chambre... C'est la première
fois que j'y viens...
Annette se met à rire.

ANNETTE. Vous savez, c'est une chambre semblable à toutes les
chambres des domestiques de la maison! Et qui restera exactement la même quand Martine s'en ira.

PHILIPPE. Elle a quand même vécu dans cette pièce! *(Il sourit.
Timidement.)* Mais vous me trouvez sans doute trop sentimental?

ANNETTE, *doucement.* À quoi bon donner aux choses une importance qu'elles ont pas?

PHILIPPE, *la regardant.* Vous êtes franche, directe... Comme
Martine! Dites-moi la vérité, je vous déplais?
Annette a un mouvement de protestation.

PHILIPPE. Ce mariage, en tout cas, vous déplaît, je le sens.

ANNETTE, *hésitant.* J'aurais préféré parler à Martine avant de vous
dire ce que j'en pense.

PHILIPPE. Puisqu'elle n'est pas là!...

ANNETTE, *perplexe.* D'ailleurs, après ce qu'elle m'a dit ce matin, je
vois pas comment elle pourrait me faire changer d'opinion. Oui,
ce mariage me déplaît... *(Vivement.)* Mais pas à cause de vous!

PHILIPPE. Alors pourquoi?...

ANNETTE. Parce que toute l'expérience de ma vie m'a appris
que rien de bon peut sortir d'une situation fausse.

PHILIPPE. Fausse? Il n'y a rien de faux entre Martine et moi,
Dieu merci!

ANNETTE, *doucement.* Elle ne vous aime pas, Philippe. Je regrette
de vous faire de la peine mais il faut que vous le sachiez.

PHILIPPE. Je le sais déjà. Martine ne m'a rien caché.

ANNETTE, *surprise.* Vous savez aussi qu'elle aime Maurice?

PHILIPPE. Là aussi vous vous trompez! Elle n'aime pas Maurice! Elle me l'a affirmé catégoriquement.

ANNETTE. Alors elle vous a menti!

PHILIPPE, *protestant vivement.* Elle ne peut pas m'avoir menti! Dites-moi qu'elle a tous les autres défauts du monde, mais ne me dites pas qu'elle peut mentir! Je connais sa franchise. Avec elle on sait toujours à quoi s'en tenir.

ANNETTE, *doucement.* Ce matin encore, elle me parlait de lui! «J'arrive pas à le chasser ni de ma tête, ni de mon cœur». Voilà ce qu'elle m'a dit. Comment appelez-vous ça, si c'est pas de l'amour?

PHILIPPE. Excusez-moi, mais je ne peux pas vous croire!

ANNETTE. C'est parce qu'il est pauvre qu'elle le fuit. Ça aussi, elle me l'a dit! Et redit! Rien ne lui fait plus peur que la pauvreté!

PHILIPPE, *avec obstination.* Je le sais! Tout comme je sais qu'elle ne m'aime pas. Je connais même le mobile qui la pousse à m'épouser. Nous en avons parlé... Notre mariage n'est pas un mariage d'amour, je vous l'accorde. Il sera bâti sur l'amitié, sur le besoin que nous avons l'un de l'autre. Pourquoi l'amitié ne serait-elle pas aussi valable que l'amour?

ANNETTE. Une amitié qui repose sur le mensonge?

PHILIPPE, *avec obstination.* Elle n'aime pas Maurice. Elle n'aime pas Maurice!

ANNETTE, *après un moment d'hésitation.* Bien! Mettons que je mente. Mais pour quelle raison? Dans quel but? Pourquoi est-ce que je m'opposerais au bonheur de Martine, si je pensais que ce mariage peut la rendre heureuse?

> *Philippe, ébranlé par la logique de ces arguments, commence à douter de Martine. Mortellement inquiet, il se tourne vers Annette, rassemblant toute son énergie.*

PHILIPPE, *durement.* Si vous voulez que je vous crois, jurez-moi que Martine elle-même vous a dit qu'elle aimait Maurice. Jurez-le-moi! Sur ce que vous avez de plus cher, de plus précieux, de plus sacré...

ANNETTE. Sur la tête de Martine, je vous le jure.

> *Philippe reçoit cette affirmation comme un coup de massue.*

PHILIPPE, *après un temps.* Ce matin même?

ANNETTE. Ce matin même.

> *Philippe la regarde si longuement qu'Annette fait un pas vers lui et met sa main sur son bras.*

ANNETTE. J'aime pas vous faire de la peine, Philippe... Mais est-ce qu'il valait pas mieux que vous le sachiez?

Mais le regard de Philippe ne se pose plus sur elle, et semble fixer un point dans l'espace.

PHILIPPE, *d'une voix désabusée, lointaine.* Céline avait raison. Le monde est pourri.

ANNETTE. Écoutez-moi!... Martine est encore une enfant! Et la vie lui a été si difficile! Essayez de la comprendre, essayez surtout de pas juger le monde entier à travers elle!

PHILIPPE, *de la même voix lointaine.* Le monde est pourri, pourri, pourri...

Il s'éloigne. Annette le suit des yeux avec anxiété.

La chambre de Maurice. Maurice et Martine sont toujours dans les bras l'un de l'autre, étendus sur le lit. Le visage de Maurice est sombre et fermé. Celui de Martine reflète l'amour et le ravissement. Au bout d'un moment, Maurice se dégage et aide Martine à se relever.

MARTINE. Ah! Maurice que c'est bon de t'aimer! Et que c'est bon de te le dire!

MAURICE, *sombre.* Oui, moi aussi je t'aime. Mais va-t'en maintenant.

Martine surprise le regarde.

MARTINE. Quoi?...

MAURICE, *durement.* Oui, va-t'en! Qu'est-ce que tu croyais donc? Qu'à partir de maintenant, tu viendrais ici tous les soirs te rouler dans mes bras en cachette, et que tu passerais le reste de ton temps à te balader avec Philippe Beaujeu?

MARTINE, *désespérée.* Tais-toi, t'as rien compris! *(Elle le prend par le cou.)* Oh! tais-toi! Crois-tu qu'il pourrait encore être question de Philippe maintenant? Je suis à toi! À toi seulement! J'épouserai pas Philippe!

MAURICE, *sarcastique.* Ah! bon! Il t'a aussi demandée en mariage? Et combien de temps as-tu pris, pour lui donner sa réponse à lui? Combien de temps?

Martine se redresse, prête à rendre coup pour coup.

MARTINE, *durement.* Même pas un jour complet! Il m'a demandé hier soir d'être sa femme, et ce matin j'acceptais!

MAURICE, *suffoqué par le choc.* Tu acceptais! Tu acceptais!... Tu te fiances le matin et le soir tu te donnes à un autre?

MARTINE, *désespérée.* Juge-moi pas comme ça! Comprends donc que je m'étais juré de plus t'aimer! Je voulais pas t'aimer, je te l'ai dit! Je savais pas que c'était impossible et que je pourrais jamais vivre avec un autre homme que toi.

407

MAURICE. Mais je m'en moque de ton amour! Qu'est-ce qu'il vaut ton amour? Égoïste, ambitieuse. Je te connais maintenant! Depuis trois mois que je te regarde vivre, que je cherche à te comprendre... «je t'aime, je t'aime!» Ah! ça tu sais le dire, mais t'as même pas eu le courage de venir m'annoncer que tu serais jamais ma femme!

MARTINE, *balbutiant.* Je venais... Je venais te le dire aujourd'hui! Et que j'épouserais pas Philippe! Je venais pour ça... Je savais pas qu'en te voyant, tout changerait et que... Oh! Maurice, essaie de comprendre!

MAURICE. C'est tout compris! Ta réponse, je la connaissais déjà. Le lendemain de ton retour, je suis allé frapper à la porte de ta chambre... Tu as fait semblant de pas m'entendre, t'en souviens-tu?

MARTINE. Je... Je pouvais pas te donner de réponse ce jour-là. Tout était encore trop mêlé dans ma tête! Essaie de comprendre, essaie!

MAURICE. Tout était clair au contraire! T'avais changé d'idée parce que t'avais plus besoin de moi! J'ai tout entendu, Martine. Ce que tu disais de ma famille... *(Avec effort.)* Et que tu m'épouserais jamais par crainte de mener une vie de pauvreté comme ma mère! J'ai tout entendu!...

MARTINE. Oh! Maurice, j'te demande pardon!... J'te demande pardon!

MAURICE. Va-t'en maintenant. Qu'est-ce qu'on pourrait encore avoir à se dire?

MARTINE. Je veux être ta femme! Quoiqu'il arrive, je veux être ta femme!

MAURICE. Tais-toi donc! Oh! Tais-toi donc! Tu changeras encore d'idée demain! Va-t'en...

MARTINE, *suppliante.* Maurice!

MAURICE, *avec une rage désespérée.* Va-t'en! Et reviens plus! Va-t'en! Est-ce qu'il faut te le dire cent fois? Va-t'en! Et reviens plus jamais!

Martine humiliée et bouleversée hésite un moment et s'éloigne avec une plainte. Maurice ferme brusquement la porte et se jette sur son lit, plus désespéré que jamais.

La bibliothèque où Jérémie marche de long en large, ému et troublé.

JÉRÉMIE. Annette après Clothilde... Non, non, c'est pas faisable! Ça serait comme un retour en arrière... à mes origines!... Une façon d'admettre publiquement que j'aurais jamais dû sortir de mon milieu de campagne!... Le petit gars de Sainte-Anne-de-Remington qui remonte à la surface!... Non, non, c'est pas possible, pas possible!...

Annette, le regard sombre, attend toujours. Enfin des pas précipités dans le passage. Et Martine paraît, bouleversée, et se jette dans ses bras.

MARTINE. Maman!...

ANNETTE, *alarmée.* Mon Dieu, qu'est-ce que tu as?...

MARTINE. J'ai vu Maurice... J'ai vu Maurice... Oh! maman, je l'aime!

ANNETTE, *ironique.* Ah! vraiment!...

MARTINE, *désespérée.* Je l'aime!

ANNETTE. Et tu trouves ça honnête d'épouser Philippe quand tu aimes Maurice?

MARTINE, *geste de protestation.* Y en est plus question, je l'épouse plus maman! Je l'épouse plus, rassurez-vous!

ANNETTE. C'est lui qu'il faut rassurer, pas moi!

MARTINE, *douloureusement.* J'ai compris trop tard, mais j'ai compris.

ANNETTE. Pourquoi trop tard, puisque...

MARTINE, *pleurant.* Trop tard! Maurice veut plus de moi! Il m'a même mis à la porte de sa chambre!

Annette la prend dans ses bras.

ANNETTE. Attends! Désespère pas si vite. Pour l'instant, essaie de penser à Philippe...

MARTINE. Je dirai tout à Philippe! Je lui dirai tout, mais pas maintenant, pas tout de suite. J'ai trop de peine...

Annette la prend par les épaules et la secoue.

ANNETTE. Martine, écoute-moi! Et oublie-toi, pour une fois! Il faut que tu parles à Philippe! Je lui ai dit que tu aimais Maurice, il est parti désespéré.

MARTINE, *protestant vivement.* Vous lui avez dit?... Il fallait pas! Oh! pourquoi avoir fait ça?

ANNETTE. Parce que tu lui avais menti, et qu'il mérite mieux que ça! Il mérite mieux qu'une fille qui l'épouse uniquement pour son argent.

MARTINE. C'était pas pour son argent! C'était bien plus important que ça!

ANNETTE, *irritée.* Oui, oui, bien sûr! Tes études, tes fameuses études!

MARTINE, *violemment.* C'était pas pour ça non plus! Oh! comme vous vous trompez! C'est à cause de vous que j'ai accepté! À cause de vous! Pour vous délivrer du poids de ma présence...

ANNETTE, *bouleversée.* Me délivrer, moi!...

MARTINE. C'est seulement quand vous m'avez dit que vous l'aimiez encore... Lui!... *(Elle va dire le nom de Jérémie mais ne peut s'y résigner.)* Lui!... Vous savez bien de qui je parle! Que j'ai accepté d'épouser Philippe! Parce que j'avais pas d'autre moyen de vous libérer de vos responsabilités!

ANNETTE, *la prenant dans ses bras.* Ah! Martine, Martine, ma pauvre folle! Moi qui étais si heureuse de pouvoir enfin faire quelque chose pour toi! T'avais donc pas compris?

MARTINE. Je voulais pas que vous vous sacrifiiez! Je l'ai dit à Philippe. Il a accepté tout de suite que je l'épouse pour ça! Sans hésiter!...

ANNETTE, *atterrée.* À cause de moi!... Et il m'en a rien dit!

MARTINE. Il fallait pas lui parler de Maurice! C'était la chose du monde qui pouvait lui faire le plus de mal! Il faut que je le vois!... Que je lui explique...

On entend claquer un coup de revolver. Elles sursautent toutes les deux.

ANNETTE. Qu'est-ce que c'est?...

MARTINE, *angoissée.* Un coup de feu?...

ANNETTE, *baissant la voix, angoissée.* Non! Non!

MARTINE. Mon Dieu!

Elles s'élancent toutes les deux vers le corridor.

Jérémie accablé sort de la chambre de Philippe et referme la porte. Annette et Martine arrivent précipitamment, angoissées.

ANNETTE. Qu'est-ce qui s'est passé?

MARTINE. C'était un coup de feu? Un coup de feu?

JÉRÉMIE, *s'adossant au mur.* Un accident... épouvantable... épouvantable...

MARTINE, *s'approchant de lui.* Philippe?... C'est Philippe?...

Mais elle n'attend pas la réponse et se précipite vers la porte. Jérémie lui barre le passage.

JÉRÉMIE, *avec effort.* Non!... Entre pas! Je t'en supplie!

MARTINE. Je veux le voir, laissez-moi passer!

JÉRÉMIE, *la retenant sans la brusquer.* Il est mort! Il est mort, Martine!

MARTINE. Non non! Oh! non!

Martine éclate en sanglots. Annette la prend dans ses bras. Jérémie s'appuie à la rampe.

ANNETTE, *horrifiée.* Mais qu'est-ce qui est arrivé? Comment est-ce arrivé?...

JÉRÉMIE. Le revolver... tu te souviens, je lui avais demandé de le rapporter... Je sais pas ce qui s'est passé... Il a dû s'accrocher, tomber... Je comprends pas! Le coup est parti... Un accident tellement bête... *(Accablé.)* Tellement bête! J'arrive pas à comprendre...

MARTINE. Il s'est tué, maman!

ANNETTE, *voix étouffée.* Tais-toi! Tais-toi!

JÉRÉMIE, *bouleversé.* C'est un accident, Martine! Ça me fait de la peine pour toi... Martine, veux-tu me croire?

Martine secoue la tête incapable de parler et se sauve en courant. Jérémie retient Annette qui allait la suivre.

JÉRÉMIE, *suppliant.* Reste avec moi!

ANNETTE. Martine?...

JÉRÉMIE. Oui, oui, va... Va la rejoindre.

Elle s'éloigne. Jérémie, plus seul que jamais, la suit des yeux. René qui s'approchait, s'arrête. Jérémie se tourne vers lui.

RENÉ. Excusez-moi, mais Albert m'envoie... vous demander... Nous étions dans la cuisine et nous avons cru entendre... entendre...

JÉRÉMIE, *avec effort.* Un coup de feu... Oui! Un accident... Le pire!... Je vais appeler un médecin... Ou plutôt, fais-le pour moi, veux-tu? Appelle notre médecin de famille, le docteur Augier...

RENÉ. Mais, qu'est-ce qu'il faudra lui dire?

JÉRÉMIE, *se redressant pour cacher son émotion.* Simplement lui demander de venir constater... la mort... la mort de mon neveu, Philippe Beaujeu.

RENÉ, *saisi.* Monsieur Philippe!...

JÉRÉMIE, *près du désespoir.* Monsieur Philippe, oui.

Il donne un coup de poing sur la rampe puis un autre, puis un autre, tandis que René s'éloigne non sans tourner la tête vers lui.

JÉRÉMIE, *d'une voix étouffée par l'indignation.* Monsieur Philippe, oui!... Monsieur Philippe qui pour la première fois de sa vie était enfin heureux!

La chambre de Jean-Marie Mounier.

MOUNIER. Comment nos impulsions pourraient-elles nous faire commettre autre chose que des erreurs, puisqu'elles proviennent de la part la plus irrationnelle de notre personnalité?

Beaujeu fait une grimace.

MOUNIER, *surpris*. Pourquoi la grimace?

BEAUJEU. Parce que j'ai un faible pour l'irrationnel!

MOUNIER, *curieux*. Développez, développez...

BEAUJEU. Saint-François d'Assises par exemple, que j'ai toujours admiré... Si on juge sa vie d'une façon rationnelle, peut-on imaginer une vie plus chargée d'actes irrationnels que la sienne?

MOUNIER. Ah! mais il était inspiré par l'amour! L'amour le plus pur! C'était un fou de Dieu! C'est triché de prendre un exemple aussi exceptionnel, alors que je parlais de gens ordinaires comme vous, moi et les autres!

BEAUJEU, *amusé, se lève et remet son manteau*. Oui, tenons-nous-en à ça! Et rassurez-vous, je renonce aux grands départs... Après tout, pour ce que j'en sais, le coin le plus reculé du monde est peut-être à l'intérieur de moi, ici et maintenant!

MOUNIER, *souriant*. Bravo! Au niveau de nos connaissances actuelles, les miennes comme les vôtres, ça me paraît être la parole la plus sage que l'on puisse énoncer, ici et maintenant, comme vous dites!

BEAUJEU. Merci de votre approbation, monsieur Descartes.

Ils rient légèrement tous les deux en se serrant la main.

29

C'est quoi la vie? C'est quoi?

Jérémie et Beaujeu sortent du vestiaire et suivent René qui va ouvrir les portes de la bibliothèque. Jérémie, qui semble profondément bouleversé, ne peut s'empêcher de jeter un coup d'œil vers le salon. René se tourne vers lui.

RENÉ, *vivement.* Le salon a été remis en ordre, Monsieur.

JÉRÉMIE, *se détournant.* Tu refermeras les portes. Et vois à ce qu'elles restent fermées.

RENÉ. Bien, Monsieur. Heu... J'ai refait les valises de monsieur Philippe. Faut-il les laisser dans la chambre qu'il occupait?

JÉRÉMIE, *sombre.* Non, non, que Maurice aille les porter chez lui... Je veux dire, chez ses parents. Je lui donnerai l'adresse.

RENÉ. Bien, Monsieur.

Il s'éloigne. Jérémie entre et va s'asseoir, l'air accablé. Beaujeu vient le rejoindre et lui tend une boîte de cigare. Jérémie secoue la tête.

BEAUJEU. Votre pipe, peut-être?...

JÉRÉMIE. Offre-moi donc de la gomme baloune, pendant que tu y es! Me prends-tu pour un enfant? Je veux rien! Rien que ta présence si c'est pas trop te demander.

BEAUJEU, *chaleureusement.* Je vous ai dit que ma journée vous appartenait.

JÉRÉMIE. Le fait que tu sois là, ça me force à... comment je dirais...? À rester dans la réalité...

BEAUJEU. C'est quoi la réalité pour vous?

JÉRÉMIE, *mécontent.* Je le sais plus justement! Je suis tout mêlé depuis l'accident de ce pauvre Philippe! Je comprends plus rien! Sa mort par exemple... As-tu jamais rien vu de plus bête qu'une mort pareille? J'ai beau retourner ça dans ma tête, c'est aussi obscur là-dedans que dans un puits sans fond! Je comprends pas, non, je comprends pas!

BEAUJEU. Le matin des funérailles de maman, vous sembliez pourtant avoir des idées bien définies sur la mort? Je vous entends encore nous dire cette phrase qui avait tant scandalisé Michel! «Pour mourir, il faut consentir à mourir!» Vous souvenez-vous? Et aussi: «Quand on veut vivre, on vit!» Avec quelle énergie vous l'affirmiez!

JÉRÉMIE. Mais je le croyais! Je l'ai toujours cru! Seulement, vas-tu me dire que ça peut s'appliquer à Philippe? Un garçon de vingt-cinq ans!... Qui venait de se fiancer, qui était plus heureux qu'il l'avait jamais été de sa vie!... *(Soupirant.)* Je sais plus quoi penser, c'est bien ça qui me tracasse! Un homme a besoin de certitudes. Moi en tout cas, j'en ai besoin. Je suis pas tranquille quand je peux pas me faire une opinion nette sur la vie.

BEAUJEU, *qui ne peut s'empêcher de sourire.* C'est plus confortable, évidemment!

JÉRÉMIE. Tu l'as dit! Ça me dérange de pas comprendre! *(Soupirant.)* Ce qu'il y a de bête, c'est que... Hé oui, on dirait que plus je vieillis, moins je comprends! Qu'est-ce que c'est la vie au fond? J'aimerais bien ça le savoir. C'est quoi?...

BEAUJEU. Avouez que vous n'y avez jamais beaucoup réfléchi jusqu'ici.

Jérémie soucieux, hausse les épaules.

JÉRÉMIE. On devrait savoir ces choses-là sans réfléchir, depuis le temps qu'il y a des hommes sur la terre. Des hommes qui naissent, des hommes qui meurent...

BEAUJEU. Peut-être faut-il faire l'effort de chercher?... Il y a des gens qui passent leur vie à ça!

JÉRÉMIE, *méfiant.* Les gens d'église? Je sais plus s'il faut croire ce qu'ils racontent!

Beaujeu, *amusé.* Je ne parlais pas d'eux en particulier...

Jérémie hoche la tête et se tourne vers lui, hésitant.

JÉRÉMIE. Toi, est-ce que tu y penses à ces... à ces affaires-là?...

BEAUJEU. Depuis quelque temps, oui...

Jérémie le regarde un moment, perplexe.

JÉRÉMIE, *bourru.* Est-ce que c'est pour ça que t'es plus jamais à ton bureau...

BEAUJEU, *souriant.* Vous ne trouvez pas que ça en vaudrait la peine?

JÉRÉMIE, *après l'avoir regardé en silence.* Laurent prétend que tes associés sont en diable contre toi, que tu fais plus rien, que tu négliges tes clients...

BEAUJEU. C'est plus ou moins vrai...

Jérémie, repris par ses préoccupations habituelles, s'inquiète aussitôt.

JÉRÉMIE. Aïe! Fais pas le fou, Beaujeu! Tu fais partie d'un des plus gros bureaux de la ville. Maudit, néglige pas ça! Regarde ton frère !... Il a les pieds sur terre, lui, je te le dis. Ses intérêts, il les surveille !

BEAUJEU, *surpris et amusé.* Me citez-vous Laurent en exemple ?

JÉRÉMIE. Ben !... Je pense qu'il se débrouille bien avec nos matériaux de construction. Je suis content de lui. Oui, je suis content de lui.

BEAUJEU. J'espère au moins qu'il le sait ?

JÉRÉMIE, *bourru.* Du moment que je lui fais pas de reproches c'est que j'ai pas à me plaindre de lui. Comme je disais à Philippe l'autre jour...

> *Il s'arrête rembruni.*

BEAUJEU. Comme vous disiez à Philippe ?

JÉRÉMIE. Ce pauvre petit gars... Je pensais déjà plus à lui !

BEAUJEU. Faut-il vous rappeler une phrase de l'Évangile que vous nous citiez encore le jour des funérailles de maman ? « Laissez les morts ensevelir les morts ! »

JÉRÉMIE, *saisi.* J'ai dit ça, ce jour-là ?

BEAUJEU. La mort de Philippe vous fait-elle plus de peine que celle de maman ?

> *Jérémie se lève bouleversé.*

JÉRÉMIE. Dis donc pas de bêtises !... Dis donc pas de bêtises !... Des fois, t'as l'air d'en comprendre plus long que les autres, mais à d'autres moments, c'est à croire que t'es encore moins avancé que moi !

> *Beaujeu se tait. Jérémie va chercher sa pipe.*

JÉRÉMIE, *cachant mal son bouleversement.* Elle t'avait laissé un médaillon, t'en souviens-tu ?

BEAUJEU. Ce serait difficile de l'oublier, je le porte toujours sur moi.

JÉRÉMIE, *déçu.* Donc, tu y tiens toujours ?...

BEAUJEU. Il y a peu de choses au monde à quoi je tienne autant.

> *Jérémie se tourne vers lui. Ils se regardent un moment.*

JÉRÉMIE. Tu vois, je te le demande pas...

BEAUJEU, *souriant.* Merci...

> *Jérémie va se rasseoir et allume sa pipe.*

JÉRÉMIE, *ton un peu bourru pour cacher son malaise.* Puisqu'on parle de ta mère, je voulais te dire... L'argent qu'elle avait laissé pour Annette... C'est fait. C'est réglé. Gabriel va s'en occuper.

BEAUJEU. Ah !... *(Après un temps.)* Dommage...

> *Jérémie, étonné, se tourne vers lui.*

BEAUJEU. Maman vous avait suggéré une autre solution...

JÉRÉMIE, *avec un demi-sourire, lentement.* Oui... Une autre solution...

Beaujeu surpris de ne pas l'entendre protester, se rapproche de lui.

JÉRÉMIE, *sans le regarder.* Tu prétendais même qu'elle en parlait dans... tu sais, cette espèce de cahier... que tu disais qu'elle t'avait laissé...

BEAUJEU. Voulez-vous connaître les mots exacts dont elle s'est servi?

Beaujeu sort le cahier de sa poche. Jérémie a un vif mouvement d'intérêt.

BEAUJEU. Je peux vous lire cette page... à la condition que vous ne cherchiez pas à savoir ce qui suit.

Jérémie, ému, penche la tête en signe d'acquiescement. Beaujeu cherche la page.

BEAUJEU. C'est ici... Fermez les yeux et vous allez l'entendre...

JÉRÉMIE. Vas-y, j'écoute...

CLOTHILDE. Je préférerais cent fois, mille fois, que ton père garde cette somme et qu'il épouse Annette, mais l'énergie avec laquelle il a protesté contre cette idée me laisse peu d'espoir. Il est évident qu'il croirait s'abaisser en épousant cette femme de son village au moment où il atteint le sommet de sa puissance. Et pourtant, Beaujeu, pourtant je peux te jurer, moi qui la regarde vivre depuis six mois, qu'Annette vaut mieux que lui et moi. Il y a dans cette femme une capacité d'engagement et de renoncement que je n'ai jamais pu atteindre, et qui se fait presque à son insu, comme la terre donne ses plus beaux fruits sans le savoir et sans les compter...

JÉRÉMIE, *bouleversé.* C'est vrai... Oui, c'est vrai... c'est vrai...

La cuisine. Assise dans la chaise berçante, près de la fenêtre, immobile, le corps un peu penché en avant, Annette pèse le poids de ses responsabilités avec une profonde lassitude. Albert paraît dans les dernières marches de l'escalier de service. Il porte son manteau sur son bras et tient son chapeau et un journal.

ALBERT, *mécontent.* T'es pas plus avancée que ça? Qu'est-ce que tu fais? Va t'habiller!

ANNETTE. Je suis trop fatiguée, Albert. Cet après-midi, si tu veux, ou ce soir, tiens...

ALBERT. Mais quelqu'un va finir par le prendre, cet appartement-là si on attend trop! Ça fait déjà trois jours qu'il est annoncé!

Annette ne répond pas. Albert s'exaspère.

ALBERT. C'est exactement ce qu'il nous faut. Tu l'as dit toi-même! Le nombre de pièces, le prix, la situation, le locataire qui est prêt à vendre son mobilier, on retrouvera jamais ça!

ANNETTE. Je suis à bout de forces, Albert! Laisse-moi au moins la journée pour me reprendre!

ALBERT, *excédé.* T'avais juré que tu trouverais un appartement avant ma fête. C'est demain ma fête, Annette, demain! Pis on est pas plus avancé!

ANNETTE, *soupirant.* C'est vrai, Albert, c'est vrai, mais...

ALBERT, *s'emportant, fébrile.* Dis donc la vérité, maudit, quant à faire! Dis-le donc que tu veux pas partir d'ici! Me prends-tu pour un fou?

Annette le regarde, saisie, s'interrogeant visiblement.

ALBERT. Chaque fois qu'il s'agit de visiter des appartements, tu trouves le moyen de remettre ça à plus tard! Mais ça crève les yeux à la fin que tu veux pas t'en aller. T'aurais pu me le dire! Je serais parti à Sainte-Anne-de-Remington avec Martine! Je serais pas resté ici pour recommencer toute cette histoire-là! Le cercueil dans le salon, les fleurs, les gens qui entraient et qui sortaient... La maison pleine de voix étouffées... J'en dormais plus! Le soir, il me semblait toujours que c'était madame Martin qui était exposée dans le salon...

ANNETTE. Tais-toi donc...

ALBERT. Penses-tu que c'est bon pour quelqu'un qui relève d'une jaunisse? Le cœur me bat à la journée longue comme une vieille patate! On dit toujours: «Jamais deux sans trois», eh bien, si je continue à vivre ici, ce sera moi, le prochain cadavre de la maison! Tu seras bien avancée!

Annette se lève et l'attire dans ses bras.

ANNETTE. Veux-tu bien te taire!

ALBERT, *se serrant contre elle. Voix étouffée.* Comprends donc que je peux pas m'empêcher de trembler tant que je vivrai ici!

ANNETTE, *résolue.* Va me chercher mon manteau.

ALBERT, *méfiant, prêt à se fâcher.* Annette!

ANNETTE. Je vais voir l'appartement avec toi. *(Fébrilement.)* Et le louer si c'est possible! T'as raison, il faut en finir une fois pour toutes avec cette maison!

Elle regarde autour d'elle pendant qu'Albert s'éloigne pour aller chercher son manteau. La porte donnant sur l'extérieur s'ouvre et Maurice paraît. Uniforme de chauffeur. Annette, saisie, s'appuie à la chaise pour ne pas tomber.

ANNETTE. C'est fini ?...

Maurice, sombre, enlève son veston et va l'accrocher sans répondre, croisant Albert qui revient avec le manteau de sa sœur. Annette, chancelante, s'assoit sur le bord de sa chaise.

ANNETTE. C'est fini !...

ALBERT, *impatient.* Annette ! Ton manteau !

ANNETTE. Je suis pas capable, Albert... Je t'en supplie, vas-y tout seul ce matin, et moi j'irai ce soir...

Il jette par terre le manteau d'Annette qui ne proteste même pas.

ALBERT. Encore des promesses ! Toujours des promesses !

Il reprend son manteau, chapeau, journal et se dirige vers la porte.

ALBERT. Oui, je vais y aller ! Oui ! Parce que si je compte sur toi, on sera encore ici dans cent ans !

Il sort en claquant la porte. Annette soupire de lassitude et se tourne lentement vers Maurice qui va s'asseoir devant la table pour se rouler une cigarette. Un silence.

ANNETTE, *après un moment.* Je voulais... J'aurais voulu aller à l'enterrement... J'aurais dû y aller... J'ai pas eu le courage...

Maurice hausse les épaules.

MAURICE. Faites-vous donc pas de reproches ! Sa mère elle-même a pas eu le cœur de revenir d'Europe... Et son père est tout juste arrivé à temps pour le voir mettre en terre. *(Sarcastique.)* Et c'est pas tout ! Même sa fiancée s'est pas montrée ! Comprenez-vous ça ? Sa fiancée !

Annette ne répond pas.

MAURICE. Entre nous, vous trouvez pas qu'elle aurait dû être là ? Pauvre diable, moi qui l'enviais, moi qui le détestais, j'ai pas pu m'empêcher de prier pour lui, tandis qu'elle !...

ANNETTE. Vous devenez méchant...

MAURICE. Oh ! je pourrais l'être plus que ça ! Leur version de l'accident par exemple, vous me direz pas...

ANNETTE. Maurice...

MAURICE, *sarcastique.* Ah ! Vous y avez pensé vous aussi à ce que je vois ? Je commence à comprendre pourquoi Martine est partie à Sainte-Anne-de-Remington ! *(Avec mépris.)* Elle pouvait pas supporter la conséquence de ses actes, je suppose ? Je la reconnais bien là !

ANNETTE. Vous êtes plein de haine, de rancœur... Je vous reconnais plus !

MAURICE. Osez donc affirmer que Martine est pas responsable de la mort de Philippe Beaujeu ? Il y a pas eu d'accident ! Philippe s'est tué, c'est ça qui est arrivé.

ANNETTE, *se détournant. Horrifiée.* C'est un accident! Le médecin l'a dit lui-même.

MAURICE. Peuh! Il a dit ce que tout le monde voulait lui entendre dire.

ANNETTE. Vous mettez sa parole en doute sans même le connaître!

MAURICE. Je le sais moi, ce qui est arrivé... J'y pense depuis trois jours! En sortant de ma chambre, Martine est allée retrouver Philippe pour...

Annette secoue vivement la tête.

MAURICE. Oh! oui, c'est ça qui s'est passé, j'en suis sûr! J'avais moi-même désespéré Martine! Il a fallu qu'elle se venge sur lui! Et ce qu'elle lui a dit, je le sais aussi...

ANNETTE. Vous vous trompez! Vous vous trompez!...

MAURICE. Que c'était moi qu'elle aimait, qu'elle l'épouserait pas, que...

ANNETTE, *éclatant.* Taisez-vous! Mon Dieu, finirez-vous par vous taire! Martine a même pas vu Philippe avant qu'il meure!

MAURICE. Je vous crois pas!

ANNETTE. Je suis la dernière à l'avoir vu! Si c'est pas un accident, c'est moi qu'il faut blâmer! C'est moi qui lui ai dit que Martine vous aimait! Il refusait... Oh! comme il refusait de croire que Martine lui avait menti! Je revois encore son visage, son regard... Si blessé! *(Elle secoue la tête pour chasser cette image.)* C'est moi qui lui ai tout dit! C'est pas Martine, c'est moi qui l'ai désespéré... ce garçon si doux, si tendre... Oh! j'ai tant de peine pour lui, Maurice, tant de peine!

MAURICE. Je vous demande pardon...

ANNETTE. Tous vos doutes sur la mort de Philippe... J'ai pas cessé de les éprouver moi-même depuis que le coup de feu a éclaté dans la maison.

MAURICE, *avec remords, se rapprochant d'elle.* La colère m'aveuglait! Ma rage contre Martine... Je vous supplie d'oublier ce que j'ai dit. Après tout, c'était seulement des suppositions.

ANNETTE. Seulement oui! Mais des suppositions qui confirment tellement les miennes!... Du moins, les plus mauvaises de mes suppositions! Parce qu'à d'autres moments, je me trouve injuste et mesquine de croire que Philippe n'aurait pas eu le courage de supporter son désespoir.

419

MAURICE, *bouleversé.* Je me suis peut-être trompé sur lui... Comme sur Martine...

ANNETTE, *mouvement d'amertume et de colère.* Hé! oui, tout le monde se trompe sur tout le monde et pourtant, on passe notre vie à s'expliquer! Tous ces mots, tous ces mots qui disent rien, qui nous trahissent, qui nous apprennent rien sur les autres! J'en arrive, comme maman, à plus rien souhaiter d'autre que le silence! Le pur silence!

Maurice la regarde avec désolation.

MAURICE. Madame Julien... Une dernière chose seulement! Tantôt vous protestiez parce que je mettais en doute la parole du médecin...

ANNETTE, *avec désespoir.* Ah! c'est que je me raccrochais depuis trois jours à l'honnêteté de ce médecin! Mais maintenant, je me dis comme vous, qu'il a peut-être seulement cherché à rassurer la famille en laissant croire à un accident!

MAURICE, *avec un pas vers elle.* Pourquoi est-ce que vous iriez pas le voir vous-même? Vous avez tant d'intuition, tant de compréhension... Il me semble que vous auriez pas besoin de lui parler longtemps pour savoir à quoi vous en tenir...

ANNETTE. Aller le voir?...

MAURICE. J'irai avec vous si vous voulez? Ce soir quand vous serez reposée.

ANNETTE, *pensive.* Oui, vous avez raison. Le voir, l'interroger...

Elle se tourne vers Maurice qui lui sourit avec espoir. Beaujeu paraît dans l'entrée de l'escalier de service et s'approche d'eux.

BEAUJEU. Je m'excuse de vous déranger... *(À Annette.)* Mon père aimerait vous parler. Il n'a pas osé descendre au cas où vous seriez occupée...

Tant de considération étonne Annette et Maurice qui n'osent se regarder.

BEAUJEU. Pourriez-vous monter? Il vous attend dans la bibliothèque.

ANNETTE, *après un moment d'hésitation.* Tout de suite?...

MAURICE. Madame Julien est très fatiguée en ce moment...

Beaujeu prend les mains d'Annette.

BEAUJEU. Vous me paraissez bien pâle en effet...

Annette peu habituée à ce qu'on fasse tant de cas de sa personne, proteste vivement avec confusion.

ANNETTE. Mais non, mais non, qu'est-ce que ça fait!

Elle s'éloigne.

BEAUJEU, *hésitant.* Martine n'est pas revenue de Sainte-Anne-de-Remington?

MAURICE, *détournant les yeux.* Non... Je sais pas si elle reviendra jamais dans cette maison.

BEAUJEU. Qu'est-ce qui vous fait croire?...

MAURICE. À sa place, moi en tout cas, j'y reviendrais pas!

La cuisine de Sainte-Anne-de-Remington. Assise devant la table, la tête cachée dans ses bras repliés, Martine pleure. Marie-Rose rentre de la remise, un châle sur les épaules, portant une brassée de bois.

MARIE-ROSE, *avec reproche.* Ah! non, pas encore!

Elle repousse la porte avec son pied et va déposer le bois auprès du poêle.

MARTINE, *protestant et pleurant.* Mais il est mort, grand-mère! Il est même enterré à l'heure qu'il est!

MARIE-ROSE. Ben oui, ben oui! C'est pas le premier à qui ça arrive! Pis après?

MARTINE, *s'emportant.* Qu'est-ce qu'il vous faut de plus? Qu'est-ce qu'il y a de pire que la mort?

Elle recommence à pleurer.

MARIE-ROSE. Ben la vie, apparemment! Regarde-toi donc! Ma foi, j'aimerais autant être en face d'un beau mort ben tranquille dans son cercueil!

MARTINE, *désespérée.* Mais c'est ma faute grand-mère, s'il est mort!

MARIE-ROSE. Premièrement, ça c'est pas prouvé, pis deuxièmement, c'est pas sur lui que tu pleures, c'est sur toi!

MARTINE, *indignée.* Grand-mère!...

MARIE-ROSE, *bourrue.* Cout' donc, ça crève les yeux! Depuis ton arrivée tu m'as pas parlé de lui une seule fois autrement que par rapport à toi. «C'est moi qui...» «C'est à cause de moi que...» «C'est pour moi...» «Je suis une ci, je suis une ça»... Mais de lui pas un traître mot!

MARTINE, *se levant, bouleversée.* C'est affreux ce que vous dites!

MARIE-ROSE, *moqueuse.* C'est ben possible! Mais ce qui m'intéresse moi, c'est la vérité. Et la vérité, c'est ça. Si t'avais eu le moindrement un peu d'amitié pour ce pauvre garçon-là, au lieu de penser rien qu'aux torts que t'as eus envers lui, tu te réjouirais au moins à l'idée qu'il est entré dans l'éternité de son repos. Mais non! Tu penses rien qu'à toi! À tes remords...

Martine bouleversée la regarde.

MARTINE. Grand-mère!... C'est vrai... Maurice aussi le disait... *(Elle se rassoit accablée.)* Je suis un monstre d'égoïsme!

MARIE-ROSE, *moqueuse.* C'est comme ça! Tout le monde croit avoir du cœur, mais en fin de compte, c'est toujours sur nous autres mêmes qu'on braille!

MARTINE. Pauvre Philippe, lui qui avait tant de mal à être heureux... au moins, il ne souffrira plus, c'est vrai...

MARIE-ROSE, *d'un ton faussement bourru.* Dans ce cas-là, secoue-toi un peu et prie pour lui. *(L'embrassant.)* Tu penses pas que ça vaudra mieux? Pour toi autant que pour lui?

Jérémie, dans la bibliothèque, murmure presque avec défi: «C'était ton idée, Clothilde. Tu l'auras voulu...»
Annette entre et referme la porte. Jérémie la regarde avec tendresse. Une si grande tendresse, qu'Annette se détourne de crainte d'éclater en sanglots.

ANNETTE. Je vous en prie?... Je vous en prie, regardez-moi pas comme ça...

Jérémie vient la retrouver et l'attire dans ses bras.

JÉRÉMIE. Je t'aime, Annette...

ANNETTE, *bouleversée.* Moi aussi, je vous aime... Mon Dieu, pourquoi est-ce qu'on se le dirait pas puisque c'est probablement la dernière fois...

Elle veut se dégager mais il la retient.

JÉRÉMIE, *doucement.* Non, Annette, c'est pas la dernière fois... À partir de maintenant, on se le dira tous les jours! Et à la face du monde comme tu disais! Écoute-moi... Annette, veux-tu être ma femme?...

Annette, bouleversée, le regarde et laisse tomber sa tête sur la poitrine de Jérémie qui la serre dans ses bras comme un enfant qu'on berce.

JÉRÉMIE, *souriant.* Hein, tu pensais jamais que j'y arriverais un jour? Moi non plus! Je pensais surtout pas que j'éprouverais un si grand bonheur à te le demander. *(Il ferme les yeux.)* Annette, veux-tu être ma femme... *(Il sourit et la regarde de nouveau.)* Rien que de dire ça, je me sens redevenir un autre homme. Un homme enfin libéré! Comme si tout ce qui s'est passé entre nous depuis vingt ans était arrivé seulement pour qu'aujourd'hui je puisse te dire: «Annette, veux-tu être ma femme...» *(Il s'aperçoit soudain qu'Annette pleure. Inquiet.)* Tu pleures?

ANNETTE, *doucement.* Laissez-moi pleurer... *(Jérémie la reprend dans ses bras, trop ému lui-même pour parler.)* Si vous saviez... Si vous saviez

422

combien de fois j'ai souhaité vous entendre me dire ça!... Oui, oui, même quand votre femme vivait encore et que c'était impossible! J'en rêvais, j'en rêvais!... Sans y croire, mais j'en rêvais! – Et aujourd'hui, aujourd'hui... c'est en pleine réalité que vous...

JÉRÉMIE, *lui souriant.* Veux-tu l'entendre encore?

Annette se dégage et s'éloigne.

ANNETTE. Non, non, non, je vous en supplie!

JÉRÉMIE, *étonné.* Annette!

ANNETTE, *avec effort.* Je peux pas vous épouser, monsieur Martin. Je peux pas! Et je peux même pas vous dire pourquoi.

JÉRÉMIE. Oh! Je me doute bien pourquoi! À cause de Martine, évidemment. Mais ça peut s'arranger.

Annette secoue la tête sans répondre.

JÉRÉMIE. Oui! Oui! Fais-moi confiance. Je vais lui parler à Martine. Pis doucement, inquiète-toi pas! Je me rends très bien compte qu'elle a toutes les raisons du monde de me détester, mais je saurai bien me faire pardonner. Tu verras! Tiens... veux-tu qu'on aille la chercher ensemble à Sainte-Anne-de-Remington cet après-midi? Ça serait une bonne façon de commencer!

Annette continue à secouer la tête négativement mais Jérémie persiste avec cette obstination et cette force qui l'ont mené si loin dans le monde des affaires.

JÉRÉMIE. Pourquoi pas? Ça ferait plaisir à ta mère aussi, penses-y! Pour une fois, je suis sûr qu'elle serait de mon côté, Marie-Rose! Tu te rappelles ce qu'elle disait: «Épouse-la donc, ma fille, si tu l'aimes tant que ça, Jérémie Martin! T'es libre maintenant!» *(Il rit.)* Tu vois que je suis obéissant hein? Je t'épouse! *(Il rit de nouveau, mais s'arrête déçu.)* Annette!...

ANNETTE, *suppliante.* Pensez-y plus, voulez-vous? Voulez-vous... S'il vous plaît!

JÉRÉMIE. Mais pourquoi?

ANNETTE, *se détournant.* Demandez-moi-le pas, je peux pas vous le dire.

JÉRÉMIE, *blessé.* Annette, si tu me refuses, c'est que tu m'as jamais pardonné.

Annette se jette dans ses bras en pleurant.

ANNETTE. Je vous aime, comprenez-le donc! J'ai plus rien à vous pardonner que je vous aie pas déjà pardonné cent fois!

JÉRÉMIE. Dans ce cas-là, j'accepte pas ta réponse. *(Pressant.)* Tu vas réfléchir encore. Oui, oui, oui! *(S'emportant.)* Tu vas y penser au moins pendant quelques jours, miséricorde! J'y ai bien réfléchi, moi! Tu le sais que ça m'est pas venu d'un seul coup! Je dois bien valoir autant de réflexion de ta part, il me semble!

Annette se tait, incapable de parler.

JÉRÉMIE. C'est pas possible que tu refuses! Pourquoi est-ce que tu refuserais? Je t'aime plus que je t'ai jamais aimée, je suis prêt à reconnaître que Martine est ma fille... C'est pas la première fois que je te le dis. Je suis même prêt à le crier sur le Champs de Mars, si c'est ça que vous voulez! Elle sera sur mon testament de la même façon que mes autres enfants, je te le répète! À part égale! Bonté divine, si tu trouves pas que j'ai changé, je sais pas ce qu'il te faut!

Annette continue à se taire, toujours trop émue pour parler. Jérémie la prend dans ses bras et l'amène doucement vers la porte.

JÉRÉMIE. Mais au fond, je pense que tout ça te prend trop par surprise pour que tu sois capable de me donner une réponse définitive aujourd'hui.

Annette va pour parler. Jérémie l'en empêche et s'arrête pour la regarder.

JÉRÉMIE, *doucement.* Dis rien, veux-tu?... Dis plus rien. Prends ton temps! Je suis plus un enfant, j'attendrai que tu te sois faite à cette idée-là... Pense seulement que je t'aime et que je peux pas me passer de toi. Rien que ça... Moi, de mon côté, je me dirai: «Elle m'aime plus que personne m'a jamais aimé, donc j'ai pas besoin de m'inquiéter.»

Annette a un geste de profonde tristesse.

JÉRÉMIE. Chut!... Pas un mot, je te dis! Pas avant que tu aies eu le temps d'y réfléchir.

Il l'embrasse et lui ouvre la porte. Annette s'éloigne vers l'escalier de service. Il la suit des yeux. Elle se tourne vers lui avant de disparaître. Jérémie rassurant, lui sourit. Elle disparaît. Jérémie va rentrer dans la bibliothèque lorsqu'il aperçoit Maurice qui descend les dernières marches de l'escalier avec les valises de Philippe. Ramené à d'autres réalités, Jérémie s'assombrit.

JÉRÉMIE. Attends!... Je vais te donner l'adresse des parents de Philippe.

MAURICE. Je l'ai déjà, monsieur Martin, rassurez-vous. Je l'ai trouvée dans l'annuaire.

JÉRÉMIE. Avec tous ces événements-là, pauvre Maurice, j'ai oublié de m'occuper de toi...

MAURICE. Je me débrouillerai tout seul, oubliez ça!

JÉRÉMIE. Non, non, je te l'ai promis, je vais y voir. Peux-tu me donner une semaine de plus?

MAURICE, *hésitant.* Si vous y tenez...

JÉRÉMIE. J'y tiens, j'y tiens! D'autant plus... *(Il s'interrompt en voyant Beaujeu sortir du salon. Étonné.)* Tu étais là, toi?

Maurice reprend les valises.

JÉRÉMIE, *à Maurice.* J'aurai plus besoin de toi aujourd'hui, Maurice. Avertis seulement Maria que je mangerai pas ici, ni à midi, ni ce soir.

MAURICE. Bien, Monsieur.

Il s'éloigne.

JÉRÉMIE, *à Beaujeu.* Je sais pas comment tu fais pour entrer dans cette pièce-là! Moi, j'y mettais plus les pieds depuis que ta mère y a été exposée. Et avec Philippe en plus... Allons-nous-en, veux-tu?

Ils se dirigent vers le vestiaire. Beaujeu sort le manteau de son père.

BEAUJEU. Laissez-moi vous aider...

JÉRÉMIE. T'avais deviné juste. Annette a refusé. *(Beaujeu nullement surpris ne répond pas.)* Elle veut pas me dire pourquoi, mais je suis sûr que c'est parce qu'elle se fait des scrupules au sujet de ta mère qu'elle a soignée!

BEAUJEU. Et qu'elle aimait!...

JÉRÉMIE. Mais je l'amènerai bien à changer d'idée. *(Hochement de tête sceptique de Beaujeu. Jérémie ne le voit pas.)* J'ai pas trop insisté pour pas la brusquer, mais avec le temps... *(Nerveux.)* Hé bien! viens-tu?

BEAUJEU. Oui, oui, je suis prêt.

Il lui ouvre la porte.

JÉRÉMIE. Avec le temps... Elle finira bien par accepter, tu penses pas?

BEAUJEU. Je ne sais pas... Vous la connaissez mieux que moi...

Jérémie inquiet lui lance un regard irrité. Beaujeu referme la porte.

Annette, dans la cuisine, achève de s'habiller devant la porte de sortie. Albert, agité, lui tend le journal, toujours à la même page. Une des annonces est cernée au crayon.

ALBERT. Tâche de signer le bail ce soir, hein, Annette? Le locataire s'en va après-demain, pense que dans deux jours on pourrait partir d'ici! Être chez nous! Vas-y vite! Le propriétaire t'attend...

ANNETTE. J'y vais pour ça, calme-toi. Va dormir. Ça vaudra mieux que...

ALBERT, *l'interrompant.* Non, non, je serais pas capable. Je vais jouer aux cartes avec Maria en t'attendant.

Annette répond en regardant la porte qui s'ouvre.

ANNETTE. Maria est allée passer la soirée chez sa fille.

Maurice paraît.

MAURICE, *avec un grand salut.* La voiture de Madame est devant la porte.

ANNETTE, *souriant.* Madame est prête. Mon foulard, Albert!... Sur la tablette!

ALBERT, *lui tendant le journal.* Perds pas ça!

Annette le prend, Albert s'éloigne.

MAURICE, *à voix basse.* Le médecin?... L'avez-vous appelé?

ANNETTE, *bas.* Oui, c'est là qu'il faut aller en premier. Il m'attend à huit heures.

ALBERT, *revenant.* Le v'là! *(Agité.)* Tâche de revenir au plus vite!

ANNETTE. Oui, Albert.

Il ferme la porte et l'ouvre de nouveau.

ALBERT, *criant.* Avec le bail!

ANNETTE. Oui, Albert!

Il ferme la porte et marche avec agitation, à droite, à gauche se frottant les mains.

ALBERT. Je peux pas croire!... Je peux pas croire que dans deux jours on pourrait être parti d'ici!

Il va se bercer dans la chaise près de la fenêtre.

ALBERT. Il le faut! Il le faut! *(Il se relève et se remet à marcher. Puis s'arrête, hésitant.)* Qu'est-ce que je ferais bien en attendant qu'elle revienne? Maria qui est partie... Y a René!... Pour une fois, il voudrait peut-être... *(Il va au pied de l'escalier et appelle.)* René?... *(Il s'interrompt.)* Que je suis bête! Il est parti avec la nouvelle bonne après le souper!... *(Vivement déçu, il soupire, va s'installer devant la table et sort un vieux paquet de cartes du tiroir. Maussade.)* C'est plate, les patiences! Jouer aux cartes tout seul, moi!... Mais j'ai pas le choix puisque tout le monde est sorti... *(Il s'interrompt, se lève avec inquiétude et enchaîne d'une voix tremblante.)* Tout le monde... y a personne en avant non plus puisque monsieur Martin a pas dîné ici, et que monsieur Philippe... *(Il secoue la tête horrifié et regarde autour de lui. Un temps. Le silence de la maison.)* Tout seul... *(Anxieux.)* C'est effrayant un silence pareil!... *(Il se précipite vers un petit appareil de radio et tourne la manette. Regard vers l'horloge.)* Huit heures vingt-cinq... Annette va bientôt revenir... C'est sûr... Oui, oui, c'est sûr! *(Musique à la radio. Il soupire, va se rasseoir et reprend ses cartes. L'horloge marque maintenant dix heures moins dix. Albert l'air plus agité que jamais fait toujours des patiences. Ses yeux se tournent vers l'horloge.)* Dix heures moins dix... Seigneur! Qu'est-ce qu'ils font tous! J'en peux plus moi, d'être tout seul! Dans la maison où elle est morte! J'en peux plus! *(Il jette ses cartes et*

426

se lève.) J'y pense, monsieur Martin est peut-être revenu sans que je l'entende ! Faut que j'aille voir !

Il disparaît dans l'escalier de service.

Le corridor à l'étage des maîtres. Silence total. Albert paraît au bout du corridor. Il croit entendre un bruit, se retourne, ne voit rien et s'arrête, le cœur battant.

ALBERT. Il me semblait?... J'avais cru...? (*Éperdu.*) Personne ! Personne ! (*Il marche et s'arrête sidéré devant une porte entrouverte.* La porte de monsieur Philippe... Je l'avais pourtant fermée moi-même ce matin !... Je m'en souviens ! (*Il s'éloigne vivement comme s'il craignait de voir quelqu'un sortir de la chambre et va frapper à la chambre de monsieur Martin. Appelant.*) Monsieur Martin ! Monsieur Martin, êtes-vous là?... (*Un temps.*) Y est pas là ! (*Respiration de plus en plus haletante.*) Je veux pas... Je veux pas rester ici... (*Il recule à son insu dans une porte de chambre et on entend une horloge sonner dix coups. Son cristallin. Il écoute cloué sur place par l'affolement.*) Oh ! La chambre de madame Martin... C'est sa petite pendule... comment ça se fait?... Y a jamais personne qui entre là... Elle sonne ! Elle sonne ! (*Il se sauve et descend l'escalier quatre à quatre. Arrivé en bas, il se retourne brusquement.*) Madame Martin... Je le sais que vous êtes là !... Dites quelque chose, faites quelque chose, madame Martin ! Je sais que vous êtes là ! Dites-moi ce que vous voulez que je fasse !... Qu'est-ce que vous voulez? Que je confesse mon crime? C'est ça? Que je me donne à la police? (*Criant.*) Répondez-moi ! Répondez-moi ! Vous voyez bien que j'en peux plus ! (*Une autre pendule en retard commence à sonner dix coups. Son plus grave d'une grosse horloge. Albert sursaute.*) C'est un signe ! Oui ! C'est ça qu'elle veut ! J'ai compris, madame Martin ! J'ai compris ! (*Il se dirige vers la bibliothèque. Fébrile.*) C'est un signe ! Elle veut que justice soit faite ! C'est ça qu'elle veut ! C'est ça ! (*Il se dirige vers le pupitre.*) Vous voyez, je vous obéis !... Je suis prêt à payer mon crime. Vous voyez, vous voyez... (*Il prend l'annuaire recouvert d'une couverture de cuir sur le pupitre de monsieur Martin.*) Police...? (*Il cherche en première page. Le doigt sous le numéro.*) Police !... (*Il signale et se laisse choir dans le fauteuil du pupitre.*) Je vais leur dire... (*Rassurant.*) Ils vont venir m'arrêter, inquiétez-vous pas, madame Martin ! (*Doucement.*) Inquiétez-vous pas, ils vont venir certain... Pis moi je vas être enfin libéré de mon secret... Oui, oui... Plus de secret, plus de peur... Merci madame Martin... Merci de m'avoir fait comprendre ce que j'avais à faire et que ...(*S'agitant.*)... Oui, oui. Allô, c'est moi...

30

L'inévitable minute où tout chavire

Albert, revêtu de son manteau et de ses gants, attend dans le hall, les traits crispés. Il est assis sur une chaise droite et tient son chapeau sur ses genoux. À côté de lui, une petite valise. Il tapote son chapeau avec nervosité et regarde tantôt vers la porte d'entrée, tantôt vers sa valise pour vérifier si elle est bien à côté de lui.

Devant la porte d'entrée. Beaujeu sort de sa voiture pour aider son père. Jérémie s'arrête pour regarder tristement sa maison.

JÉRÉMIE. Pauvre Philippe... Il rentrera pas ce soir, lui... ni demain... ni jamais!...

BEAUJEU, *rêveur.* Il est ailleurs...

JÉRÉMIE. C'est drôle, hein, on était les seuls à l'aimer cette maison-là, lui pis moi. Puis tu vois...

BEAUJEU. Voulez-vous que j'entre un moment avec vous?

JÉRÉMIE. Ben non, ben non! Je suis plus un enfant. C'est déjà assez que tu m'aies donné toute ta journée! Dis-moi seulement, tiens, dis-moi seulement que dans quelque temps Annette sera ma femme, pis j'irai dormir comme un jeune homme!

BEAUJEU, *souriant.* Ce serait plutôt à elle qu'à moi de vous le dire.

Ils marchent vers l'escalier.

JÉRÉMIE. Elle y viendra bien, laisse faire!

Beaujeu s'arrête.

BEAUJEU. De toute façon, c'était très important, pour vous autant que pour elle, de faire cette démarche.

JÉRÉMIE, *inquiet.* Mais t'as pas l'air sûr qu'elle acceptera?...

BEAUJEU. Je vous le souhaite très sincèrement! C'est une femme que je respecte et que j'admire beaucoup et je suis très heureux que vous soyez enfin parvenu à dépasser vos préjugés.

JÉRÉMIE, *le regardant.* Oui, hein? Tu me comprends?

BEAUJEU. Je vous approuve de tout mon cœur.

JÉRÉMIE, *content.* Merci!... Les autres, je m'en fous de ce qu'ils pensent... J'ai bien le droit d'être heureux après tout! *(Avec une satisfaction profonde.)* Au moins cette fois-ci, je suis sûr d'être épousé pour moi-même! Pas par vengeance, pas par dépit.

Beaujeu a un geste vif pour protester.

JÉRÉMIE, *l'interrompant.* Oui, oui! J'en ai assez souffert pour le savoir! *(Avec une rancune qui remonte loin dans le temps.)* C'est rien que par dépit qu'elle m'avait épousé, ta noble mère! Par dépit!

BEAUJEU. C'est aussi...

JÉRÉMIE, *irrité.* Obstine-toi donc pas, Beaujeu. Ta mère elle-même s'en est pas cachée! Je dois au moins lui donner ça, qu'elle a eu la franchise de me dire qu'elle m'acceptait seulement pour damer le pion à son fiancé qui venait de la planter là pour épouser la fille d'un millionnaire.

BEAUJEU. Maman reconnaissait qu'elle vous avait fait une injure en vous épousant sans amour...

JÉRÉMIE. Oui, c'était une injure! Un homme a besoin de l'amour de sa femme... Remarque que j'ai même pas le droit de lui faire des reproches puisqu'elle m'avait prévenu! Faut dire que j'étais mené par l'ambition et que sa famille tenait le haut du pavé... Mais surtout, maudit fou que j'étais, je pensais qu'elle finirait par m'aimer. J'arrivais pas à me sortir ça de la tête!

BEAUJEU. Elle vous a aimé d'une autre façon... assez pour comprendre la place qu'Annette tenait dans votre vie...

JÉRÉMIE. C'est vrai... Pour qu'elle soit même allée jusqu'à me suggérer d'épouser Annette après sa mort...*(Reprenant espoir.)* C'est donc qu'elle était sûre qu'Annette accepterait, tu penses pas?

BEAUJEU. Elle était certaine, en tout cas, qu'Annette en éprouverait une grande joie.

JÉRÉMIE. Oui! Oh! ça, elle se trompait pas! Je t'assure que...

BEAUJEU, *s'exclamant.* Qu'est-ce que c'est que ça?

Une automobile vient de s'arrêter derrière celle de Beaujeu, suivie d'une voiture de la police.

BEAUJEU. La police?

JÉRÉMIE. Es-tu fou? Qu'est-ce que la police viendrait faire ici?

Ils se dirigent tous deux vers la voiture. Jérémie précède Beaujeu. Quatre policiers descendent, deux en civil, et deux en uniforme qui se précipitent aussitôt vers Jérémie pour s'emparer de sa personne.

JÉRÉMIE, *étonné puis indigné.* Qu'est-ce qui vous prend donc vous autres? Voulez-vous me lâcher!

Les deux policiers en civil s'avancent.

JODOIN. Minute! Minute!... *(Reconnaissant Beaujeu.)* Ah! monsieur Martin, vous êtes là! *(Soulagé.)* J'aime mieux ça!

BEAUJEU, *surpris.* Capitaine Jodoin?

JODOIN, *désignant Jérémie.* C'est lui? C'est l'homme qui nous a appelés?

JÉRÉMIE, *protestant*. Moi, je vous ai...?

BEAUJEU. Je ne sais pas ce que vous voulez dire! C'est mon père, capitaine.

JODOIN. Vous êtes pas sérieux! *(Il fait un signe à ses hommes qui s'écartent aussitôt. Enchaînant, à Jérémie.)* Excusez-moi, monsieur, c'est une erreur!

JÉRÉMIE, *bourru*. Une erreur, certain!

JODOIN. L'homme qu'on vient chercher nous avait dit qu'il nous attendrait près de la porte, alors, quand je vous ai vu avancer...

JÉRÉMIE, *étonné*. Quel homme? Venez-vous vraiment arrêter quelqu'un?

> *Beaujeu commence à s'inquiéter.*

BEAUJEU. Ici?

JODOIN, *les regardant*. Ah! vous êtes pas au courant?

JÉRÉMIE. Au courant de quoi?...

BEAUJEU. Nous venions tout juste d'arriver, mon père et moi quand vous...

JODOIN, *les entraînant*. Dans ce cas-là, entrons vite. On a reçu aux Quartiers Généraux un appel d'un nommé Albert Julien...

JÉRÉMIE, *vivement*. Albert? C'est mon maître d'hôtel! Est-ce qu'il serait venu des voleurs à la maison?

> *Beaujeu qui imagine aussitôt ce qui a pu se passer, cache mal son inquiétude.*

JODOIN, *enchaînant*. Bien pire que ça! Il s'accusait d'avoir commis un meurtre!

JÉRÉMIE. Un meurtre! Albert? *(Il éclate de rire tant la chose lui semble impossible.)*

> *Jodoin entraîne Beaujeu, le forçant à marcher plus vite pour distancer Jérémie.*

JODOIN, *à ses hommes*. Surveillez les portes... *(Bas à Beaujeu.)* Il vaudrait mieux que votre père entre pas tout de suite.

BEAUJEU. Mais pourquoi?

JODOIN. C'est de votre mère qu'il s'agit!

BEAUJEU, *s'arrêtant*. Ma mère?...

JODOIN. Mais oui, venez vite! Elle est peut-être pas morte! *(Il cherche de nouveau à l'entraîner.)*

BEAUJEU, *le retenant*. Qu'est-ce que...

> *Jérémie qui les rejoint bloque le passage à Jodoin.*

JÉRÉMIE. Albert, meurtrier? Vous êtes drôles vous autres! Un gars qui a peur de son ombre!

> *Beaujeu se met aussi à rire.*

BEAUJEU. Ce n'est pas tout! Albert aurait dit qu'il venait de tuer... Savez-vous qui?... Maman!

Jodoin agacé les regarde à tour de rôle.

JÉRÉMIE, *interdit.* Ta mère?... Êtes-vous fou, vous? Ma femme est morte depuis plus de trois mois!

JODOIN, *interloqué.* Oh!... *(Perplexe.)* En fait, je me souviens plus s'il a dit qu'il venait de le faire... Il était tellement agité! C'est peut-être moi qui ai tiré cette conclusion-là, vu que ça arrive de temps à autre qu'un homme se livre à la police immédiatement après avoir commis son crime...

BEAUJEU, *intrigué.* Ce que je comprends mal, c'est qu'on vous ait dérangé pour un appel de ce genre! Un sergent aurait suffi, il me semble.

JODOIN. Bah! Je me trouvais aux Quartiers Généraux et comme par hasard, c'est moi qui ai répondu au téléphone. Quand j'ai compris qu'il s'agissait de votre famille, j'ai pensé que par estime pour vous...

BEAUJEU, *lui tendant la main.* Je vous remercie.

JODOIN, *souriant.* À titre de revanche, si jamais je suis mal pris, vous serez mon avocat.

BEAUJEU, *pressé d'en finir.* C'est juré! Au revoir Capitaine...

Jodoin semble un peu surpris de ce congédiement rapide.

JODOIN, *hésitant à Jérémie.* J'aimerais quand même voir votre maître d'hôtel avant de partir...

Beaujeu réprime mal un mouvement d'inquiétude aussitôt perçu par Jodoin.

JÉRÉMIE, *étonné.* Si vous voulez, mais vous perdez votre temps. Albert est à mon service depuis vingt ans! S'il y a quelqu'un qui le connaît, c'est moi, et je peux vous jurer qu'il est incapable de commettre un crime. Et tout aussi incapable d'ailleurs, de jouer un tour à la police.

BEAUJEU, *catégorique.* Vous avez eu affaire à un vulgaire farceur, c'est évident.

JODOIN. L'homme au bout du fil a dit qu'il s'appelait Albert Julien, il a dit qu'il habitait ici et qu'il était votre maître d'hôtel. Ça fait au moins trois choses vraies. Il me reste seulement à savoir si c'est lui qui a appelé. Et si c'est lui, pourquoi il l'a fait. On dérange pas la police comme ça pour rien.

JÉRÉMIE. Quant à ça!... Mais Albert!... C'est tellement pas le genre à faire des farces. Hein, Beaujeu?...

431

JODOIN. Si vous aviez entendu le pauvre gars qui appelait, je vous assure que lui non plus y avait pas l'air de faire une farce!

JÉRÉMIE, *le prenant par le bras et l'entraînant.* Ben entrez donc, tenez, vous en aurez le cœur net. Viens aussi Beaujeu. Ce pauvre Albert est capable de s'évanouir en apprenant que la police veut lui parler.

BEAUJEU, *vivement.* Surtout en ce moment! Il vient d'être si malade! Faut-il absolument le réveiller pour une folie pareille? *(À son père.)* J'ai peur qu'Annette ne soit pas contente. Un homme qui sort tout juste de l'hôpital...

JÉRÉMIE, *s'arrêtant.* T'as raison. Vous pourriez pas remettre votre visite à demain? En plein jour?

JODOIN. Je regrette, mais il vaudrait mieux que ce soit tout de suite. S'il a des aveux à faire, il peut changer d'idée d'ici à demain.

JÉRÉMIE, *agacé.* Lâchez-moi donc, vous, avec vos aveux! Puisqu'on vous dit que ça doit même pas être lui qui a appelé.

JODOIN, *comme s'il s'excusait.* Monsieur Martin, je suis ici en devoir...

BEAUJEU, *ironique.* Oh! si vous en faites une question de devoir!

JÉRÉMIE, *mécontent.* C'est bon, entrez! *(Il tend ses clés à Beaujeu.)* Ouvre... *(À Jodoin.)* Mais vous verrez Albert seulement s'il est réveillé. S'il est bien tranquille à dormir dans sa chambre, vous reviendrez demain. Ça règle le cas.

Albert, toujours assis à la même place, entend la porte s'ouvrir.

ALBERT, *agité.* Ils sont là... Ils viennent m'arrêter... C'est ça que vous vouliez, hein madame Martin? Vous voyez, j'avais compris...

La porte du hall s'ouvre et Jérémie paraît le premier, suivi des autres. Dès qu'il aperçoit Jérémie, Albert se met à trembler.

ALBERT. Monsieur Martin?...

JÉRÉMIE, *allant d'étonnement en étonnement.* Albert?... Qu'est-ce que tu fais là avec ta valise?

JODOIN. C'est lui?...

Beaujeu va aussitôt rejoindre Albert pour lui dire de se taire, mais Jodoin fait un signe à l'autre détective qui va aussitôt prendre le bras d'Albert. Beaujeu déçu hausse les épaules.

BEAUJEU. Qu'est-ce qui vous prend? Vous imaginez-vous que j'allais le faire disparaître? Je voulais seulement le rassurer.

Il prend Albert par les épaules. Jodoin s'approche d'eux, intrigué par l'attitude de Beaujeu.

BEAUJEU. Regardez-moi, Albert... Personne ne vous veut de mal, m'entendez-vous? *(Avec intention.)* Personne... Calmez-vous...

ALBERT. Le... le cahi...

BEAUJEU, *l'interrompant.* Calmez-vous, je vous dis. Rien ne vous menace. Rien!

JODOIN, *à Beaujeu, le regardant.* Pourquoi est-ce qu'il se sentirait menacé puisque vous dites que c'est pas lui qui a appelé?

BEAUJEU. Je ne sais pas, mais regardez-le trembler! Je vous en prie, essayez aussi de le rassurer.

Jérémie s'est rapproché.

JÉRÉMIE. Qu'est-ce que t'as donc, pauvre Albert? Est-ce que c'est vrai que t'as appelé la police?

Albert a un mouvement de recul quand Jérémie s'est rapproché. Il secoue la tête négativement à la question de monsieur Martin, puis affirmativement puis encore négativement.

JODOIN, *mécontent.* Bon, bon! Est-ce que je pourrais lui parler moi aussi, maintenant?

BEAUJEU. Oui, mais ne le brusquez pas. Je vous l'ai dit, c'est un homme malade. Il est évident d'ailleurs qu'il n'est pas dans un état normal. *(À Jérémie.)* N'est-ce pas?

JÉRÉMIE. Je l'ai jamais vu comme ça! Il faudrait prévenir Annette! Je vais...

ALBERT, *épouvanté.* Non! Non! Non! Non! Non!

BEAUJEU, *à son père.* Laissez donc, laissez donc!

JÉRÉMIE, *revenant, surpris.* Mais veux-tu me dire? Est-ce qu'il est en train de devenir fou?

Jodoin qui les a écoutés intervient fermement.

JODOIN. Je regrette, mais je vais être obligé de vous demander de sortir tous les deux! Je veux être seul avec cet homme-là. Et si c'est pas possible, je l'amène au poste.

BEAUJEU. Dans l'état où il est? Ce serait de la folie! J'allais même vous demander de lui faire voir un médecin tout de suite.

JÉRÉMIE, *s'impatientant.* Mais aussi, pourquoi est-ce qu'il le dit pas ce qu'il a? Est-ce qu'il s'est passé quelque chose, Albert? Parle donc un peu, on te mangera pas!

Albert épuisé par la lutte qu'il soutient, le regarde haletant, en secouant négativement la tête.

ALBERT, *d'une voix de plus en plus faible.* Je peux pas... je peux pas... je peux pas...

Il s'effondre comme un pantin dans les bras des détectives qui le soutiennent.

BEAUJEU, *vivement.* Albert?...

JÉRÉMIE. Miséricorde!

JODOIN, *à l'autre détective.* Par terre...

JÉRÉMIE, *furieux.* Ah! non, pas par terre. Transportez-le dans la bibliothèque...

> *Il va ouvrir la porte. Les deux détectives le suivent portant Albert.*

JÉRÉMIE. Sur le sofa... Pis ranimez-le au plus vite!

BEAUJEU, *furieux.* Quand je vous disais que c'était un homme malade! Mais non, il fallait qu'il perde connaissance pour que vous le croyiez!

> *Jodoin, occupé à essayer de ranimer Albert, ne répond pas.*

JÉRÉMIE. Je comprends rien là-dedans! *(À Beaujeu.)* Peux-tu me dire ce qu'il faisait là, toi, avec son manteau, son chapeau pis sa valise! Qu'est-ce qu'il attendait?

BEAUJEU. Comment voulez-vous que je le sache?

> *Il se penche à côté des détectives.*

BEAUJEU. Eh bien?...

JODOIN, *mal à l'aise.* Appelez donc un docteur, puisque vous parliez de le faire examiner!

BEAUJEU. Ah! bon, vous admettez enfin qu'il pourrait en avoir besoin?

> *Il se lève et fait un pas vers le pupitre.*

BEAUJEU, *enchaînant.* Ce n'est pas trop tôt! *(À son père.)* Quel est le nom de son médecin, le savez-vous?

JÉRÉMIE. Non, mais Annette pourrait nous le dire si elle est ici.

BEAUJEU, *vivement.* Ne vous dérangez pas! Ne vous dérangez pas, je vais aller la chercher...

> *Il repousse Jérémie étonné et s'éloigne.*

JODOIN. Attendez donc...

BEAUJEU, *irrité.* Attendre quoi? Qu'il soit mort?

> *L'autre détective qui écoute le cœur d'Albert lui fait signe de se taire. Beaujeu et Jérémie inquiets font un pas vers Albert. Tous attendent. Le détective relève tête et fait un signe d'acquiescement à Jodoin.*

JODOIN. Il l'est?

JÉRÉMIE, *stupéfait.* Il l'est quoi?...

BEAUJEU, *revenant.* Pas...?

JODOIN, *au détective.* Appelle une ambulance tout de suite! À l'hôpital, ils réussiront peut-être à le réanimer.

JÉRÉMIE, *atterré.* Vous croyez qu'il est mort?

BEAUJEU, *au détective.* Il y a un téléphone dans le vestiaire. *(Avec colère à Jodoin.)* Êtes-vous satisfait maintenant?

JODOIN, *mal à l'aise*. Je regrette... Je pouvais pas prévoir qu'il avait le cœur faible.

JÉRÉMIE, *accablé, regardant Albert*. C'est pas possible. On meurt pas comme ça! Vous êtes sûr qu'il y a rien à faire?

JODOIN. L'hôpital le fera mieux que nous, monsieur Martin.

BEAUJEU. Je vous l'ai dit et répété: c'était un homme malade! Il fallait le laisser tranquille, aussi! C'est vraiment trop bête! Tout ça parce qu'un imbécile s'est amusé à vous faire une sale blague au téléphone!

JODOIN, *secouant la tête*. Je suis pas encore persuadé que c'est un tour qu'on m'a joué. *(Le regardant.)* Malgré tous vos efforts pour me le faire croire.

JÉRÉMIE, *revenant à Jodoin*. Au moins, faites quelque chose. Laissez-le pas là... Sa sœur peut arriver d'un moment à l'autre!

JODOIN, *vivement*. Sa sœur?...

Mais Jérémie lui a déjà tourné le dos. Jodoin se tourne vers Beaujeu.

JODOIN. Elle habite ici?

BEAUJEU. Oui...

JODOIN. Je veux la voir.

Jérémie, qui s'était immobilisé, revient vers eux.

JÉRÉMIE, *éclatant*. Ah non! par exemple! Vous ne trouvez pas que c'est assez pour ce soir?

JODOIN. L'homme qui nous a appelés a déclaré qu'il avait tué sa patronne avec la complicité de sa...

Jérémie menaçant fait un pas vers lui.

JÉRÉMIE. Ah! ben vous, par exemple!... Sacrez votre camp d'ici! Si ça...

Mais Beaujeu l'interrompt.

BEAUJEU. Décidément, vous y tenez à votre crime! Je vous ai dit que ma mère était morte il y a plus de trois mois. Elle était condamnée par tous les médecins. Incurable! Vous avez sûrement entendu parler du docteur Rondeau, le spécialiste du cancer? Eh bien, c'est lui qui soignait ma mère. Puisque ma parole ne vous suffit pas, appelez-le donc, il vous donnera tous les renseignements que vous voulez!

Jérémie furieux hausse les épaules.

JÉRÉMIE. Et il disait qu'il était venu ici par estime pour toi!

Jodoin regarde Beaujeu qui lui tourne également le dos. Il hésite un moment. Mal à l'aise, tente de laisser tomber l'affaire et de s'en aller. Mais son regard tombe sur le cadavre d'Albert et après un nouveau moment d'hésitation, il se dirige vers le pupitre et décroche le récepteur.

JODOIN. Quel est le numéro du docteur Rondeau?

JÉRÉMIE, *furieux.* Ah! non, vous vous imaginez toujours bien pas que vous allez mener votre enquête chez moi? Allez appeler où vous voudrez, mais sortez d'ici. Si on dirait pas que c'est une maison de bandits! Avez-vous compris? Sacrez votre camp! Pis vite!

Il sort lui-même de la bibliothèque, laissant la porte ouverte. Jodoin jette un regard à Beaujeu qui se tait. Il raccroche.

JODOIN, *à Beaujeu.* Vous savez aussi bien que moi que j'aurais le droit d'insister mais... toujours par estime pour vous!... Même si vous le croyez pas...

Il s'éloigne mais s'arrête près de la porte.

JODOIN, *le regardant.* Il y a quand même des choses bizarres dans cette histoire-là, des choses que je m'explique mal. Pas vous?

Beaujeu le rejoint.

BEAUJEU, *sèchement.* Faites votre rapport et je ferai le mien, Capitaine.

JODOIN, *après un moment.* C'est de l'intimidation?

BEAUJEU, *sèchement.* Vous êtes tenu de faire votre devoir, mais personne ne vous a jamais demandé de faire du zèle au point d'envoyer les gens de vie à trépas. Cet homme était malade et vous le saviez.

JODOIN, *calmement.* Avez-vous remarqué monsieur Martin que j'ai pas posé une seule question à cet «homme malade»? Pas une seule? C'est votre père et vous qui avez parlé tout le temps. Donc, s'il a eu peur de quelqu'un...

La porte d'entrée s'ouvre et les deux policiers entrent encadrant Annette et Maurice. Beaujeu malheureux se demande comment il parviendra à sauver Annette. Sa première réaction est de fermer la porte de la bibliothèque pour qu'Annette n'y entre pas. Jodoin va au-devant du groupe.

JODOIN. Qui est-ce?

POLICIER. Je ne savais pas s'il fallait les faire entrer... C'est la sœur d'Albert Julien.

JODOIN, *satisfait.* Ah! bon... *(Désignant Maurice.)* Et celui-là?

MAURICE. Celui-là!... Qu'est-ce que j'ai fait?...

BEAUJEU, *qui est venu le rejoindre.* Celui-là, c'est le chauffeur de mon père! Est-ce qu'il va falloir que toute la maison soit inquiétée parce que vous avez reçu l'appel d'un fou qui s'accusait d'avoir tué ma mère?

Jodoin cette fois se fâche. Il sent très bien que Beaujeu s'adresse surtout à Annette. Annette le sent elle-même et s'alarme aussitôt.

JODOIN, *l'interrompant*. Monsieur Martin, vous parlez trop! Je sais pas dans quel but, mais je sais que je commence à en avoir assez! Laissez-moi travailler en paix!

BEAUJEU. C'est bien, c'est bien je me tais. Mais je vous ferai remarquer qu'il ne peut être question d'enquête, puisqu'il n'y a pas eu de crime.

    Sur un geste irrité de Jodoin.

BEAUJEU. Bon, bon, procédez à votre interrogatoire et finissons-en!

JODOIN. Un mot de plus et je vous fais sortir d'ici!

    Il se tourne vers Annette.

JODOIN. Et maintenant...

ANNETTE, *l'interrompant, à Beaujeu*. Où est Albert?

BEAUJEU, *désignant Jodoin*. C'est à lui de vous répondre.

    Annette regarde Jodoin qui se tait.

ANNETTE, *faisant un pas vers lui. Durement*. Je veux voir Albert. Où est-il?...

JODOIN, *bourru*. C'est pas de votre frère, c'est de vous qu'il s'agit pour le moment. Je veux savoir...

ANNETTE. Je répondrai à aucune de vos questions avant d'avoir vu Albert.

JODOIN. Pourquoi?

ANNETTE. C'est mon frère, monsieur! Je veux le voir! Qu'est-ce que vous avez fait de lui? Où est-il?

JODOIN, *l'entraînant*. Eh! bien venez!

MAURICE, *à Beaujeu*. Je vous en prie! Qu'est-ce qui est arrivé?

BEAUJEU, *suivant Annette et Jodoin*. Vous allez bientôt le savoir, Maurice.

    Maurice veut le suivre mais les policiers le retiennent et ferment la porte de la bibliothèque.

    Annette aperçoit Albert.

ANNETTE, *angoissée*. Albert!... Mais qu'est-ce qu'il a? *(Elle s'avance vers lui et le prend dans ses bras.)* Mon pauvre Albert! Avez-vous appelé le médecin? Qu'est-ce qu'il a?

JODOIN, *doucement*. Il est mort, madame. Du moins, nous le croyons...

ANNETTE. Mort!

JODOIN. Une ambulance doit venir le chercher pour l'emmener à l'hôpital...

ANNETTE, *prenant Albert dans ses bras.* Je comprends pas!... Pourquoi, comment?... Qu'est-ce qui s'est passé? Albert?... *(Elle le serre dans ses bras.)* Oh! mon Dieu!...

> *Jodoin regarde Beaujeu qui le regarde aussi sans rien dire. Jérémie qui entre paraît derrière eux et s'exclame.*

JÉRÉMIE. Vous êtes encore là vous? Je vous avais dit... *(Il aperçoit Annette et s'interrompt.)* Annette, je te cherchais partout!

> *Annette qui se durcit pour ne pas éclater en sanglots se détourne et cache son visage en se penchant sur le corps d'Albert.*

ANNETTE, *voix blanche.* Il est mort...

JÉRÉMIE, *doucement.* Pauvre Annette...

> *Jérémie l'aide à se relever et la prend dans ses bras. Beaujeu inquiet regarde Jodoin qui enregistre la scène.*

JÉRÉMIE. Ça me fait de la peine moi aussi!... *(Indigné.)* D'autant plus que c'est arrivé à la suite d'un malentendu épouvantable! *(À Jodoin, brusquement.)* Lui avez-vous expliqué au moins?

JODOIN. Non, mais je suis prêt à le faire si vous vous engagez à pas m'interrompre.

> *Il s'adresse particulièrement à Beaujeu qui ne répond que par un geste indifférent et qui recule même de quelques pas pour ne pas avoir l'air de s'en mêler. Ces quelques pas le rapprochent d'Annette qu'il peut voir en face et lui permettent de tourner le dos à Jodoin. Jodoin regarde Annette attentivement.*

JÉRÉMIE. Allez-y, allez-y. Je dirai pas un mot si vous dites la vérité.

JODOIN. Voilà ce qui s'est passé. Nous avons reçu aux Quartiers Généraux de la police, ce soir même, un appel d'un homme très agité qui disait s'appeler Albert Julien, et qui nous demandait de venir l'arrêter ici-même, parce qu'il avait tué sa patronne.

JÉRÉMIE, *à Annette.* Albert! Peux-tu imaginer ça!

> *Beaujeu placé entre lui et Annette ne peut faire aucun signe à celle-ci parce que son père qui se tient à côté d'Annette s'en apercevrait, mais il la regarde intensément. Annette qui ne pense qu'à lutter contre les émotions de toutes sortes qui l'envahissent, tend à se faire un visage aussi fermé que possible.*

JODOIN, *enchaînant.* Nous sommes venus tout de suite. Dans le hall, votre frère qui avait son manteau sur le dos et même une valise à la main, nous attendait...

BEAUJEU, *se tournant vers lui.* Attention!

JODOIN. Vous avez raison. On a pas su qui il attendait, parce que quand il a aperçu monsieur Martin... *(Il désigne Jérémie.)*

JÉRÉMIE, *à Annette.* Comprends-tu ça, Annette, il s'est mis à trembler en me voyant, comme s'il avait peur de moi! Je te dis, il était pas lui-même!

Annette bouleversée se détourne brusquement et se laisse tomber près d'Albert, la tête appuyée sur la poitrine de son frère.

JODOIN. Il est à peu près certain que la syncope a été provoquée par la peur évidente qu'il éprouvait. *(À Beaujeu.)* Sommes-nous au moins d'accord là-dessus?

BEAUJEU, *brusquement.* Parfaitement, mais ça ne pouvait se produire que dans le cas d'un homme malade ou affaibli. Or, je vous avais prévenu et vous saviez à quoi vous en tenir.

JODOIN, *revenant à Annette, d'un ton brusque.* Où étiez-vous au moment de la mort de madame Martin?

Annette saisie se relève, rassemblant ses forces.

JÉRÉMIE, *pressé d'en finir.* Elle était ici. C'est elle qui soignait ma femme. Ma femme voulait personne d'autre qu'Annette auprès d'elle.

Beaujeu voudrait bien que son père se taise.

JODOIN. Vous êtes garde-malade?

Annette secoue la tête négativement.

JODOIN. Alors à quel titre soigniez-vous une personne atteinte de cancer? *(À Jérémie qui va répondre à la place d'Annette.)* Laissez-la parler, voulez-vous?

Annette se durcit de plus en plus.

ANNETTE. Je connaissais bien madame Martin... C'est elle-même qui m'avait demandé de... *(Craignant de flancher, elle se tourne vers Jérémie.)* Est-ce qu'il faut que je réponde à toutes ces questions? Ce soir?

JÉRÉMIE, *à Beaujeu.* Est-ce qu'il faut?...

BEAUJEU. Le capitaine Jodoin est ici en devoir...

ANNETTE, *regardant Albert.* J'aurais voulu être seule avec lui... Penser seulement à lui...

JODOIN, *bon enfant.* Je vais essayer d'être aussi bref que possible. Vous étiez très attachée à votre frère, je suppose?...

Annette le regarde et ne répond pas tout de suite.

ANNETTE. Mes sentiments personnels...

JODOIN. Bien sûr, bien sûr. Dites-moi seulement si vous croyez que c'est lui qui nous a appelés ce soir.

ANNETTE. Comment voulez-vous que je le sache?

JODOIN, *agacé.* Madame, c'était une façon polie de vous demander si votre frère était sain d'esprit. Est-ce qu'il l'était?

Annette regarde Beaujeu et Jérémie et hésite.

ANNETTE. Il était très nerveux depuis sa sortie d'hôpital. Très agité, c'est vrai, mais certainement pas fou!

JODOIN. Il a jamais fait de crise qui ait pu vous faire croire que sa raison se... se détraquait?...
Annette secoue la tête négativement.
JODOIN. Savez-vous ce qu'il nous a dit au téléphone?...
BEAUJEU. En admettant que ce soit lui...
JODOIN, *s'inclinant.* En admettant que ce soit lui... Que c'est avec l'aide de sa sœur qu'il avait assassiné madame Martin.
Annette ne répond pas.
JÉRÉMIE, *éclatant.* Ben ça, c'est le comble! Vous voyez bien qu'il était devenu fou, ce pauvre Albert!
BEAUJEU. Toujours en admettant que ce soit lui qui ait téléphoné.
JODOIN, *à Annette.* À moins qu'il ait voulu parler d'une autre de ses sœurs?
ANNETTE, *durement mais avec effort.* Vous savez bien que non, puisque c'était moi qui soignais madame Martin.
Jérémie la prend par les épaules.
JÉRÉMIE, *avec force.* Surtout, inquiète-toi pas Annette! Personne croira une chose semblable!
BEAUJEU. Personne en effet! Soyez bien tranquille! Nous savons tous avec quel dévouement vous avez soigné ma mère.
Le détective entre après avoir frappé à la porte.
DÉTECTIVE. Les ambulanciers sont là...
JODOIN. Qu'ils entrent, qu'ils entrent...
Annette se penche aussitôt vers son frère pour l'embrasser une dernière fois, et cède la place aux brancardiers. Jérémie l'attire une fois de plus auprès de lui. Jodoin recommande à son détective de suivre l'ambulance à l'hôpital, de prendre note du verdict du médecin et de retourner au poste afin d'y faire son rapport... Aussitôt après leur départ, il se tourne vers Annette, dont le visage ravagé l'émeut.
JODOIN, *très doucement.* Madame, puisque tout le monde ici semble convaincu de votre innocence, je ne demande pas mieux que d'y croire moi-même. Seulement, comme je ne vous connais pas, je vais vous demander de m'aider un tout petit peu. Seriez-vous prête à jurer sur l'âme de votre frère que vous n'avez rien à voir dans la mort de madame Martin?
Annette tendue, se tourne vers Beaujeu.
JÉRÉMIE. Bien sûr qu'elle va le faire!
JODOIN, *sans quitter Annette des yeux.* C'est tout ce que je demande. Comme ça, je partirai la conscience en paix et je ferai mon rapport en conséquence.

440

JÉRÉMIE. Vous avez raison! Finissons-en, miséricorde! Hé! que je déteste ça, ces histoires-là!

BEAUJEU. Rien ne vous oblige à le faire, Annette. Il n'y a aucune accusation véritable portée contre vous.

JODOIN. Aucune en effet. À peine une présomption... À peine!...

JÉRÉMIE, *impatient.* Oh! Annette, je t'en prie, jure donc, tout ce qu'il voudra. Qu'est-ce que ça fait après tout, puisque t'es innocente!

> *Annette se tait. Elle a dépassé l'angoisse. Son visage se durcit, car elle sait que l'heure de la vérité a sonné pour elle et elle rassemble ses forces non plus pour tenir tête au détective, mais pour avoir le courage d'aller jusqu'au bout d'elle-même.*

JÉRÉMIE, *prêt à se fâcher.* Annette voyons!... Je t'en supplie, Annette!

BEAUJEU. Mais laissez-la tranquille! Beaucoup de gens répugneraient à faire un serment semblable! À commencer par moi! Je refuserais!

JÉRÉMIE, *irrité.* Mais, c'est ridicule! Pourquoi?

BEAUJEU. Par respect pour celui qui vient de mourir. Pour ne pas troubler son repos par nos agitations humaines.

JÉRÉMIE. Lâche-moi donc avec tes histoires! Puisqu'elle est innocente après tout!

ANNETTE. Non, monsieur Martin, je suis pas innocente.

JÉRÉMIE, *estomaqué.* Quoi?... Annette!...

> *Beaujeu fait un pas vers Annette.*

ANNETTE, à *Jérémie, suppliante.* Essayez de comprendre, monsieur Martin! Je suis incapable de faire un faux serment.

> *Cherchant à se ressaisir, mais incapable de contrôler les pensées qui lui viennent, Jérémie ne sait vers qui se tourner.*

JÉRÉMIE, *à Jodoin.* Je vous dis que c'est pas vrai! *(À Beaujeu.)* Beaujeu, dis-lui donc que c'est pas vrai! Je sais pas pourquoi elle raconte ça! Ça peut pas être vrai! *(À Annette.)* Pourquoi est-ce que t'inventes ça, Annette, bon Dieu!

ANNETTE. C'est la vérité. La seule vérité. Je l'ai empoisonnée pour qu'elle cesse de souffrir, pour qu'enfin, elle dorme en paix! Y a pas d'autre vérité que ça! Vous-même vous auriez fait la même chose si vous l'aviez regardée souffrir presque jour et nuit pendant six mois comme je l'ai fait. Ou alors c'est que vous êtes sans pitié pour la souffrance des autres.

> *Jérémie la regarde avec horreur et recule.*

JÉRÉMIE. Tais-toi! Si tu savais toutes les pensées qui me viennent à la tête! Tais-toi! (*Il lui tourne le dos.*) Je veux plus t'entendre! Je veux plus te voir!

> *Annette bouleversée ferme les yeux et reste figée sur place.*

JODOIN, *sans regarder Beaujeu.* Vous le saviez?

> *Beaujeu hausse les épaules avec un geste d'impuissance. Jodoin ne peut s'empêcher de jeter un regard sur Jérémie, qui se donne des coups de poings dans les mains.*

JODOIN, *à voix basse.* Êtes-vous sûr qu'elle a agi seulement par pitié pour votre mère?

> *Beaujeu qui a suivi son regard, secoue la tête.*

BEAUJEU. Vous êtes comme lui! Il pense la même chose que vous en ce moment, soyez-en sûr!

> *Jérémie l'interrompt dans un état d'agitation et de colère incontrôlable.*

JÉRÉMIE. Qu'est-ce que vous attendez, capitaine? Emmenez-la! Que je la voie plus! (*Il s'approche d'Annette le poing levé.*) Que je la voie plus! Que je la voie plus jamais!

> *Beaujeu le retient. Annette n'a pas bougé. Jodoin va se placer devant elle. Jérémie laisse tomber son bras et s'éloigne comme un homme ivre, ou assommé.*

BEAUJEU, *à Jodoin.* Emmenez-la dans le hall. Je vous rejoins tout de suite. Attendez-moi, n'est-ce pas? (*À Annette.*) Pardonnez-lui, Annette...

> *Il va aider son père et le conduit vers son fauteuil où Jérémie s'effondre en secouant la tête comme s'il protestait contre un fait impossible à admettre.*

BEAUJEU, *à son père.* Je vous en prie, je vous en prie, ressaisissez-vous et essayez de comprendre! Ne jugez pas Annette si vite, elle mérite mieux que ça, et si quelqu'un le sait, c'est bien vous!

> *Mais Jérémie ne répond pas et continue à secouer la tête.*

> *Dans le hall, Maurice fait un pas vers Annette qui s'avance escortée par Jodoin.*

MAURICE, *horrifié.* Madame Julien! Madame Julien, qu'est-ce qui se passe? Je vous en supplie, expliquez-moi! J'ai entendu... non j'ai mal entendu, c'est sûr...

> *Annette le regarde sans le voir. La colère de Jérémie l'a plus ébranlée que ses propres aveux. Jodoin fait un signe aux policiers qui vont lui parler à l'écart.*

MAURICE, *éperdu.* J'ai cru entendre monsieur Martin qui disait... qui disait...

ANNETTE. Épargnez-moi, Maurice!

Maurice brusquement la prend dans ses bras, comme il le ferait pour sa mère.

MAURICE. Je vous demande pardon... Je comprends pas ce qui se passe, mais si je peux vous aider... Qu'est-ce que je peux faire pour vous, madame Julien? Dites-le-moi, je le ferai!

ANNETTE, *avec effort, après un temps.* Pour moi il est trop tard, mais pour Martine, peut-être...

MAURICE, *protestant de tout son être.* Ah! Non!... Oh! non, pour Martine aussi il est trop tard!

ANNETTE. Trop tard pour l'aider dans un moment pareil?

MAURICE. Ah! Je suis là qui vous tourmente. Oui, pour vous, à cause de vous, je ferai la paix avec elle. *(Relevant la tête.)* Mais dans l'amitié seulement. Pas dans l'amour! Oh! non, pas dans l'amour!

ANNETTE. Allez la voir, j'en demande pas plus.

MAURICE. Qu'est-ce que je lui dirai de vous?

ANNETTE, *étonnée.* La vérité! Qu'est-ce qu'il y a d'autre à dire au point où j'en suis? D'ailleurs...

Elle se tourne vers Jodoin.

ANNETTE. Est-ce que je pourrai communiquer avec les autres quand je serai... là où vous allez m'emmener?

Jodoin se tourne vers Beaujeu qui vient les rejoindre.

JODOIN, *le regardant.* Votre avocat répondra à toutes vos questions.

Annette surprise se retourne et aperçoit Beaujeu.

ANNETTE, *sceptique.* Mon avocat?...

Beaujeu met ses mains sur les épaules d'Annette.

BEAUJEU. Oui, Annette, c'est moi qui vous défendrai.

ANNETTE. Mais comment ferez-vous puisque je suis coupable?

BEAUJEU, *bouleversé.* Coupable, oui, coupable de charité, de pitié!... Faites-moi confiance, Annette, je ferai l'impossible pour vous sauver.

Annette réconfortée esquisse un geste timide vers la bibliothèque.

ANNETTE. Merci!... Mais pensez à lui surtout!...

BEAUJEU. Oui, mais plus tard. Ce soir, c'est de vous que je veux m'occuper.

Jodoin fait un signe à l'autre détective qui s'approche d'Annette.

BEAUJEU. Faites-moi confiance, Annette.

Annette émue ne répond pas et suit le détective qui l'entraîne vers la porte.

MAURICE, *bouleversé.* Madame Julien...

Mais Annette est déjà sortie. Jodoin s'éloigne de quelques pas. Maurice se tourne vivement vers Beaujeu.

MAURICE. Elle m'a demandé d'aller à Sainte-Anne-de-Remington...

BEAUJEU, *vivement.* Oui, oui, il faut absolument empêcher Martine de revenir à Montréal. Pourriez-vous rester là-bas jusqu'à ce que vous ayez de mes nouvelles?

MAURICE. Oui...

BEAUJEU. Ne lui dites rien avant de m'avoir parlé.

MAURICE. Madame Julien voulait que je lui dise tout?

BEAUJEU. Attendez! Je veux d'abord essayer quelques démarches... Prenez la voiture de ma mère et partez dès que vous le pourrez.

MAURICE. Je pars tout de suite.

Maurice s'éloigne précipitamment côté escalier de service. Beaujeu se retourne vers le capitaine, qui pousse du pied la valise d'Albert.

BEAUJEU, *amer.* Cherchez-vous un autre coupable, capitaine?

JODOIN. Je pensais à ce pauvre gars qui croyait qu'on avait besoin d'une valise pour aller en prison...

BEAUJEU, *bouleversé ne répond qu'après un moment.* J'aurais tant voulu les sauver tous les deux!

JODOIN, *à regret.* Au lieu de ça, vous les avez perdus!

BEAUJEU, *saisi.* Moi?

JODOIN, *brusquement.* Hé oui, vous! C'est votre attitude qui m'a forcé à aller jusqu'au bout! Vous insistiez tellement pour que je m'en aille!

BEAUJEU, *accablé.* Alors, c'est par ma faute...

JODOIN. Cette idée aussi de jouer au plus fin avec la police! Les honnêtes gens perdent toujours à ce jeu-là, vous devriez pourtant le savoir, monsieur Martin!

BEAUJEU. Par ma faute...

Il s'assoit accablé.

JODOIN, *après un moment. Avec un geste d'impuissance.* Je suis désolé... C'était vrai que j'étais venu ici par estime pour vous...

Beaujeu fait un signe de tête signifiant qu'il le croit. Jodoin s'éloigne. Arrivé à la porte, il se retourne.

JODOIN, *brusquement.* Restez donc pas là, si vous voulez l'aider! C'est maintenant qu'elle a besoin de vous!

BEAUJEU, *se ressaisissant.* Je vous suis, capitaine. Tout de suite.

Jodoin sort. Beaujeu fait un pas vers la bibliothèque, mais se ravise, ramasse son manteau et quitte la maison.

Livré à lui-même, Jérémie Martin, assailli par des émotions d'une violence effroyable, se lève, se rassoit, se relève, serre les poings, voudrait crier, voudrait tuer, voudrait mourir, étouffe, yeux exorbités, cherche un appui et s'écroule enfin face contre sol.

31

Le lion terrassé

Une heure du matin. Le timbre de la porte d'entrée résonne, une fois normalement, une deuxième fois plus longuement, une troisième fois encore, et enfin la porte s'ouvre.

RENÉ. Monsieur Beaujeu?...

BEAUJEU. C'est une drôle d'heure j'en conviens. Je vous ai réveillé, René?

RENÉ. Non, je viens moi-même tout juste de rentrer.

BEAUJEU. Je croyais que mon père m'ouvrirait, car il y a de la lumière dans la bibliothèque.

RENÉ. Je vais vous annoncer? Il y tient beaucoup, vous le savez.

Il s'éloigne. Beaujeu enlève son manteau qu'il laisse tomber par terre sur l'exclamation horrifiée de René.

RENÉ. Nom de Dieu!... Venez vite! Vite!

BEAUJEU. Oh !

Le corps de Jérémie Martin gît dans la même position où il est tombé, face contre terre. Beaujeu se ressaisit immédiatement.

BEAUJEU. Aidez-moi. René. Il faut le retourner. Et le plus délicatement possible.

Ce qu'ils font, en plus de détacher la cravate, le col et la ceinture pour qu'il puisse mieux respirer.

RENÉ. Est-ce... Est-ce qu'il vit ?

Beaujeu colle l'oreille sur la poitrine de son père et se redresse au bout d'un moment.

BEAUJEU. Ouf ! J'ai eu peur...Oui, il vit. Le cœur bat, faiblement, mais il bat...

RENÉ. Il faut appeler le médecin! Et le transporter dans sa chambre...

BEAUJEU. C'est trop loin... dans le petit salon plutôt. Attendez...

Il prend les clés dans une des poches de Jérémie et les tend à René en se relevant.

BEAUJEU. C'est une de celles-là...? Entrez et ouvrez les fenêtres... J'appelle tout de suite le Dr Rondeau.

La cuisine des Julien à Sainte-Anne-de-Remington où Martine marche de long en large, hantée par les pensées les plus sombres.

MARTINE. Qu'est-ce que je vais faire de ma vie maintenant? J'ai tout gâché... J'ai fait souffrir Maurice, j'ai poussé Philippe au désespoir, j'empêche maman d'être heureuse... Partout où je passe, je sème le malheur... Pourquoi? Égoïste, orgueilleuse... Mais comment fait-on pour être autrement? Comment font les gens qui sont pas moi? Comment...

Elle s'arrête brusquement, saisie par la lumière des phares d'une automobile qui stoppe devant la maison, et court vers la chambre de sa grand-mère, frappant à la porte impérieusement.

MARTINE. Grand-mère! Grand-mère, réveillez-vous! Venez vite! Oh! venez vite, je vous en supplie!

Marie-Rose entrouvre sa porte.

MARIE-ROSE, *inquiète.* Qu'est-ce qu'il y a?

MARTINE. Une voiture s'arrête devant la maison, grand-mère!

MARIE-ROSE. Quoi, c'est tout?

MARTINE. C'est maman qui vient me chercher! Venez! Venez! Oh! J'ai tellement besoin que vous soyez là!

MARIE-ROSE. Quelle heure est-il? *(Elle regarde l'horloge et s'exclame.)* Une heure et demie! Eh ben...

MARTINE. Venez vite! *(Agitée.)* Elle voudra me ramener à Montréal... Il faudra m'aider, grand-mère. Laissez-moi pas partir!

Marie-Rose vient la rejoindre, enfilant une robe de chambre.

MARIE-ROSE. Veux-tu me dire ce que tu fais encore debout à une heure pareille ?

MARTINE, *fébrile.* Retenez-moi, si j'ai l'air de céder, grand-mère!

MARIE-ROSE, *s'approchant de la fenêtre.* As-tu pu voir avec qui elle était...

MARTINE. Non... Non, j'ai pas vu...

Mais elle replace ses cheveux et vérifie sa robe, le cœur battant d'espoir et de crainte, car elle a bien reconnu la voiture blanche de madame Martin.

MARIE-ROSE, *feinte indifférence.* Avec Maurice, peut-être?...

On frappe à la porte. Martine, agitée, recule.

MARTINE. On frappe, grand-mère!

MARIE-ROSE, *étonnée.* Alors, ça peut pas être Annette.

Elle ouvre la porte et sourit.

MARIE-ROSE. Ah! bon, vous êtes Maurice...

MAURICE, *essayant de maîtriser son émotion.* Oui... Je voulais... je venais voir Martine... Excusez-moi d'arriver si tard...

MARIE-ROSE. Eh! ben, entrez, entrez!...

Maurice et Martine se regardent. Il entre, lentement.

MARIE-ROSE, *enchaînant.* On peut dire que vous avez des drôles d'heures pour faire vos visites! *(Se penchant pour regarder dehors.)* Vous êtes tout seul?

MAURICE, *mal à l'aise.* Oui, madame...

MARIE-ROSE. Entrez...Heureusement, Martine est encore debout.

Elle ferme la porte et va soulever un rond de poêle en regardant, d'un air amusé, Maurice et Martine qui ne se quittent pas des yeux.

MARIE-ROSE, *ironique.* T'as failli laisser mourir le feu, Martine, mais t'as de la chance, il y a encore de la braise...

Elle met une bûche dans le poêle, après quoi elle va toucher le bras de Maurice.

MARIE-ROSE. Je suis la grand-mère de Martine, au cas où ça vous intéresserait de le savoir.

MARTINE, *vivement.* Excusez-moi... C'est Maurice, grand-mère!

MARIE-ROSE. Hé! oui, c'est Maurice... Venez-vous chercher Martine pour la ramener à Montréal?

Maurice qui semble incapable de détourner ses yeux de Martine répond sans regarder Marie-Rose.

MAURICE. Non... Seulement pour lui parler.

MARIE-ROSE. Eh! bien, enlevez votre manteau et assoyez-vous... Moi, je vais me coucher.

Elle s'éloigne. Maurice s'en rend compte et se tourne vers elle.

MAURICE. Madame, est-ce que vous me donneriez l'hospitalité pour la nuit? L'auberge du village est fermée...

MARIE-ROSE, *faussement bourrue.* Évidemment, elle est fermée! Il est passé minuit! On se couche nous autres à la campagne!

MARTINE, *protestant.* Grand-mère!...

MARIE-ROSE. Tu lui donneras une des chambres du haut. Est-ce que je peux aller dormir, maintenant?

Martine incline la tête sans répondre, regardant Maurice qui la regarde. Marie-Rose leur fait un petit salut ironique et s'éloigne vers sa chambre dont elle ferme la porte. Maurice et Martine continuent à se regarder jusqu'à ce que Martine irrésistiblement, court se jeter dans les bras de Maurice. Il la serre contre lui sans rien dire, incapable de parler.

MARTINE. Je te demande pardon...

MAURICE, *bas.* Tais-toi!

MARTINE. Je ne peux plus le demander à Philippe. Mais toi, tu es vivant. Tu peux me pardonner le mal que je vous ai fait à tous les deux!

MAURICE. Oh! moi, j'ai rendu coup pour coup! Et je le ferai encore, si tu dois encore me blesser! *(Plus doux.)* Mais Philippe, c'est autre chose...

MARTINE, *bouleversée.* Il s'est tué, Philippe! Par ma faute!

MAURICE. Je l'ai cru aussi, mais ce qui s'est passé, personne le saura jamais.

MARTINE. Moi, je le sais. Oh! moi, je le sais!

MAURICE. Écoute-moi...

Martine se dégage et recule.

MARTINE, *l'interrompant.* Décharge-moi pas si vite du poids de sa mort. Je serais trop pressée de l'oublier! Tu sais comment je suis!

Maurice l'entraîne vers une chaise et la force à s'asseoir auprès de lui.

MAURICE, *l'interrompant.* Écoute-moi!... Avec ta mère, ce soir, on est allé voir le médecin qui est venu constater la mort de Philippe... Ta mère aussi se faisait des reproches et voulait savoir la vérité.

MARTINE. Et qu'est-ce qu'il a dit?

MAURICE. Qu'il avait lui-même d'abord cru au suicide, mais que d'après la façon dont la balle est entrée, il ne pouvait absolument pas en être sûr d'une façon certaine...

MARTINE. Il connaissait pas Philippe! Moi, je le connaissais! Moi, je sais qu'il était jamais loin du désespoir! Non, je peux pas croire à un accident! Ça serait trop commode!

MAURICE, *durement.* En quoi trop commode? Qu'est-ce que ça change? Qu'il en soit mort ou non, tes mensonges restent les mêmes! Te crois-tu plus justifiée de m'avoir fait souffrir parce que moi, j'en meurs pas?

Martine le regarde bouleversée, et secoue la tête négativement. Timidement cette fois, elle met ses bras sur les épaules de Maurice.

MARTINE. Aide-moi, veux-tu? Aide-moi! Tu es plus fort, plus généreux que moi. Tu penses aux autres, alors que pour moi, spontanément, les autres existent pas! *(Avec colère.)* Je suis comme lui, Maurice! C'est ça l'horreur! Je vaux pas mieux que lui! Pourrais-tu m'aider? Veux-tu m'aider à changer?

MAURICE. Penses-tu que j'aie le choix? Il y a toi, il y a moi... Pour mon bonheur ou pour mon malheur, il y a toi, il y a moi... Je vois même plus comment ça pourrait être autrement!

MARTINE, *émerveillée.* Moi non plus, Maurice! Moi non plus!

Ils s'embrassent et se regardent encore.

MAURICE, *après un moment.* Eh! bien, tu seras ma femme. Tant pis pour toi.

MARTINE. Je serai ta femme... Tant pis pour toi!

MAURICE. Tu seras ma femme et je serai sans pitié avec toi!

MARTINE. Il faut être sans pitié avec moi!

MAURICE. Ce que tu me donneras pas de toi, je le prendrai de force!

MARTINE. Tu le prendras et ce sera à toi, et en échange, tu me donneras tout de toi!

MAURICE, *fermement.* Oui, c'est comme ça qu'il faudra que ce soit.

> *Ils se regardent et se mettent à rire en même temps.*

MAURICE. C'est beau, hein?

MARTINE. Oui, mais va-t-il falloir qu'on se parle comme ça toute la vie?

MAURICE. Oui! Chaque fois que ce sera important!

> *Dans le petit salon de madame Martin, Beaujeu et René installent Jérémie sur le sofa. René tend la couverture de fourrure à Beaujeu qui en recouvre son père. On entend le timbre de la porte d'entrée.*

RENÉ. Je vais ouvrir.

> *Beaujeu bouleversé regarde autour de lui, saisi par tout ce qu'il voit.*

BEAUJEU, *murmurant.* Il a tout gardé!... Tout ce qui venait d'elle... Pauvre vieux lion qui se vantait d'avoir écarté tous ses souvenirs d'un seul coup de patte!

> *René paraît.*

RENÉ. Le docteur Rondeau...

> *Le médecin entre, trousse à la main. Pressé. Brève poignée de mains.*

BEAUJEU. Merci d'être venu si vite!...

RONDEAU. Ça m'a paru urgent...

> *Il se dirige vers Jérémie.*

RENÉ. Monsieur aimerait-il que je lui prépare un café?...

BEAUJEU. Oh! oui... j'aimerais bien...

RONDEAU, *s'exclamant.* C'est grave, dites donc!...

> *René s'éloigne.*

BEAUJEU. Je le craignais. Un évanouissement qui se prolonge à ce point-là...

RONDEAU, *examinant Jérémie.* Il ne s'agit pas d'évanouissement!

BEAUJEU, *vivement.* Voulez-vous dire que...? *(Protestant.)* Pourtant son cœur battait tantôt!

RONDEAU. Il bat, il bat! Ce n'est pas le problème! *(Il se relève.)* Thrombose cérébrale! Du moins ça en a tout l'air. Il faut le transporter à l'hôpital et au plus vite.

BEAUJEU, *inquiet.* L'ambulance devrait être ici d'une minute à l'autre... Mais n'y a-t-il rien à faire pour l'aider, en attendant?

RONDEAU. Oui, le laisser tranquille. Surtout qu'on ne le remue pas. J'espère que vous ne comptez pas sur moi pour le soigner? En dehors du cancer, moi, vous savez... Je m'étonne même que vous m'ayez appelé!

BEAUJEU. Je vous ai vu pendant six mois au chevet de ma mère. Votre dévouement m'est revenu à l'esprit...

RONDEAU. Voyez donc plutôt le docteur Lussier... Dans un cas semblable, je ne voudrais personne d'autre que lui à mon chevet. Et prévenez-le au plus vite. Je ne veux pas vous inquiéter, mais l'état de votre père me paraît des plus critiques. Attendez-vous au pire.

BEAUJEU, *impressionné.* À ce point-là?

       Rondeau referme sa trousse.

RONDEAU. Je ne sais même pas s'il passera la nuit! Et pour tout vous dire. *(Il met la main sur le bras de Beaujeu.)* Pour tout vous dire, mon pauvre ami, la mort dans son cas serait sans doute préférable!

BEAUJEU, *saisi.* Comment ça?

RONDEAU. En mettant les choses au pire, c'est la paralysie générale... Le cerveau ne fonctionne plus, et la vie est réduite à un minimum d'activités physiologiques... Et si on pense au dynamisme de votre père...

BEAUJEU, *impressionné.* Comment le supporterait-il en effet!

RONDEAU. Oh! C'est plutôt vous qui ne le supporteriez pas! Vous, la famille, l'entourage... Eux-mêmes, vous savez, ils sont... Ils sont ailleurs!...

BEAUJEU, *protestant.* Et il n'y a aucun espoir de guérison possible?

RONDEAU, *hésitant.* J'ai dit: en mettant les choses au pire! Lussier m'a déjà parlé de gens qui ont été guéris. L'un en quelques jours... Les autres en quelques semaines. Mais c'est plutôt exceptionnel. J'évite en général d'en parler pour ne pas susciter de vains espoirs! Il est vrai que votre père a toujours manifesté une vitalité exceptionnelle mais... Lussier vous dira tout ça...

BEAUJEU. Où pourrais-je le rejoindre?

RONDEAU. Il serait préférable que je l'appelle moi-même, à cette heure. C'est un de mes amis, ça facilitera les choses pour vous.

BEAUJEU. Merci! Croyez-vous qu'il viendrait nous rejoindre ce soir même à l'hôpital?

RONDEAU. Oui, oui, c'est un cas d'urgence! Je me charge de lui. *(Il lui tend la main.)* Au revoir... Bon courage, Beaujeu.

Il se dirige vers la porte et aperçoit le grand portrait de madame Martin, appuyé sur une table. Il s'arrête et lui fait aussitôt un petit salut amical comme si elle était effectivement présente.

RONDEAU. Bonsoir, madame Martin...

René entre portant un plateau

Il s'approche. Beaujeu se sert.

BEAUJEU. Merci d'y avoir pensé! Ça va m'aider à me tenir éveillé. Je voulais aussi vous prévenir... Ne vous inquiétez pas, si vous ne voyez pas Annette demain matin... Ni Maurice... Il est allé à Sainte-Anne-de-Remington...

RENÉ. Avec Annette, oui, je comprends! Et Albert, bien sûr? C'est son anniversaire de naissance demain.

BEAUJEU, *sans insister.* Ah! bon, je ne savais pas...

Le timbre de la porte résonne.

RENÉ. Ce doit être l'ambulance.

Il s'éloigne vivement. Beaujeu regarde son père et se demande s'il faut encore lui souhaiter de vivre. Rondeau paraît sur le seuil.

RONDEAU. Lussier est prévenu. Vous le trouverez à l'urgence de l'Hôtel-Dieu.

BEAUJEU. Merci, docteur!

Rondeau s'éloigne pendant que deux infirmiers approchent avec un brancard sur lequel ils installent Jérémie. Beaujeu couvre de nouveau son père de la couverture d'hermine.

BEAUJEU. Vous pouvez l'emmener.

Les brancardiers sortent emportant Jérémie. Beaujeu les suit dans le hall.

RENÉ. Il est tard, si monsieur le désire, je peux lui préparer une chambre.

Beaujeu secoue la tête et enfile son manteau.

BEAUJEU. Non, non! Il faut que j'aille à l'hôpital. Mais vous feriez bien de préparer celle de mon frère qui doit arriver de Paris, demain matin sans doute.

RENÉ, *surpris.* Monsieur Michel?... Ah! bon!...

BEAUJEU. Bonsoir. Et merci de votre assistance, René.

À Sainte-Anne-de-Remington. Marie-Rose sort de sa chambre en attachant son tablier. Debout devant la fenêtre, Martine et Maurice, front contre front, se regardent, image du bonheur. Elle venait leur demander ce qu'ils aimeraient manger pour le souper, mais elle comprend vite que ce n'était pas de nourriture terrestre dont ils avaient besoin pour l'heure, mais d'amour, d'amour, d'amour...

MARIE-ROSE, *après un long moment, émue.* Vous êtes réjouissants à voir, tous les deux.

Martine et Maurice tournent la tête vers elle et viennent la rejoindre.

MARTINE. Maurice aimerait qu'on se marie à Sainte-Anne-de-Remington, grand-mère.

Ils vont s'asseoir autour de la table très près les uns des autres.

MARIE-ROSE. C'est ta paroisse...

MAURICE. Tu vois bien qu'elle est d'accord! Demain, je m'occupe de la publication des bans. Et d'ici trois semaines...

MARIE-ROSE. Trois semaines! C'est pas un peu trop vite?

Martine et Maurice se regardent et se sourient. Puis ils regardent Marie-Rose.

MARIE-ROSE, *désarmée.* Bon!... Faites comme vous voudrez! (*À Martine.*) Si ta mère accepte, évidemment...

MAURICE. Oh! elle accepte. Elle me l'a déjà dit.

MARIE-ROSE. Je parlais du mariage à Sainte-Anne-de-Remington... Je ne sais pas si elle serait d'accord...

On frappe à la porte.

MAURICE. On a frappé, je pense?...

Martine se lève.

MARIE-ROSE. Il faudrait lui en parler avant la publication des bans.

MAURICE. Vous avez raison, j'attendrai.

On frappe une deuxième fois.

MARIE-ROSE, *à Martine.* Tu ne vas pas ouvrir?

MARTINE. J'y vais, j'y vais...

Elle ouvre la porte et Michel Martin paraît. Martine semble tomber des nues, tandis qu'il se met à rire de son étonnement.

MICHEL. Bonjour, Martine!...

MARTINE. Vous!...

MICHEL, *riant.* En voilà des façons d'accueillir un voyageur...

MARTINE, *joyeusement.* Excusez-moi! Il me semble que je rêve! Entrez! Entrez!...

Elle ouvre la porte toute grande. Maurice inquiet se demande ce qui va se passer. Pendant que Martine ferme la porte, Michel va aussitôt tendre la main à Marie-Rose qui s'est levée.

453

MICHEL. Madame, je suis Michel Martin, le frère de Martine...

MARIE-ROSE. Le frère de...? Un Martin qui reconnaît sa sœur? Je pensais jamais voir ça de mon vivant!

MICHEL, *se tournant vers Martine qu'il prend par le cou.* Encore fallait-il le savoir! Je viens tout juste de l'apprendre. *(À Martine.)* D'ailleurs, nous n'avons pas eu besoin de ce lien pour nous entendre, n'est-ce pas? Bonjour Maurice...

Martine va aussitôt prendre Maurice par le bras.

MARTINE. Nous sommes fiancés Maurice et moi...

MICHEL. *interdit.* Ah! oui?... Et vos études? Finies?

MAURICE. Non, non, on sera deux à étudier maintenant. Du moins, c'est ce qu'on espère!

MARTINE. Mais, comment êtes-vous au Canada? Quand êtes-vous arrivé?

MICHEL. Ce matin!... *(Hésitant.)* Hier soir... Beaujeu m'a appelé... Mon père... pardon, notre père... est gravement malade.

MAURICE. Monsieur Martin?... Mais il était parfaitement bien, hier!

MICHEL. On l'a transporté à l'hôpital, cette nuit.

MARIE-ROSE. Pauvre vieux fou!

MARTINE, *brusquement.* Voulez-vous dire qu'il est mort?

MICHEL. Non, mais agonisant... Thrombose cérébrale... Les médecins ne savent pas s'ils pourront le guérir.

MARTINE. Oh! pauvre maman...

Marie-Rose qui a aussi pensé à Annette, commence à pressentir que des choses graves ont pu se produire.

MARIE-ROSE. Est-ce seulement pour ça que vous avez pris la peine de venir jusqu'ici tout de suite après un si long voyage?

MICHEL, *à Marie-Rose.* Mon frère Beaujeu devait venir vous voir lui-même mais... il a été retenu à Montréal...

MARIE-ROSE, *brusquement.* Monsieur, si vous avez une mauvaise nouvelle à m'apprendre, dites-la tout de suite! C'est au sujet d'Annette?...

Martine se rapproche. Maurice la prend par le cou.

MICHEL, *hésitant.* Albert...

Marie-Rose se lève lentement.

MARIE-ROSE. Albert?...

MICHEL. Je regrette d'avoir à vous le dire... Il a fait une syncope, hier soir...

MARIE-ROSE. Est-ce qu'il est mort?

Michel incline la tête.

MARTINE. Oh !... *(Elle se tourne vers Maurice.)* Tu le savais ?...
MAURICE, *à voix basse.* Oui...
Marie-Rose s'est assise, regardant devant elle, pleine de compassion.
MARTINE. Mais pourquoi t'en as rien dit ?
MAURICE, *désignant Marie-Rose.* Chut...
MARIE-ROSE. Au moins il aura plus jamais peur... *(Doucement comme s'il était là.)* Hein, Albert, t'as plus peur de rien maintenant ?
Martine va l'embrasser.
MARIE-ROSE, *même jeu.* Il était sans défense, comme un enfant... un petit enfant ! Toujours inquiet !... tremblant toujours... « J'ai peur, maman, j'ai peur... » De la naissance à la mort !
MICHEL. Et pourtant cet homme si craintif n'a pas hésité à mettre sa vie en jeu, par affection pour ma mère.
Marie-Rose secoue la tête pour protester tandis que Martine s'étonne.
MARIE-ROSE. Il l'aurait jamais fait tout seul. Sans Annette, il aurait jamais eu la force...
MICHEL, *étonné.* Madame, vous le saviez donc ?
Marie-Rose acquiesce de la tête.
MARTINE. Mais quoi ? Qu'est-ce que vous racontez tous les deux ?
Maurice la prend dans ses bras.
MARIE-ROSE. C'était un secret trop lourd à supporter pour lui. Il en était malade d'angoisse... Vous voyez bien, il en est mort !
Martine de plus en plus alarmée, passe de sa grand-mère à Michel.
MARTINE. Mais de quoi parlez-vous ?... Qu'est-ce que mon oncle a fait ? Et maman ?... *(À Maurice.)* Le sais-tu ?
MAURICE. Écoute... Par pitié pour madame Martin ils ont... Tous les deux, ils ont pris sur eux de... de...
MICHEL. D'abréger ses souffrances ! Il faut leur en être reconnaissant, Martine, et les remercier.
MARTINE, *balbutiant.* Les poisons ?... Les poisons dans la chambre du jardinier ?...
Marie-Rose se tourne vers elle, brusquement.
MARIE-ROSE. C'est ça ! Ils avaient pas le droit, mais ils l'ont fait. Mêle-toi pas de les juger ! Et mêle-toi pas non plus de les remercier, comme ton frère...
Elle désigne Michel.
MICHEL, *protestant.* Madame...
MARIE-ROSE. Mettez-lui pas des idées fausses dans la tête ! On va appeler les choses par leur nom, comme on le ferait si c'était pour des gens qu'on connaît pas. Albert et Annette ont commis un crime, c'est ça la vérité.

MARTINE, *protestant.* Oh! Grand-mère!

MICHEL, *protestant.* C'est oublier que ma mère était incurable! Tous les médecins s'accordaient à le dire! Ils ne pouvaient pas plus la sauver que l'empêcher de souffrir. Est-ce qu'à la campagne on hésite à abattre un animal qui souffre? Pourquoi ce qu'on appelle de la pitié quand il s'agit des bêtes devient-il un crime dans le cas d'un être humain?

> *Marie-Rose secoue la tête avec une profonde conviction.*

MARIE-ROSE. Parce que dans le cas des hommes y a pas seulement le corps qui est en cause.

MICHEL, *doucement.* Quand un être humain est malade, c'est le corps qui est en jeu, et dans ce cas, il ne s'agit pas d'un meurtre, mais d'euthanasie...

MARIE-ROSE, *l'interrompant.* Vous m'enlèverez jamais de l'idée qu'il y a au moins deux moments dans notre vie où Dieu doit être présent. La naissance pis la mort. Ces deux moments-là, c'est à lui qu'ils appartiennent, pis c'est à lui seul d'en décider.

MICHEL. Madame, je vous respecte trop pour me permettre d'en discuter davantage... D'autant plus que la loi vous donne raison...

MARTINE, *angoissée.* Je voudrais voir maman...

MARIE-ROSE. Moi aussi. Mais avant de partir pour la ville, j'aimerais prier pour Albert.

> *Elle s'éloigne vers sa chambre.*

MAURICE, *la suivant.* Voulez-vous que je vous conduise à l'église, madame Julien?

MARIE-ROSE. J'osais pas vous le demander...

MARTINE. Je reste ici, Maurice, avec Michel. Je veux tout savoir...

MAURICE, *vivement.* Oui, oui, restez ensemble, tous les deux...

> *Martine le regarde avec inquiétude, tandis que Maurice l'embrasse.*

MAURICE, *bas.* Je t'aime, Martine. Souviens-toi de ça. Je vais aller réchauffer l'auto...

> *Il la quitte brusquement. Martine de plus en plus angoissée fait un pas vers lui, mais la porte se referme. Marie-Rose va bientôt le rejoindre et Martine peut enfin exprimer ses inquiétudes.*

MARTINE. Dites-moi tout maintenant! Où est maman? Pourquoi n'est-elle pas venue avec vous? Votre père à l'hôpital, mon oncle qui meurt d'une syncope, qu'est-ce qui a bien pu se passer? Parlez!...

MICHEL, *résolu.* Votre oncle a téléphoné aux Quartiers Généraux de la police, hier soir, pour se livrer...

MARTINE, *avec effroi.* Se livrer?...

MICHEL. Du moins, c'est ce qu'on présume, car il est mort avant que la police puisse l'interroger.

MARTINE, *se durcissant.* Et maman?

MICHEL. Votre mère s'est immédiatement reconnue coupable...

MARTINE, *saisie.* Alors ils l'ont emmenée?... En prison?... Elle est en prison, c'est bien ça?

MICHEL, *pressant.* Martine, c'est à cause de cela que je suis revenu d'Europe. J'ai menti tout à l'heure. Beaujeu ignorait la gravité de l'état de mon père quand il m'a appelé, mais il savait que je voudrais vous aider, il savait que je tiendrais à témoigner en faveur de votre mère...

MARTINE, *angoissée.* Qu'est-ce qui va lui arriver maintenant?...

MICHEL. Les procédures normales. L'enquête préliminaire, puis le procès... Beaujeu la défendra lui-même. Et je peux vous jurer qu'il y apportera non seulement toute son intelligence, mais aussi tout son cœur.

MARTINE, *âprement.* Mais pourra-t-il la sauver? Quand on saura... Quand on saura la place que maman tenait dans la vie de votre père?... car tout sera étalé au grand jour, je suppose? Les moindres gestes de sa vie, ma naissance, tout!

MICHEL. Je doute que nous puissions l'éviter, en effet.

MARTINE. Qui à ce moment-là, qui voudra croire que maman a agi par pitié? Qui pourra le croire, même avec la meilleure volonté du monde?

MICHEL, *vivement.* J'espère que vous au moins, vous n'en doutez pas!

MARTINE, *violemment.* Je le sais pas! Elle aimait tant votre père! Comment voulez-vous que je sache... Je sais plus quoi penser! Et si moi je le sais pas, ceux qui la jugeront, ceux qui ne la connaissent pas, qu'est-ce qu'ils croiront...? *(Avec honte.)* Ils croiront qu'elle l'a fait par intérêt! Sordidement! Dans le but d'épouser votre père!

MICHEL, *avec autorité.* Écoutez-moi, Martine, écoutez-moi!... Ne dites plus rien avant d'avoir entendu ma mère elle-même vous dire comment les choses se sont passées.

MARTINE, *saisie.* Votre mère?

Il sort de sa poche quelques feuilles repliées. Martine étonnée le regarde.

MICHEL. Voici des extraits d'un journal qu'elle avait commencé pour elle-même, mais dont toute la fin s'adresse à Beaujeu qui en a recopié quelques pages à votre intention.

MARTINE, *amère.* Le fameux cahier bleu...

MICHEL. Puisque ma mère est la cause première de tout ce drame, écoutez au moins ce qu'elle dit avant de porter un jugement. Écoutez ce qu'elle dit, comme si elle s'adressait à vous, elle-même...

Martine s'assoit bouleversée et attentive.

CLOTHILDE. Quelle affreuse nuit, Beaujeu!... Quelle affreuse nuit! Et qui n'est que la répétition de tant d'autres nuits où les notions de temps, d'espace et même d'existence, s'effritent pour ne laisser de place qu'à la souffrance à l'état pur. Je n'en sors qu'avec l'aube, broyée, tordue, dévastée, tout orgueil ravalé, toute honte bue, toute pudeur anéantie, gémissante comme un enfant qui pleure sur lui-même. Et c'est Annette la vigilante, la forte et douce, qui reçoit le cri de ma désolation.

> CLOTHILDE. Annette, Annette, comme vous devez tous me détester pour me laisser souffrir à ce point!
>
> ANNETTE, *saisie.* Madame Martin, madame Martin, vous avez pas le droit de croire ça!

CLOTHILDE. Avec quelle force elle le dit! Et comme elle a raison de le dire. Le remords m'envahit et je proteste aussitôt!

> CLOTHILDE. Pardon, Annette, pardon! Non, je n'ai pas le droit parce que c'est faux! C'est ma lâcheté qui parle. Je vous supplie d'oublier cela!
>
> ANNETTE, *protestant, bouleversée.* Qu'est-ce que je peux faire de plus pour vous? Qu'est-ce que je peux faire? Dites-le-moi! Mon Dieu, dites-le-moi et je le ferai!
>
> CLOTHILDE, *lassitude et amertume extrême.* Personne ne peut rien pour moi, Annette. Il n'y a pas de pire solitude que la souffrance.
>
> ANNETTE, *pressante.* Je pourrais... mais, est-ce que c'est ce que vous voulez?... Oh! dites-le-moi! Est-ce que vous voulez que...?
>
> CLOTHILDE, *vivement, avec effort.* Il n'y a rien à faire. De grâce, oubliez ce que j'ai dit, et pardonnez-moi...

CLOTHILDE. Elle me regarde un long moment, si bouleversée par mes paroles que je me reproche amèrement de les avoir dites. Car, elle, ne les oublie pas, je le sens! Toute la journée son regard a pesé sur moi, plein d'interrogation. Une interrogation à laquelle je suis incapable de répondre. Vers la fin de l'après-midi, je lui ai demandé de me lire un passage de l'Évangile, choisi au hasard, comme nous le faisons très souvent. Est-ce Dieu qui a voulu que nous tombions sur le verset du renoncement? «Celui qui voudra sauver sa vie la perdra»...

ANNETTE, *perplexe*. «Celui qui voudra sauver sa vie, la perdra»... Qu'est-ce que ça veut dire exactement?

CLOTHILDE. Annette, vous le savez bien, puisque cet Évangile commence par ces mots: «Si quelqu'un veut venir à ma suite, qu'il se renonce à lui-même»...

ANNETTE. Mais ça peut aller très loin, il me semble?... Plus loin même que la vie... *(Effrayée.)* On peut même imaginer des cas où ça engagerait jusqu'au salut éternel!

CLOTHILDE, *hésitant*. Oui... Peut-être... Oui, c'est possible...

CLOTHILDE. Elle n'a rien ajouté, mais j'ai compris que le combat était engagé en elle plus profondément encore que je ne l'avais cru. La question maintenant se pose clairement dans son esprit. Si bien que je n'ose plus soupirer, même quand la douleur se fait plus aiguë, de crainte de forcer sa pitié.

MICHEL. Le journal s'arrête à cet endroit pour reprendre deux jours plus tard.

VOIX DE CLOTHILDE. Annette, ce soir, a rompu le silence qui persistait entre nous depuis avant-hier. Dès ses premiers mots j'ai compris de façon indiscutable qu'elle avait triomphé de ses derniers scrupules et que sa décision était prise irrévocablement.

ANNETTE, *doucement mais avec fermeté*. Même si vous ne dormez pas cette nuit, madame Martin, ayez confiance. Je suis sûre que vous ne souffrirez plus longtemps. Dieu aura pitié de vous, croyez-moi.

CLOTHILDE. J'ai pris le verre qu'elle me tendait et l'ai bu tout d'un trait. Et j'ai su tout de suite qu'il contenait un poison. Aussitôt après, elle m'a demandé si je n'aimerais pas voir un prêtre le lendemain... Je lui ai répondu : ce ne sera pas nécessaire, Annette, je suis déjà en paix avec le Ciel. Ce sourire qu'elle m'a fait!... Que je voudrais pouvoir le décrire! C'est le plus pur sourire de charité qu'il m'ait jamais été donné de contempler. Cette femme qui me détestait quand elle est entrée ici, m'aura plus aimée que tous les membres de ma famille. Songe, Beaujeu, songe que non seulement cet acte la force à renoncer à ton père, car elle est trop intègre pour jamais penser à l'épouser après m'avoir empoisonnée, songe que non seulement cet acte peut la conduire en prison si l'on découvre la vérité, mais que plus encore, elle met son salut en jeu, par pitié pour moi, comme un joueur qui mise tout ce qu'il possède sur une seule carte. Cette carte pour Annette, c'est la parole même de Jésus-Christ. «Celui qui perdra sa vie à cause de moi, la retrouvera.» Et moi, j'accepte! J'accepte, car je sens

que je ne suis plus qu'un enjeu dans tout cela et qu'il y a plus que ma vie en cause... J'accepte, car un tel sacrifice ne se refuse pas.
Michel s'arrête de lire et regarde Martine trop bouleversée pour dire un mot. Visage couvert de larmes.

MICHEL. Voilà quelle femme est votre mère, Martine. Jugez-la si vous le pouvez, moi je m'en sens absolument incapable!
Martine secoue la tête, complètement bouleversée.

MARTINE. Michel, il faut que je la vois au plus vite. Je veux qu'elle sache que je la condamne pas! Qu'elle sache que je l'admire autant que je l'aime! Partons ce soir avec Maurice et grand-mère, voulez-vous?

MICHEL, *avec un sourire.* C'est ce que j'espérais vous entendre dire. Martine, vous êtes une sœur selon mon cœur!
Martine se met à pleurer. Il la prend dans ses bras.

32

Ecce homo

Le lendemain après-midi à la prison des femmes, dans une petite salle où les prisonnières reçoivent leurs visiteurs, Annette et Martine assises l'une en face de l'autre, séparées par une vitre épaisse, se parlent déjà depuis quelques minutes. Une surveillante se tient discrètement à l'écart.

MARTINE. Non, maman, non! Non, je n'ai pas honte de vous! Attendez!...

ANNETTE. Attendre quoi?

MARTINE. Vous allez voir.

Elle sort de son sac à main une enveloppe contenant quelques feuilles repliées.

ANNETTE. Qu'est-ce que c'est?

MARTINE. Vous lirez ça... C'est une partie du cahier de madame Martin. Je vais les remettre à la direction avant de partir.

ANNETTE, *émue.* Le cahier bleu?...

MARTINE. C'est Beaujeu qui l'a copiée pour vous. Quand Michel m'en a fait la lecture, hier, je me suis mise à pleurer...

ANNETTE, *bouleversée.* Mon Dieu! Tu crois? Tu es sûre que j'ai le droit de lire ça?

MARTINE. Vous plus que toute autre personne, maman. Ça vous concerne!

ANNETTE. Tu l'avais donc donné à Beaujeu? Le cahier?...

MARTINE. Le soir du dîner sur l'autopsie. Je voulais lui demander de ne pas donner son avis avant de l'avoir lu. Je vous sentais si inquiète...

ANNETTE. Albert en avait tellement peur!...

MARTINE, *avec regrets.* Et j'étais là qui parlais d'autopsie devant lui!...

ANNETTE. Oublie ça. Albert a fini de souffrir.

MARTINE. Ils se sont peut-être parlés madame Martin et lui?... Là où ils sont maintenant?

ANNETTE. Je sais pas... Peut-être...

MARTINE. C'est grand-mère qui disait ça hier soir au salon funéraire où mon oncle est exposé. Beaujeu s'était occupé de tout. Le salon, les couronnes, le transport de mon oncle à Sainte-Anne où grand-mère veut que mon oncle soit enterré... Elle y tient beaucoup.

ANNETTE. T'as pas compris pourquoi?

MARTINE. Parce que c'est son village, je suppose?

ANNETTE. Parce qu'elle sait que le procès va causer tout un scandale dans son village, justement, elle veut que tout le monde sache au plus vite qu'elle ne rougit pas de ses enfants.

MARTINE. Vous croyez?

ANNETTE. Elle me l'a dit.

MARTINE, *s'exclamant avec admiration.* Sacrée mémère!

ANNETTE, *riant.* Eh! ben, t'as encore des racines à Sainte-Anne, toi!

MARTINE. Je les renie pas, maman! *(Pensive.)* Alors c'est peut-être pour qu'elle se sente approuvée et soutenue que Michel et Beaujeu tiennent absolument à venir assister aux funérailles avec nous?

ANNETTE. Peut-être aussi en reconnaissance pour ce qu'Albert a fait pour leur mère. Il le mérite, Martine. Il l'a payé de sa vie!

MARTINE. Je le sais! Je l'admire lui aussi.

ANNETTE. Maintenant, donne-moi des nouvelles de... De celui que tu veux pas nommer.

MARTINE, *chaleureusement.* Je ne l'ai pas vu, mais je sais que sa vie n'est plus en danger, maman, rassurez-vous...

ANNETTE. Il est encore inconscient?

MARTINE. Beaujeu croit quand même qu'il peut guérir.

ANNETTE, *hésitant.* Tu... Tu le détestes toujours?

MARTINE. Je le sais plus! *(Mal à l'aise.)* Il est si malade... Et puis je suis bien obligée de reconnaître qu'il vous aime puisqu'il vous a demandé de devenir sa femme...

ANNETTE, *s'animant joyeusement.* Qui est-ce qui a bien pu te dire ça? J'en ai parlé à personne!

MARTINE. *Lui* en avait parlé à Beaujeu le jour même. Je le croyais pas! J'arrivais pas à le croire!

> Annette se met à rire spontanément de tout son cœur.

MARTINE, *émue.* Vous riez! C'est incroyable de vous voir rire comme ça, derrière cette vitre qui nous sépare! Ça vous a donc fait tellement plaisir?

ANNETTE. Même sans y croire, j'en rêvais depuis des années. Comme une jeune fille! C'est fou, hein?

MARTINE. Et pourtant vous avez refusé! *(Annette secoue la tête.)* Oui, oui, Beaujeu me l'a dit!

ANNETTE. Je suis responsable de la mort de sa femme, Martine!

MARTINE, *hésitant.* Y pensiez-vous...? Au moment où...?

ANNETTE. Oh! non... Je pensais seulement à elle... Mais la veille quand j'ai pris ma décision, j'ai compris tout de suite qu'après ce que je me préparais à faire, je pourrais plus jamais, même rêver, de l'épouser!

MARTINE, *émue.* Alors vous avez renoncé pour elle à l'espoir de toute votre vie?

ANNETTE, *protestant.* Non, non! Il n'y avait pas d'espoir dans mes rêves. J'ai jamais eu aucun espoir! Seulement des rêves en dehors de toute réalité. Jamais plus que ça. La réalité, surtout au moment du poison, c'était ses souffrances à elle. Ses souffrances toujours présentes, jour après jour, nuit après nuit... Enlève-toi de la tête l'idée que j'ai fait quelque chose d'admirable, j'ai tout simplement pas eu le choix. Ça s'imposait, Martine.

> *La surveillante s'approche.*

LA SURVEILLANTE. Le temps est passé, madame.

MARTINE. Ah! non, pas si vite!

ANNETTE. C'est bien... *(À Martine, avec un sourire.)* Oui, c'est bien, tu étais à la veille de me grimper sur un piédestal! *(Elle se lève.)*

MARTINE. Attendez encore! C'est horrible de vous laisser comme ça sans même pouvoir vous embrasser!

ANNETTE, *souriant.* Tu veux pas que j'aille lire les feuilles du cahier de madame Martin?

MARTINE, *désarmée.* Oui, maman. Vous verrez comme elle vous a aimée!

ANNETTE. Embrasse Maurice pour moi. Dis-lui à quel point je suis contente que vous ayez fait la paix tous les deux.

MARTINE. Plus que la paix, puisqu'on va se marier!

ANNETTE. Mon Dieu, j'allais oublier de te dire... J'ai déposé à la direction les clés de l'appartement que j'ai loué le soir où... Maurice était avec moi...

MARTINE. Il me l'a dit, oui!

ANNETTE. Va le voir et si l'appartement vous plaît, vous pourrez l'habiter. Le loyer est payé pour trois mois.

MARTINE. Merci, mais...

LA SURVEILLANTE, *s'approchant, sévère.* Madame!

ANNETTE. Excusez-moi ! Ma fille se marie bientôt, alors... Mais j'arrive, j'arrive ! (*Vivement à Martine.*) Va déposer l'enveloppe à la direction et oublie pas les clés.

MARTINE, *se levant.* Mon cœur vous embrasse, maman !
Annette tourne la tête vers elle et lui sourit. Martine la regarde s'en aller avec désolation, et se met à pleurer le front appuyé sur la vitre.

Céline et Gabriel entrent dans le hall. Céline regarde autour d'elle, retrouvant ses souvenirs, Gabriel inquiet ne la quitte pas des yeux. Céline s'arrête à l'entrée de la bibliothèque, un peu fébrile.

CÉLINE. Tu te souviens, Gabriel, tu étais là à côté de lui... Et Martine était là... Et Philippe tout près d'elle... (*Émue.*) Pauvre petit frère mouton... je ne savais pas que je le voyais pour la dernière fois... Et moi, j'étais ici, un revolver à la main... (*Secouant la tête.*) Comme c'est loin tout ça, comme c'est loin !...

GABRIEL. Il y a à peine un mois, Céline !

CÉLINE, *étonnée.* Le temps dans une clinique ne doit pas avoir la même valeur qu'ailleurs !

GABRIEL. J'aurais tellement voulu autre chose que cette confrontation familiale pour une première sortie !

CÉLINE. Mais je me sens bien, je t'assure. À peine un peu fébrile.

GABRIEL. Quand même, Laurent aurait dû me prévenir au lieu de t'appeler directement !

CÉLINE. Bah ! Du moment que papa n'est pas ici, qu'est-ce que ça fait ? Puisque c'est lui ma hantise numéro un.
Ils sont entrés dans la bibliothèque en parlant.

CÉLINE, *enchaînant.* Et tout ce temps-là, c'est toi que je faisais souffrir ! Crois-tu que c'est bête, un être humain ?

MICHEL. Bonjour Céline...
Il vient l'embrasser.

CÉLINE. Michel... Je suis contente de te voir. Mais faut-il que ce soit toujours des catastrophes qui te ramènent au Canada ?

GABRIEL, *lui tendant la main.* Elle a raison !

MICHEL. Mais c'est votre faute ! Vous m'oubliez dans les moments heureux !

CÉLINE. Les moments heureux...
Elle s'éloigne pensive vers la banquette au bas de la fenêtre. Ils la suivent des yeux.

MICHEL, *à mi-voix.* Comment est-elle ? Mieux il me semble ?

GABRIEL. Un équilibre encore bien fragile...

Beaujeu vient les rejoindre.

BEAUJEU. Ah ! bon ! vous êtes là...

Shake hand à Gabriel.

MICHEL. Sauf Laurent !

BEAUJEU. Tiens, j'aurais cru qu'il serait ici le premier, puisque c'est lui qui nous a convoqués.

Ils vont rejoindre Céline.

BEAUJEU, *l'embrassant.* Tu as l'air bien mélancolique, toi ?

CÉLINE, *avec un demi-sourire.* Je pensais à notre enfance... Je nous vois encore, sur cette banquette où nous venions nous réfugier après les repas...

MICHEL. Silencieux et immobiles...

BEAUJEU, *riant.* Toi et moi peut-être. Mais pas Céline !

CÉLINE, *à Gabriel. S'agitant.* C'est vrai ! Il fallait toujours que je le provoque ! *(Elle rit.)*

MICHEL, *amusé.* Jusqu'à ce qu'il nous ordonne de sortir !

BEAUJEU. Les uns après les autres...

CÉLINE, *fébrile.* Vous souvenez-vous du jour où maman lui a dit : « Vas-tu aussi m'envoyer dans ma chambre ? » *(Ils rient.)*

SIMONE, *venant les rejoindre.* Bonjour...

MICHEL, *surpris.* Simone ?

BEAUJEU. Laurent ne m'avait pas dit que vous viendriez. *(Il lui tend la main.)*

Simone a acquis beaucoup d'autorité depuis les derniers événements.

SIMONE, *sarcastique.* Eh ! oui ! L'histoire se répète, n'est-ce pas ? *(À Michel dont elle serre la main.)* Je n'ai pas oublié votre petite réunion de famille à laquelle je n'étais pas invitée... *(Enchaînant.)* Aujourd'hui non plus je ne le suis pas, seulement vous voyez, ça ne me gêne pas du tout.

BEAUJEU. Mais j'espère bien. Assoyez-vous...

Simone s'assoit avec assurance.

GABRIEL, *regardant sa montre.* Laurent se fait attendre.

SIMONE. Ne l'attendez plus, il ne viendra pas.

MICHEL. Comment, il ne viendra pas ?

BEAUJEU. Que voulez-vous dire ?

SIMONE. Rien de plus. Il ne viendra pas.

CÉLINE. C'est un peu fort !

GABRIEL, *se fâchant.* Comment ? Il a fait sortir Céline de la clinique soi-disant pour discuter de choses extrêmement importantes,

465

il nous dérange tous pour venir le rejoindre ici et vous dites!...
Mais pour qui se prend-il, j'aimerais bien le savoir?

CÉLINE. Pour papa évidemment!

SIMONE. Il a été obligé de partir pour New York ce matin. Un voyage d'affaires. Une affaire énorme, paraît-il! Colossale!

Les autres se regardent et se mettent à rire.

BEAUJEU. Cher Laurent!

MICHEL. Il n'a pas perdu de temps à enfiler les bottes paternelles!

SIMONE, *irritée.* Vous devriez être bien contents qu'il soit capable de remplacer votre père!

GABRIEL, *protestant.* Oh! Le remplacer... C'est vite dit!

MICHEL. Quoi qu'il en soit, dites donc à Laurent de se contenter d'imiter papa à son bureau à l'avenir. Nous n'avons pas plus de temps à perdre que lui.

SIMONE, *sèchement.* Vous n'en perdrez pas, rassurez-vous, Laurent m'a chargée de le remplacer. Il s'agit évidemment de votre père. Laurent...

BEAUJEU, *l'interrompant.* Attention, je vous arrête... S'agit-il de lui personnellement ou de ses entreprises?

SIMONE. De lui personnellement, bien entendu. Comment pourriez-vous discuter de ses affaires puisque Laurent est le seul à les connaître?

BEAUJEU. Fort bien, mais dans ce cas, il manque deux personnes. *(S'éloignant.)* Attendez-moi...

SIMONE, *le rappelant.* Beaujeu!...

BEAUJEU. Je reviens tout de suite.

Il traverse le hall au moment où René sort du petit salon. Apercevant Beaujeu, il s'avance vers lui, vivement indigné.

RENÉ. Monsieur, est-ce que je suis toujours le valet de chambre de monsieur Martin?

BEAUJEU. Mais oui, René.

RENÉ, *résolu.* alors, n'est-ce pas à moi de choisir les vêtements qu'il portera?

BEAUJEU. En effet.

RENÉ, *avec un geste vers la porte.* Eh bien, il faudrait le dire à son infirmière! *(Avec mépris.)* Figurez-vous qu'elle voulait laisser monsieur dans le peignoir qu'il ne portait que le matin. Et encore, tout juste au sortir de la douche! J'ai dû presque me battre pour lui mettre une robe de chambre plus digne de lui.

BEAUJEU. Vous avez très bien fait d'insister. Mon père attachait beaucoup d'importance à ces questions. Il ne faut rien y changer.

RENÉ, *satisfait.* C'est bien mon avis, Monsieur.

BEAUJEU. Voulez-vous prévenir Martine qu'elle est attendue dans la bibliothèque ? Dites-lui que sa présence est indispensable.

RENÉ. Bien monsieur...

Il disparaît tandis que Beaujeu entre dans le salon blanc. La chaise roulante dans laquelle est assis Jérémie Martin tourne le dos à l'entrée, et fait face à la fenêtre. Une garde-malade s'affaire à mettre de l'ordre dans la pièce. Les objets ayant appartenu à madame Martin sont disparus. Son portrait a été accroché au mur. Un lit de malade remplace le sofa.

GARDE-MALADE. Vous venez le chercher ?

BEAUJEU. Oui, garde. Ne vous inquiétez pas de lui. Je le ramènerai moi-même.

Il se dirige vers le fauteuil de son père.

La bibliothèque où paraît Martine. Elle s'arrête hésitante sur le seuil. Michel parle avec Simone. Céline et Gabriel sont près de la porte. Céline fait aussitôt un pas vers elle, amicale et souriante.

CÉLINE. Bonjour Martine...

MARTINE. Je suis contente de vous revoir.

CÉLINE, *hésitante.* Je ne vous fais pas peur au moins ? *(Petit rire gêné.)*

MARTINE. Même ce soir-là, vous me faisiez pas peur !

GABRIEL. Tu vois, tu croyais impressionner tout le monde ! *(À Martine.)* J'espère que votre fiancé est ici ? J'ai des papiers à vous faire signer à tous les deux.

CÉLINE, *étonnée.* Vous êtes fiancée ?

MARTINE. Nous nous marions bientôt, Maurice et moi...

Céline brusquement émue met sa main sur ses yeux comme pour s'empêcher de pleurer.

CÉLINE. Oh !...

GABRIEL, *inquiet.* Qu'y a-t-il ?

CÉLINE. Je pense à Philippe... À Philippe qui vous aimait tant...

MARTINE, *bouleversée.* Je n'oublierai jamais Philippe.

CÉLINE, *pressante.* Il méritait qu'on ne l'oublie pas.

Michel s'approche avec Simone.

MICHEL, *ironique.* Simone désire vous connaître, Martine...

SIMONE, *suffoquée.* Martine ?... Mais alors, c'est la fille de... de cette femme qui a empoisonné votre mère ?

MARTINE, *sèchement.* Oui, Madame, et je n'en rougis pas !

467

SIMONE, *à Michel.* Il fallait me le dire! *(Aux autres.)* Qu'est-ce qu'elle fait ici? Êtes-vous tous devenus fous?

CÉLINE, *furieuse.* Oh! Simone, ne faites donc pas l'idiote! Vous savez très bien comment les choses se sont passées.

MICHEL. Je vous rappelle en plus que Martine est notre sœur. Et puisqu'il s'agit d'un conseil de famille, sa présence est tout indiquée.

SIMONE. Pardon! Laurent m'a dit lui-même que votre père ne l'avait jamais reconnue officiellement.

CÉLINE. Officiellement, non, mais officieusement, oui. *(Retrouvant son ancien cynisme.)* Qui sait même si nous ne serons pas tous déshérités en sa faveur?

SIMONE. Par exemple!

CÉLINE. Vous feriez mieux d'être gentille avec elle. On ne sait jamais! On ne sait jamais!

> *Martine d'abord irritée par l'attitude de Simone ne peut s'empêcher de rire avec Céline.*

MARTINE. La revanche de l'enfant de l'amour!

> *Gabriel tout à coup se fige, bouleversé.*

GABRIEL. Oh! mon Dieu...

> *Chacun suit son regard.*

CÉLINE, *également saisie.* Oh!...

> *Michel qui ne s'habitue pas au nouveau visage de son père se détourne. Martine étouffe une exclamation. Simone non moins impressionnée, recule.*

SIMONE. Monsieur Martin!...

> *Beaujeu qui pousse le fauteuil roulant s'arrête.*

BEAUJEU, *avec compassion.* Eh! oui, monsieur Martin... Ecce homo!...

> *Jérémie dans sa chaise roulante, l'air complètement absent à ce qui se passe autour de lui. Sourcils froncés, branlant la tête avec irritation, comme s'il voulait protester contre on ne sait quoi. Ses mains gardent une certaine animation. On doit les sentir fébriles sur le bras du fauteuil. Il peut de temps à autre émettre un grognement sourd. Céline se jette dans les bras de Gabriel. Toutes les exclamations suivantes sont faites à mi-voix.*

CÉLINE. Non! Non!... C'est horrible!

MICHEL. Je ne parviens pas à m'y habituer!

> *Martine, bouleversée, prend le bras de Michel.*

MARTINE. Je pourrai plus jamais le détester!

> *Simone est la première à reparler normalement.*

SIMONE. Mais comment est-il ici? Laurent le croyait encore à l'hôpital!

BEAUJEU. Il y a passé trois semaines sans faire aucun progrès.

MICHEL. Les médecins ne peuvent plus rien pour lui. Nous sommes allés le chercher ce matin.

SIMONE, *mécontente.* Vous auriez dû en parler à Laurent, avant de prendre cette décision!

BEAUJEU, *étonné, regarde Michel non moins étonné.* Pourquoi donc?

MICHEL. Pourquoi en effet?

SIMONE. Mais parce qu'il est l'aîné! C'est le chef de famille, ne l'oubliez pas. Je suis sûre qu'il va être furieux. C'était justement pour discuter cette question qu'il vous avait réunis cet après-midi.

MICHEL. Eh! bien, discutons-en!

Il s'assoit et entraîne Martine à s'asseoir auprès de lui.

SIMONE, *à Beaujeu, désignant Jérémie.* Vous n'allez pas le laisser ici?

BEAUJEU. Mais certainement. N'est-ce pas de lui qu'il s'agit?

SIMONE. C'est ridicule! Comme s'il pouvait y comprendre quoi que ce soit! Regardez-le donc!

BEAUJEU, *avec intention.* Regardez-le vous-même, Simone. Ne le perdez pas de vue. Et ne soyez pas trop sûre qu'il ne comprend pas. Songez aussi qu'il est possible qu'il guérisse un jour...

MARTINE, *sceptique.* Qu'il guérisse?...

SIMONE. Allons donc! *(À Michel.)* Est-ce possible?

MICHEL, *moqueur.* Certainement! S'il y apporte toute l'énergie qu'il a mise dans sa vie à nous faire enrager!

GABRIEL, *à Michel.* Est-ce possible?... Sérieusement?

MICHEL. Je ne sais pas. Les médecins qui le soignent disent que ça se produit dans certains cas...

BEAUJEU. Eh bien, Simone, qu'attendez-vous? Commencez...

Simone va s'asseoir de façon à ne pas voir monsieur Martin. Mais elle n'est pas aussitôt assise que Beaujeu déplace volontairement son père pour qu'il soit placé devant elle.

SIMONE. Vous le faites exprès?

BEAUJEU. Oui, Simone.

SIMONE, *mal à l'aise.* Je vous rappelle que je ne suis ici que pour... pour représenter Laurent...

BEAUJEU. Nous le savons...

SIMONE. Eh! bien voilà. Laurent m'a chargée de vous dire qu'il trouvait ridicule que votre père... *(Elle regarde Jérémie et se met à bafouiller.)* Que votre père...

Jérémie continue à dire non de la tête.

SIMONE. Que votre père... (*Éclatant.*) C'est inutile, je suis incapable de parler devant lui!

MICHEL, *ironique.* N'est-ce pas qu'il continue à être impressionnant, malgré tout?

> *Simone s'est levée et tournant le dos à Jérémie, elle s'appuie au dossier de son fauteuil.*

SIMONE. Finissons-en! Laurent veut que votre père soit placé dans une institution et que sa maison soit mise en vente, voilà ce qu'il m'a chargée de vous dire.

CÉLINE, *étonnée.* Quelle drôle d'idée!

SIMONE. À la rigueur, il est prêt à l'acheter lui-même.

GABRIEL. Voyez-vous ça! Il lui faut jusqu'à la tanière du lion!

CÉLINE. Je vois mal papa consentant à lui céder la place.

SIMONE, *se retournant brusquement.* Aussi, n'est-il pas question de lui demander son...

> *Elle s'interrompt brusquement en se retrouvant en face de Jérémie et se détourne aussitôt.*

SIMONE, *reprenant.* De lui demander son avis. Cette maison coûte une fortune à entretenir. Laurent trouve ridicule que votre père soit obligé de payer sept ou huit domestiques pour son seul usage, alors qu'il serait mieux traité et à moins de frais dans une institution spécialisée.

BEAUJEU, *secouant la tête.* Je regrette, Simone, mais Laurent se trompe. Les médecins sont tous d'accord là-dessus. Les malades de ce genre ne retrouvent leur santé que dans leur milieu habituel, et seulement à la condition qu'on s'intéresse à eux, qu'on leur parle... Livrés à eux-mêmes, ou à des indifférents, ils sont incapables de faire l'effort qui leur rendrait leur lucidité.

SIMONE. Mais que ce soit ici ou à l'hôpital, il sera de toute façon entre des mains étrangères! Car je vois mal l'un de vous consacrant sa vie à le dorloter. Vous le détestez tous autant que Laurent, ayez donc la franchise de l'admettre! Tu te vois, Céline tenant la main de ton père à cœur de jour?

CÉLINE, *effrayée.* Oh! non...

BEAUJEU. Céline n'aurait pas la santé, mais moi je l'ai.

MICHEL. Ta décision est prise?

SIMONE. Vous?...

GABRIEL, *surpris.* Beaujeu, es-tu sérieux?

MICHEL. Il en parle depuis quinze jours!

CÉLINE. Tu viendrais habiter ici avec Geneviève?

BEAUJEU. Geneviève accepte... Ça ne veut pas dire que je passerai la journée à lui tenir la main ! Nous engagerons des infirmiers, des garde-malades, le docteur Lussier viendra le voir ici... Organiser des soins à domicile, ce n'est pas si compliqué après tout, et au moins il sera dans son décor familier, dans sa maison... Chez lui quoi ! Il a déjà fait des progrès depuis qu'il est arrivé. Déjà, il me reconnaît... en tout cas, il m'a souri. C'est un commencement.

SIMONE, *ironique.* Et vous avez les moyens d'entretenir une propriété semblable ?

BEAUJEU, *étonné.* J'avoue que... que l'idée ne m'est même pas venue à l'esprit !

SIMONE. Il faudrait pourtant y penser. Surtout si ce que Laurent dit est vrai.

CÉLINE, *les yeux au ciel.* Que va-t-elle sortir encore ?

SIMONE, *ironique.* Vous, Gabriel, qui êtes tous les jours dans le quartier des affaires, vous avez sûrement entendu dire que Beaujeu avait renoncé au droit.

BEAUJEU. Je regrette, Simone, mais vous êtes « dans les patates », comme disait grand-mère Martin. J'ai quitté mes associés, oui, mais j'ai ouvert un nouveau bureau et je n'ai pas renoncé au droit. Quant à avoir les moyens d'entretenir cette maison, je ne les ai pas. Ou du moins, je ne les aurais pas longtemps...

SIMONE, *aux autres.* Admettez que ça règle le cas !

CÉLINE, *indignée.* Elle est sordide ! Simone, vous êtes sordide ! Cette maison appartient à papa et il les a lui, les moyens ! Personne n'a le droit de le mettre à la porte de chez lui ! N'est-ce pas, Beaujeu ? Légalement ?...

BEAUJEU. Tu te trompes. Si nous jugions d'un commun accord qu'il est préférable, pour son plus grand bien de le placer dans une institution, nous aurions le droit de le faire. Et il pourrait y rester jusqu'à la fin de ses jours.

CÉLINE, *désemparée.* Ah oui ?

SIMONE, *triomphante.* Vous voyez bien !...

MICHEL. C'est là-dessus que la discussion doit porter, et non sur une question matérielle. Et essayons, s'il vous plaît, d'oublier nos griefs et d'être aussi objectifs que possible.

BEAUJEU. Non, non, non ! N'essayons pas de nous faire croire que nous sommes capables d'objectivité envers un père que nous avons tous plus ou moins détesté comme Simone l'a très bien dit tantôt.

MICHEL, *protestant. Troublé.* Mais Beaujeu, il faut quand même tendre à cela. Nous ne pouvons pas, raisonnablement, décider de son sort à travers nos rancœurs!

BEAUJEU. Nous pouvons encore moins raisonnablement prétendre que nos rancœurs n'existent pas. Non seulement elles existent, mais elles sont justifiées.

CÉLINE, *douloureusement.* C'est vrai! C'est vrai!

MARTINE, *avec force.* Cent fois justifiées!

BEAUJEU, *à Michel.* L'admets-tu aussi?

MICHEL, *troublé.* C'est l'évidence même, mais... *(Riant.)* Ça m'agace de l'admettre!

SIMONE, *brusquement.* Il n'y a pas de mais! Beaujeu a raison et vous le savez!

BEAUJEU. La seule façon honnête de poser le problème est celle-ci. Oui ou non, est-ce que nous voulons nous venger de lui? Il n'y a pas d'autre question que celle-là. La manière la plus efficace de le faire est de le placer dans un établissement comme Laurent le suggère. Il est incapable de parler, incapable de se défendre; c'est notre heure. Regardez-le. Son sort est entre nos mains.

> *Chaque visage reflète son émotion particulière. Les yeux de Jérémie Martin angoissés et furibonds roulent dans leurs orbites et sa tête ne cesse de dire non.*

> *À la prison des femmes, une surveillante conduit Annette vers Marie-Rose. Annette sourit à sa mère et s'assoit devant elle. Sourire évidemment chargé de toutes les émotions qu'elle a traversées depuis quelques semaines. Elle s'assoit. Un temps. Les deux femmes très émues se regardent en silence.*

MARIE-ROSE, *après un moment.* T'as l'air fin, là!

ANNETTE, *qui ne peut s'empêcher de rire.* Oui, j'ai l'air fin!

MARIE-ROSE. Tu voulais être une victime dans la vie, eh! ben, t'es servie!

ANNETTE. Oui, je suis servie... Sauf que l'idée d'être une victime m'est complètement sortie de la tête!

MARIE-ROSE, *avec une compassion sans borne.* Ma pauv'folle...

ANNETTE. J'ai toujours su qu'il faudrait en arriver là. Même au moment où je versais le poison dans le verre de madame Martin, je savais que ça finirait ici. *(Hésitant.)* Avez-vous honte de moi, maman?

> *Marie-Rose hausse les épaules, puis après un moment...*

MARIE-ROSE. Non et non, je te l'ai déjà dit! Tu vas trouver ça drôle, mais quand je te vois telle que t'es là, il me semble que t'es plus libre que tu l'étais au temps où tu te débattais avec ta conscience dans les bras de Jérémie Martin.

ANNETTE. Mais c'est vrai! C'est seulement maintenant que je suis libre. Maintenant que j'ai plus de rôle à jouer, plus de mensonges à faire, maintenant que tous mes actes sont connus, maintenant que chacun peut me voir telle que je suis! Comprenez-vous ça, j'ai plus peur de rien maintenant qu'il y a plus rien de caché dans ma vie! Pourquoi ce qu'on cache est-il si lourd, si pénible à supporter?

MARIE-ROSE. C'est elle qui t'a sauvée, Annette. Le sais-tu?

ANNETTE. Je crois même qu'elle est venue me chercher seulement pour ça, puisque Beaujeu Martin dit qu'elle savait déjà ce que je faisais dans la vie de son mari. Comment a-t-elle bien pu le savoir? Croyez-vous qu'Albert aurait pu...?

MARIE-ROSE, *avec pitié.* Hé! oui, Albert aurait pu...

ANNETTE. Pauvre Albert...

MARIE-ROSE, *doucement.* Il s'est trahi un jour devant elle et il a fini par tout lui dire... Comme il me l'avait dit à moi... Faut pas lui en vouloir, il était pas capable d'être autrement.

ANNETTE. Quelle importance maintenant, de toute façon! J'ai plus rien à perdre. Et savez-vous quoi? Même derrière les murs d'une prison, c'est un beau jour, celui où l'on a plus rien à perdre. Il faudra le dire à Martine si vous la voyez se tourmenter à cause de moi.

MARIE-ROSE. Martine!... Tracasse-toi pas pour Martine! Dans deux semaines elle va se marier avec l'homme qu'elle aime. Tout le monde la gâte, lui donne des cadeaux. Jusqu'à madame Martin!

ANNETTE, *riant.* Quoi?

MARIE-ROSE. Ce matin, au «p'tit déjeuner» comme ils disent, Beaujeu leur a donné les clés de l'auto de madame Martin en leur disant que c'était le cadeau de noces de sa mère!

ANNETTE, *émerveillée.* Martine avec une auto! Elle doit pas en revenir!

MARIE-ROSE. En plus, ses frères lui préparent une petite fête le jour de son mariage.

473

ANNETTE. Dans la maison de son «père»? Où elle n'avait même pas le droit de circuler il y a pas si longtemps? *(Riant.)* Hé! que la vie est drôle!

MARIE-ROSE. Et plutôt bonne malgré tout, hein?

ANNETTE. Pauvre Martine, elle a enfin trouvé ce qui lui a toujours manqué. Une famille! Une sœur et des frères pleins d'affection.

MARIE-ROSE. Plus un mari qui l'aime comme un fou!

ANNETTE. Plus un père en chaise roulante et une mère en prison! C'est complet!

Elles se mettent à rire toutes les deux.

Le hall où Maurice et Martine se dirigent vers la bibliothèque. Maurice s'arrête soudain, retenant Martine.

MARTINE. Qu'est-ce qu'il y a?

MAURICE, *la prenant par le bras.* Tu es bien de mon avis, au moins?

MARTINE, *moqueuse.* Oui! oui! Je suis on ne peut plus d'accord! Heureusement d'ailleurs, parce que je me souviens de tes paroles. «Je serai sans pitié avec toi!» Tu te rappelles?

MAURICE. Moi, je me souviens de ta réponse! «Il faut être sans pitié avec moi!» *(Riant.)* Eh! bien je le serai et tu me suivras dans la misère s'il le faut, mais on ne touchera pas à cet argent.

MARTINE. D'accord! Allons-y...

Elle l'entraîne vers la bibliothèque d'où sortent Michel et Simone. Simone passe, hautaine et maussade. Michel leur sourit sans s'arrêter.

MICHEL. Gabriel vous attend...

Martine et Maurice entrent dans la bibliothèque.
Michel aide Simone à mettre son manteau de fourrure. Simone retient mal sa colère.

SIMONE. Laurent sera furieux, je vous préviens. Il n'en restera pas là, soyez-en sûr!

MICHEL. Il faudra bien qu'il s'incline, puisque nous sommes tous d'accord pour que père reste ici, chez lui.

SIMONE, *irritée.* Non, non, il ne s'inclinera pas! Parce qu'il verra plus loin que vous, Dieu merci! C'est un homme d'affaires, lui, il est capable de prévoir l'avenir.

MICHEL, *ironique.* L'avenir de mon père, sur le plan financier, ne me paraît pas trop inquiétant.

SIMONE, *irritée.* Aussi n'est-ce pas le sien qui m'intéresse, mais le nôtre, le vôtre!...

MICHEL, *moqueur.* Le leur!...
Il a un geste vers la bibliothèque.

SIMONE, *n'osant élever la voix.* Moquez-vous tant que vous voudrez, mais faites au moins l'effort d'imaginer ce qui se produira si Beaujeu réussit à guérir votre père... Même incomplètement! Juste assez pour lui rendre un semblant de raison et la capacité de signer par exemple...

MICHEL. Je ne vois pas?...

SIMONE. Qu'est-ce qui l'empêchera, à ce moment-là de pousser votre père à lui laisser toute sa fortune? À faire de lui son légataire universel?
Michel la regarde un moment en silence, étonné d'abord puis désarmé par tant de méfiance.

SIMONE, *triomphante.* Ah!... Vous n'y aviez pas pensé, bien sûr!
Michel lui prend le bras avec un air de connivence, tout en l'attirant vers la porte de sortie.

MICHEL, *baissant la voix.* Dites donc, ce serait un désastre, en effet! Moi encore, je me suis toujours débrouillé tout seul, mais pour Laurent... *(D'un air navré.)* Quelle catastrophe! Pensez-y!
Il lui ouvre la porte.

SIMONE. Riez toujours! Mais si ça se produit!...

MICHEL. Vous m'effrayez! Je vous jure que je n'hésiterais pas à convoquer un nouveau conseil de famille si je n'avais à Paris des douzaines de petits cochons d'Inde qui attendent mon retour avec impatience!

SIMONE, *indignée.* Michel, bon Dieu, pour une fois, soyez pratique! Entre l'héritage de votre père et vos cobayes!...

MICHEL, *la poussant dehors.* Je choisis mes petits cochons! Adieu, Simone!
Il referme la porte.
Dans la bibliothèque, Gabriel assis devant le pupitre, parle avec Maurice et Martine. Beaujeu écoute.

GABRIEL. Mais que voulez-vous que je fasse de ces cent mille dollars si vous les refusez?

MAURICE. Placez-le au nom de madame Julien et faites-le fructifier afin qu'elle en profite entièrement quand elle sera libérée.

GABRIEL. Beaujeu, je n'arrive pas à les convaincre!

BEAUJEU, *secouant la tête.* Vous n'avez pas le choix, Maurice. À titre d'avocat de madame Julien, je vous demande d'accepter.

MARTINE, *surprise.* À titre d'avocat?...

MAURICE. Je ne vois pas le rapport, moi non plus!

475

BEAUJEU. Cette question peut être soulevée au cours du procès, et je serai alors très heureux de pouvoir déclarer que non seulement Annette n'a jamais touché un sou de cette somme, mais qu'elle l'a même toujours refusée. *(À Martine.)* Il ne faut pas qu'un seul membre du jury puisse jamais soupçonner votre mère d'avoir agi par intérêt.

MARTINE, *indignée.* Il ne manquerait plus que ça!

MAURICE. Mais c'est une femme pauvre, monsieur Martin. Elle aura besoin de cet argent le jour où elle sortira de prison.

GABRIEL. J'y pense, voici ce que vous pourriez faire en tout cas. Ne touchez pas au capital si vous voulez le garder pour Annette, mais profitez au moins du revenu pour payer vos études...

MARTINE. Ce serait possible?

BEAUJEU. Oui, oui! C'est même une très bonne solution qu'Annette appréciera beaucoup. J'en suis sûr.

MARTINE. Je serais tout à fait d'accord, si Maurice pense comme moi.

MAURICE, *pensif.* Ça me paraît au moins plus acceptable...

GABRIEL. Bravo! Alors je mets tout à vos noms et...

BEAUJEU. Je préférerais que le nom de Martine ne soit pas mentionné... Vous avez confiance en Maurice, Martine?

MARTINE, *riant.* Oh! oui! Il est du genre horriblement honnête!

MAURICE. Dis donc!...

BEAUJEU, *à Martine.* Et ne vous inquiétez pas du jour où votre mère sera libre! Ce sera un beau jour!

> *Céline, qui est venue les rejoindre, prend Martine par le cou.*

CÉLINE. Un beau jour pour tout le monde! Et nous le célébrerons dans la joie.

MARTINE, *bouleversée.* Oui, mais quand?... Quand?

CÉLINE. La date du procès a-t-elle été fixée?

BEAUJEU. Dans trois mois...

MARTINE. J'ai si peur de la sentence...

> *Michel, qui vient les rejoindre, prend Martine par le cou.*

MICHEL. Ayez confiance! Souvenez-vous que le journal de maman parle en faveur de l'intégrité de votre mère!

BEAUJEU. Et n'oubliez pas que tous nos témoignages parleront aussi en sa faveur. Pour l'instant, faites confiance à la vie, Martine!

GABRIEL. Eh! bien, il ne vous reste plus qu'à signer ces papiers, Maurice...

MICHEL, *à Martine.* Je suis si heureux de penser que vous serez en mesure d'étudier aussi longtemps que vous le voudrez, Maurice et vous!

MARTINE, *rêveuse.* Grâce à ma mère et à la vôtre, n'est-ce pas étrange?... N'est-ce pas étrange, Michel?...

À la prison où sont Annette et Marie-Rose. La gardienne fait un geste à Marie-Rose.

MARIE-ROSE. C'est l'heure...? *(Émue.)* C'est déjà fini!

ANNETTE. Vous embrasserez Maurice et Martine pour moi? Dites-leur que la pensée de leur mariage est ma plus grande joie en ce moment. *(Moqueuse.)* J'ai plus de chance que vous, avouez-le... Ma fille a choisi une meilleure voie que la vôtre!

MARIE-ROSE. J'aime la mienne telle qu'elle est.

ANNETTE. Quand vous penserez à moi, dites-vous qu'il n'y a pas une grande différence entre le silence d'une cellule et celui de Sainte-Anne-de-Remington...

MARIE-ROSE. Tu me permettras bien de prier pour toi de temps à autre?

ANNETTE, *hésitant.* Si vous devez prier pour quelqu'un, j'aimerais mieux que ce soit... que ce soit pour lui! Jérémie Martin... J'ai tant de peine pour lui...

MARIE-ROSE. Penses-tu que j'ai attendu que tu me le demandes?

ANNETTE, *riant.* Alors, continuez! Priez... Priez pour que le silence auquel il est condamné, lui aussi, l'amène à comprendre ce que l'agitation de la vie nous cachait à tous les deux.

477

33

Terrassé mais non anéanti

Beaujeu Martin attend dans une petite salle où les prisonnières et leurs avocats peuvent parler sans surveillance. Deux ou trois chaises, une table, papiers, stylo, cendrier. Annette entre presque aussitôt, suivie d'une gardienne qui s'adresse à Beaujeu.

GARDIENNE. Prenez le temps qu'il vous faudra, maître Martin.

BEAUJEU. Parfait.

Elle s'éloigne et referme la porte. Annette et Beaujeu sourient.

BEAUJEU. Bonjour Annette.

ANNETTE. Bonjour Monsieur Beaujeu.

BEAUJEU. Ah! non! s'il vous plaît, plus de «monsieur»!

ANNETTE, *spontanément.* Je demande pas mieux vous savez! Avec vous tout devient si simple, si facile...

BEAUJEU. Après tout, votre fille est ma sœur et mon père vous a demandée en mariage. Ça crée des liens, non?

ANNETTE, *riant.* Oui, Beaujeu!

BEAUJEU. Alors commençons...

ANNETTE, *avec espoir.* Par votre père?

BEAUJEU. D'abord par Martine, dont j'ai reçu deux lettres de Floride ce matin. Voici la vôtre.

ANNETTE. Ah! Merci!

BEAUJEU. Elle me l'a confiée pour qu'elle ne soit lue que par vous.

ANNETTE, *émue.* La Floride! La mer! Le voyage de noces!... Tous les bonheurs à la fois! J'en reviens pas encore!

BEAUJEU, *riant.* Elle non plus! Vous verrez... Votre lettre doit déborder de points d'exclamation, comme celle qu'elle m'envoie. Ne vous gênez pas pour la lire tout de suite si ça vous tente!

ANNETTE. Non, non... J'aime mieux attendre d'être seule. Continuez...

BEAUJEU. Une nouvelle qui ne vous étonnera pas. On a procédé à l'autopsie de ma mère. Il y avait bien du poison dans son estomac.

ANNETTE. Évidemment!... Dieu merci ça ne s'est pas passé du vivant d'Albert!

478

BEAUJEU. J'y ai pensé aussi. Mais il s'est trompé quand il vous a parlé d'arsenic. Il s'agit d'une autre substance...

ANNETTE. Il y avait une tablette pleine de ces flacons dans la chambre du jardinier. Alors Albert qui connaissait rien là-dedans, et qui en plus tremblait d'épouvante... De toute façon, ça ne change rien, n'est-ce pas?

BEAUJEU. Pas maintenant, non, mais à ce moment-là, oui! Le médecin légiste m'a assuré qu'une dose d'arsenic équivalente à celle trouvée dans l'estomac n'aurait pas entraîné la mort. Il vous aurait fallu...

ANNETTE, *l'interrompant*. Recommencer? Quelle horreur!... Le cœur me manque rien que d'y penser...

BEAUJEU, *prenant sa main*. Pensez donc plutôt que l'erreur d'Albert a permis à ma mère de mourir plus vite et à vous de...

ANNETTE, *souriant, désarmée*. Oui, Beaujeu, oui j'y arrive!... Et maintenant, parlez-moi de lui. Ça m'est tellement pénible de l'imaginer cloué au lit!

BEAUJEU, *touché*. Comme vous l'aimez, Annette!

ANNETTE. Oui! Envers et contre tout et pour toujours! Et comme c'est bon de pouvoir le dire, Beaujeu! De pouvoir enfin parler de lui avec quelqu'un qui le déteste pas, qui le juge pas, qui nous accepte tous les deux tels qu'on est...

BEAUJEU. Je vais vous dire une chose qui va vous étonner... Moi-même je m'attache de plus en plus à lui depuis que je le vois lutter pour recouvrer sa santé, son autonomie... avec une patience que je ne lui ai jamais connue!

ANNETTE. Oui!... Pour vrai?

BEAUJEU. Oui, pour vrai! Il est même redevenu conscient de tout ce qui lui arrive et de tout ce qui se passe autour de lui. Vous n'avez pas idée des efforts qu'il fait pour redevenir lui-même. En mieux! Car il se rend enfin compte qu'il a besoin des autres, ce qui le rend poli envers tout le monde. Albert n'en reviendrait pas!

ANNETTE, *riant*. Moi non plus!

BEAUJEU. Il faut cesser de l'imaginer «cloué» au lit, Annette. Il se lève tous les jours depuis une semaine, il recommence même à faire quelques pas... Vous voyez, il n'a rien perdu de son énergie.

ANNETTE, *enthousiaste*. Ah! ça m'étonne pas, c'est pas son affaire la maladie! Il va guérir, Beaujeu! Il va guérir!

BEAUJEU. Je le crois aussi.

ANNETTE. Je suis si contente qu'il se soit enfin décidé à vous demander d'aller vivre chez lui!

BEAUJEU, *étonné.* Il ne m'a jamais rien demandé de tel! Et pour cause, car...

ANNETTE, *l'interrompant.* Alors c'est vous qui y avez pensé, Beaujeu? C'est encore mieux!

BEAUJEU. Non, non, je n'y suis pour rien. *(Hésitant.)* C'est-à-dire... *(Il se tait.)*

ANNETTE, *protestant.* Mais, voyons! Je sais par Martine que vous habitez chez lui depuis presque un mois!

BEAUJEU. Oui, oui. Mais la décision n'est pas venue de moi. *(Vivement.)* Enfin, pas vraiment.

ANNETTE. De qui alors?

BEAUJEU, *s'excusant.* Je ne le sais pas, Annette, et je préfère ne pas en parler.

ANNETTE. Mais puisqu'il s'agit de lui, Beaujeu?

BEAUJEU. Il n'est pas seul en cause. Je le suis aussi. Il s'agit d'une chose très très personnelle...

> Annette renonce et se tait. Mais elle semble tellement navrée que Beaujeu se ressaisit aussitôt.

BEAUJEU. Ah! C'est vraiment trop bête de ma part de vous faire de la peine, ici, en prison! Non, vraiment!... Je vais essayer, Annette, je vais essayer de vous raconter ce qui m'est arrrivé...

ANNETTE, *vivement.* J'en dirai rien à personne, je vous le jure. Pas un mot!

> Beaujeu ne peut s'empêcher de rire. Annette non plus. Ils se regardent, apaisés.

BEAUJEU. Eh! bien... Eh! bien, voilà... Voilà... Ça s'est passé deux jours après l'entrée de mon père à l'hôpital, alors qu'il était encore entre la vie et la mort. C'était au lendemain de la grosse tempête... Vous souvenez-vous de ce matin où Montréal s'est éveillée presque ensevelie sous la neige?

ANNETTE. J'ai rien vu, mais tout le monde en parlait dans la prison.

BEAUJEU. Quand je suis sorti ce matin-là, pour aller voir mon père à l'hôpital, les nuages s'étaient complètement dissipés et il n'y avait plus un souffle de vent. Vous n'avez pas idée à quel point la ville était belle! Le ciel était d'un bleu à fendre l'âme et la blancheur de la neige vibrait sous un soleil étourdissant de lumière... Tout cela dans un silence exceptionnel dû à l'arrêt de

toute circulation. Un silence qui donnait l'impression que toute vie s'était arrêtée, suspendue, en attente... Il régnait dans l'air une sorte de... de joie impossible à définir, mais si prégnante que j'en eus un choc au cœur et que j'ai dû m'appuyer à la porte pour ne pas perdre l'équilibre. Je suis resté là, debout, immobile, vide de toute pensée, de toute préoccupation, sans désir, mais totalement présent... *(Il s'arrête bouleversé, mais reprend après un moment.)* Il me semble que de toute ma vie je n'ai jamais été aussi conscient de vivre... d'être! L'esprit, le cœur, et même toutes les cellules de mon corps participaient, se réjouissaient... Et soudain... En l'espace d'une seconde, Annette, tout a chaviré!... Tout a disparu!... Tout! La ville entière, la neige, les arbres et même le ciel et le soleil, tout! Même les notions de temps et d'espace, tout y compris moi-même. Il n'y avait plus de Beaujeu Martin, la joie avait tout envahi! La joie qui ne dépend de rien, qui ne repose sur rien, la joie en soi, à l'état pur...
Il se tait de nouveau. Aussi émue que lui, Annette se tait également.
BEAUJEU. J'ignore combien de temps je suis resté dans cet état. Tout ce que je peux vous dire, c'est que Montréal est soudainement redevenue une ville comme les autres et moi un être humain ordinaire, comme tous les jours. Et c'est à ce moment-là, à cette minute même que j'ai su, d'une façon indiscutable, ce que la vie attendait de moi pour que mon père retrouve sa santé physique et mentale, ce qui était presque inconcevable à ce moment-là.
Il se tait. Annette aussi, mais pas pour longtemps.
ANNETTE. Beaujeu... C'est... c'est extraordinaire...
Mais Beaujeu l'interrompt avant même qu'elle ait pu finir sa phrase.
BEAUJEU, *suppliant.* Chut!... S'il vous plaît! Pas de commentaires! Et surtout pas d'explication ni d'analyse. On gâche tout à vouloir tout expliquer. Il y a des domaines où les mots sont de trop.
ANNETTE. C'est vrai...
BEAUJEU, *souriant.* Vous vouliez savoir pourquoi j'habitais chez mon père, et bien vous le savez maintenant. Je n'ai tout simplement pas eu le choix. Êtes-vous contente?
ANNETTE, *avec force.* Très contente! Lui aussi, j'en suis sûre. Il a dû vous le dire d'ailleurs?
BEAUJEU. Non, parce qu'il n'a pas encore retrouvé l'usage de la parole.

ANNETTE, *sursautant.* Quoi!

BEAUJEU. Les mots s'arrêtent dans sa gorge.

ANNETTE, *se levant, horrifiée.* Vous voulez dire qu'il... qu'il est incapable de parler?

BEAUJEU. Ce n'est pas nécessairement définitif, Annette...

ANNETTE. C'est horrible! Et c'est arrivé ce soir-là?

BEAUJEU. Oui...

ANNETTE, *se laissant tomber sur sa chaise.* À cause de mes aveux... À cause de moi!

BEAUJEU. Pauvre Annette, quel autre choix aviez-vous que celui de dire la vérité?

ANNETTE, *se relevant de nouveau.* Celui de mentir! J'aurais pu mentir. Je l'aurais fait si j'avais pu prévoir tout ce qui lui est arrivé! Pour lui, je l'aurais fait! En quoi est-ce pire que d'avoir empoisonné votre mère pour l'empêcher de souffrir? L'amour, ça a pas de limites, Beaujeu, est-ce que vous le savez pas encore?

Beaujeu se lève, s'approche d'elle et couvre ses épaules de ses mains.

BEAUJEU. Annette, Annette! Êtes-vous tellement sûre que mon père n'avait pas besoin d'être terrassé pour enfin apprendre à respecter les autres? Pour comprendre qu'il est temps de mettre un frein à ses instincts de pouvoir, à ses intérêts personnels, à son orgueil...

ANNETTE, *se dégageant.* Je le sais, je le sais Beaujeu. Et bien mieux que vous encore! Mais moi j'ai appris à me défendre, tantôt à céder, tantôt à résister. Notre vie a été une sorte de combat perpétuel, c'est vrai, mais où chacun gagnait ou perdait à tour de rôle.

BEAUJEU. Oui, vous ne vous êtes pas laissée écraser. Ce n'est pas pour rien qu'il vous aime!

ANNETTE. Non, ce n'est pas pour rien! Et puisqu'il m'a demandé de devenir sa femme, c'est donc qu'il commençait déjà à changer, vous pensez pas?

Il la ramène vers sa chaise.

BEAUJEU. Oui, Annette. Et il continue à évoluer, je vous l'ai dit tantôt...

ANNETTE, *brusquement.* Donnez-moi une cigarette, voulez-vous?

BEAUJEU, *interdit.* Vous fumez?

ANNETTE. Quelquefois avec lui... pour me calmer. Et en ce moment! Ça doit être un supplice pour lui, Beaujeu! Lui qui parlait tout le temps!

482

Beaujeu lui tend son paquet, elle en prend une et l'allume pendant qu'il lui parle

BEAUJEU. J'essaie beaucoup de l'amener à dire quelques mots, mais je n'y arrive pas. J'aimerais tant savoir si sa mémoire est restée intacte! Je ne sais pas s'il se souvient d'avoir été un homme d'affaires...

ANNETTE. Dieu sait pourtant la place que ça tenait dans sa vie.

BEAUJEU. J'ignore aussi ce qu'il a retenu de cette fameuse soirée...

ANNETTE, *brusquement.* Est-ce qu'il vaudrait pas mieux qu'il ait tout oublié?

BEAUJEU. Non, Annette, non! Car alors il ne serait pas guéri! Je suis souvent tenté de lui parler de vous, mais tout le monde me dit que je risque de provoquer une nouvelle crise.

ANNETTE. Alors faut pas le faire, Beaujeu! Il a déjà assez souffert à cause de moi.

BEAUJEU. Mais une crise peut aussi être libératrice!

ANNETTE. C'est prendre un grand risque! Non, je vous en supplie, faites pas ça. Parlez-lui plutôt de votre mère.

BEAUJEU. Il place souvent sa chaise roulante devant son portrait. Et il la regarde toujours avec une sorte de supplication, comme s'il en attendait une réponse. Mais une réponse à quelle question?

Ils continuent tous deux à chercher des solutions susceptibles de les amener à comprendre ce qui se passe dans la tête et le cœur de Jérémie et se séparent peu après sur une suggestion d'Annette que Beaujeu voudrait tenter le jour même.

Voici maintenant Beaujeu qui entre dans la chambre de Jérémie, tenant un verre dans chaque main.

BEAUJEU. Bonjour!

Jérémie étonné consulte sa montre et désigne l'heure.

BEAUJEU. Quatre heures, oui, c'est bien ça! J'ai pu me libérer plus tôt cet après-midi, alors j'ai pensé vous faire une surprise.

Jérémie rit joyeusement et lui indique une chaise.

BEAUJEU. Et c'est pas tout! Regardez ce que je vous apporte... *(Il lui tend un verre.)* Sentez-moi ça!... *(Ce que fait Jérémie qui se met à rire.)* Eh oui!... Un petit scotch que nous allons boire ensemble.

Il s'assoit à côté de lui et lève son verre.

BEAUJEU. À votre santé!

Manifestement heureux, Jérémie lève son verre et frappe celui de Beaujeu.

BEAUJEU. Buvez doucement... Un petite gorgée à la fois.

Ce qu'ils font...

JÉRÉMIE. Ah !...*(En regardant son fils avec tant d'amitié que Beaujeu attendri lève son verre.)*

BEAUJEU. Une autre petite gorgée...

Jérémie l'imite, après quoi ils se regardent et se mettent à rire. Nouvelles gorgées, nouveaux rires.

BEAUJEU. Est-ce que ça vous rappelle le temps où j'allais vous retrouver à votre bureau, après le travail?

L'expression de Jérémie change aussitôt, devient perplexe. Il se penche vers Beaujeu, interrogateur, avant d'acquiescer de la tête. Mais ce n'est pas cette partie réussie de la vie de son père qui intéresse Beaujeu, mais l'autre, celle des émotions qui l'ont plongé dans l'état où il est aujourd'hui. Il dépose son verre et sort de sa poche le cahier bleu de Clothilde pour le montrer à son père.

BEAUJEU, *doucement.* Et de ça, vous souvenez-vous?

Jérémie regarde le cahier et tressaille. Les yeux levés vers le portrait de sa femme, il le désigne de la main.

BEAUJEU, *ému.* Oui, papa, c'est son journal. Je vous en ai déjà lu quelques pages, vous souvenez-vous?

Jérémie incline vivement la tête, vide son verre et se rapproche de Beaujeu qui ouvre le cahier.

BEAUJEU. Reconnaissez-vous l'écriture de maman?

Nouvelle affirmation de Jérémie.

BEAUJEU. Prenons une page au hasard... Ou plutôt non, tenez, celle-ci. La dernière, écrite le jour même de sa mort.

Jérémie tressaille de nouveau, l'air inquiet. Beaujeu le regarde et se demande s'il ne va pas trop vite, mais son père s'impatiente et pousse son bras pour qu'il continue.

BEAUJEU. Oui, oui, je commence... «Je suis de plus en plus faible. Impossible de penser que je passerai la journée. Déjà ma vue se brouille...» Regardez, son écriture est aussi déformée que sur le billet où elle me léguait son médaillon...

Il s'interrompt et se tourne vers Jérémie qui vient de lui toucher la main.

BEAUJEU. Son médaillon !... Vous en souvenez-vous?

Jérémie incline la tête avec un si vif intérêt que Beaujeu, spontanément, détache son col pour montrer le médaillon. Jérémie tend aussitôt la main avec avidité.

BEAUJEU. Vous le reconnaissez?... Bien sûr!

JÉRÉMIE, *l'interrompant.* Donne! Donne!

BEAUJEU, *éclatant de rire.* Donne! Donne! Là, je vous reconnais! Ça ne m'étonne pas que ce soit vos premiers mots!

Il ôte la chaîne de son cou et la tend à son père qui s'en empare et referme vivement ses deux mains sur le médaillon.

BEAUJEU, *riant.* Oh! Je ne le reprendrai pas tout de suite, rassurez-vous. Je vous le prête de bon cœur aujourd'hui.

Jérémie examine le médaillon, le tourne dans tous les sens, cherche à l'ouvrir mais n'y parvient pas.

BEAUJEU. Laissez-moi vous aider.

Jérémie secoue vivement la tête.

On frappe à la porte qui s'entrouvre. Geneviève demande si elle peut entrer.

BEAUJEU. Oui, oui, viens, Geneviève, il se passe des choses... Regarde ce qu'il tient!

GENEVIÈVE, *s'exclamant.* Ton médaillon!

Jérémie, au son de sa voix, lève les mains pour lui montrer le médaillon d'un air triomphant.

GENEVIÈVE, *sourire contraint.* Je vois, monsieur Martin, je vois...

BEAUJEU. Il l'a reconnu tout de suite, Geneviève! Tu ne trouves pas ça merveilleux?

GENEVIÈVE. Pour lui, oui, pas pour toi! Il ne voudra jamais te le rendre, Beaujeu!

BEAUJEU. Voyons... Tu sais à quel point j'y tiens!

GENEVIÈVE. Lui aussi! La preuve, tiens!... Regarde ce qu'il en fait...

Jérémie tente de passer la chaîne par-dessus sa tête mais ne parvient pas à lever les bras assez haut.

BEAUJEU, *ému.* Il n'a rien oublié!

GENEVIÈVE. Il n'y arrive pas... Au moins, aide-le!

BEAUJEU. À quoi bon? Il veut tout faire par lui-même.

Jérémie s'arrête et les regarde avec impatience.

GENEVIÈVE. Excusez-moi, monsieur Martin. Je vous dérange, n'est-ce pas?

BEAUJEU. Geneviève voulait vous dire bonjour avant d'aller chercher les enfants à l'école.

Jérémie sourit à Geneviève avec l'air de s'excuser. Beaujeu entraîne Geneviève près de la porte.

BEAUJEU, *baissant la voix.* Nous parlions trop fort.

GENEVIÈVE, *agacée.* Je ne sors pas, qu'est-ce que tu racontes? C'est vendredi, Beaujeu, et les enfants vont passer le week-end à la campagne chez leurs amis! L'as-tu oublié?

BEAUJEU, *confus.* Ça m'est complètement sorti de la tête!

GENEVIÈVE. Ils n'ont pas cessé d'en parler toute la semaine! Mais tu ne penses plus qu'à lui!

BEAUJEU, *désolé.* Je l'admets, Geneviève. *(Désignant son père.)* C'est tellement important pour lui que...

> *Jérémie s'arrête, les regarde avec encore plus d'impatience, puis leur tourne brusquement le dos et s'éloigne près de la fenêtre.*

BEAUJEU. Nous l'empêchons de se concentrer.

GENEVIÈVE. Compris! Je sors...

BEAUJEU, *la retient.* Nous allons dans la bibliothèque, papa. Venez nous rejoindre quand vous voudrez...

> *Ils sortent sur un grand soupir de satisfaction de Jérémie qui reprend aussitôt ses efforts. Beaujeu et Geneviève se laissent tomber sur le sofa, se regardent et ne peuvent s'empêcher de rire.*

BEAUJEU. Pas facile, hein?

GENEVIÈVE. Non!...

BEAUJEU. Donne-moi encore un peu de temps, veux-tu? Tout ça me bouleverse. Qu'il ait reconnu le médaillon, qu'il semble y tenir autant qu'il y a trois mois, c'est la preuve qu'il n'a pas tout oublié! Donc sa mémoire n'a pas été atteinte.

GENEVIÈVE. Pas complètement en tout cas!

BEAUJEU. Peut-être pas du tout! Il a même reconnu le journal de maman, et aussi son écriture! Et s'il se souvient de maman, il doit bien se souvenir d'Annette, non?

GENEVIÈVE. Tu ne vas quand même pas lui parler d'elle?

BEAUJEU. J'y pense de plus en plus.

GENEVIÈVE, *inquiète.* Attention, Beaujeu...

BEAUJEU. Oh! pas aujourd'hui, rassure-toi! Mais...

> *Un énorme éclat de rire l'interrompt. Ils se regardent, surpris. Et Beaujeu se lève au moment où Jérémie entre allègrement dans la bibliothèque et arrête sa chaise devant eux, en riant de tout son cœur. Sur sa poitrine brille le médaillon de Clothilde.*

BEAUJEU. Vous avez réussi!

GENEVIÈVE. Bravo, monsieur Martin. Quelle patience!

BEAUJEU. Félicitations!

> *Jérémie le regarde avec un grand sourire, mais recule en voyant Beaujeu s'approcher.*

BEAUJEU, *protestant.* Oh! Vous n'avez quand même pas cru que j'allais vous l'enlever? *(Spontanément.)* Non! Jamais plus! Je vous le donne, papa. Puisque vous y tenez tant, je vous le donne, ce médaillon, et pour toujours!

GENEVIÈVE, *protestant doucement.* Beaujeu!...

JÉRÉMIE, *ému, répète d'une façon inaudible.* Toujours?

BEAUJEU. Oui, pour toujours! Et je suis sûr que maman s'en réjouit et vous aidera à guérir sur tous les plans!

GENEVIÈVE. Alors fais-lui au moins lire l'inscription pour qu'elle lui soit aussi... aussi profitable qu'à toi...

BEAUJEU. Du sarcasme, ma parole?

GENEVIÈVE, *riant*. Presque...

BEAUJEU, *à son père*. Il y a une inscription à l'intérieur de votre médaillon. Il s'agit de trois mots que maman avait choisis elle-même et que mon ami Mounier a gravés pour elle à Paris.

Jérémie, surpris, le laisse ouvrir le médaillon. Mais il n'arrive pas à déchiffrer les mots.

BEAUJEU. « Qui suis-je ? » Voilà ce qui est écrit.

Les mots semblent éveiller un souvenir pour Jérémie qui se tourne vers lui, intrigué. Beaujeu hésite et répond doucement sans insister.

BEAUJEU. Qui suis-je? Souvenez-vous, nous en avons déjà parlé ici même. Le jour des funérailles de Philippe, dont vous ne compreniez pas la mort...

Jérémie approuve. Son regard se fixe presque aussitôt sur son fils avec une telle intensité que Beaujeu s'arrête, bien que son intuition l'incite à poursuivre. Qu'est-ce son père attend de lui ? Tu le sais! Tu le sais!

GENEVIÈVE, *qui suit la scène avec inquiétude*. Attention, Beaujeu...

BEAUJEU. Nous avions passé toute la journée ensemble, rappelez-vous...

«Parle!» disent les lèvres de Jérémie, dont le regard devient de plus en plus insoutenable. «Parle!» Il s'est même rapproché sur le bord de sa chaise, anxieux, tendu. Impossible de reculer, maintenant. Beaujeu se décide et plonge.

BEAUJEU. Rappelez-vous... C'est le jour... Le jour où vous avez décidé... décidé d'épouser Annette...

«Annette!» hurle Jérémie en se levant d'un bond. «Annette! Annette!» Des rugissements de haine, de rage et de détresse se succèdent sans arrêt, jusqu'à ce que Jérémie s'écroule sur sa chaise, secoué de sanglots si violents que tout son corps en est ébranlé. Saisie par ce débordement de douleur à l'état brut, Geneviève, qui en serait totalement incapable, envie presque Jérémie de pouvoir laisser libre cours à ses émotions, sans honte ni pudeur. Bouleversée, elle se tourne vers Beaujeu qui demeure silencieux, immobile, et elle se sent si indiscrète qu'elle quitte sans bruit la bibliothèque. Beaujeu attire la chaise roulante près de lui et entoure de son bras les épaules de son père dont les sanglots se prolongent longtemps avant de s'apaiser sur un soupir interminable.

BEAUJEU, *après un long moment de silence.* Voulez-vous que nous parlions de tout cela maintenant ? J'aurais tant de choses à vous dire...

Nouveau soupir interminable de Jérémie.

BEAUJEU. Ce que je veux que vous sachiez avant tout, c'est qu'Annette vous aime...

Vive protestation de rejet de la part de Jérémie.

BEAUJEU. Elle n'a jamais cessé et ne cessera jamais de vous aimer.

Jérémie secoue la tête de plus en plus énergiquement, avec des sons rauques.

BEAUJEU. Je vous le jure, papa ! Annette a agi par compassion pour maman dans le seul but d'abréger ses souffrances.

Jérémie éclate au point de retrouver la parole.

JÉRÉMIE. Maudit fou !

BEAUJEU. Si maman vous le disait elle-même, la croiriez-vous ?

JÉRÉMIE, *se levant de nouveau avec rage.* Ta mère est morte, Beaujeu ! Assassinée ! Par Annette ! Par Annette ! Assassinée ! Assassinée !

Il se tait à bout de souffle, épuisé par cette nouvelle avalanche d'émotions, et retombe sur sa chaise. Beaujeu se lève.

BEAUJEU. Laissez-moi vous ramener à votre chambre, vous semblez épuisé.

Jérémie se laisse conduire devant le portrait de sa femme.

JÉRÉMIE, *avec lassitude.* Va-t'en, Beaujeu...

BEAUJEU. Reposez-vous. Mais avant de vous quitter je vous laisse le journal de maman pour que vous puissiez lire la preuve de la sincérité d'Annette.

Ces mots raniment Jérémie qui s'exclame aussitôt.

JÉRÉMIE. Donne !

Beaujeu ouvre le cahier à la page où Clothilde, après une nuit de souffrance, exprime son désespoir.

BEAUJEU. Commencez ici... Toute la vérité est là ! Vous êtes bien sûr de comprendre son écriture ? Je peux vous en faire la lecture si vous le préférez ?

Jérémie secoue la tête avec impatience et commence à lire.

BEAUJEU. Alors ?...

JÉRÉMIE, *sans lever les yeux.* Va, va !

Beaujeu n'insiste pas, s'éloigne et referme la porte pour que son père puisse lire en paix.

* * *

La tête encore pleine des rugissements de Jérémie, il monte rapidement l'escalier pour aller s'étendre sur son lit, assoiffé de silence. Mais il lui faut un bon moment pour parvenir à lâcher prise sur l'absurde monologue intérieur qui s'empare toujours de l'esprit inoccupé. Patiemment, il regarde défiler tous ces mots si banals qui n'ont d'autre but que de valoriser celui qui les accueille, souvent au détriment des autres. Il en connaît si bien le mécanisme qu'il ne peut s'empêcher d'en rire, ce qui le détend, l'apaise, et lui permet enfin, peu à peu, d'entrer dans le silence.

Il n'en sort qu'une heure plus tard, régénéré, à nouveau capable d'affronter crise, sanglots, rage et même rugissements. Au pied de l'escalier, il s'arrête un moment pour écouter. Aucun son ne provient de la chambre de son père. Serait-il encore plongé dans sa lecture? Beaujeu ouvre doucement la porte et s'arrête, étonné. Son père ne lit pas, ne pleure pas. Il dort! Il dort, assis dans sa chaise roulante, en face du portrait de sa femme. Il dort, le médaillon bien en vue sur sa poitrine, le journal de Clothilde entre ses mains. Il dort. En toute candeur, comme un enfant réconcilié. Et Beaujeu s'émerveille. «Il n'aurait pas ce visage paisible s'il n'avait pas compris, songe-t-il. Compris et accepté. Comme fera sans doute le jury après lecture du témoignage de Clothilde. Coupable de charité.» Tel sera le verdict. Il en est sûr.

Mais un verdict n'est pas un jugement et l'euthanasie est interdite par la loi. Si compréhensif soit-il, le juge n'osera pas créer un précédent d'une telle importance qui libérerait Annette mais risquerait d'entraîner une série de cas d'euthanasie conçus par des gens sans scrupule mus par leurs intérêts personnels au détriment de leurs victimes.

Non, Annette n'échappera pas à la prison. Elle le sait. Le savait déjà au moment de glisser le poison dans le médicament de Clothilde et en avait accepté les conséquences. Aussi, tandis que le Lion terrassé mais non anéanti abandonne à son corps le soin de lutter pour sa vie, Annette derrière les barreaux de sa cellule, à l'autre bout de la ville, sans regrets ni remords, ne songe pas plus au passé qu'à l'avenir, mais au présent. Et le présent pour elle, c'est encore et toujours...

ANNETTE, *dans un murmure.* Jérémie... Jérémie Martin... *(Doucement ironique.)* Mossieur Jérémie Martin...

Elle rit doucement et, fidèle, continue à rêver comme elle le fait depuis vingt ans, à ce qui jamais ne sera. Pourquoi s'en priverait-elle, puisqu'elle n'en attend rien.

FIN

Achevé d'imprimer en septembre 1997 chez

à Boucherville, Québec